최상위 3%를 위한 책

산부인과
FINAL CHECK

부인과

GYNECOLOGY

최원규 지음

군자출판사

산부인과
FINAL CHECK | 부인과

첫째판 1쇄 인쇄 | 2022년 5월 9일
첫째판 1쇄 발행 | 2022년 5월 20일

지 은 이   최원규
발 행 인   장주연
출 판 기 획   최준호
편집디자인   정다운
표지디자인   김재욱
발 행 처   군자출판사(주)
          등록 제 4-139호(1991. 6. 24)
          본사 (10881) **파주출판단지** 경기도 파주시 회동길 338(서패동 474-1)
          전화 (031) 943-1888   팩스 (031) 955-9545
          홈페이지 | www.koonja.co.kr

ISBN 979-11-5955-890-0
     979-11-5955-888-7 (세트)

정가 80,000원

최상위 3%를 위한 책

산부인과
FINAL CHECK

부인과

Contents

산부인과
FINAL CHECK | 부인과

산부인과
FINAL CHECK

부인과

GYNECOLOGY

CHAPTER 01

임상 연구(Clinical research)

1 연구 설계(Study designs)

1) 임상 시험(Clinical trials)

(1) 임상 시험의 단계(Clinical trials phases)

시험 단계	목표
Phase I trials	소수의 그룹(20~80명)을 대상으로 약물의 체내 흡수, 분포, 대사, 배설 등에 대한 자료를 수집하면서 안전성을 평가
Phase II trials	좀더 큰 그룹(100~300명)을 대상으로 적정 용량의 범위(최적의 투여량 등)와 용법을 평가
Phase III trials	큰 그룹(1,000~3,000명)을 대상으로 약물의 유효성과 안전성을 최종적으로 검증하고, 부작용, 다른 치료 방법들과의 비교를 시행
Phase IV trials	약물 시판 후 부작용을 추적하여 안전성을 재고하고, 추가적 연구를 시행

(2) 무작위 통제 이중 맹검 임상 시험(Randomized controlled double-blinded clinical trial)

① 평가를 위한 표준방법

② 편향을 최소화하기 위하여 참가자와 조사자 모두에게 비밀로 무작위 치료 배정

2) 코호트 연구(Cohort study)

(1) 정의

① 특정 요인에 노출된 집단과 노출되지 않은 집단을 추적하고 연구 대상 질병의 발생률을 비교하여, 요인과 질병 발생의 관계를 조사하는 연구 방법

② 예 : 백신 접종에 따른 추후 질병의 발생률을 조사하는 연구

(2) 종류

① 전향적 코호트(prospective cohort) : 질환에 걸리지 않은 대상으로 이들이 위험 요인에 노출되었는지 여부에 따라 노출군과 비노출군으로 구분한 뒤 향후 질병의 발생률을 비교

② 후향적 코호트(retrospective cohort) : 연구 시작 시점 이전으로 거슬러 올라가 요인과 질병 발생과의 관련성을 추적

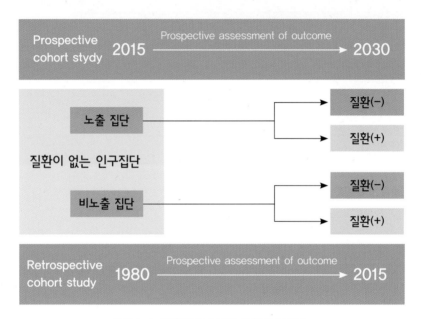

그림 1-1. 전향적 코호트와 후향적 코호트

(3) 결과 지표

① 비교위험도(relative risk, RR)

    a. 위험요인을 갖고 있는 군이 위험요인을 갖고 있지 않는 군에 비하여 연구하는 질병의 발생률이 몇 배인가를 계산하는 통계량

    b. Relative risk = 위험요인이 있는 군의 질병발생률/위험요인이 없는 군의 질병발생률

    c. 연관성의 강도와 관련됨

② 기여위험도(attributable risk, AR)

    a. 위험요인을 갖고 있는 집단의 해당 질병 발생률의 크기 중 위험요인이 기여하는 부분을 추정하기 위하여 개발된 통계량

    b. Attributable risk = (Relative risk - 1)/Relative risk

(4) 장점과 단점

장점	단점
Selection, recall bias의 가능성이 적어 신뢰도가 높음 AR과 RR을 함께 구할 수 있음 한번에 여러 가설 검증 가능 인과관계 및 질병의 자연사 파악 가능	많은 비용과 시간이 필요 대상자의 중도 탈락이 많음

3) 환자-대조군 연구(Case-control study)

(1) 정의

① 현재 질병을 갖고 있는 군과 갖고 있지 않은 군을 구분하여 환자군과 대조군으로 나누고, 각 원인에 노출 여부를 확인해 관련성을 규명하는 후향적 연구방법(retrospective study)

② 병인의 단서를 얻을 목적으로 자주 이용

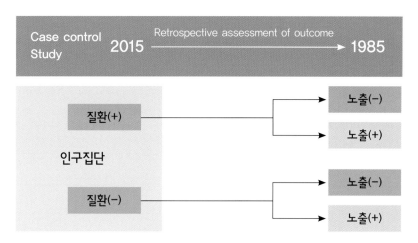

그림 1-2. 환자-대조군 연구

(2) 지표

① 교차비(odd ratios, OR)

  a. 비교위험도를 추정하기 위하여 개발

  b. Odd ratios = Disease (+) with risk factor의 odds/ Disease (-) with risk factor의 odds

② 기여위험도(AR)를 구할 수 없어 위험인자의 절대적인 영향을 확인할 수는 없음

(3) 장점과 단점

장점	단점
적은 비용 필요한 연구대상자의 숫자가 적음 단기간 내에 연구를 수행 가능 희귀질병 및 잠복기가 긴 질병도 연구 가능 피연구자가 새로운 위험에 노출되는 일이 없음	Selective bias, recall bias 같은 정보 편견의 위험이 큼 대조군 선정의 어려움 통제가 필요한 변수의 정보를 구하지 못할 때가 많음

4) 횡단면 연구(Cross-sectional study)

(1) 정의

① 질병과 특정 노출인자에 대한 정보를 같은 시점 또는 짧은 기간 내에 얻는 역학적 연구

② 예 : XX년 서울 거주 성인 2,000명을 무작위 추출하여 고혈압과 당뇨의 유병률을 조사

(2) 장점과 단점

장점	단점
단시간 내에 결과를 얻을 수 있음 동시에 여러 질병과 요인의 관련성 연구 가능 해당 질병의 유병률을 확인 가능	질병과 관련인자의 선후관계가 불분명 복합요인들 중 원인요인 만을 찾아내기 어려움 대상 인구집단이 비교적 커야 함 Selective bias의 위험이 있음 해당 질병의 발생률을 구할 수 없음

2 건강 수준의 측정

1) 비율과 측정 값의 계산

Status determined by screening	True disease state	
	Positive	Negative
Positive	a	b
Negative	c	d

(1) 민감도(Sensitivity)

① 실제 병이 있는 사람을 어떤 진단 검사법으로 검사한 후 병이 있다고 판정할 수 있는 능력 또는 확률

② Sensitivity = a/(a+c)

③ 조기 진단이 필요한 경우에는 민감도가 높은 검사가 유리

(2) 특이도(Specificity)

① 진단 검사법으로 검사한 후 병이 없는 사람을 병이 없다고 판정할 수 있는 능력 또는 확률

② Specificity = d/(b+d)

③ 유병률이 낮은 질환에는 특이도가 높은 검사가 유리

(3) 진단 기준에 따른 민감도와 특이도의 변화

① 진단기준이 낮아지면 민감도는 높아지고 특이도는 낮아짐

② 진단기준이 높아지거나 첨가되면 민감도는 낮아지고 특이도는 높아짐

(4) 양성 예측도(Positive predictive value, PPV)

① 진단 결과의 정확성을 설명해 주는 것으로 그 진단 검사법으로 양성이라고 판명된 사람 중 정말 양성일 확률

② Positive predictive value = a/(a+b)

(5) 음성 예측도(Negative predictive value, NPV)

① 진단 결과의 정확성을 설명해 주는 것으로 그 진단 검사법으로 음성이라고 판명된 사람 중 정말 음성일 확률

② Negative predictive value = d/(c+d)

CHAPTER 02

여성의 해부학(Female anatomy)

1 골반 구조(Pelvis structure)

1) 뼈와 인대(Bone & ligaments)

  (1) 뼈 골반(Bony pelvis)

    ① 깔때기 구조로 사람 몸통의 하부를 받치고 있는 부분

    ② 구성 : Sacrum, coccyx, paired hip bones (coxal, innominate bone)

    ③ Ischial spine

      a. Pudendal nerve block과 sacrospinous ligament vaginal suspension의 기준점

      b. 태아 머리 하강(descent)의 기준점

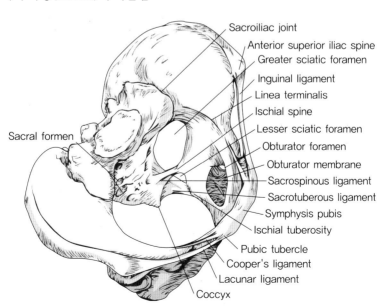

그림 2-1. 뼈 골반(Bony pelvis)

(2) 골반 인대(Ligaments)

① Inguinal ligament : 서혜부 탈장의 수술적 치료에서 가장 중요한 인대

② Copper's ligament : 요실금 수술 시 bladder suspension의 위치

③ Sacrospinous ligament

    a. Vaginal suspension의 장소

    b. 음부신경마취(pudendal nerve block)의 위치

④ Sacrotuberous ligament

2) 골반 근육(Muscles)

(1) 측벽(Lateral wall)

① Piriformis

② Obturator internus

③ Iliopsoas

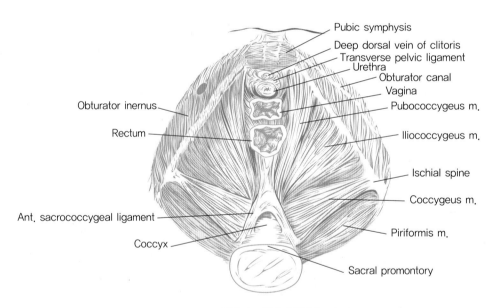

그림 2-2. 골반 근육(Muscles)

(2) 골반바닥(Pelvic floor)

① 골반횡격막(pelvic diaphragm)의 구성

    a. Levator ani : pubococcygeus, puborectalis, iliococcygeus로 구성

    b. Coccygeus muscles

② Urogenital diaphragm의 구성

a. Deep transverse perineal

b. Sphincter urethrae

   - External urethral sphincter

   - Compressor urethrae

   - Urethrovaginal sphincter

③ 회음체(Perineal body)

a. Triangle-shaped structure separating the distal portion of the anal and vaginal canals

b. Bulbocavernosus, external anal sphincter, superficial transverse perineal muscle의 tendon at-tachment로 구성

c. Separating the anorectal from the urogenital compartment

d. Important anchoring role in the musculofascial support of the pelvic floor

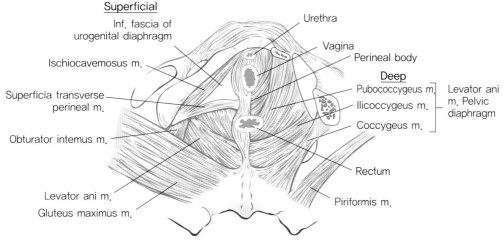

그림 2-3. 골반바닥(Pelvic floor)

3) 혈관(Blood vessels)

(1) 대동맥(Aorta)에서 직접 분지하는 혈관

① Ovarian artery

② Superior rectal artery(Inferior mesenteric artery)

③ Lumbar artery

④ Vertebral artery

⑤ Middle sacral artery

(2) 내장골동맥(Internal iliac artery)의 분지

Anterior division	Posterior division
Obturator artery	Iliolumbar artery
Internal pudendal artery	Lateral sacral artery
Umbilical artery	Superior gluteal artery
Superior, middle, inferior vesical artery	
Middle rectal(hemorrhoidal) artery	
Uterine artery	
Vaginal artery	
Inferior gluteal artery	

(3) 외장골동맥(External iliac artery)의 분지

① Superior epigastric artery

② Inferior epigastric artery

③ Superior circumflex iliac artery

④ Deep circumflex iliac artery

⑤ External pudendal artery

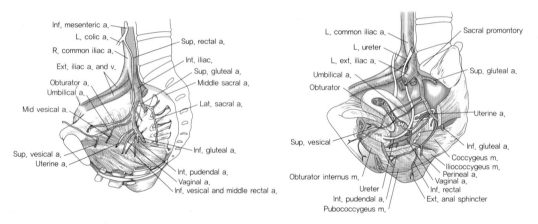

그림 2-4. 골반의 혈관 분포

4) 림프관(Lymphatics)

(1) 생식기 구조물의 배액(drainage)을 담당하는 림프절

① Aortic / Para-aortic lymph node

    a. Ovary, Fallopian tube, Uterine corpus(upper)

    b. Drainage from common iliac nodes

② Common iliac lymph node : Drainage from External and Internal iliac nodes

③ External iliac lymph node

    a. Upper vagina, Cervix, Uterine corpus(upper)

    b. Drainage from Inguinal nodes

④ Internal iliac lymph node

    a. 종류 : Lateral sacral, Superior gluteal, Inferior gluteal, Obturator, Rectal, Parauterine

    b. 담당 부위 : Upper vagina, Cervix, Uterine corpus(lower)

⑤ Inguinal lymph node

    a. 종류 : Superficial, Deep

    b. 담당 부위

      - Vulva, Lower vagina

      - Rare하게 Uterus, Tube, Ovary

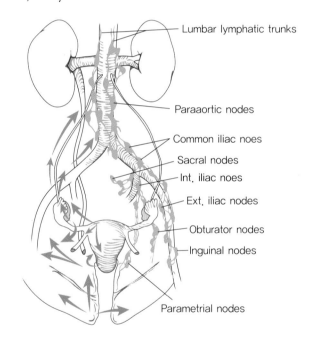

그림 2-5. 골반의 림프 배액

5) 신경(Nerve)

(1) 체신경 분포(Somatic innervation)

① 역할 : Lumbosacral plexus와 이것에서 분지되는 신경들이 하복부벽, 골반횡격막, 비뇨생식기 횡격막, 회음부, 엉덩이와 하지의 감각신경과 체신경을 담당

② 체신경에 따른 역할

Nerve	Sensory	Motor
Genitofemoral n.	anterior vulva(genital branch), middle/upper anterior thigh(femoral branch)	common iliac and external iliac lymph node dissection 시 가장 흔하게 손상되는 신경
Obturator n.	medial thigh and leg, hip and knee joints	adductor muscles of thigh
Pudendal n.	perianal skin, vulva and perineum, clitoris, urethra, vaginal vestibule	external anal sphincter, perineal muscles, urogenital diaphragm
Iliohypogastric n.	skin near iliac crest, just above symphysis pubis	
Ilioinguinal n.	upper medial thigh, mons, labia majora	
Lat. femoral cutaneous n.	lateral thigh to level of knee	
Femoral n.	anterior and medial thigh, medial leg and foot, hip and knee joints	iliacus, anterior thigh muscles
Sup. gluteal n.	gluteal muscles	
Inf. gluteal n.	gluteal muscles	
Post. femoral cutaneous n.	vulva, perineum, posterior thigh	
Sciatic n.	much of leg, foot, lower-extremity joints	post. thigh & leg. foot muscles

(2) 자율신경 분포(Autonomic innervation)

① 자율신경에 따른 역할

Nerve	Innervation	Course
Vesical plexus	bladder & urethra	along Vesical vessels
Middle rectal plexus (Hemorrhoidal)	rectum	along middle rectal vessels
Uterovaginal plexus (Frankenhauser ganglion)	uterus, vagina, clitoris, vestibular bulbs	along uterine vessels and through cardinal and uterosacral ligament

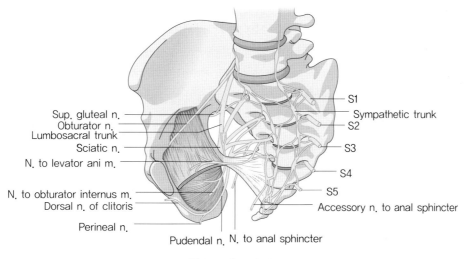

그림 2-6. Sacral plexus

2 골반 내장(Pelvic viscera)

1) 배아 발달(Embryonic development)

(1) 생식세포의 발달(Gametogenesis)

① 이동

a. 원시 생식세포(primordial germ cells)는 임신 3주경 원시장(primitive gut)과 난황낭(yolk sac)의 내배엽에서 유래하여 생식샘 능선(원시 생식샘이 나중에 난소로 분화)으로 이동하여 약 300~1,300개의 생식세포가 생식샘에 도달

b. 난조세포(oogonia) : 생식샘에 도달한 원시 생식세포

② 분열(유사분열) : 난조세포는 수정 후 5주에 처음 나타나고 유사분열(mitosis)을 통해 급속히 증식하며 5개월에 약 260만개로 최대가 되며 약 7개월까지만 관찰

③ 성숙(감수분열)

a. 유사분열을 끝낸 난조세포는 감수분열에 진입하면 난모세포(oocyte)가 됨

b. 제1감수분열에 진입한 제1난모세포들은 전기단계(prophase)의 diplotene stage까지만 발달하며 배란 직전까지 감수분열은 더이상 진행되지 않음

c. 난모세포는 수정 후 8주에 처음 나타나고 5개월에 약 420만개로 최대가 됨

d. 난소에 있는 생식세포수는 임신 5개월에 난모세포 및 난조세포를 합하여 약 700만개로 최대가 되며 출생 시에는 난조세포는 없으며 난모세포만 약 100만개가 있고 사춘기에는 약 40~50만개로 됨

e. 사춘기에는 LH surge에 의해서 감수분열이 재개되어 배란 직전 난포의 성숙과 동시에 제1 감수분열이 끝나고 제2난모세포(23,X)와 제1극체(first polar body)를 형성

f. 제1감수분열이 끝난 후의 난모세포인 제2난모세포(secondary oocyte) 상태로 배란

g. 제2감수분열은 배란 후에 일어나는데 수정된 경우에만 완전히 끝나 난자(ovum; 23X)와 제2극체(second polar body)가 형성되며, 수정이 일어나지 않을 때는 중기 II (metaphase II)에서 중단

(2) Mullerian duct (Paramesonephric duct)

① 태생기 5주경 urogenital ridge의 upper pole에서 발생

② 구성 : Mesonephros, gonad, associated duct

③ Upper ends : oviduct를 형성

④ 융합(fusion)된 부분

    a. 자궁(uterus)을 형성

    b. 형성 구조물 : fallopian tube, uterus, upper 1/3 vagina

⑤ Testis determining Y gene(TDY)

    a. Y chromosome에 위치하고 성분화를 조절

    b. Gonadal cortex의 퇴화

    c. Medulla를 Sertoli cell로 분화

⑥ Sertoli cell : AMH (Anti-Müllerian hormone)를 분비해 paramesonephric duct를 퇴화시킴

⑦ Leydig cell : Testosterone 분비

⑧ Germ cell : Oogonia로 분화하고 primary oocytes로 first meiotic division

(3) 뮐러관기형의 분류

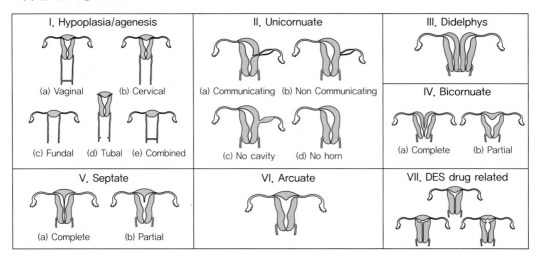

그림 2-7. 자궁기형의 분류

(4) 뮐러관기형과 중간콩팥관기형(Mesonephric duct anomaly)이 함께 잘 오는 이유

　① 태생학적으로 뮐러관은 생식샘(gonad)과 중간콩팥관 사이에서 발생하여 점차 아래쪽 그리
　　고 바깥쪽으로 확대(downward and laterally extension)된 후 내측으로 돌아 중앙에서 융합

　② 뮐러관과 중간콩팥관의 가까운 연관성에 의해 한쪽 관에 손상을 주는 일이 있을 경우 양쪽
　　에 모두 손상을 줄 가능성이 증가하여 생식관과 비뇨기계의 이상은 연관성이 높음

(5) 남성과 여성 생식기의 발생

발생 기관	여성	남성
Paramesonephric duct	Fallopian tube, Uterus	
Genital tubercle	Penis	Clitoris
Urogenital fold	Labium minor	Penile urethra
Labioscrotal swelling	Labium major	Scrotum
Urogenital sinus	Vaginal vestibule	

(6) 자궁의 이상

　① 진단 : Laparoscopy, hysteroscopy, hysterosalpingography, ultrasound, MRI, IVP 등

　② 동반되는 이상

　　a. 비뇨기계 이상이 잘 동반(IVP 확인이 필요)

　　b. 청각장애 : 뮐러관 이상 여성의 1/3에서 발견되며 주로 고주파에서 감각신경성 청각장애
　　　(sensorineural hearing deficits)의 형태로 발생

　③ 산과적 중요성

　　a. 유산, 자궁외임신, 흔적 자궁각임신(rudimentary horn pregnancy), 조산, 태아성장제한, 비
　　　정상 태위, 자궁기능부전, 자궁파열의 위험성 증가

　　b. 해부학적 교정이 되어도 유산(miscarriage)을 막을 수는 없음

　④ 종류

　　a. 무자궁(absence of uterus)

　　　- Isolated form (rare)

　　　- 대부분 어느 정도의 질 결여를 동반

　　b. 단각자궁(unicornuate uterus)

　　　- 원인 : Muller관의 한쪽만이 발달되고 다른 한쪽은 발달이 안됨

　　　- 임신력에 대한 예후가 불량(poor reproductive outcome)

　　c. 대칭 이중자궁(symmetrical double uterus)

　　　- Uterus didelphys : Complete duplication

- Bicornuate uterus : Two horns of such a partially fused uterus
- Septate uterus
  · External configuration of the uterus is relatively normal with a septum within uterus
  · 수술적 치료로 생식 능력의 향상을 기대할 수 있는 유일한 기형
  · 치료 : 자궁경을 통한 절제(hysteroscopic resection)
- Arcuate uterus : Bicornuate uterus보다 미약한 경우
- 증상 : Infertility, spontaneous abortion

d. 흔적자궁각(rudimentary uterine horn)
  - development of one mullerian duct is normal and development of the other is very imperfective fusion
  - 동측의 요관의 이상 동반이 가장 흔함(IVP 시행)

e. 맹자궁각(blind uterine horn)
  - 양측 뮬러관의 발육은 큰 차이 없이 잘 이루어져 있으나 한쪽이 다른 쪽과 연결되지 않거나 밖으로 통하지 않을 때 발생
  - 증상 : 생리통, 하복부 및 자궁경부의 측면의 덩어리, 자궁내막증, 요로계기형

2) 생식기 구조(Genital structures)

(1) 질(Vagina)

① 유래
  a. 상부 : Mullerian duct(paramesonephric duct)
  b. 하부 : Urogenital sinus

② 길이
  a. Anterior : 6~8 cm, Posterior : 7~10 cm
  b. 4개의 fornix 중 post. fornix가 vaginal wall이 가장 길고, ant. fornix가 가장 짧다

③ 혈액 공급
  a. Upper 1/3 : cervicovaginal branch of uterine artery
  b. Middle 1/3 : inferior vesical artery
  c. Lower 1/3 : middle rectal artery, internal pudendal artery

④ 신경 분포
  a. Upper : uterovaginal plexus
  b. Distal : pudendal nerve

⑤ 림프액 흡수
  a. Upper 1/3 : iliac node
  b. Middle 1/3 : internal iliac node

c. Lower 1/3 : inguinal node

(2) 자궁경부(Cervix)

① 길이 : 2~3 cm

② Two portion

a. Exocervix : Portion on Pars vaginalis

b. Endocervix : Supravaginal portion

③ Two orifice

a. External orifice(=portion vaginalis)

b. Internal orifice

④ Transformation zone

a. 출산, 손상, 감염 후 endocervical epithelium이 질의 낮은 pH에 노출되어 squamous epithe-lium으로 변형된 부분

b. Squamous neoplasia가 호발

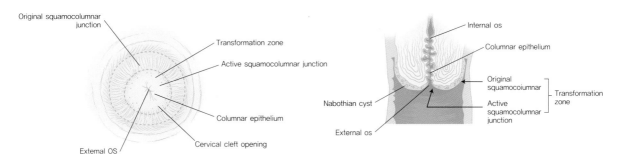

그림 2-8. 자궁경부의 구조

(3) 자궁체부(Corpus)

① 길이

a. 사춘기(puberty) 전 : 2~3 cm

b. 미분만부(nullipara) : 6~8 cm

c. 다분만부(multipara) : 9~10 cm

② 경부(cervix)와 체부(corpus)의 비율

a. 사춘기(puberty) 전 : Cervix (2/3), Corpus (1/3)

b. 미분만부(nullipara) : Cervix (1/2), Corpus (1/2)

c. 다분만부(multipara) : Cervix (1/3), Corpus (2/3)

③ 자궁근육(myometrium)

a. 두께 : 1.5~2.5 cm

b. Smooth muscle fiber로 구성된 근육층

④ Isthmus : 임신 시 lower segment가 형성되는 부위

⑤ 혈액 공급 : Uterine artery

⑥ 신경 분포 : Uterovaginal plexus

(4) 자궁관(Fallopian tube)

① Interstitial, isthmus, ampulla, fimbria로 구성

② 혈액 공급 : Uterine artery, ovarian artery

③ 신경 분포 : Uterovaginal plexus, ovarian plexus

(5) 난소(Ovary)

① 크기 : 다양(보통 가임기 5x3x3 cm), 폐경 후 크기 감소

② 기능

a. 난자의 발달과 배출의 기능

b. Steroid hormone의 합성과 분비

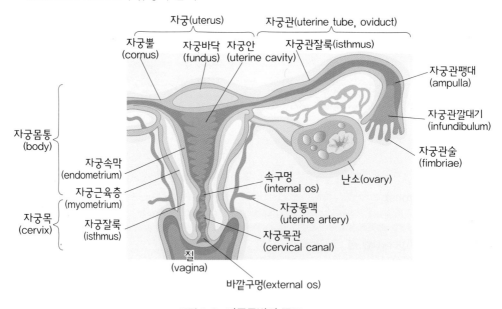

그림 2-9. 자궁주변의 구조

(6) 자궁인대(Ligaments)

① 광인대(broad ligaments)

a. 자궁의 외측 경계로부터 골반벽까지 뻗어 있는 두 개의 날개 모양 구조물로서 골반강을 앞, 뒤 구획으로 나눔

b. Superior border의 medial 2/3는 난관이 붙어 있는 mesosalpinx를 형성, outer 1/3은 infundibulopelvic ligament 또는 suspensory ligament를 이룸

c. 자궁동맥(uterine artery) : Broad ligament의 바닥에서 올라옴

d. 난소동맥 & 정맥(ovarian artery & vein) : Infundibulopelvic ligament를 통해 broad ligament로 들어감

② 자궁천골인대(uterosacral ligament)

a. 자궁의 posterior wall의 internal os level에서 나와 rectum을 돌아 second & third sacral vertebrae의 junction에 들어감

b. 기능 : 자궁과 자궁경부의 지지

c. Douglas pouch의 바깥 경계를 형성하고, 생리통과 관련

d. 늘어나면 자궁경부가 하전방으로 내려감

③ 자궁원인대(round ligament)

a. 자궁저부의 측면에서 나와 broad ligament 사이로 가서 internal inguinal ring에 이르러 inguinal canal을 지나 fan-like fashion으로 확장되어 서혜부의 connective tissue와 결합

b. 기능 : 후방 전위의 예방(prevention of retrodisplacement)

c. 다산부의 경우 round ligament가 늘어나 후굴(retroversion)되어 허리 통증 유발

d. 임신 시 비후되어 산도로 아기가 나오는 방향을 잡아 줌

④ 기인대(cardinal ligament)

a. Broad ligament가 uterosacral ligament 하방으로 가면서 견고해진 구조

b. Paravesical space와 pararectal space를 가르는 구조물

c. 자궁동맥(uterine artery)이 지나감

d. 기능 : 자궁이 아래로 빠져나가지 못하게 함(uterine prolapse를 방지)

⑤ 치골자궁경부인대(pubocervical ligament)

a. Pubis의 posterior aspect에서 시작되어 자궁경부의 anterolateral portion에 부착된 인대

b. 약해지면 cystocele 발생

CHAPTER 03

분자생물학 및 유전학(Molecular biology and Genetics)

1 세포주기(Cell cycle)

1) 정상 세포주기(Normal cell cycle)

(1) G1 phase : pre-DNA synthetic phase

① Diverse biosynthetic activity

② DNA 합성에 필요한 enzyme과 protein을 준비하는 시기

③ 8~100시간으로 가장 시간 변동이 심함

④ Cell 마다 cycle이 다른 것은 G1 phase의 차이에 의함

(2) S phase : DNA synthesis

① Nuclear DNA를 합성하는 시기

② DNA content가 두 배가 되는 시기

③ All or none phenomenon

④ 약 10시간

(3) G2 phase : post-DNA synthesis

① RNA와 protein을 합성하는 시기

② DNA 복제 오류(replication error)를 수정하는 시기

③ DNA 수정의 결함이 발생하면 암(cancer)의 위험도가 증가

④ 약 5시간

(4) M phase : mitosis

① Nuclear chromosomal division이 일어나는 시기

② 4부분으로 구성 : prophase, metaphase, anaphase, telophase

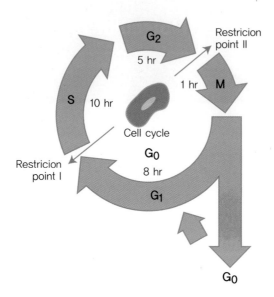

그림 3-1. 정상 세포주기(Normal cell cycle)

2) 세포주기의 유전적 조절(Genetic control of the cell cycle)

(1) 세포분열주기유전자(Cell division cycle genes)

① Two checkpoints

  a. G1/S boundary : 세포가 proliferation 되기 위한 허가가 이루어지는 단계

  b. G2/M boundary : DNA 손상의 복구가 이루어지는 시기

② 중요한 checkpoint regulation factors

  a. cdc2 family of genes

    - G2/M checkpoint에서 M phase로의 활성화를 시작하는데 중요

    - p34 cdc2 protein과 specific cyclin이 heterodimer를 형성하면 mitosis promoting factor (MPF)라고 하는데 이 것이 세포의 mitosis를 활성화

  b. Cyclin proteins

    - Accumulation or degradation에 따라 G1/S transition을 결정

    - Chromosome의 특정 부위에 결합하는데 다 결합하고도 남아서 세포 내에 축적되면 S phase로 넘어가는 것으로 알려짐

③ 세포분열(Mitosis)

  a. G2/M checkpoint에서 cdc gene에 의해 활성화가 시작

  b. p53 tumor suppressor gene

- Cell cycle 조절에 참여
- 세포가 radiation에 노출되어 DNA에 손상이 있을 때 S phase arrest를 유발하여 cell division을 차단
- Wild type p53 gene : human papillomavirus E6 protein은 DNA 손상 발생 시 S phase arrest를 불활성화 시킴

(2) 세포자멸사(Apoptosis)

① 정의 : 조직의 항상성을 유지하는 예정된 세포 사멸
② 세포자멸사와 괴사의 특징

세포자멸사(apoptosis)	괴사(necrosis)
− 특정 유전자의 발현에 의해 시작되는 energy dependent, active process − Cells shrink and undergo phagocytosis	− Cells expand and lyse − Energy−independent and results from noxious stimuli

③ 관여 유전자 : bcl-2, c-myc, p53, ced-9 등
④ 종양 : 증식과 사멸의 부조화 결과로서, 정상적인 세포자멸사의 기능이 소실되어 발생

(3) 용어 정리

① Genome : Haploid 내에 저장되어 있는 유전 정보
② Chromosome : centromere, short p arm, long q arm
③ Nucleosome : Nucleotide chain with core of protein
④ Codon
　a. 사람의 유전자(gene) 중 특정 DNA 구조가 특정한 하나의 amino acid를 합성할 수 있도록 하는 유전정보를 함유하고 있는 부분
　b. 구성 : 3 base pair of nucleotide
⑤ Exon : 특정 단백질을 합성하는 m-RNA를 만드는 부위
⑥ Intron : non-coding gene
⑦ Microarray chip technology
　a. 작은 금속이나 유리 표면 위에 수백만 또는 수십만 개의 oligonucleotide나 cDNA 탐침을 고밀도로 고정시켜 많은 유전자를 동시에 확인할 수 있는 분자유전학적인 방법
　b. DNA와 proteins의 분석 및 target specific disease mechanisms의 치료 방법으로도 각광

2 세포 성장과 기능의 조절(Modulation of cell growth and function)

1) 종양유전자(Oncogenes)

(1) 세포막 암유전자
① 펩티드 성장인자
    a. 세포막 수용체에 결합하여 증식을 유도하는 분자기전을 자극
    b. 종류 : Epidermal growth factor(EGF), platelet derived growth factor(PDGF), fibroblast growth factor(FGF)
    c. 세포외공간에 존재하는 성장인자는 세포막수용체에 결합하여 증식을 유도하는 일련의 분자기전을 자극
    d. 펩티드 성장인자는 전형적으로 분비된 국소환경 내에서 작용
② 암세포 증식이 자율성을 가지는 주된 방법 : 자가분비에 의한 성장자극이라는 개념
    a. 암세포는 자극성 성장인자를 분비하여 동일 세포의 수용체에 결합
    b. 펩티드 성장인자의 과발현이 악성변환에 주된 인자라기보다는 보조인자로서 역할

(2) 세포 내 암유전자
① 펩티드 성장인자의 수용체에 결합 후 이차 신호가 생성되어 성장자극이 핵으로 전달
    a. 신호전달의 많은 부분은 비수용체형 활성효소에 의한 단백질의 인산화와 관련
    b. 활성효소의 활성도는 PTEN 등의 인산가수분해효소(phosphatase)에 의해 조절
② 돌연변이 암유전자
    a. RAS 유전자 : 위장관계 암, 자궁내막암 등에서 가장 흔한 돌연변이 암유전자
    b. BRAF 유전자 : MAP kinase 경로를 활성화에 관여하는 Ras 단백질과 작용하는 활성효소를 암호화하는 유전자로 Ras 돌연변이가 없는 많은 암종에서 흔히 발생

(3) 핵 내 암유전자
① 세포막과 세포질에서 생성된 신호에 반응하여 세포증식이 일어나면, 핵 내의 전사인자들과 DNA 복제와 세포분열을 자극하는 유전자 산물을 활성화
② 핵 내 암유전자의 종류
    a. fos, jun 암유전자 : 이합체화(dimerization) 후 activator protein 1 (AP1) 전사복합체를 형성하는데, 부적절하게 과발현 시 암유전자로 작용
    b. myc 유전자의 증폭 혹은 과발현 : 세포증식을 조절하고 세포고사에도 영향, 인간의 암 발생에 가장 흔히 연관

2) 종양억제유전자(Tumor suppressor genes)

(1) 종양억제유전자의 종류와 기능

종양억제유전자	기능
p53	Mutated in as many as 50% of solid tumors
Rb	Deletions and mutations predispose to retinoblastoma
PTEN	Dual specificity phosphatase that represses PI3–kinase/Akt pathway activation with negative effect on cell growth
P16INK4a	Binds to cylin–CDK4 complex inhibiting cell cycle progression

(2) 핵 내 종양억제유전자

① 망막아세포종 유전자(Rb)

　a. 최초로 발견된 종양억제유전자

　b. Rb 단백질은 세포주기의 G1기에서 E2F 전사인자에 결합하여 세포주기 진행에 관련된 다른 유전자의 전사를 차단

　c. G1 정지는 Rb 인산화를 방해하는 Cdk 저해제인 p16, p21, p27에 의해 유지

② Cdk 저해제 : G1 정지를 유지함으로써 종양억제유전자로 작용

③ p53 유전자

　a. p53 단백질은 핵 내에 존재하며 p21 유전자의 전사조절인자에 결합하여 종양억제 기능을 발현

　b. MDM2 유전자 산물은 p53 단백질을 분해하고, 반면에 세포주기 정지를 개시하기 위해 p53의 상향조절이 필요할 때에는 p14ARF가 MDM2를 하향조절

　c. 세포증식의 억제 외에 세포고사의 개시에도 중요한 역할

(3) 핵 외 종양억제유전자

① PTEN 인산가수분해효소

　a. 티로신 활성효소의 작용을 억제

　b. 세포골격 단백질의 조절을 통해 침습과 전이를 억제하는 기능

② APC 종양억제유전자

　a. 세포증식과 부착에 관여하는 wnt 신호경로와 연관된 세포질 내 단백질을 암호화

　b. APC의 비활성화는 악성변환을 초래

　c. 가족성 선종성용종증과 관련

③ TGF-β : 정상 세포의 증식을 G1기에서 억제함으로서 종양억제 작용

3 면역학(Immunology)

1) 면역기전(Immunologic mechanisms)

(1) 면역반응(Immune response)

① 종류

　a. Antigen-nonspecific immune response

　b. Adaptive or antigen-specific immune response

　　- Humoral immune responses

　　- Cellular immune responses

② 관여 세포의 종류 및 역할

　a. B lymphocyte

　　- Antibody 형성에 관여

　　- Humoral response가 주된 역할

　b. T lymphocyte

　　- Humoral and cellular response 모두에 매우 중요한 역할

　　- T helper/inducer cell : CD4 cell surface marker를 가지면 B cell을 도와 antibody 형성을 촉진

　　- T suppressor/cytotoxic cell : 표면에 CD8 surface marker를 가지며 MHC class I과 관련된 antigen을 가진 target cell을 공격

　c. Monocytes, macrophage

　　- MHC class II molecule을 발현하고, antigen presenting cell의 역할을 하여 CD4 T cell이 antigen을 인식할 수 있도록 하는 역할

　　- Activated macrophage는 cytotoxic, antitumor killer cell의 역할

　d. Natural killer cell

　　- Large granular lymphocyte와 유사한 모양이고 cell surface marker가 없음

　　- nnate immune response의 effector cell로서 nonspecific tumor cell killing가 virus infected cell killing 역할

③ Tumor cell killing mechanism

　a. Ab-mediated

　b. T lymphocyte mediated

　c. Activated macrophage mediated

　d. NK cell mediated

　e. Lymphokine activated killer (LAK) cell mediated

(2) 시토카인(Cytokine)

① 정의

a. Immune and inflammatory response에 관여하는 soluble mediator molecule

b. 주로 immune response와 관련된 세포에서 분비

② 종류

a. Monokine : monocyte에서 분비되는 cytokine

b. Lymphokine : lymphocyte에서 분비되는 cytokine

c. interleukin : leukocyte에 작용을 나타내는 cytokine

d. Interferon : antiviral effect를 나타내는 cytokine

(3) 면역치료(Immunotherapy)

① Active immunotherapy

a. 자신의 면역반응을 자극하는 방법

b. 기전 : macrophage activation, NK cell attraction, cytokines release, microvascular change, tumor associated Ag에 대한 specific immunity의 stimulation

② Passive immunotherapy : 직접 lymphoreticular cell이나 antibody를 주입하는 방법

2) 종양발병인자(Factors that trigger neoplasia)

(1) 나이의 증가

① 가장 중요한 단일 위험인자

② 나이가 증가할수록 위험도 증가

(2) 환경적 요인

① 돌연변이 유발원(mutagen)

a. 특정 돌연변이(specific mutation)를 일으키는 물질

b. 오염물질(pollutants)은 돌연변이 유발원(mutagen)에 속함

② 발암원(carcinogen) : 암을 일으키는 물질

(3) 흡연

① 담배연기(cigarette smoke)는 돌연변이 유발원(mutagen)에 속함

② 돌연변이 유발원(mutagen)이 cervical mucus에 분비 후 농축된 상태에서 HPV 감염 발생 시 DNA 손상 및 cellular transformation 증가, mucosal immune response의 저하

(4) 방사선

① 남성보다 여성에서 방사선 유발 암 위험이 높음

② Cervical cancer radiation therapy로 colon cancer와 thyroid cancer 발생을 약간 증가

(5) 면역기능(Immune function)

① Immunosuppressed renal transplant patient : Cervical cancer 위험도 40배 증가

② HIV 감염 : Cervical dysplasia와 invasive disease 증가

(6) 식이

① Fatty diet : Colorectal cancer, breast cancer와 연관

② Dietary fiber : 암 예방 효과

③ Folic acid, vitamin A, C의 부족 : Cervical dysplasia, cervical cancer와 연관

CHAPTER 04

생식생리(Reproductive physiology)

1 신경내분비학(neuroendocrinology)

1) 시상하부(Hypothalamus)

(1) 시상하부의 해부학

① 위치

    a. 앞으로는 시각교차(optic chiasma) 뒤로는 정중융기(median eminence) 사이, 제3뇌실의 아래

    b. 뇌하수체 줄기(stalk)를 통해 뇌하수체 후엽으로 연결

② 시상하부의 구분 : 3구역

    a. 뇌실곁핵 구역(paraventricular area)

    b. 안쪽(medial) 구역 : 세포핵이 풍부

    c. 바깥쪽(lateral) 구역 : 신경섬유가 풍부

③ 생식기능에 중요한 핵

    a. 활꼴핵(arcuate nucleus)

    b. 시삭상핵(supraoptic nucleus, SON)

    c. 뇌실곁핵(paraventricular nucleus, PVN)

    d. 시각교차위핵(suprachiasmatic nucleus)

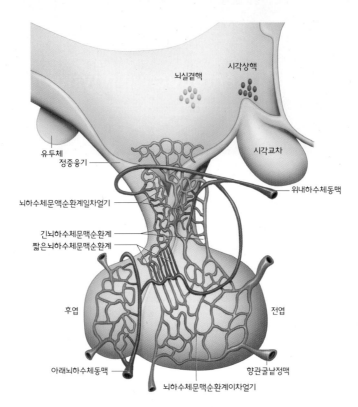

시각상핵

뇌실곁핵

시각교차

유두체
정중융기

위내하수체동맥

뇌하수체문맥순환계일차얼기

긴뇌하수체문맥순환계
짧은뇌하수체문맥순환계

후엽

전엽

아래뇌하수체동맥

향관굴날정맥

뇌하수체문맥순환계이차얼기

그림 4-1. 시상하부–뇌하수체 문맥순환계(hypothalamohypophyseal portal system)

(2) 시상하부에서 분비되는 호르몬

뇌하수체 전엽	시상하부는 또한 뇌하수체 후엽
생식샘자극호르몬분비호르몬 (gonadotropin releasing hormone, GnRH) 부신겉질자극호르몬분비호르몬 (corticotropinreleasing hormone, CRH) 성장호르몬분비호르몬(GH–releasing hormone, GHRH) 성장억제호르몬(somatostattin, SS) 도파민(dopamine)	바소프레신(vasopressin) 옥시토신(oxytocin)

(3) 생식샘자극호르몬분비호르몬(Gonadotropin-releasing hormone, GnRH)

　　① 구조

　　　　a. 10개의 아미노산으로 구성된 decapeptide 호르몬

　　　　b. 2~4분으로 아주 짧은 반감기

　　② 분비

　　　　a. 분비 장소

- 시상하부의 활꼴핵(arcuate nucleus)에서 분비
- 문맥(portal vein)으로 분비되어 뇌하수체 전엽으로 이동
- 뇌하수체까지 이동 거리가 매우 짧기 때문에 반감기가 짧아도 작용이 가능

b. 분비 양상 : 박동성 분비(pulsatile secretion)

분비 빈도(frequency)
– 난포기 초기 : 약 1~2시간마다 분비, 배란 시기가 가까워 질수록 증가 – 황체기 : 난포기 초기보다 감소, 3시간마다 한번 분비
분비 강도(amplitude)
– 난포기 후기에 배란 시기가 가까워질수록 증가 – 황체기에는 난포기보다 증가
분비 조절(regulation)
– 초단거리 되먹임에 의한 자가분비(autocrine) 조절 – GnRH를 분비하는 신경세포에는 GnRH 수용체가 있기 때문

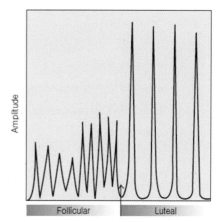

그림 4-2. GnRH의 분비 양상

③ 작용 : 생식샘자극호르몬(gonadotropins)의 합성, 분비를 촉진
④ GnRH 작용제(agonist)와 GnRH 길항제(antagonist)

GnRH 작용제(agonist)	GnRH 길항제(antagonist)
– 투여 초기에는 혈중 황체형성호르몬, 난포자극호르몬 농도가 증가(불꽃효과, flare up effect) – 일반적 용량으로 1주 이상 계속 투여하면 GnRH 수용체의 감소, 수용체의 분리(uncoupling)와 탈감작을 통하여 생식샘자극호르몬 분비의 하향조절을 일으켜 생식샘저하증(hypogonadism) 상태를 야기	– 수용체에 GnRH와 경쟁적으로 결합하기 때문에 작용이 신속 – 투여 1시간 내에 내인성 LH 급등(LH surge)을 방지할 수 있고, 초기 불꽃효과도 없음 – 보조생식술을 위한 과배란유도 시에 유용하게 이용

→ 지속적으로 투여하는 GnRH 작용제 및 길항제는 모두 FSH/LH의 분비를 억제하여 생식샘저하증을 일으키므로 자궁근종, 자궁내막증, 조발사춘기, 비정상자궁출혈, 전립샘암 등의 치료에 이용

2) 뇌하수체(Pituitary gland)

(1) 뇌하수체의 해부학

① 뇌하수체 전엽

a. 샘뇌하수체(adenohypophysis)

b. 5가지 종류의 세포로 구성, 6가지의 호르몬을 생산

세포	생산 호르몬
성장자극세포(somatotrope)	성장호르몬(GH)
유즙분비호르몬분비세포(lactotroph)	유즙분비호르몬(prolactin)
부신겉질자극세포(corticotrope)	베타-리포트로핀(β-lipotropin), 엔도르핀(endorphin)
갑상샘자극세포(thyrotrope)	갑상샘자극호르몬(TSH)
생식샘자극세포(gonadotrope)	난포자극호르몬(FSH)/황체형성호르몬(LH)

② 뇌하수체 후엽

    a. 신경뇌하수체(neurohypophysis)

    b. 바소프레신(vasopressin), 옥시토신(oxytocin) 생산

③ 뇌하수체 중엽

(2) 뇌하수체 전엽 호르몬

① 난포자극호르몬(FSH), 황체형성호르몬(LH)

    a. FSH, LH, hCG, TSH의 구조

      - α-subunit : 동일

      - β-subunit : 서로 달라 각각의 독특한 기능을 수행

    b. 분비

      - GnRH에 의해 분비되므로 박동성 분비(pulsatile secretion)를 보임

      - 혈중 농도는 비교적 오래 유지

      - 생물학적 활성도는 탄수화물(carbohydrate)에 의해 달라짐

      - 사춘기 전 까지는 GnRH에 뇌하수체(pituitary)가 반응이 거의 없음

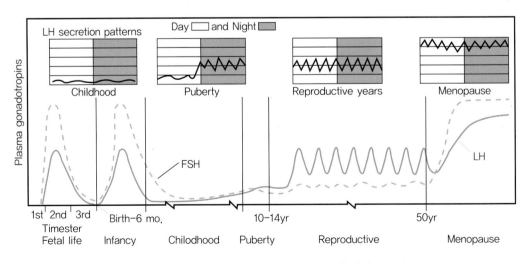

그림 4-3. 나이에 따른 gonadotropin의 분비 양상

c. 작용
- FSH : 난포의 발달과 난자의 성숙, 에스트로겐 생성
- LH : 배란과 황체형성, 안드로겐 생성

d. 2세포 2생식샘자극호르몬계(two-cell two-gonadotropin system)
- 난포 발달에 의한 호르몬 생성 시 과립막세포와 난포막세포 두 종류의 세포와 난포자극호르몬과 황체형성호르몬 두 가지 생식샘자극호르몬을 이용하여 호르몬이 생성

황체형성호르몬(LH)

난포막세포(theca cell) 표면의 LH 수용체와 결합
→ 세포 내의 CYP 17 유전자의 발현을 증가
→ 17-αhydroxylase, 17-20 desmolase 활성 강화
→ 막세포에서 안드로겐의 합성이 증가

난포자극호르몬(FSH)

난포의 과립막세포(granulosa cell) 수용체에 결합
→ 과립막세포의 증식을 유발, 표면의 FSH 수용체를 증가

난포막세포에서 생성된 안드로겐은 기저막을 넘어 과립막세포로 이동
→ FSH가 방향화효소(aromatase)의 활성을 증가
→ 안드로겐을 에스트로겐으로 변환

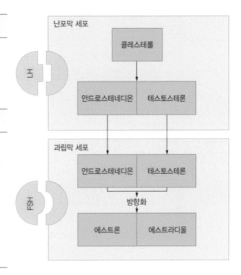

그림 4-4. 2-cell 2-gonadotropin system

---

② 유즙분비호르몬(prolactin)

a. 분비
- 파동성으로 분비되지만 지속적으로 억제인자의 작용을 받고 있음
- 유즙분비호르몬의 항상성은 도파민분비신경의 되먹임 기전을 통한 유즙분비호르몬 자체에 의해서 주로 조절

방해인자(prolactin inhibiting factor)

방해인자(prolactin inhibiting factor)

분비인자(prolactin releasing factor)

젖물림	혈관활성장펩티드(vasoactive intestinal peptide, VIP)
갑상샘자극호르몬분비호르몬(TRH)	베타엔도르핀(β-endorphin)
표피성장인자(epidermal growth factor, EGF)	바소프레신(vasopressin)
안지오텐신 II (angiotensin II)	P 물질(substance P)
생식샘자극호르몬분비호르몬(GnRH)	

---

b. 작용 : 유즙생성(lactogenesis)

(2) 뇌하수체 후엽 호르몬

    ① 바소프레신(vasopressin)

        a. 기능 : 혈액량과 삼투압을 조절, 강력한 혈관수축제, 항이뇨작용

        b. 분비

          - 삼투압, 혈액량, 공포나 통증 같은 외부 자극에 따라 변화

          - 안지오텐신 II (angiotensin II)에 의해 분비 증가

    ② 옥시토신(oxytocin)

        a. 작용

          - 자궁근육의 수축

          - 유선의 유즙관(lactiferous duct)의 근상피세포 수축(유즙 분비 촉진)

        b. 분비 자극 : 수유 중 유두 자극, 후각, 청각 및 시각자극, 성행위 등

3) 성 호르몬(Sex steroid hormones)

  (1) 에스트로겐(Estrogen)

    ① 종류 : estrone (E1), estradiol (E2), estriol (E3)

    ② 합성

        a. Aromatase에 의해 androstenedione (ADD)에서 E1으로, testosterone에서 E2로 전환

        b. Aromatase는 난소 이외에 특히 지방조직에 많이 분포

          - 지방조직에서는 ADD를 E1으로 전환시키는 양이 많고, testosterone을 E2로 바꾸는 양은 매우 적음

          - E2는 거의 전적으로 난소의 우성 난포에서 합성

    ③ 분비 및 강도

	Estrone (E1)	Estradiol (E2)	Estriol (E3)
주된 분비시기	사춘기 이전, 폐경	가임기 여성	임신 중
수용체 작용 강도	중간	강함	약함
수용체를 통한 작용		E1, E2, E3 모두 동일	

    ④ 작용

        a. 자궁내막 및 자궁근육의 증식, 자궁경부의 점액 증가, 유선 발달

        b. 그 외에도 뼈, 심혈관계, 뇌, 피부 등 여러 장기의 기능을 조절

    ⑤ 대표적 유도체

        a. Ethinyl estradiol

        b. Conjugated equine estrogen (CEE) : 유도체가 아닌 말의 소변에서 추출한 자연 estrogen

(2) 프로게스테론(Progesterone)

① 종류

a. Progesterone, 17α-hydroxyprogesterone (androgen의 작용도 강함)

b. Progestin : progesterone의 합성 유도체

c. Progestogen : progesterone과 progestin을 합친 명칭

② 작용

a. 자궁내막에 대해서는 항에스트로겐 작용

b. 제재에 따라 progesterone 수용체 뿐 아니라 androgen 수용체, glucocorticoid 수용체와 결합하므로 다양한 부작용을 유발 가능

③ 대표적 유도체(progestins)

a. Medroxyprogesterone acetate (MPA)

b. Levonorgestrel (LNG)

c. Drospirenone (DRSP) : 항안드로겐, 항염류코르티코이드(antimineralocorticoid)의 작용이 있어 안드로겐의 부작용이 없고 체중과 혈압이 감소

(3) Androgen

① 합성 위치에 따른 종류

a. 내분비샘 : Dehydroepiandrosterone (DHEA), androstenedione (ADD), testosterone

b. 조직 : dihydrotestosterone (DHT)

② 합성

a. 생식샘(난소, 고환)과 부신에서 합성

b. Androgen을 합성하기 위해서는 CYP17이라는 유전자에서 만들어지는 17α-hydroxylase와 17,20-desmolase가 활성화 되어야 하는데 생식샘(난소, 고환)에서 이들 효소는 LH에 의해 활성화되고 부신에서는 ACTH에 의해 활성화 됨(내분비샘이 달라도 합성 효소는 같지만 자극하는 호르몬은 다름)

c. DHT는 내분비 샘에서 만들어지지 않는데 testosterone을 DHT로 전환시키는 5α-reductase가 androgen 의존 부위(외부 생식기, 겨드랑이, 남자들에게서 털이 나는 곳)의 조직에 분포하여 내분비샘에서 만들어진 testosterone이 조직으로 이동하면 DHT로 바뀌어 작용하므로 혈중 DHT 농도는 매우 낮음

③ 작용

a. 모든 androgen은 작용은 같지만 강도는 다름(DHT>testosterone>ADD>DHEA)

b. Androgen은 약 2/3가 성호르몬결합 글로불린(Sex hormone-binding globulin, SHBG)에 결합한 형태로, 1/3은 albumin에 결합한 형태로 혈액 내에 존재하고 생물학적으로 활성을 가지는 자유형(free form)은 1~2% 밖에 되지 않음

    c. 혈중 SHBG의 농도 변화에 따라 androgen의 작용은 크게 달라짐

    d. Estrogen과 progesterone은 1/3 정도만이 SHBG에 결합해 존재하고 자유형도 5% 수준이므로 SHBG의 농도 변화에 영향을 적게 받음

    e. 성호르몬에 결합하여 호르몬의 작용을 비활성화 시키는 단백질
        - 성호르몬결합 글로불린(Sex hormone-binding globulin, SHBG)
        - 알부민(albumin)

2 월경주기(Menstrual cycle)

1) 난소 주기(Ovarian cycle)

  (1) 난포기(Follicular phase)

    ① 정의 : 우성난포(dominant follicle)의 형성과 배란이 일어나는 시기

    ② 평균 기간 : 14~16일(젊은 여성의 경우)

    ③ 내분비학적 변화

      a. E2의 증가와 그에 따른 음성되먹임(negative feedback)에 의한 FSH 감소

      b. 난포기 후반에는 estrogen의 양성되먹임(positive feedback)에 의한 LH surge 발생

  (2) 황체기(Luteal phase)

    ① 정의 : 배란부터 생리까지(황체의 형성에서 소멸까지)

    ② 평균 기간 : 14일

    ③ 내분비학적 변화

      a. Progesterone이 합성되며 황체기 중간 절정(mid-luteal peak) 이후 점차 감소

      b. 황체기 후반에 FSH 증가

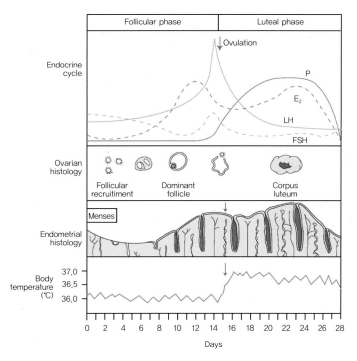

그림 4-5. 경주기에 따른 호르몬 및 내막의 변화

2) 자궁 주기(Uterine cycle)

(1) 자궁내막의 조직학적 분류

① 기능층(decidua functionalis 혹은 functional layer)

　　a. 생리 때 떨어져 나가는 위쪽 2/3

　　b. 치밀층(stratum compactum)과 해면층(stratum spongiosum)으로 나뉨

② 기저층(decidua basalis 혹은 basal layer)

　　a. 생리 때에도 남아있는 아래 1/3

　　b. 다시 자궁내막이 자라는 부위

(2) 증식기(Proliferative phase)

① Estrogen의 영향으로 기능층의 유사분열 증식(mitotic growth)

② 특징

　　a. 자궁내막 분비선은 좁은 직선형에서 길고 굽은 형태로 성장

　　b. 기질(stroma)은 계속 밀도가 높고 치밀해짐

　　c. 혈관 구조는 매우 적음

③ 시기에 따른 초음파 소견

Early Proliferative phase	Late proliferative or periovulatory phase
− 자궁내막의 두께 : 4~8 mm − Isoehoic or slightly more hyperechoic than myometrium	− Multilayered endometrium − Inner hypoechoic layer : edema of compact layer of endometrium − θ appearance in semicoronal plane − Small amount of intraluminal fluid
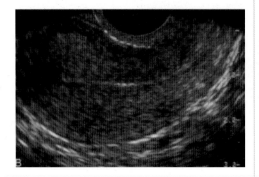	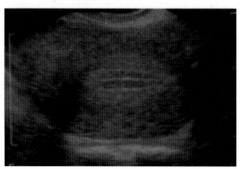

(3) 분비기(Secretory phase)

① 배란 후 48~72시간부터 자궁 내막은 progesterone의 영향을 표현하기 시작

    a. Progesterone은 자궁 내막에 대하여 항에스트로겐 효과를 나타냄

    b. Estrogen 수용체 감소, 유사분열의 감소

② 특성

    a. 혈관과 당원(glycogen)이 충만한 조직(착상과 배아 성장의 조건을 제공)으로 변화

    b. 핵하 소공(subnuclear vacuole)

      - 배란 48시간 후 lipid와 glycogen이 풍부한 소공(vacuole)이 상피세포 기저부에 발현

      - 배란이 일어났다는 첫번째 징후

      - 샘조직의 분비기능이 왕성해지면서 소공이 점차 표면으로 이동하여 세포 내에서 분비선 내강으로 부분분비(apocrine)를 하여 호산성 단백질이 풍부한 분비물이 차게 됨

    c. 배란 후 6~7일이 지나면 분비선의 기능이 최고에 달하면서 배아 착상을 준비(maximal secretion date : MCD 21~23)

    d. 간질(stroma)은 분비기 처음 7일까지는 변화가 없다가 그 후 부종(edema)이 증가

    e. 백혈구 침윤(leukocytic infiltration)

      - Polymorphonuclear lymphocytes : 생리 2일 전 증가

      - 간질의 탈락막화(decidualization) 유발

      - 월경 하루 전에는 국소적인 괴사와 출혈이 발생

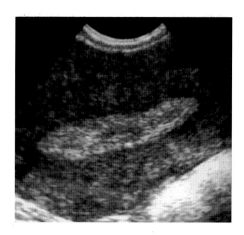

그림 4-6. 분비기의 초음파

(4) 생리기(Menstrual phase)
  ① Progesterone의 감소에 의한 소퇴성출혈(withdrawal bleeding)이 발생
    a. Spiral artery vascular spasm
    b. Endometrial ischemia
  ② 출혈의 원인 가설
    a. 혈관 수축에 의한 허혈성 괴사(ischemic necrosis)
    b. 효소 소화(enzymatic digestion)에 의한 작용
  ③ Prostaglandin
    a. 생리 주기(menstrual cycle) 동안 생성
    b. 생리 기간 동안 높은 농도로 유지
    c. PGF2α
      - Late secretory phase에 최고치
      - 수정란 착상 시 후 감소
      - 혈관수축(vasoconstriction) 및 내막허혈(endometrial ischemia) 유발
      - 자궁근육 수축(myometrial contraction) 유발

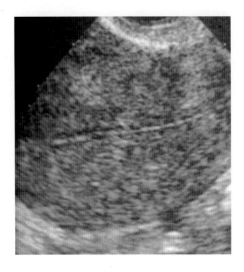

그림 4-7. 생리기의 초음파

(5) 자궁내막의 조직학적 일자(Dating of endometrium)
　① 황체기 결함(luteal phase defect)
　　a. 내막 발달과 월경 주기가 2일 이상의 불일치
　　b. 착상(implantation) 실패와 조기 유산과 관련
　② 진단을 위한 조직검사 시기 : 배란 후 10~12일(월경 예정일 2~3일 전)

3 난포 성장(Ovarian follicular development)

1) 난포의 형성과 감수분열
(1) 난포의 형성
　① 임신 6주부터 난조세포(oogonia)가 나타나고 임신 8주가 되면 유사분열(mitosis)이 시작되어
　　세포수가 계속 증가
　② 임신 20주부터는 난조세포의 퇴화가 시작되어 난자의 수가 감소하기 시작
　③ 일부 난모세포(oocyte)는 단일층의 과립막세포에 싸인 원시난포(primordial follicle) 형성

(2) 감수분열(meiosis)
　① 임신 8주부터 시작
　② 모든 원시난포는 1차 감수분열의 전기(prophase)의 복사기(diplotene stage)에서 정지(arrest)
　　됨(과립막세포에서 분비되는 oocyte maturation inhibitor 때문으로 생각)

2) 난포 성장의 단계

(1) 난포 동원(Recruitment)

① 정의 : 원시난포가 성장하여 난포방형성전난포(preantral follicle)로 전환되는 것

② 기간 : 3달 이상 소요

③ 원시난포는 FSH에 반응하지 않지만 난포동원이 시작 후 과립막세포는 FSH에 반응 시작

④ 과립막세포가 단일막(single layer)세포에서 계속 증식하여 다중막(multilayer)의 입방세포 (cuboidal cell)로 바뀌게 되고 난포막세포(theca cell)가 발생

(2) 난포 선택(Selection)

① 정의 : 난포 동원이 완료된 몇 개의 early antral follicle이 황체기 후기의 FSH 증가 시점부터 급속히 성장하다가 한 개의 우성난포(dominant follicle) 만을 남기고 소멸되는 과정

② 기간 : 황체기 후기부터 다음 난포기 중반까지 10일 정도 소요

③ FSH와 estrogen은 FSH 수용체 합성을 증가시킴

④ 난포기가 시작되고 몇 개의 난포에서 E2와 과립막세포에서 inhibin B의 합성이 증가하면 음성되먹임(negative feedback)에 의해 FSH는 감소

⑤ 낮은 FSH 상황에서 후보충(replenishment)은 부익부 빈익빈을 촉진(처음부터 많은 FSH 수용체를 가진 난포는 계속 FSH 수용체를 만들어서 적은 양의 FSH를 흡수하여 계속 성장하지만 그렇지 못한 작은 난포는 FSH 부족으로 퇴화)

(3) 우성화(Dominance)

① 정의 : 여러 개의 난포 중 한 개의 우성난포만 남고 이 우성난포가 계속 성장하는 것

② FSH는 우성난포에서만 과립막세포에 LH 수용체를 형성

③ Estrogen이 고농도(>200 pg/mL)에서 일정 시간(48시간 이상) 시상하부-뇌하수체를 자극하면 양성되먹임(positive feedback)으로 LH surge가 유발

(4) 배란(Ovulation)

① LH surge가 생기면 우성난포에서는 단백용해효소(proteolytic enzyme)가 증가

→ 난자와 과립막세포 사이의 결합이 분해되고 oocyte maturation inhibitor (OMI)가 난자에 대한 영향력을 상실

→ 감수분열이 재개

→ 우성난포를 제외한 다른 난포에서는 과립막세포에 LH 수용체가 생기지 않으므로 LH surge의 영향을 받지 않음

② LH surge : prostaglandin과 단백용해효소를 증가시켜 난포에 구멍을 만들고 난자가 배출

③ 배란 시에는 난자와 난자를 둘러싼 과립막세포의 덩어리(cumulus oophorus), 일부 과립막세

포, 난포액이 같이 배출되어 배란통(mittelschmerz) 발생 가능

④ 배란기 상황의 요약

    a. LH surge의 역할

      - 난모세포(oocyte)의 감수분열(meiosis)의 재개

      - 과립막세포(granulosa cell)의 황체화(luteinization)

      - 난포 내 progesterone과 prostaglandin의 합성 증가

    b. Progesterone이 단백분해효소의 활성도를 높이고 prostaglandin과 함께 난포에 구멍을 만들고 난자를 배출

    c. Progesterone 영향에 의한 midcycle FSH 증가는 난모세포를 과립막세포로부터 분리하게 하며 plasminogen은 plasmin으로 전환

(5) 황체기(Luteal phase)

① 배란 후 남은 과립막세포 안에 지방이 증가

② 혈관이 배란 직후 기저막을 뚫고 안으로 들어옴(angiogenesis)

③ 임신이 되지 않으면 황체(corpus luteum)는 12~16일 후 소멸

④ 황체 : hCG가 과도하게 자극하지 않는 한 2주만 살고 죽도록 되어있는 조직

CHAPTER 05

가족계획(Family planning)

1 일반적인 피임법

1) 피임의 효과

(1) 안전성
① 경구피임제 : 난소암, 자궁내막암, 자궁외임신의 발생률 감소
② 차단피임법(Barrier method) : 성병, 자궁경부암에 대한 보호 작용

(2) 펄 지수(Pearl index)
① 1년간 특정 피임방법을 사용한 100명의 여성 중 임신된 수
② 피임의 유효성(efficacy)을 나타냄

Methods	Women Experiencing Accidental Pregnancy within the First Year of Use (%)		Women Continuing Use at 1 Year (%)
	Typical use	Perfect use	
No method	85	85	
Spermicides	29	18	42
Periodic abstinence	25		67
Calendar		9	
Ovulation method		3	
Symptothermal		2	
Postovulation		1	
Withdrawal	27	4	43

Cap			
Parous women	32	26	46
Nulliparous women	16	9	57
Sponge			
Parous women	32	20	46
Nulliparous women	16	9	57
Diaphragm	16	6	57
Condom			
Female (Reality)	21	5	49
Male	15	2	53
Combined pill & Progestin−only pill	8	0.3	68
Patch (Evra™)	8	0.3	68
NuvaRing	8	0.3	68
Intrauterine devices			
ParaGard™ (Copper T380A)	0.8	0.6	78
Mirena® (Levonorgestrel T)	0.1	0.1	81
Depo−Provera	3	0.3	70
Lunelle	3	0.05	56
Norplanta and Norplant II	0.05	0.05	84
Implanon™	0.05	0.05	84
Female sterilization	0.5	0.5	100
Male sterilization	0.15	0.1	100

2) 자궁내장치(Intrauterine devices, IUDs)

(1) 구리 자궁내장치(Copper IUD)

① 폴리에틸렌에 구리(copper)가 감긴 작은 기구

② 종류 : Nova-T®, Multiload, ParaGard T 380A

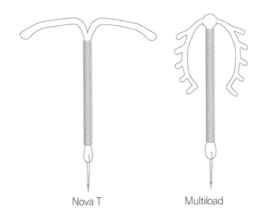

Nova T   Multiload

그림 5-1. 구리 자궁내장치(Copper IUD)

③ 작용기전

　a. 국소적인 염증반응을 일으켜 정자를 죽이는 작용

　b. 정자가 난관 내에 이르지 못해 수정을 방해

　c. 주머니배(blastocyst)에 직접 염증반응 유발

　d. 자궁내막을 착상에 좋지 않은 염증상태(inflammation)로 변화

④ 구리 자궁내장치 중 임신이 될 경우 자궁외임신의 확률이 증가(전체 임신 확률은 감소)

⑤ 구리 자궁내장치의 금기증 : 임신 중이나 임신의 가능성, 자궁형태 이상, 최근 3개월 이내의 골반염 또는 산후 자궁감염 과거력, 자궁내막암, 자궁경부의 암이나 이상세포진 소견, 원인 불명의 질 출혈, 급성 자궁경부염이나 질염, 다수의 성상대자가 있는 경우, 세균감염이 잘되는 경우(AIDS), 윌슨병(Wilson's disease), 구리 알레르기 등

(2) 레보놀게스트렐분비 자궁내장치(Levonorgestrel-IUS, LNG-IUS)

① 프로게스틴(progestin)을 함유하고 있는 실리콘막이 있는 자궁내장치

　a. 매일 일정량 자궁강 내에 유리되며 자궁 내에만 주로 작용

　b. 전신적인 부작용이 거의 없이 실패율 0.1%의 우수한 피임효과

　c. 자궁내막을 얇게 하여 생리양이 감소

　d. 빈혈, 생리과다증, 생리통, 생리전증후군에 치료목적으로 사용

② 종류 : Mirena®, Jaydess®, Kyleena® 등

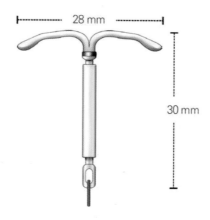

그림 5-2. 레보놀게스트렐분비 자궁내장치(LNG-IUS)

③ 작용기전

　　a. 자궁경부 점액을 끈끈하게 하여 정자의 통과를 방해

　　b. 자궁내막을 얇게 위축(atrophy)시켜 착상을 방지

(4) 시술 시기

① 고위험 여성 : *N. gonorrhoeae, chlamydia* 선별검사 후

② 생리 직후 : 현재 임신일 가능성이 떨어지고, 자궁경부가 삽입에 용이

③ 임신이 아닌 경우 생리주기 어느 때나 가능

④ 유산 직후

⑤ 분만 6주 후 : 자궁천공 및 분실의 예방을 위해

⑥ 구리 자궁내장치 : 피임 없는 관계 후 5일 내 삽입 시 100% 피임 효과

(5) 부작용

① 자궁천공(perforation)

　　a. 산욕기나 수유기에 자궁내장치를 삽입, 경험미숙, 자궁굴곡이 심할 때 발생

　　b. 대부분 자궁저부(fundus)에 발생, 천공부위의 자궁수축으로 대량 출혈은 적음

② 장치의 분실

　　a. 삽입 후 첫 달에 자궁에서의 배출이 흔히 발생

　　b. 실이 보이지 않을 경우 초음파 및 방사선 검사 시행

　　c. 복강 내 위치할 경우 복강경으로 제거 시도

③ 생리의 변화

　　a. 구리 자궁내장치 : 생리통과 생리양 증가가 있을 수 있음

   b. 레보놀게스트렐분비 자궁내장치 : 시술 후 6개월 동안 소량의 불규칙 출혈이 흔함, 2년 내
      시술 여성 30%에서 무월경 발생

④ 자궁내장치 시술 후 임신

   a. 반드시 자궁외임신을 확인

   b. 임신에 대한 영향

     - 패혈성 유산, 조기 양막파수, 조산 가능성 증가

     - 선천성 기형은 증가하지 않음

   c. IUD 실이 보이는 경우 : 즉시 제거

   d. IUD 실이 보이지 않는 경우 : 초음파로 IUD의 위치를 확인 후 3가지 방법 중 선택

     - 치료적 유산

     - 초음파 유도 IUD 제거

     - IUD를 놔둔 채 임신 유지

   e. 임신 제2삼분기에 자궁내장치가 있어 유산이 된 경우

     - 감염 증상(발열, 감기증상, 복통, 출혈 등) 동반 시 패혈증 발생 가능성

     - 즉시 항생제 치료와 함께 태아 및 자궁내장치의 배출 시행

⑤ 골반염

   a. 삽입 후 처음 20일 동안 골반염이 증가하나 이후 감소

   b. 예방적 항생제를 사용해도 첫 3개월 내 발생하는 골반염 감소 효과 없음

   c. LNG-IUS : 자궁경부 점액을 끈끈하게 하여 상행감염을 막아 골반염 발생을 예방

   d. 방선균증(actinomycosis)

     - 무증상의 여성 : IUD를 유지하고 항생제 치료가 필요하지 않음(ACOG, 2017)

     - 감염 증상이 있는 여성 : IUD 제거, 항생제 치료(penicillin G, ceftriaxone 등 그람 양성균
       에 유효)

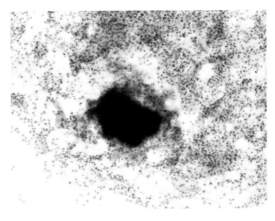

그림 5-3. 방선균증(Actinomycosis)

(6) 자궁내장치 삽입 후 출혈과 골반통의 조절

　① 자궁내장치를 제거하는 가장 많은 내과적 원인 : 출혈(bleeding), 골반통(pelvic pain)

　② 처음 몇 개월 동안 흔하게 나타나지만 점차 호전

　③ 출혈이 지속되는 경우

　　a. 기존에 없던 출혈 발생 시 반드시 자궁내장치가 있는지 확인

　　b. 약물 처방

　　　- Estradiol valerate (Progynova) 2 mg, 3T/day

　　　- Medroxyprogesterone acetate (Provera) 10 mg/day for 7~14 days

　　　- Tranexamic acid 3T/day for 3~5 days

　　　- Combined oral contraceptive pills

　　　- NSAIDs (ibuprofen, mefenamic acid, naproxen)

　④ 몇 개월 후 발생하는 출혈과 통증 시 골반염, 자궁내장치의 부분 이탈, 점막하근종 의심

(7) 구리 자궁내장치(Copper IUD)와 레보놀게스트렐분비 자궁내장치(LNG-IUS)의 비교

	Copper IUD	LNG-IUS
작용기전	자궁내막의 염증(inflammation) 유발	자궁내막의 위축(atrophy) 유발
사용기간	약 10년	Mirena®, Kyleena® 5년, Jaydess® 3년
피임실패율	0.6%	0.2%
자궁외임신	감소	감소
생리양 & 생리통	증가	감소

3) 프로게스틴 피하이식 호르몬피임제(Progestin implants)

　(1) 에토놀게스트렐 피하이식 호르몬피임제(Etonogestrel implant)

　① Progestin인 desogestrel의 활동성 대사물질인 etonogestrel 68 mg을 함유하고 하루 약 30 µg 분비하여 3년간의 피임효과

　② 종류 : Implanon©ç

　　a. 성냥개비 크기의 막대(길이 4 cm, 외경 2 mm인 1개의 관)

　　b. 상완의 안쪽 피하 부위에 삽입

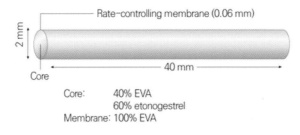

그림 5-4. 임플라논(Implanon)

(2) 레보놀게스트렐 피하이식 호르몬피임제(Levonorgestrel implants)

① Progestin인 levonorgestrel이 6개의 관에 들어있고 매일 방출되어 5년간의 피임효과

② 종류 : Norplant¢ç

    a. 길이 34 mm, 외경 2.4 mm인 6개의 실라스틱 관

    b. 상완의 안쪽 피하 부위에 삽입

(3) 효과

① 작용기전

    a. Progestin이 시상하부와 뇌하수체에 작용 : LH를 억제하여 배란 차단

    b. 혈중 난포자극호르몬(FSH), estradiol (E2) : 영향 없음

② 장점과 단점

장점	단점
− 3년간의 높은 피임효과(Pearl index 0.1 이하) − 제거 후에는 바로 수태능력이 회복 − 다른 피임법에 부작용, 금기증 여성 등에 적절 − 수유부에서도 사용 가능	− 불규칙한 출혈, 두통, 여드름, 체중 증가, 유방 압통, 근육통, 불안, 우울증 − 제거 시 피부 절개 필요

(4) 시술 시기

① 생리 시작 1~5일 사이

② 경구피임제를 복용하는 경우 마지막 복용 다음날

③ 프로게스틴제제를 사용해서 피임하는 경우는 사용 중 어느 때나 가능

4) 프로게스틴 단일 제제(Progestin-only contraceptives)

(1) 종류

① 주사제 : depot medroxyprogesterone acetate (DMPA, Depo-Provera)

② 경구피임제 : progestin-only oral contraceptives (Mini-pill)

(2) 작용기전 및 대사효과

① 작용기전

    a. 황체형성호르몬(LH)을 억제하여 배란을 차단

    b. 자궁경부 점액을 끈끈하게 하여 정자의 통과를 방해

    c. 자궁내막을 얇게 위축(atrophy)시켜 수정란의 착상을 방지

② 대사효과

영향 없음	증가	감소
지질 대사 혈당 지혈 인자 간 기능, 갑상샘 기능 혈압	LDL 콜레스테롤 기능성 난소낭종 체중 증가	HDL 콜레스테롤 골밀도(DMPA에 한함)

(3) 부작용

① 불규칙 출혈, 대량 출혈

    a. 중단의 가장 주된 이유

    b. 약물 처방

      - 1~2주기의 복합 경구피임제(combination OCs)

      - 1~3주 간의 estrogen 단일제제

      - 위 방법과 NSAIDs의 병용

② 무월경 : 장기간 사용시 자궁내막의 위축으로 유발

(4) 금기증

① 절대 금기증 : 현재의 유방암, 임신

② 혈전증, 편두통, 35세 이상의 흡연자 등 심혈관질환의 위험성이 있는 경우나 수유 중에도 사용 가능

③ 우울증이 있는 여성은 처방 후 추적관찰 필요

5) 복합 호르몬제(Combination hormonal contraceptives)

(1) 복합 경구피임제(Combination oral contraceptives)

① 구성 : Estrogen + Progestin

    a. Estrogen의 종류 : ethinyl estradiol, estradiol valerate 등

    b. Progestin의 종류 : ciproterone acetatate, gestodene, desogestrel, levonorgestrel, drospirenone, dienogest, norelgestromin, etonogestrel 등

② 생리 주기의 기간별로 함유된 호르몬 용량에 따른 구분

a. 단상성(monophasic) 제제 : estrogen과 progestin이 일정

b. 다상성(multiphasic) 제제 : estrogen과 progestin이 기간별로 다름(biphasic, triphasic)

③ 복용 방법

    a. 생리 첫날 복용 시작 → 21일간 복용하고 7일간 중단 → 생리 중단 여부에 관계없이 8일째 부터 다시 복용을 시작

    b. 마지막 복용한 2~4일 후 소퇴성 출혈이 발생

    c. 소퇴성 출혈을 줄이기 위해 24일간 복용, 4일간 중단하는 제제도 존재

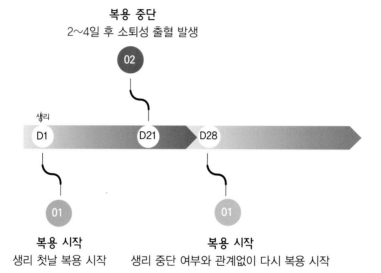

그림 5-5. 혼합 경구피임제의 복용방법

④ 주의사항

    a. 첫 복용을 생리 4일 이후에 시작한 경우 7번째 약을 먹을 때 까지는 다른 피임법을 같이 사용해야 안전

    b. 가능하면 매일 같은 시간에 복용

⑤ 피임제 복용을 잊었을 경우

    a. 한 알을 잊어버리고 안 먹었을 때

      - 고용량의 단상성(monophasic) 복합 경구피임제라면 다음날 두 알을 복용하고 그 다음 정제도 예정대로 복용

      - 소량의 파탄성 출혈이 발생 가능

    b. 한 알 이상 안 먹었을 때나 저용량의 제제를 복용했을 때(아래 두가지 중 선택)

      - 약을 중단하고 생리가 올 때까지 콘돔 등의 다른 피임방법을 사용

      - 그날부터 새로운 팩(pack)으로 복용을 하되 1주일간은 다른 피임방법을 함께 사용

(2) 작용기전

① 시상하부의 생식샘자극호르몬분비호르몬(GnRH) 분비 억제를 통한 배란 차단

② 자궁경부 점액을 끈끈하게 하여 정자의 통과를 방해

③ 자궁내막을 얇게 위축(atrophy)시켜 수정란의 착상을 방지

	Estrogen	Progestin
피임 작용기전	시상하부의 GnRH 분비 억제 → 뇌하수체의 LH, FSH 분비 저하 → 배란 차단	LH 억제 → 배란 예방 자궁경부 점액을 끈끈하게 하여 정자의 통과를 방해 자궁내막의 위축(atrophy) 유발

(3) 효과

① 정맥혈전증(venous thrombosis)

    a. 발생 위험도 증가 : Estrogen 용량 증가 따라 혈액응고경향이 증가

    b. Fibrinogen, Factors II, VII, IX, X, XII, XIII 증가

    c. 심부정맥혈전증(deep vein thrombosis) : 연령이 가장 큰 영향

    d. 경구피임제 사용 첫 일년에 가장 위험이 높고, 이후 점차 감소

    e. 혈전성향증(thrombophilia)

      - Antithrombin III, protein C, protein S의 부족 : Estrogen 치료와 임신 시 thrombosis의 위험률이 매우 높음(very high risk)

      - Factor V Leiden mutation, Prothrombin gene mutation : 위험이 더 증가

② 심장질환(heart disease)과 뇌혈관질환(stroke)

    a. 고용량 경구피임제 : 발생 위험도 증가

    b. 저용량 경구피임제 : 발생 위험도 매우 낮음

    c. 경구피임제 과거 사용과 심근경색의 위험 사이의 연관성은 없음

    d. 고령, 흡연, 고혈압 등은 발생 위험도를 증가시킴

③ 혈압(blood pressure)

    a. Estrogen 용량에 따라 혈압이 증가하는 경향

    b. 저용량 경구피임제 : 혈압 증가가 거의 없음

④ 당 대사(glucose metabolism)

    a. Estrogen : 당 대사에 영향 없음

    b. Progestin : Insulin을 방해하는 항인슐린작용(고용량인 경우 영향이 있음)

    c. 당뇨 환자의 피임 : 경구피임제 보다는 자궁내장치(IUD)가 적합

⑤ 지방 대사(lipid metabolism)

    a. Estrogen : LDL 감소, HDL 증가, Triglyceride 증가

    b. Androgen, androgenic progestin : HDL 감소, LDL 증가

c. Desogestrel, norgestimate : HDL 증가, LDL 감소

d. 저용량 경구피임제는 나쁜 영향이 적음

⑥ 다른 효과

a. 간에서 생산되는 단백질에 영향을 미침

b. 담즙정체(cholestasis)가 생길 수 있음

c. Angiotensiongen, SHBG (sex hormone binding globulin) 생산 증가

- 여드름과 다모증의 호전

- 여드름은 1, 2세대 프로게스틴을 포함한 피임제에서 흔함

d. 체중 증가 : 알도스테론 수용체에 작용하여 수분 저류를 유발하여 발생

⑦ 임신 초기에 임신인 줄 모르고 피임제를 계속 복용한 경우

a. 즉시 복용 중단

b. 최근 연구에서는 피임제가 태아에게 무해하다고 보고

(4) 경구피임제과 종양(Oral contraceptives and Neoplasia)

① 자궁내막암(endometrial cancer) : 발생 위험도 감소(progestin의 작용에 의해)

② 난소암(ovarian cancer) : 발생 위험도 감소(배란 억제에 의해)

③ 자궁경부암(cervical cancer)

a. HPV가 있는 여성 : Cervical neoplasia risk 증가 없음

b. HPV가 없는 여성 : Cervical neoplasia risk 2배 증가

④ 유방암(breast cancer)

a. 유방의 양성 질환 : 감소

b. 현재 혹은 과거 사용자 : 위험성 증가 없음

c. 유방암 가족력, 젊은 연령에서 피임제 복용 시작 : 위험성 증가 없음

⑤ 간종양(hepatic tumor)

a. 양성 선종(benign adenoma) : 발생 위험도 증가, 피임제 중단 시 감소

b. 악성 종양과의 관계는 없음

c. 급·만성 간염의 경과, 간경화의 진행, 만성 간염에서 간암의 발생, B형 간염 보균자에서 간 기능에 대한 영향은 없음

(5) 다른 약제와의 상호작용

경구피임제의 효과 감소	경구피임제로 인해 효과 증가	경구피임제로 인해 배출 증가
– 항결핵약(rifampin, rifabutin) – 후천성 면역결핍증 치료제(efavirenz, ritonavir–boosted protease inhibitors) – 항경련제(phenytoin, carbamazepine, oxcarbazepine, barbiturates, primidone, topiramate)	– Diazepam – Chlordiazepoxide – Theophylline – Tricyclic antidepressant	– Acetaminophen – Aspirin – Morphine

(6) 피임 이외의 건강상 이점

① 골밀도 증가
② 생리양 감소 및 빈혈 예방
③ 자궁외임신 예방
④ 자궁내막증으로 인한 생리통 개선
⑤ 생리전증후군 예방
⑥ 자궁내막암과 난소암 예방
⑦ 양성 유방질환 예방
⑧ 다모증과 여드름 호전
⑨ 난관염 예방
⑩ 죽상경화증 발생 예방
⑪ 류마티스관절염 개선

(7) 절대금기증

① 임신 중 또는 분만 후 21일 이내
② 35세 이상의 흡연자(하루 15개피 이상)
③ 활동성 유방암
④ 고혈압(수축기 ≥160 mmHg or 이완기 ≥100 mmHg)
⑤ 심혈관질환의 위험요소가 여러 가지인 경우(고령, 흡연, 당뇨병, 고혈압 등)
⑥ 심부정맥혈전증, 폐색전증, 혈전성향(현재 또는 과거력)
⑦ 합병증이 동반된 판막성 심장병(폐고혈압, 세균심내막염의 과거력 등)
⑧ 수술 후 장기간 활동할 수 없는 경우
⑨ 간경화, 급성 활동성 간염, 간종양(양성 간선종, 간세포암)
⑩ 허혈성 심장질환, 뇌혈관질환(현재 또는 과거력)
⑪ 전조증상이 있는 편두통(migraine with aura)
⑫ 전신홍반루프스(항인지질항체 양성이거나 모르는 경우)

(8) 부작용

① 대개 몇 주기(cycle)가 지나면 호전
② 유방 압통 : High potency progestin OCs로 교체

③ 오심 : Ethinyl estradiol 용량을 낮춰 사용

④ 체중 증가(수분 저류), 다모증, 여드름 : Drospirenone/EE pill로 교체

(9) 피임용 질링(Vaginal ring)

① 하루에 ethinyl estradiol 15 μg과 etonogestrel 120 μg이 분비되는 링

② 종류 : NuvaRing®

    a. 바깥 지름이 54 mm인 유연한 가는 폴리머 링

    b. 생리 1~5일째에 링을 질 내에 환자 스스로 삽입

    c. 3주간 넣어 두었다가 빼고 1주 동안 링을 사용하지 않으면 그 사이에 생리가 시작

    d. 간에서 바로 대사되지 않고 흡수되어서 혈중 호르몬치가 일정하게 유지

③ 작용기전 : 배란 억제

④ 피임효과 및 금기증 : 경구피임제와 유사

⑤ 링과 관련되어 질염이나 질 분비물 증가 같은 부작용이 나타날 수 있음

그림 5-6. 피임용 질링(NuvaRing)

(10) 피임 패치(Transdermal patch)

① Ethinyl estradiol과 norelgestromin이 함유되어 있는 피임 패치

② 종류 : Ortho Evra patch®

    a. 둔부, 복부 등에 생리주기 첫날부터 1주일에 한 장씩 3주간 붙임

    b. 1주간의 휴지기를 가지며 이 때 소퇴성 출혈이 발생

③ 장단점

    a. 장점 : 간편, 높은 순응도

    b. 단점 : 정맥혈전증 발생 위험도 증가, 체중 90 kg 이상에서 피임 실패율 증가

그림 5-7. 피임 패치(Transdermal patch)

6) 기타 피임법

(1) 생리주기조절법(Periodic abstinence)

① 날짜피임법(calendar rhythm method)

a. 날짜피임법의 이론

- 난자의 수정 능력 : <24시간
- 여성 생식기 내에서 정자의 생존기간 : <5~7일
- 배란 : 다음 생리 예정일에서 약 14일 전

b. 임신 가능성 높은 기간

- 지난 6개월간의 생리주기 중 가장 짧은 주기에서 18일을 뺀 날짜로부터 가장 긴 주기에서 11일을 뺀 날짜까지
- 생리주기가 28~30일인 여성은 생리주기 10~19일까지가 금욕기에 해당

c. 다음 생리를 정확히 예측하기가 힘들기 때문에 불확실한 피임법

② 기초체온법(temperature rhythm method)

a. 배란 이후 프로게스테론에 의해 기초체온이 약 0.4℃ 정도 상승

b. 생리 첫날부터 기초체온 상승 3일째까지 성교를 피하는 방법

③ 자궁경부점액관찰법(cervical mucus rhythm method)

a. 배란 전후의 자궁경부 점액의 변화를 이용

b. 생리 후 점액이 관찰되기 시작하는 첫날부터 점액이 가장 많이 증가된 후 마지막 4일까지는 성교를 피하는 방법

④ 증상체온법(symptothermal method)

a. 날짜피임법, 기초체온법, 자궁경부점액관찰법을 합한 방법

b. 날짜피임법과 점액관찰법에 따라 금욕을 시작

c. 자궁경부점액관찰법과 기초체온법에 의해 마지막 금욕 날짜를 결정

(2) 차단피임법(Barrier method)

① 남성용 콘돔(male condom)

    a. 작용기전 : 정액에 대한 장벽

    b. 피임실패율 : 2~18% 정도

    c. 장점과 단점

장점	단점
성전파성질환 위험성 감소 자궁경부종양 위험성 감소(HPV 차단) 사정 지연의 효과	라텍스 과민반응 파손 위험 성교감 감소

② 여성용 콘돔(female condom)

    a. 성교 전 미리 질 안에 삽입하는 폴리우레탄 재질의 콘돔

    b. 피임실패율 : 5~21% 정도(남성용 콘돔에 비해 높음)

    c. 장단점은 남성용 콘돔과 유사

    d. 방광염(cystitis)과 관련은 없음

③ 피임격막(diaphragm), 자궁경부캡(cervical cap)

    a. 살정제가 포함된 피임격막, 자궁경부캡을 성교 전 질 안에 넣어 정자를 차단하는 방법

    b. 성교 후 6시간 지난 후에 제거

    c. 24시간 이상 그대로 방치하면 염증이 생길 수 있고 피임 실패율이 증가

    d. 최근에는 잘 사용하지 않는 방법

(3) 살정제(Spermicide)

① 성교 전에 질 안쪽 깊이 넣어두어 정자의 통과를 막거나 정자를 죽이는 방법

② 종류 : nonoxynol-9, octoxynol-9 등이 함유된 크림, 젤

③ 단점

    a. 피임 효과가 1시간만 지속

    b. 성교 시마다 다시 넣어야 하고, 성교 후 6시간 이내에는 질세척을 하지 않아야 함

    c. 실패율이 높아 다른 피임법과 더불어 일시적으로만 사용

    d. 성전파성질환(STD)에 대한 보호작용이 없음

2 특수한 상황의 피임법

1) 응급피임법(Emergency contraception)

(1) 서론

① 피임하지 않은 성교 후나 성폭행을 당한 경우 원치 않은 임신을 예방할 수 있는 방법

② 난자는 수정 후 6일째 착상 : 이론적으로 임신을 막을 수 있는 기간

③ 성교와 응급피임법 사이의 시간이 증가할수록 효과가 감소

(2) 응급피임제(Emergency contraception pill)

① 복합 응급피임제

　　a. 에스트로겐(ethinyl estradiol)과 프로게스틴(norgestrel 또는 levonorgestrel)의 복합제제를 성교 후 72시간 내에 한번 복용하고 12시간 후에 다시 복용하는 방법

　　b. Yuzpe 응급피임법 : 1974년 캐나다의 Yuzpe 교수에 의해 기술된 방법

　　c. 과거의 부작용이 많던 고용량 에스트로겐을 사용하던 방법 대신에 많이 사용

② 프로게스틴 단일 응급피임제

　　a. 성교 후 72시간 이내에 levonorgestrel 1.5 mg 1회 복용

　　b. 상품명 : 포스티노-1®, 레보니아원® 등

　　c. Yuzpe 응급피임법과 효과가 동등하거나 우월하고 오심, 구토 증상이 감소

　　d. 배란의 지연 및 억제, 정자의 이동 방해, 착상을 방해

　　　- 성교 후 빨리 복용할수록 더욱 효과적

　　　- 최근 연구 : 성교 후 5일 안에 복용 시 효과는 감소되나 피임효과 있음

③ Ulipristal acetate 응급피임제

　　a. 성교 후 5일(120시간) 이내에 ulipristal acetate 30 mg 1회 복용

　　b. 상품명 : Ellaone®

　　c. 울리프리스탈 아세테이트(ulipristal acetate, UPA)

　　　- 선택적 프로게스틴 수용체 조절인자(selective progestin receptor modulator, SPRM)

　　　- 항프로게스틴 효과

　　　- 황체형성호르몬 급등(LH surge) 시점까지도 배란을 억제

　　d. 복용 후 5일 이내에는 프로게스틴 성분이 포함된 피임제는 UPA의 응급피임효과를 감소시킬 수 있으므로 금기

　　e. 응급피임 경구제제 중 가장 효과적(ACOG, 2017)

④ 에스트로겐 단일 응급피임제 : 효과가 낮아서 현재 사용되지 않음

⑤ 다나졸(danazol) : 응급피임제로 사용될 수 있으나 효과적이지 않음

(3) 구리 자궁내장치(Copper IUD)

① 응급피임효과

a. 수정란의 착상을 방해

b. 성교 후 7일 이내에 사용이 권장

- 5일 이내에 사용하면 피임실패율 0.1%

- 7일 이후에 사용해도 낮은 피임실패율

② 향후 관리

a. 계속 피임을 원하지 않는 경우 : 다음 생리가 정상적으로 나오면 제거

b. 계속 피임을 원하는 경우 : 구리 자궁내장치를 유지

③ 성병에 노출될 위험성이 많은 여성 : 골반염, 불임증 위험성 증가

(4) 항프로게스틴제(Antiprogestins)

① Mifepristone®(RU 486) : 200 mg(낙태 효과), 10 mg(응급 피임)

② 국내에는 없음

③ 효과

a. 임신 6주 이전의 유산

b. 성교 후 72시간 이내의 응급 피임

④ Prostaglandin과 같이 사용하면 효과 증대

2) 산욕기 피임법(Puerperal contraception)

(1) 수유 중 무월경법(Lactational amenorrhea method)

① 수유 중에는 뇌하수체에서 젖분비호르몬(prolactin)의 분비가 증가되어 배란이 억제

② 수유로 피임효과를 가질 수 있는 조건

a. 출산 후 무월경 상태

b. 전적으로 모유만 먹이고, 밤낮으로 아기가 원할 때 마다 혹은 적어도 매 3~4시간마다 약 15분 이상 수유

c. 산후 6개월 미만

③ 피임방법으로 수유는 큰 효과가 없음

(2) 모유수유 중 다른 피임방법

① 차단피임법

② 자궁내장치 : 자궁천공 및 분실의 예방을 위해 완전 자궁퇴축(uterine involution)이 확인된 분만 최소 6주 후에 삽입

③ 복합 경구피임제

　　　a. 아주 소량의 호르몬이 모유로 분비되나 태아에게 나쁜 영향 없음

　　　b. 에스트로겐 함유 복합 제제 : 모유양을 감소시킬 수 있어 산후 6개월 이내에는 사용하지 말도록 권고

　　　c. 프로게스틴 단일 제제 : 모유의 양과 질에 영향이 없고, 수유와 병행 시 높은 피임효과

3 불임수술(Sterilization)

1) 여성 불임수술(Female sterilization)

　(1) 산후 난관불임술(Puerperal tubal sterilization)

　　① 출산 후 다음날 난관이 아직 배꼽 근처에 있을 때 배꼽 밑에 1~2 cm의 작은 절개를 하여 난관을 결찰하는 방법

　　② 종류

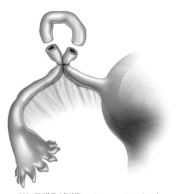
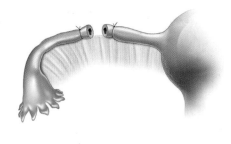

(A) 포메로이법(Pomeroy procedure)　　(B) 파크랜드법, 변형포메로이법(Parkland procedure, modified Pomeroy procedure)

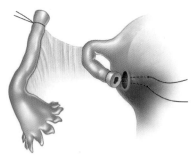
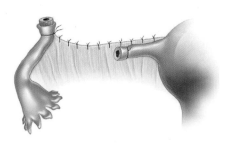

(C) 어빙법(Irving procedure)　　(D) 우치다법(Uchida procedure)

그림 5-8. 산후 난관불임술의 종류

③ 산후 난관불임술의 실패 원인

    a. 수술 오류 : 난관 대신 원인대를 묶는 경우

    b. 난관절단면에 누공이 생기거나 저절로 연결이 되는 경우

(2) 복강경 난관불임술(Laparoscopic tubal sterilization)

① 복강경을 이용해서 난관의 일부분을 소작하여 절단하거나, 다양한 형태의 링이나 클립을 이용하여 난관을 결찰

② 종류

    a. Bipolar electrical coagulation : 시행 후 자궁외임신의 빈도가 가장 높음(50%)

    b. Falope ring application, Hulka clip

③ 장점 : 작은 상처, 적은 통증, 입원 필요 없음, 시술 시 골반과 복강 내 확인 가능

④ 단점 : 고가의 시술 장비, 일정 수준의 시술자 필요, 시술 시 장, 혈관 등의 손상 위험성

(3) 자궁경 난관불임술(Hysteroscopic tubal sterilization)

① 자궁경을 이용하여 난관을 막는 영구 피임법

② 종류

    a. Essure sterilization procedure

        - 스텐레스 니켈 합금 코일로 시술 부위를 막음

        - 3개월 후 장치의 위치 확인(HSG, 초음파, X-ray, CT, MRI 등)

    b. Adiana sterilization procedure

        - 시술 부위를 전기 고온 처리 후 실리콘으로 막음

        - 3개월 후 HSG을 시행하여 tubal spillage가 없음으로 난관 폐쇄를 확인

③ 부위마취 혹은 진정 정도로 시행 가능

④ 안전도, 비용, 장기간의 효과면에서 우수

(4) 기타 수술적 방법

① 최소개복술(minilaparotomy) : 치골 직상부에 2~3 cm 절개를 하여 난관을 결찰하는 방법

② 질벽절개술(colpotomy), 더글러스와절개술(culdotomy) : 질상부 후벽의 더글러스와 절개를 통하여 난관을 결찰하는 방법

③ 최근에는 복강경을 통한 불임술이 증가하여 사용되지 않음

(5) 위험성

① 수술 후 합병증이 증가하는 경우 : 전신마취, 복부 또는 골반수술의 과거력, 골반염의 과거력, 비만, 당뇨 등

② 수술의 가장 흔한 합병증 : 의도하지 않은 개복술(laparotomy)

(6) 난관불임술의 복원

① Yoon's ring(mechanical occlusion)을 이용한 방법이 전기소작보다 복원 성공률이 우수

② 복원된 난관의 길이가 5 cm 이상이면 임신 예후가 좋음

③ 난관 복원 수술시기로 가장 적당한 생리주기 : 증식기(proliferative phase)

2) 남성 불임수술(Male sterilization)

(1) 정관절제술(Vasectomy)

① 음낭에 작은 절개 후 정관(vas deferens)을 절단하여 고환에서 정자의 이동을 막는 방법

② 수술 후 약 3개월 또는 20회의 사정 후에 저장된 정자가 다 소모된 뒤 피임효과 형성

(2) 안전성과 복원력

① 여성 불임수술에 비해 안전하고 간단, 적은 합병증 및 실패율(피임성공률 98%)

② 정관절제술 후 피임실패의 원인

    a. 수술 후 정자가 소모되는 기간에 차단피임법 등을 하지 않은 경우

    b. 정관의 불확실한 폐쇄

    c. 정관의 재소통

③ 복원 성공률 : 50~70%, 정관결찰술 상태가 오래 지속된 경우일수록 성공률 감소

④ 수술에 의한 합병증

    a. 수술 후 항정자항체가 생길 수 있으나 심혈관계질환을 증가시키지 않음

    b. 고환암, 전립선암과의 연관성 없음

CHAPTER 06

성기능장애 및 성폭행(Sexual dysfunction and Sexual assault)

1 성(Sexuality)

1) 서론

(1) 성(Sexuality)의 정의

① 자신에 대한 생각, 성적 선택, 남성 또는 여성으로서의 신체적 특성에 대한 정체성을 스스로 총체적으로 표현하는 것

② 문화, 모델로서의 부모 역할, 또래 관계에 근거한 성의 근본바탕은 유아 초기 발달단계에 형성

③ 성적 개념의 형성은 일생동안 진화

(2) 성 개념의 형성 과정

① 구강기(oral stage)

    a. 배고픔이라는 불쾌감이 빠는 행위를 통해서 해소되고 긴장감도 풀리며 안정을 획득

    b. 모든 관심이 입으로 집중되며 감각이나 활동의 초점이 입에 집중

② 항문기(anal stage)

    a. 운동 근육과 신경이 발달하고 아이의 관심이 항문으로 이동

    b. 아이는 대변이 더럽다는 생각을 못하는 가운데 어머니의 태도가 인격형성에 큰 영향

    c. 어머니의 태도가 매우 성급하고 엄하면 강박적 성격이 되고 이런 성격이 나중에 성적 결정이나 행위에 지대한 영향을 미침

③ 남근기(phallic stage)

    a. 어머니와의 관계에서 다른 가족들과의 관계로 폭이 확대되는 시기

    b. 인간관계에서 분노, 질투, 부러움, 죄책감과 같은 감정을 느낌

    c. 호기심이 생겨 남녀의 차이에 대한 인식도 생기기 시작, 쾌락의 장소가 성기로 이동

    d. 이성의 부모에게 애정을 느끼고 동성에게는 질투와 경쟁심 발생(Oedipus complex)

④ 잠복기(latent phase)

  a. 7살부터 12살까지로 우리나라 초등학생 나이

  b. 정신성적 발달 단계의 잠복기인데 성적 흥미와 활동이 사라져버리는 시기

  c. 인간관계가 다양해지고 사회화가 이루어지는 시기

⑤ 청소년기(period of adolescence)

  a. 12살부터 20살까지의 시기

  b. 성 호르몬이 증가하고 이차성징이 발생

  c. 성 충동이 강해지고 더욱 공격적으로 변함

  d. 이성교제가 시작되고 자아 주체성이 확립되는 시기

⑥ 성인기(adulthood)

  a. 성숙한 성인 : 건강한 가정을 꾸리고 책임감과 자아 주체성을 갖춘 사람

  b. 비정상적인 상황을 해소하지 못하게 되면 나중에 무의식 속에서 성의 정상적인 표현이 이루어지지 못하는 경우가 발생

2) 성반응주기(Sexual response cycle)

(1) 욕구기(Desire)

① 내적인 자극(판타지, 기억) + 외적인 자극(에로틱한 글, 시각적 자극, 파트너)

② 성적 신호는 적절한 신경내분비 기능과 연관

  a. 성반응 증진: norepinephrine, dopamine, oxytocin, melatonin, serotonin

  b. 성반응 억제: prolactin, GABA, serotonin acting on other receptors, endocannabinoids, opioids, γ-aminobutyric acid

③ 정신적 건강과 파트너와의 관계가 가장 중요한 영향

④ 피곤함, 만성 질병 등은 욕구를 감소

(2) 각성기(Arousal)

① 주관적인 흥분과 에로틱한 감정을 수반한 많은 신체적 변화가 유발

② 신체적 변화

  a. 음부팽만, 질 윤활 증가, 가슴 크기 증가, 유두발기, 피부 민감도 증가

  b. 혈압, 심박수, 호흡, 체온의 증가

  c. 가슴, 얼굴에 혈관의 확장(sex flush)

  d. 넓고 길어지는 질(sex platform), 골반 밖으로 상승하는 자궁

③ 신체적 변화는 에로틱한 자극의 몇 초 이내에 발생

④ 주관적인 성적흥분 정도와 신체변화는 매우 가변적인 상관관계

(3) 극치기(Orgasm)

① 극치감의 유발

a. 생식기 자극 : 가장 쉽고 흔한 유발원

b. 수면 중, 가슴과 유두 또는 다른 신체부위의 자극, 환상, 약물 등에 의해서도 가능

② 각성기에 발생한 성적 긴장감이 갑자기 방출되는 느낌과 동시에 질과 자궁, 항문 근육의 주기적인 수축이 발생

③ 여성은 불응기가 없어 다중 극치감(multiorgasm)이 가능

(4) 해소기(Resolution)

① 극치감으로 인한 성적 긴장감이 풀린 후 이완, 평온함이 느껴지는 시기

② 각성기 중 일어난 신체적 변화는 5~10분 후 정상 상태로 회복

3) 성반응에 영향을 주는 인자들

(1) 정신건강

① 성적 스트레스의 강력한 예측인자 : 감정 평온함의 결여(자존심, 여성성의 결여, 불안감)

② 우울증이 있는 많은 여성에서 성적 욕구의 결여가 있으나 역설적으로 자위 빈도가 높음

(2) 노화

① 나이든 여성이 젊은 여성보다 성적 욕구가 없어지는 것에 대한 스트레스가 적음

② 성적 욕구가 감소하기는 하지만 젊었을 때의 성생활이 중요

③ 에스트로겐 저하 : 성교통과 불편감을 유발, 성적 동기유발을 감소

(3) 약물

① 알코올과 불법 약제 등의 사용은 정상적인 성반응을 변화 유발

② 성반응주기에 영향을 미치는 약제

성반응 저하 약물	성반응 증가 약물
Antihypertensives (β-blockers, thiazides)	Danazol
Antidepressants (serotonergic antidepressants)	Levodopa
Lithium, Benzodiazepines, Narcotics, Spironolactone	Amphetamines
Antipsychotics, Anticonvulsants, Antihistamines	Bupropion
Oral contraceptives and oral estrogen therapy	
Gonadotropin-releasing hormone (GnRH) agonists	
Cocaine, Alcohol	

(4) 만성 질환

① 만성 골반염, 자궁내막증 : 만성 성교통이 성욕구 및 만족감을 감소

② 다낭성난소증후군 : 고안드로겐혈증이 성욕구 감소, 흥분 감소를 억제하는 증거는 없음

③ 재발성 헤르페스 : 성병에 두려움은 성욕구 및 각성장애 유발 가능

④ 태선경화(lichen sclerosus) : 음핵의 자극에 따른 통증

⑤ 유방암 : 유방암 치료 후 성기능 장애는 유방암 진단 후 약 1년 이상 지속

⑥ 당뇨 : 동반 우울증이 성기능장애와 연관

(5) 자궁절제술

① 단순 자궁절제술(simple hysterectomy) : 대부분의 여성에서 큰 변화가 없음

② 광범위 자궁절제술(radical hysterectomy) : 아직 많은 연구가 필요

(6) 자궁경부암

① 수술적 폐경(surgical menopause) 유발

② 질 윤활 감소, 방사선 손상, 자율신경 차단 등에 의해 발생

(7) 임신과 산욕기

① 임신으로 인한 육체적, 정신적, 경제적인 스트레스는 성적인 감정에 부정적인 영향

② 임신과 출산 후에 발생하는 성적 욕구의 저하는 흔하며 일반적으로 정상적인 반응

③ 모유수유를 하는 여성이 분유를 사용하는 여성보다 성적 욕구와 만족도가 낮음

(8) 기타

① 성격적 요인 : 욕구가 적은 여성이 낮은 자아감, 높은 불안감, 죄의식 등을 가짐

② 파트너와의 관계 : 욕구가 없는 여성은 파트너와의 관계가 안정적

③ 파트너의 성기능장애 : 여성의 성기능에 영향을 주는 가장 중요한 부분

④ 불임 : 불임 치료는 여성의 성적 만족감을 감소

2 성기능장애(Sexual dysfunction)

1) 성반응주기장애

(1) 욕구 및 흥분장애(Female sexual interest/arousal disorder)

① 진단

DSM-5 진단기준 : Female sexual interest/arousal disorder

다음 중 3개 이상이 존재
- 성적 활동에 대한 결여/감소된 관심
- 성적인 생각이나 환상의 부재/감소
- 성관계의 시작이 없거나 감소되고 일반적으로 파트너의 시작을 받아들이지 않음
- 성적 흥분, 성관계 중 즐거움이 결여/감소
- 내적인 자극이나 외적인 자극에 성적 관심이나 각성의 부재/감소
- 거의 모든 성관계 중 생식기 및 비생식기 감각의 부재/감소

---

② 욕구장애(desire disorders)

　　a. 성적 활동에 대한 욕구가 지속적으로 또는 반복적으로 부족하거나 없는 상태

　　b. 성욕저하장애(hypoactive sexual desire disorder, HSDD)

　　- 가장 흔하지만 가장 어려운 성기능장애

　　- 성교통(dyspareunia), 식욕 부진(anorgasmia) 등과 잘 동반

　　- 원인 : 약물, 만성 질환, 우울증, 스트레스, 약물남용, 노화, 호르몬변화 등

　　c. 치료

　　- 인지행동치료(cognitive behavioral therapy, CBT)

　　- 성행위 중 편향된 생각과 자신의 성적 자아에 대해 가지고 있는 부정확한 생각을 대상으로
　　　시행

③ 생식기 흥분장애(genital arousal disorder)

　　a. 성적 흥분과 쾌락을 전혀 느끼지 하는 상태

　　b. 분류

　　　- 복합성 흥분장애(combined arousal disorder) : 생식기 흥분이 없거나 감소

　　　- 주관적 흥분장애(subjective arousal disorder) : 약간의 음부팽만, 질 윤활이 있으며 애무
　　　　에 대한 생식기의 성적 감각이 감소

　　　- 생식기 흥분장애(genital arousal disorder) : 생식기를 제외한 성적 자극에 주관적인 흥분
　　　　은 유지

　　c. 치료

　　　- 경피 테스토스테론 패치(transdermal testosterone), flibanserin(항우울제)

　　　- 아직 연구가 부족

(2) 극치장애(Orgasmic dysfunction)

　① 극치감(orgasm)이 현저히 감소하거나 결여된 상태

　② 진단

DSM-5 진단기준 : Female orgasmic disorder

대부분의 성관계 중 다음 1개 이상이 존재
- 극치감(orgasm)의 현저한 지연, 드묾, 부재
- 뚜렷하게 감소된 극치감(orgasm)의 강도

---

　③ 특성

　　a. 어리고 성 경험이 적은 여성에서 더 빈번

　　b. 평생지속형 극치장애가 후천적 극치장애보다 호발

　④ 원인 : 강박적인 자기 관찰, 각성기 동안의 감시, 불안감과 부정적인 사고의 동반

　⑤ 치료

　　a. 성적 상상과 자위(directed masturbation) : 근거에 입각한 유일한 치료법

　　b. 성관계 중 음핵(clitoris) 자극

2) 통증장애

(1) 질경련(Vaginismus)

　① 실질적 혹은 상상의 상황에서 질 삽입 시 유발되는 가변적, 비자발적인 골반근육 수축

　② 질경련성 반응(vaginistic response) : 골반근육, 허벅지, 복부, 엉덩이 및 기타 근육의 비자발적 수축 반사

(2) 성교통(Dyspareunia)

　① 성관계 시도 및 질 삽입 시 발생하는 지속적이거나 반복되는 통증

　② 가장 흔한 성기능장애 중 하나

　③ 심리적 요인과 신체적 요인이 모두 관련

　④ 환자 관리 시 중요한 3가지

　　a. 처음에는 성교가 불가능해도 부부가 성적 친밀감을 가지도록 도움

　　b. 만성 통증을 유발하는 심리적 문제 확인

　　c. 만성 통증을 자극하는 기저질환의 치료

(3) 유발성 전정통(Provoked vestibulodynia, PVD)

　① 외음부에 탐폰, 내진, 남성 성기, 옷 등이 닿을 때 생기는 통증

　② 원인

a. 만성 통증증후군으로 생각

b. 다른 흔한 원인 : 부적절한 성적 흥분으로 인한 마찰, 에스트로겐 부족으로 인한 질 윤활의 부족, 질 위축으로 인한 질 신축성의 감소, 얇아진 질 상피

③ 증상

a. 외음부의 다양한 발적

b. 처녀막 주위나 소음순의 안쪽 자극 시 작열통(burning pain) 호소

c. 유발성 전정통 환자는 과민성 장증후군, 기질성 방광염, 생리통, 섬유근통(fibromyalgia)이 흔하게 동반

④ 치료

a. 항우울제, 항간질약, 국소마취제, 항염증제, 에스트로겐 등

b. 국소 스테로이드 : 신경염을 악화시킬 수 있어 금지

(4) 외음부-골반삽입통증장애(Genito-pelvic penetration pain disorder, GPPPD)

① 질경련(vaginismus) + 성교통(dyspareunia)

② 진단

DSM-5 진단기준 : Genito-pelvic penetration pain disorder

다음 중 1개 이상에 대한 지속적고 반복적인 어려움이 존재
- 성관계 중 질 삽입에 대한 현저한 어려움
- 질에 성관계/삽입 시 현저한 외음부와 질 또는 골반의 통증
- 질 삽입의 예상/도중/결과로 외음부와 질 또는 골반의 통증에 대한 현저한 불안감
- 질 삽입을 시도하는 동안 골반바닥 근육의 현저한 긴장 또는 조임

---

③ 치료

Genito-pelvic penetration pain disorder의 치료

부부에게 삽입을 제외한 성적 활동을 시작하도록 독려
환자에게 질 주위의 자극에 대한 골반근육의 반사적인 수축에 대해 설명
매일 수 분간 질 입구 주위를 스스로 자극하도록 교육
거울로 질 주위를 보면서 시각적 이미지 추가
여성이 준비가 되었으면 부분적인 외음부 검사를 시행
적절한 질 검사 후 점차 직경이 증가하는 일련의 질 삽입물을 처방
유발성 전정통(PVD)을 배제해야 하는 경우 면봉으로 이질통(allodynia)을 반복 검사
환자가 더 큰 삽입물을 사용 가능하면 다음 단계를 시행
- 파트너가 삽입물을 질에 삽입하는 것을 돕도록 여성을 격려
- 부부가 성관계를 갖는 동안 삽입물을 잠시 사용하도록 격려
- 성관계 시 삽입물을 여러 번 사용한 후 파트너의 성기를 삽입하도록 격려

---

3) 중년 이후의 성기능장애

(1) 원인

① 여러 요인에 의한 영향

② 광범위 치료가 필요

(2) 치료

① 파트너와 함께 서로 성적 만족감을 주고받기 위한 방법들을 논하는 것이 좋음

② 신체적, 정서적 성적 즐거움을 공유하는 것이 초점

③ 정서적인 좌절, 우울감이 성적 흥분을 방해하므로, 필요 시 정신과적 상담도 고려

3 성폭행(Sexual assault)

1) 유년기의 성적 학대(Childhood sexual abuse)

(1) 특징

① 유년기의 성적 학대는 인생 전체에 영향을 미치는 상황

② 대부분 본인이나 가족에 의해 알려지지 않음

③ 어린 아동들일수록 성기 애무나 비접촉성 성적 학대가 잦고, 나이가 들어감에 따라 집 밖에서 주로 낯선 사람에 의해서 성적 학대를 경험

(2) 위험성

청년기	성인기
원치 않은 임신, 성전파성질환, 매춘 반사회적 성향, 가출 거짓말, 절도, 섭식장애 다양한 신체장애율 증가	무기력, 무력감 만성 우울증 정상적인 인간관계의 어려움 외상 후 스트레스 장애(PTSD)

2) 강간(Rape)

(1) 정의 및 빈도

① 정의

  a. 물리적인 완력, 속임수, 협박, 혹은 신체적 위해를 주겠다는 위협 등을 이용

  b. 연령(어린이 혹은 노인), 술이나 약물, 의식불명, 정신장애 혹은 신체장애로 자신의 의사를 분명히 표현할 수 없는 혹은 의사를 표현할 수 있더라도 동의가 없는 상황

    → 구강, 질 혹은 항문에 남성외성기, 손가락, 기타 물건을 집어넣는 행위

② 빈도(미국 통계)

    a. 성인 여성 8명 중 1명은 일생에 적어도 한 번 이상 강간을 경험

    b. 대부분 친, 인척 지인에 의한 성폭력 피해

    c. 한국 : 19세 미만의 미성년자가 33.8%

(2) 용어 설명

가해자와 피해자의 관계	
비면식범에 의한 강간	피해자와 가해자가 성폭행 전 아는 사이가 아니었던 경우
면식범에 의한 강간	서로 교류가 있거나 아는 사이였던 경우
피해자의 나이	
미성년자 강간	만 13세 미만에 대한 성폭행
가해자의 유형	
기회 강간범	충동적으로 강간을 저지르는 경우 무력을 거의 사용하지 않으며 여성에 대한 분노의 감정이 없음 면식범에 의한 강간이나 데이트 강간 인간에 대한 신뢰가 무너져 성폭행 후 정신적인 문제가 유발될 가능성이 더 높음
분노 강간범	육체적인 폭력을 가하고 피해자로 하여금 모욕적인 행동을 하도록 위협 가해자는 분노, 우울증 등을 보이고, 자신이 받은 불평등에 대한 화풀이를 가함 아주 어리거나 나이 많은 피해자를 고르는 경우가 많음
권력 강간범	성적인 만족을 얻기 위해 여성을 이용 또는 조종하는 것으로 우월감을 얻고자 함 사전에 범죄를 계획하며 반복적인 경향 피해자가 도망갈 수 없는 상황이라면 오랜 기간에 걸쳐 끈질기게 범죄를 반복
가학적 강간범	피해자에게 고통을 줌으로써 성적인 쾌감을 얻는 정신 병리학적 이상이 있는 경우 범죄는 사전에 치밀하게 계획되며, 피해자는 잘 모르는 사람 중에서 선택 결박, 고문, 기타 비정상적인 행위를 가하고, 오랜 기간 이루어지기도 함

(3) 강간의 영향

① 임신, 성적 전파성 질환, 성폭행에 대한 비난, 이름이 대중에게 알려지는 것, 가족들이 성폭행의 사실을 알게 되는 것 등에 대해 염려

② 초기 반응 : 충격, 감각의 마비, 허탈감, 부정 등

③ 수 주에서 몇 달 후 대부분의 피해자들은 정상 생활로 돌아오지만 강간에 대한 분노, 공포, 죄의식 등을 억누르고 생활

(4) 성폭행 피해자 치료 담당의사의 역할과 책임

① 구급처치 및 생명을 위협하는 손상에 대한 진단과 치료

② 성폭력 피해 상황 및 부인과 병력에 대한 문진

③ 피해부위 파악 및 기록과 치료

④ 각종 배양검사 실시 및 성병 예방

⑤ 임신 예방

⑥ 법적 증거물 채취 및 기록

⑦ 진단 치료 후 상담

⑧ 추적관찰

(5) 진찰과 증거 수집

① 면담 시 유의사항

    a. 의사는 문진과 증거 채취 전 환자에게 동의를 받아야 함

    b. 환자는 조용하고 안정적인 환경에서 객관적인 검사자에 의한 면담 시행

    c. 가족, 친구, 성폭력 상담가 같이 정신적인 지지가 될 수 있는 사람들을 대동

    d. 환자를 혼자 두면 안 됨

    e. 소아의 경우 나이와 배경에 맞는 용어를 사용하여 질문

② 문진 시 얻어야 할 정보

    a. 전반적인 환자의 병력과 부인과적 병력

    b. 성폭력 이후의 목욕, 탐폰 사용, 소변이나 대변, 양치, 환복 여부 등을 확인

    c. 성폭행 당시의 상황과 성적 접촉의 종류에 대한 구체적인 진술을 확보

    d. 환자의 정서적인 상태를 관찰하고 기록

③ 법적 증거물 수집

검사	목적 및 방법
Wood light 검사	정액 확인, 정액이 묻은 부위는 청록색에서 주황색을 보임
Pap smear	정자 확인
질 분비물 채취	운동성이 있는 정자 확인 Acid phosphatase, P30 단백질(전립선 특이 단백), ABO항원, DNA 지문술 등의 확인
피해자의 음모 채취	가해자의 체모 채취
손톱 및 조직 채취	가해자의 혈액, 체모, 피부조직을 채취하여 DNA 지문술 시행
피해자의 침 채취	피해자가 ABO 혈액형의 H 항원 분비양성 인지를 확인 질 분비물에서 혈액형 항원과 비교
피해자의 두경부, 어깨, 가슴에서 검체 채취	식염수나 무균의 물로 적신 면봉을 사용 가해자의 호흡기 비말 확인하여 DNA 검사에 사용

④ 신체검사 및 검체 채취

신체검사

신체적 손상 중 가장 흔한 형태
- 얼굴, 목, 팔 등에 생기는 멍과 찰과상
- 출혈이나 통증을 동반한 생식기 손상
- 가장 흔한 생식기 손상 : 외음부, 회음부, 질 입구의 홍반과 작은 파열
머리에서 발끝까지 검사
생식기–항문 검사 : 쇄석위(lithotomy position) 또는 좌측 측와위(left lateral position)

검체 채취

성적 접촉이 있었던 부위(질, 항문, 구강)에서는 모두 검체를 채취
자궁경부/생식기, 구강, 항문에서 배양검사
- 임질균(Neisseria gonorrhea)
- 클라미디아(Chlamydia trachomatis)
- 헤르페스(Herpes simplex)
Wet prep : 트리코모나스(Trichomonas vaginalis) 검사
혈청학적 검사 : 매독(Syphilis), B형간염, C형간염
임신검사, 전혈구검사(CBC), 간기능검사(LFT), BUN/Cr, HIV 검사 등

(6) 예방적 치료

① 응급피임법

　　a. Ulipristal acetate 응급피임제

　　　- 상품명 : Ellaone®

　　　- 성교 후 5일(120시간) 이내에 ulipristal acetate 30 mg 1회 복용

　　b. 프로게스틴 단일 응급피임제

　　　- 상품명 : 포스티노-1®, 레보니아원®

　　　- 성교 후 72시간 이내에 levonorgestrel 1.5 mg 1회 복용

　　c. 복합 응급피임제

　　　- 에스트로겐과 프로게스틴의 복합제제

　　　- 성교 후 72시간 내에 한번 복용하고 12시간 후에 다시 복용

　　d. 구리 자궁내장치(copper-IUD)

　　　- 성교 후 7일 이내에 사용이 권장

　　　- 7일 이후에 사용해도 낮은 피임실패율

　　　- 계속 피임을 원하지 않는 경우 : 다음 생리가 정상적으로 나오면 제거

　　e. 항프로게스틴제(antiprogestins)

　　　- Mifepristone®(RU 486) : 국내에는 없음

　　　- 200 mg(낙태 효과), 10 mg(응급 피임)

② 성전파성질환의 예방적 치료

질환	치료
임질(Gonorrhea)	Ceftriaxone 125 mg, 근육 주사 또는 Ciprofloxacin 500 mg, 경구 투여 또는 Spectinomycin 2 g, 근육 주사
클라미디아(Chlamydia)	Azithromycin 1 g, 경구 투여, 1회 또는 Doxycycline 100 mg, 경구 투여, 하루 2회, 7일간 또는 Erythromycin 500 mg, 경구 투여, 하루 4회, 7일간
트리코모나스 (Trichomoniasis) 세균질증(Bacterial vaginosis)	Metronidazole 2 g, 경구 투여, 1회
B형 간염(Hepatitis B)	Vaccine 1.0 mL, 근육 주사(1, 6개월 후 추가 접종)
파상풍(Tetanus) – 필요시	파상풍 예방접종(T-dap) 0.5 mL, 근육 주사
HIV 감염	상황을 판단하여 경우에 따라 예방 권고안을 따름
물린(bite) 상처	Amoxicillin/Clavulanate(Augmentin) 875 mg, 경구 투여, 하루 2회, 3일간
임신 예방	응급피임법 시행
상담	향후 성폭력 상담소에 의뢰하여 상담 시행

③ B형간염 바이러스 노출 시 조치방법(질병관리본부, 2018)

노출된 사람의 상태		감염원의 상태		
		HBsAg (+)	HBsAg (−)	HBsAg 미상
백신 미접종자		HBIG 1회 + 백신 3회	백신 3회	백신 3회
백신 과거 접종자	항체 형성	조치 필요 없음	조치 필요 없음	조치 필요 없음
	항체 미형성	HBIG 1회 + 백신 3회 or HBIG 2회(한달 간격)	조치 필요 없음	고위험군(HBsAg 양성 가능 성이 높은 경우)에 해당되면 HBsAg 양성인 경우에 준해 처치

	항체형성
	미상
		Anti-HBs 실시
		• ≥10 mLU/mL : 조치 필요
		  없음
		• 〈10 mLU/mL : HBIG 1회 +
		  백신 1회
			조치 필요
			없음
				Anti-HBs 실시
				• ≥10 mLU/mL : 조치 필요
				  없음
				• 〈10 mLU/mL : 백신 1회,
				  1~2개월 후 Anti-HBs 시행

④ 성폭행 피해자를 위한 HIV 예방 권고안

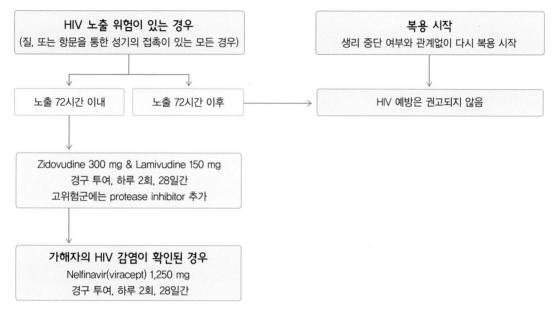

그림 6-1. 성폭행 피해자를 위한 HIV 예방 권고안

CHAPTER 07

여성 생식기의 양성질환(Benign diseases of the female reproductive tract)

1 비정상 출혈(Abnormal bleeding)

1) 사춘기 이전의 질 출혈(Prepubertal bleeding)

(1) 자궁내막 발산

① 태아의 자궁내막이 재태기간 중 모체 에스트로겐에 의해 자극을 받고 출생 후 에스트로겐 소퇴에 의해 출혈이 유발

② 생리적 현상으로 자연 소실되며 특별한 치료가 필요 없음

③ 출생 2주 후까지 지속되는 출혈은 비정상적이므로 자궁과 난소에 대한 검사 실시

(2) 질염(Vaginitis)

① 사춘기 이전에는 질점막이 얇고 위축되어 있으므로 장내 세균에 의한 감염이 흔히 발생

② 감염은 대변 후 처리 과정에서 발생하는 회음부 위생과 관련

③ 화농성 또는 삼출성 분비물 : 균배양을 시행하고 전신 항생제를 투여

④ 콘딜로마(condyloma)

    a. 모체로부터 수직감염이나 성적 학대를 통한 감염으로 발생

    b. 무통성 출혈을 유발

(3) 이물질(Foreign body)

① 질 내의 이물질은 국소 염증반응을 일으켜 악취가 나는 혈성 분비물이 증가

② 생리식염수로 질 내를 세척하며 이물질 제거

(4) 피부염

① 긁은 자리의 피부탈락에 의해 출혈을 유발

② 태선경화증(lichen sclerosus), 지루성 피부염, 아토피 피부염, 건선, 진균성 피부염 등

(5) 요도탈출증(Urethrocele)

① 요도 점막이 요도구 밖으로 빠져나와 형성된 유약한 종물에서 출혈이 발생

② 치료

    a. 초기 : 좌욕, 국소 에스트로겐 도포

    b. 절제술 : 탈점막의 괴사 발생 시 시행

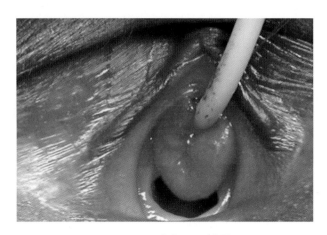

그림 7-2. 소아의 요도탈출증

(6) 출혈과 관련된 종양

① 흔한 원인 : 외음부의 모세혈관종이나 해면혈관종

② 소아에서 가장 흔한 악성 종양 : 횡문근육종(rhabdomyosarcoma)

③ 질 출혈을 유발할 수 있는 종양 : 내배엽동종양, 자궁내막선암, 혼합뮬러관종양 등

(7) 성조숙증(Precocious puberty)

① 이차성징 발달 없이 발생하는 경우 의심

② 8세 이전의 초경은 성조숙증의 확인이 필요

(8) 외음부 외상

① 외음부에는 혈관이 풍부해서 작은 외상으로도 대량 출혈을 유발

② 외상의 원인이 불분명할 때는 신체적 학대 가능성을 염두

③ 외음부 혈종

    a. 증상 : 극심한 통증, 해부학적 왜곡 또는 부종에 의한 배뇨장애

    b. 혈종이 크지 않고 회음부 손상이 없는 경우 : 즉각적인 냉찜질과 후속적인 온찜질

　　　c. 혈종이 크고 배뇨장애가 있는 경우 : 도뇨관 삽입 후 부종이 빠질 때까지 관찰

　　d. 혈종의 제거

　　　　- 통증을 경감시키고 회복을 빠르게 하며 괴사에 의한 조직 손실과 감염을 예방

　　　　- 질 입구 근처에서 혈종의 내측 점막면에 절개 후 혈액 및 괴사조직 제거

　　　　- 수술 후 배액관 설치 : 통증을 완화하고 세균 감염의 예방 효과

2) 가임기 여성의 질 출혈

(1) 가임기 여성의 정상 생리와 비정상 생리

① 정상 생리

　　a. 생리주기의 간격 : 24~38일

　　b. 생리주기의 변동 : 2~20일

　　c. 출혈 기간 : 4~8일

　　d. 출혈량 : 4~80 mL

② 비정상 생리

비정상 생리	간격(interval)	기간(duration)	양(amount)
월경과다(menorrhagia)	규칙적	길어짐	많음
불규칙 자궁출혈(metrorrhagia)	불규칙	정상 or 길어짐	정상
불규칙 과다월경(menometrorrhagia)	불규칙	길어짐	많음
과다월경(hypermenorrhea)	규칙적	정상(8일 이상)	많음(80 mL 이상)
과소월경(hypomenorrhea)	규칙적	정상 or 짧음(2일 미만)	적음(20 mL 미만)
희발월경(oligomenorrhea)	불규칙 or 드묾	다양	거의 없음
빈발월경(polymenorrhea)	규칙적이나 짧음	정상	정상
무월경(amenorrhea)	없음	90일간의 무월경	없음

(2) 연령에 따른 출혈의 원인

사춘기(13~18세)	생식기(19~39세)	폐경전후기(40~폐경)
만성 무배란 경구피임제 임신 혈액응고장애	경구피임제 임신 무배란 자궁근종 자궁경부 용종, 자궁내막 용종 갑상샘기능이상	난소기능 저하에 따른 무배란 자궁근종 자궁경부 용종, 자궁내막 용종 갑상샘기능이상

(3) 비정상 자궁출혈(Abnormal uterine bleeding, AUB)

기질적 병변이 있는 경우		기질적 병변이 없는 경우	
AUB-P	Polyp	AUB-E	Endometrial
AUB-A	Adenomyosis	AUB-C	Coagulopathy
AUB-L	Leiomyoma	AUB-O	Ovulatory dysfunction
AUB-M	Malignancy + Hyperplasia	AUB-I	Iatrogenic
		AUB-N	Not yet classified

① 기능성 자궁출혈(dysfunctional uterine bleeding, DUB)

    a. 내과적 질환이나 자궁에 기질적 병변이 없이 일어나는 비정상 자궁출혈

    b. 원인에 따른 분류

에스트로겐 파탄성 출혈(estrogen breakthrough bleeding)

· 배란이 안되어 프로게스테론의 분비 없이 에스트로겐에만 노출되어 과증식된 자궁내막에서 불규칙적으로 출혈이 발생
· 낮은 농도의 에스트로겐 : 불규칙하고 지속적인 출혈
· 높은 농도의 에스트로겐 : 무월경 후에 갑작스러운 대량의 질 출혈
· 예 : 사춘기, 폐경 이행기의 출혈, PCOS

에스트로겐 소퇴성 출혈(estrogen withdrawal bleeding)

· 상승되었던 에스트로겐 수치가 자궁내막 유지에 필요한 역치 이하로 급격히 감소되어 출혈이 발생
· 배란 직전에 에스트로겐 감소로 인해서도 출혈이 있을 수 있으며 이외에도 양측 난소를 절제한 경우나 에스트로겐 치료를 중단한 경우 등에서 발생 가능

프로게스테론 파탄성 출혈(progesterone breakthrough bleeding)

· 에스트로겐에 비해 상대적으로 높은 프로게스테론이 계속 공급이 될 경우 저에스트로겐 파탄성 출혈과 비슷한 양상의 출혈이 유발
· 주로 progestin을 사용하는 경우에 발생

프로게스테론 소퇴성 출혈(progesterone withdrawal bleeding)

· 에스트로겐에 의한 자궁내막 증식 후 프로게스테론 노출에 이은 공급 중단 시 발생
· 예 : 정상 월경, 황체의 제거, progestin의 외부 공급 후 중단

    c. 무배란(anovulation)

      - 기능성 자궁출혈의 가장 흔한 원인으로 다른 원인을 배제한 후에 진단

      - 에스트로겐 파탄(estrogen breakthrough)에 의해 발생

      - 배란이 안 되고 프로게스테론 생성이 되지 않는 상태에서 에스트로겐만 분비되어 자궁내막이 자극되면, 주기적인 월경 없이 자궁내막이 증식되어 결국 연약한 자궁내막 조직이 파괴되면서 출혈이 발생

      - 원인 : 식이장애(식욕부진, 폭식증), 과도한 운동, 만성질환, 스트레스, 갑상샘질환, 당뇨, 비만, 다낭성난소증후군

② 임신 관련 출혈 : 자궁외임신, 자연 유산 등

③ 외부 호르몬 : 경구피임제 복용, 불규칙적인 호르몬 복용, 프로게스틴 단일 피임제 사용

④ 내분비 원인

    a. 갑상샘기능저하증(hypothyroidism) : 월경과다(menorrhagia)

    b. 갑상샘기능항진증(hyperthyroidism) : 희발월경(oligomenorrhea), 무월경

    c. 당뇨 : 무배란, 비만, 인슐린 저항성, 안드로겐과다증

⑤ 해부학적 원인 : 자궁근종, 용종, 자궁경부 병변

⑥ 혈액응고장애

⑦ 감염 : 자궁경부염, 자궁내막증, 골반염, 상부생식기 감염

⑧ 신생물 : 침윤성 자궁경부암, 자궁내막증식증

(4) 진단

① 병력 청취와 이학적 검사

② 검사실 검사

    a. 임신확인검사(가장 먼저 시행), β-hCG

    b. 혈액검사(CBC, PT, aPTT)

    c. 호르몬검사(TSH, prolactin, FSH)

③ 영상검사 : Ultrasonography, Sonohysterography, CT, MRI 등

④ 자궁내막 조직검사, 진단적 소파술

자궁내막 조직검사의 적응증

– 질 초음파상 자궁내막이 두꺼운 경우
  · 5~12 mm : 장기 estrogen 노출이 의심될 때
  · ⟩12 mm : 이상소견이 없더라도 시행
– 35~40세 이상의 여성에서 무배란성 출혈이 있는 경우
– 비만인 여성
– 지속적인 무배란 기왕력
– 약물 치료에 반응없이 출혈이 계속되는 경우
– 병변이 의심되는 경우

---

(5) 치료

① 심한 급성 출혈

심한 급성 출혈의 입원 치료

- 기준 : 저혈압을 동반한 대량 출혈 or 혈색소 〈10 g/dL
- 치료법
  · Premarin(conjugated estrogen) 25 mg, 4시간마다, 24시간 투여
  · Premarin 1∼2회 투여 후 반응 없으면 소파술 시행
  · 혈색소 〈7.5 g/dL : 수혈
  · Premarin 투여하며 경구피임제 하루 4정 4일, 하루 3정 3일, 하루 2정 2일, 하루 1정 3주간 투여
  → 1주 휴약 후 3주기 경구피임제 투약
    (경구피임제 금기인 경우 Provera(medroxyprogesterone acetate) 10 mg, 최소 3개월간 14일 투약, 14일 휴약 주기로 사용)
  · 질 초음파, 갑상샘자극호르몬, 전혈검사, 혈액응고검사(PT, aPTT), 혈소판기능검사 시행
  · 경구 철분제 투여

심한 급성 출혈의 외래 치료

- 기준 : 정상 혈압 and 혈색소 〉10 g/dL
- 치료법
  · Premarin (conjugated estrogen) 2.5 mg, 하루 4회, 경구투여
  · Premarin 2∼4회 투여에 반응 없거나 시간당 생리대 하나 이상 사용할 정도의 출혈이면 소파술 시행
  · 급성 출혈이 진정되면 경구피임제 하루 4정 4일, 하루 3정 3일, 하루 2정 2일, 하루 1정 3주간 투여
  → 1주 휴약 후 3주기 경구피임제 투약
    (경구피임제 금기인 경우 Provera (medroxyprogesterone acetate) 10 mg, 최소 3개월간 14일 투약, 14일 휴약 주기로 사용)
  · 질 초음파, 갑상샘자극호르몬, 전혈검사, 혈액응고검사(PT, aPTT), 혈소판기능검사 시행
  · 경구 철분제 투여

② 불규칙한 출혈

비임신 여성의 불규칙 출혈의 치료

- 희발월경(oligomenorrhea) : 갑상샘자극호르몬, 유즙분비호르몬 혈중치 측정
- 35세 이상이거나 길항되지 않는 에스트로겐 노출 과거력 : 자궁내막 조직검사와 질 초음파 시행
- 자궁내막염, 다낭성난소증후군, 약물 복용력(페니토인, 항정신성약물, 삼환계 항우울제, 부신피질호르몬제), 진행된 전신질환 등을 감별
- 임신을 원치 않는 경우
  · 경구피임제 최소 3개월 사용
  · 경구피임제 금기인 경우 Provera 10 mg, 최소 3개월간 14일 투약, 14일 휴약 주기로 사용
  · 출혈이 지속되면 고용량 경구피임제 또는 고용량 Provera(medroxyprogesterone acetate)로 전환
  · 그 후에도 출혈이 지속되면 질 초음파와 자궁내막 조직검사 고려

③ 과다월경

비임신 여성의 과다월경 치료

– 갑상샘자극호르몬, 혈색소, 혈소판기능검사
– 이학적 검사에서 이상이 있으면 질 초음파 검사
– 경구피임제 사용
· 경구피임제 금기인 경우 Provera 10 mg, 최소 3개월간 14일 투약, 14일 휴약 주기로 사용
· 비스테로이드성 항염제 : 월경 시작과 함께 Ibuprofen 400 mg, 하루 3회 4일 사용
– 반응이 부적절하면 용종, 근종, 자궁내막증식증, 자궁선근증을 배제하기 위한 질 초음파 시행

④ 피임 관련 출혈

경구피임제 파탄성 출혈 또는 무월경

– 경구피임제 사용 3개월 이내인 경우 계속 사용할 것을 권유
– 경구피임제 사용 3개월 이상 또는 환자가 불안해하는 경우에는 복용순응도 확인, 클라미디아와 임질 감염 배제 후 고용량 경구피임제로 교체
– 35세 이상이면 자궁내막 조직검사 시행
– 무월경인 경우 임신 배제 후 고용량 경구피임제로 교체하거나 동일한 약제를 계속 사용

Depo-Provera 또는 프로게스틴 단일 경구피임제 관련 출혈

– 무월경은 예측되는 증상이므로 안심시킴
– 35세 이상 or 자궁내막암 위험성을 가진 여성에서 수용할 수 없는 불규칙한 출혈이 있는 경우에는 자궁내막 조직검사 시행
– 35세 이전이고 자궁내막암 위험군이 아니며 사용기간이 4~6개월 정도인 경우 : 계속 사용을 권유 or 경구피임제를 사용 or 프로게스테론 주사 빈도를 높임
– 35세 이전이고 자궁내막암 위험군이 아니며 사용기간이 6개월 이상인 경우 : Premarin 1.25 mg, 하루 1번, 7일간 투약 → 출혈이 반복되면 반복적으로 Premarin을 사용
– 이러한 치료에 반응하지 않으면 다른 피임법을 강구

자궁내장치 관련 출혈

– 자궁에 압통이 있는 경우 : Doxycycline 100 mg, 하루 2번, 10일 사용(자궁내장치 제거를 고려)
– 사용 4~6개월 이내인 경우 : 계속 사용을 권유, 출혈 시작 시 Ibuprofen 400 mg, 하루 3번, 4일간 투여
– 사용 기간이 4~6개월 이상 되었으면 경구피임제를 한 주기 사용
– 구리 자궁내장치인 경우는 Provera 10 mg을 하루 1번 7일간 투약
– 수용하기 어려운 출혈이 지속되면 자궁내장치를 제거

3) 폐경 후 질 출혈

(1) 폐경 후 질 출혈의 원인

폐경 후 질 출혈의 원인	빈도 (%)
위축성 자궁내막염/질염(atrophic endometritis/vaginitis)	30
외인성 에스트로겐(exogenous estrogens)	30
자궁내막암(endometrial cancer)	15
자궁내막 용종(endometrial polyp), 자궁경부 용종(cervical polyp)	10
자궁내막증식증(endometrial hyperplasia)	5
기타 원인(e.g., cervical cancer, uterine sarcoma, urethral caruncle, trauma)	10

(2) 진단

① 약물 투약력을 포함한 자세한 병력청취
② 시진과 촉진을 포함한 이학적 검사 : 출혈 위치의 확인, 질위축 유무, 자궁경부 용종이나 악성종양 여부, 골반 내 종물 여부 등
③ 초음파 검사
    a. 자궁내막 두께는 폐경 후 출혈 여성에서 자궁내막암 의심의 지표
    b. 자궁내막 두께가 두꺼울수록 자궁내막암 가능성이 증가
    c. 이학적 검사가 정상이고 자궁내막 두께가 5 mm 이하이며 더 이상의 출혈이 없으면 단순 추적관찰을 권고
④ 자궁내막 조직검사
    a. 자궁내막암을 진단할 수 있는 효과적인 검사
    b. 용종과 같은 구조이상을 진단하지 못할 수 있음
⑤ 자궁경(hysteroscopy)의 적응증
    a. 자궁내막 조직검사는 정상임에도 출혈이 지속되는 경우
    b. 자궁내막 두께가 5 mm 이상인 경우
    c. 자궁내막 구조 이상이 있는 경우

(3) 치료

① 위축성 질염(atrophic vaginitis)
    a. 국소 estrogen 투여
    b. 폐경 증상이 동반 시 호르몬대체치료를 고려
② 자궁경부 용종(cervical polyp) : 수술적 제거
③ 자궁내막증식증(endometrial hyperplasia)
    a. Progestin 치료

b. 비정형이 동반된 경우 자궁내막암에 준한 치료

2 골반종괴(Pelvic mass)

1) 가임기 골반종괴

(1) 연령에 따른 골반종괴의 빈도

유아기	사춘기	생식기	폐경전후기
기능성 난소낭종	기능성 난소낭종	기능성 난소낭종	자궁근종
난소의 생식세포종양	임신	임신	상피성 난소종양
상피성 난소종양	난소의 생식세포종양	자궁근종	기능성 난소낭종
	자궁기형 혹은 폐쇄성 질구조	난소의 생식세포종양	난소의 생식세포종양
	골반 염증성 종괴	골반 염증성 종괴	
	상피성 난소종양	상피성 난소종양	

(2) 사춘기 전 여성

① 감별진단

    a. 비종양성 종괴가 전체의 2/3를 차지

    b. 종양성 종괴의 2/3가 양성 종양

    c. 악성종양의 감별진단이 가장 중요

    d. 난소의 생식세포종양(germ cell tumor) : 20세 이하의 젊은 연령에서 발생하는 난소종양의 38%를 차지

② 진단

    a. 초음파 : 골반종괴의 특성 파악에 매우 중요한 검사

    b. CT, MRI, 도플러속도파형검사(Doppler flow study)

③ 처치

    a. 단방성 낭종(unilocular cyst) : 대부분 양성이고 3~6개월 후 자연적으로 소멸

    b. 초음파에서 고형성분 발견 시 생식세포종의 위험성이 높아 외과적 평가가 필요

(3) 사춘기 여성

① 감별진단

    a. 난소종괴

      - 기능성 난소낭종 : 가장 흔한 종괴

      - 악성종양의 발병빈도는 유아기나 소아기보다 사춘기에서 더 낮음

      - 상피성 종양은 연령에 따라 빈도가 증가

- 성숙 기형종(mature cystic teratoma) : 소아와 사춘기에서 가장 흔한 종양성 종괴
b. 자궁종괴
- 자궁근종은 이 연령군에서는 흔하지 않음
- 폐쇄성 자궁과 질의 기형이 증상 발현
- 처녀막 폐쇄증(imperforate hymen)
· 원인 : Transverse vaginal septa, vaginal agenesis, vaginal duplication with obstructing longitudinal septa, obstructed uterine horn
· 증상 : 주기적 골반통(cyclic pain), 무월경, 질 분비물, 복부, 골반, 질의 종괴
· 치료 : 수술적 교정(처녀막 단순 절제)

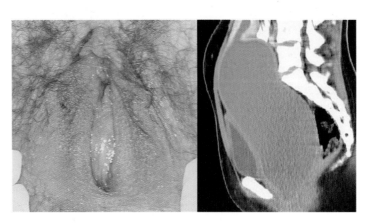

그림 7-3. 처녀막 폐쇄증

c. 염증성 종괴
- 성경험이 있는 경우 다른 연령군보다도 가장 높은 비율의 골반 염증성 질환 발생
- 난관난소복합체(tubo-ovarian complex), 난관난소농양(tubo-ovarian abscess), 난관농양(pyosalpinx), 혹은 난관수종(hydrosalpinx) 등
d. 임신 : 골반종괴의 원인으로 가장 먼저 고려
② 진단
a. 문진, 임신확인검사, 골반 초음파, 전혈검사(CBC)
b. 생식세포종 진단 시 : α-fetoprotein(αFP), human chorionic gonadotropin(hCG)
③ 처치
a. 환자가 호소하는 증상이나 징후, 의심되는 진단에 의하여 결정
b. 사춘기 전과 사춘기 여성의 골반종양 처치법

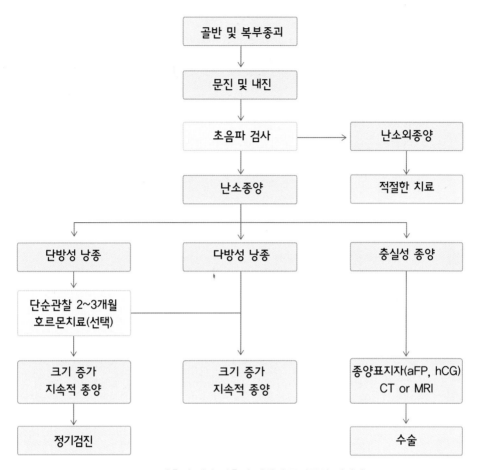

그림 7-4. 사춘기 전과 사춘기 여성의 골반종양 처치법

(4) 생식기 여성

① 감별진단

    a. 자궁종괴 : 자궁근종은 자궁에서 발생하는 가장 흔한 양성 종양

    b. 난소종괴

      - 난소의 양성종양과 악성종양

양성종양	악성종양
- 난소종양의 약 2/3가 가임연령에서 발생 - 대부분의 난소종양은 양성 - 양상 : 일측성, 낭종성, 유동성, 매끈한 표면	- 원발성 난소종양의 악성 가능성 : 8% 미만 - 양상 : 양측성, 고형성, 고정성, 불규칙한 표면, 복수, 더글라스와결절, 빠른 성장

    c. 비종양 난소종괴(nonneoplastic ovarian masses)

      - 기능성 난소낭종(functional ovarian cyst)

· 생식기 여성에서 가장 흔한 골반종괴

· 대개 10 cm 미만, 정상 CA-125 수치

· 치료 없이 4~6주 내에 소실

- 난포낭종(follicular cyst)

· 가장 흔한 기능성 낭종

· 3 cm을 넘는 경우는 흔치 않지만 3 cm 이상이더라도 4~8주 후 자연소실

- 황체낭종(corpus luteum cyst)

· 파열 시 출혈 발생 가능(우측, 성교 중 잘 발생)

· 흔히 발생하는 시기 : MCD 20~26

· 대부분 보존적 치료를 시행, 수술적 처치는 최대한 자제

- 난포막황체낭종(theca lutein cyst)

· 기능성 난소낭종 중 가장 드물게 발생

난포막황체낭종(theca lutein cyst)	
특성	– 주로 양측성으로 발생 – 기태임신(molar pregnancy) 시 호발 – 기태임신의 25%와 융모막암종(choriocarcinoma)의 10%에서 동반 – 다태아 임신, 당뇨, Rh 감작, clomiphene과 hMG/hCG 배란유도, GnRH 유사체 사용과 관련
초음파	Bilateral enlarged, multicystic ovaries, thin walled and clear contents
MRI	Bilateral (occasionally unilateral) ovarian enlargement with multiple cysts, T1 (intense contrast enhancement), T2 (intermediate signal intensity), DWI (high signal)

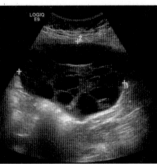 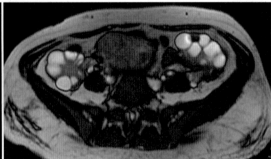

그림 7-5. 난포막황체낭종(theca lutein cyst)

② 진단

　a. 세심한 병력 청취, 골반검사

　b. 검사실 검사

- 임신검사, 자궁경부세포진검사, CBC, CRP
- CA-125 : 악성 상피종양이 아니라면 의미가 적음

c. 영상검사
- 골반 초음파 : 주된 진단방법, 비교적 정확한 진단 가능
- 컴퓨터단층촬영(CT) : 악성 종양, 비부인과적 종양, 기형종과 감별을 요할 때 시행
- 자기공명단층촬영(MRI) : 악성 종양이 의심, 자궁기형진단 시 시행
- 자궁난관조영술(HSG) : 자궁강의 양상과 근종, 외적인 종괴, 난관 폐쇄의 확인
- 자궁경 : 점막하근종이나 자궁내 병리의 직접적인 정보를 제공

d. 자궁내막 조직검사 : 골반종괴와 부정출혈이 같이 있을 때, 자궁내막 병변이 의심 시
e. 요로검사 : 비뇨기계 증상 동반 시

③ 처치

a. 자궁근종의 처치
- 무증상의 자궁근종 : 정기적 추적관찰
- 수술적 처치 : 출혈, 통증 등의 증상있을 때 시행

b. 난소종괴의 처치
- 기능성 종양 : 단순 추적관찰, 피임약을 통한 배란 억제
- 수술적 처치 : 심각한 동통이나 악성이 의심 시 시행

2) 폐경 후 골반종괴

(1) 감별진단

① 난소종괴

a. 폐경기 정상 난소의 크기
- 폐경 전 : 3.5 x 2 x 1.5 cm
- 폐경 초기 : 2 x 1.5 x 0.5 cm
- 폐경 후기 : 1.5 x 0.75 x 0.5 cm

b. 악성 가능성이 낮은 경우 : 무증상, 5 cm 이하, 일측성, 얇은 낭종벽, 정상 CA-125 수치

② 자궁종괴

a. 자궁근종 : 가장 흔히 발견, 폐경 이후 크기 감소
b. 여성호르몬제, 호르몬유사제의 복용에 의해 자궁근종의 크기 변화를 보이기도 함

(2) 진단

① 병력청취, 골반 진찰
② 영상검사

a. 초음파 검사 : 종양의 예측에 유용

b. 색도플러 초음파(color doppler imaging) : 난소암 진단 특이도 증가, 위음성률 감소

c. CT, MRI : 악성종양 의심, 전이 여부를 확인 시 시행

③ CA-125

a. 초음파 검사상 골반 내 종괴가 의심 시 매우 중요한 진단적 가치

b. 상피성 난소암의 진단에 매우 유용

- 장액성 상피성 난소암의 경우 80% 이상에서 증가

- 초기 난소암의 경우 약 50% 정도에서만 증가

- 비장액성 난소암의 경우에는 진행된 경우라도 20~25%에서는 정상

c. 수치의 연속적인 변화 : 난소암의 치료와 추적관찰에 매우 유용한 지표

(3) 처치

① 악성이 의심되면 반드시 수술적 평가를 시행

② 부인종양 전문의 진료가 필요

③ 난소암 진단 시 철저한 병기설정술이 적절한 치료와 예후 향상에 중요

3 자궁근종(Myoma of uterus)

1) 병태생리

(1) 병인론

① 여성에서 발생하는 종양 중 가장 흔한 종양

a. 가임기 여성의 20~30%에서 발생

b. 35세 이상의 여성에서 40~50%에서 발견

c. 자궁근종의 약 40%에서 염색체 이상이 나타남

d. 유전학적 이상은 자궁평활근육종(leiomyosarcoma)과 차이를 보여 자궁근종의 변성에 의해 자궁평활근육종이 발생하지 않음

② 원인

a. 현재까지 정확하게 알려지지 않음

b. 자궁평활근 내에 있는 하나의 신생세포(neoplastic cell)에서부터 기인

③ 영향을 주는 다른 인자

a. 가족적 경향

b. 여성 호르몬의 영향

- 임신 중에는 크기 증가, 폐경 후에는 크기가 감소

- Estrogen과 progesterone에 의해 크기 증가

(2) 위험인자

위험인자	자궁근종에 대한 영향
나이	나이가 증가함에 따라 발생률 증가
내인성 호르몬인자	초경이 빠를수록 발생률 증가
가족력	일촌 중 자궁근종이 있는 경우 발생률 증가
인종	African American에서 발생 증가
비만	비만일수록 발생 증가
폐경 후 호르몬치료	호르몬의 영향으로 크기 증가 가능
자궁조직 손상	세포손상 또는 염증이 근종 형성을 유발
식이	음주, 붉은 고기, 햄 위주 섭취 시 위험률 증가
많은 출산력, 흡연, 운동	발생률 감소
경구피임제	명확한 상관관계가 없음

2) 증상

(1) 무증상
① 대부분 무증상
② 25% 정도에서 증상 발생

(2) 비정상 출혈
① 가장 흔한 증상 : 월경과다(menorrhagia), 빈발월경(metrorrhagia), 비정상 자궁출혈
② 만성적인 철결핍성 빈혈, 어지럼증 등

(3) 통증
① 복부의 급성 통증(염전, 괴사, 염증), 성교통, 생리통 등 발생 가능
② 근종 변성에 의한 골반통

(4) 압박 증상
① 방광이나 요관을 압박하는 경우 나타나는 증상
   a. 방광 압박 : 빈뇨, 급뇨
   b. 요관 압박
     - 수신증(hydronephrosis), 수뇨관증(hydroureter)
     - 오른쪽이 왼쪽보다 3~4배 호발 : 왼쪽은 결장이 쿠션 역할
② 소화기계 압박 시 변비, 배변통, 소화장애 등이 발생

(5) 생식기능 이상

① 자궁근종에 의해 자궁강이 변형되어 생식기능 이상을 초래

② 착상이 감소되고 유산이 증가

③ 자궁근종이 임신율을 감소시키는지에 대해 비교적 확실히 말할 수 있으려면 더 많은 자료가 필요

3) 진단

(1) 병력청취 및 이학적검사

① 크기 및 위치에 따라 내진 시 촉지 가능

② 압통을 동반하지 않는 울퉁불퉁하고 단단한 종괴

(2) 초음파 검사

① 골반 내 종양을 발견하는 데 가장 많이 사용되는 진단 방법

② 초음파상 자궁근종의 평가

초음파상 자궁근종의 평가	
크기	근종의 경계 부위 간을 가로, 세로 깊이의 순으로 최대 거리를 측정
초음파 양상	고음영상, 중등도 음영상, 저음영상, 혼합 양상
위치	자궁저부, 자궁체부, 자궁경부
근종의 경계부	불분명한 양상, 명확한 양상, 분엽된 양상
이차적 변화	석회화, 낭포성 변화, 초자성 변성 등
유형	근층내, 장막하, 점막하

③ 가성피막(psuedocapsule)

　　a. 자궁근종은 자궁근층보다 저음영(hypoechogenicity)의 종괴가 피막에 쌓인 형태

　　b. 자궁근종과 자궁선근증의 감별인자

(3) 초음파 자궁조영술(sonohysterogram)

① 생리식염수를 자궁 내에 넣어가면서 시행하는 초음파

② 점막하 자궁근종의 진단에 유용

③ 자궁내막 용종과 같은 다른 내막질환과의 감별에 유용

(4) 컴퓨터단층촬영(CT) 및 자기공명영상(MRI)

① 거대 근종으로 악성종양이 의심되는 경우 또는 불임 환자나 성경험이 없는 환자의 수술 전

에 위치 파악을 위해 사용

② 자기공명영상(MRI)

    a. 작은 근종까지도 발견할 수 있는 가장 민감한 방법

    b. 자궁근종과 자궁선근증 구별, 자궁평활근육종(leiomyosarcoma)의 수술 전 진단이 가능

    c. 주위 근육에 비해 T2W 영상에서는 낮은 신호를 T1W 영상에서는 동등한 신호를 보임

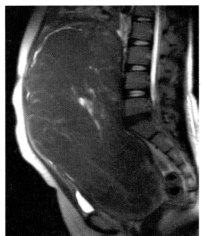

(A) 거대 자궁근종   (B) 자궁평활근육종(leiomyosarcoma)

그림 7-6. 자궁근종의 MRI

4) 자궁근종의 위치 및 변성

(1) 위치에 따른 분류

근층내 근종(Intramural myoma)	점막하 근종(Submucosal myoma)	장막하 근종(Subserosal myoma)
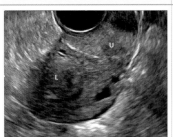	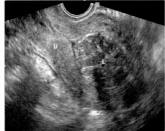	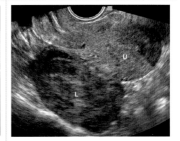
– 가장 흔한 유형 – 약 70~80%	– 약 5~10% – 자궁내막으로 돌출한 형태 – 월경과다, 부정출혈을 흔히 동반 – 자궁강의 형태를 변화시켜 불임이나 유산에도 영향	

(2) 자궁근종 분류

FIGO Leiomyoma classification system	
Type 0	자궁강으로 완전히 돌출된 유경성 점막하 근종(pedunculated intracavitary)
Type 1	50% 미만이 자궁근층에 위치한 점막하 근종(<50% intramural)
Type 2	50% 이상이 자궁근층에 위치한 점막하 근종(≥50% intramural)
Type 3	자궁내막에 인접한 근종(contact endometrium, 100% intramural)
Type 4	온전히 근층 내 위치한 근층내 근종(Intramural)
Type 5	50% 이상이 근층에 위치한 장막하 근종(Subserosal ≥50% intramural)
Type 6	50% 미만이 근층에 위치한 장막하 근종(subserosal <50% intramural)
Type 7	유경성 장막하 근종(subserosal pedunculated)
Type 8	자궁근층과 동떨어진 위치의 기생근종(e.g. 자궁경부, 인대에 위치한 근종)

(3) 자궁근종의 이차변성

① 초자변성(hyaline degeneration) : 가장 흔한 변성, 근종으로의 혈액공급 장애로 발생
② 낭성변성(cystic degeneration) : 초자변성이 액화하여 투명액으로 변해 낭(cyst)을 형성
③ 석회화변성(calcification) : 근종이 허혈성 괴사 후 인산칼슘, 탄산칼슘이 침착하여 형성
④ 감염, 화농성 변성 : 점막하근종에서 흔히 발생
⑤ 괴사, 적색변성(red degeneration) : 혈액공급의 장애로 발생
⑥ 육종변성(sarcomatous degeneration) : 폐경 후 갑자기 커지거나 출혈이 있으면 의심
⑦ 지방변성(fatty degeneration) : 매우 드문 변성

5) 가임력 및 임신에 대한 영향

(1) 가임력에 대한 영향

	근층내 근종 (intramural myoma)	점막하 근종 (submucosal myoma)	장막하 근종 (subserosal myoma)
가임력	약간 감소	감소	영향 없음
근종제거술	가임력에 영향 없음	가임력 증가	가임력 증가

(2) 임신에 대한 영향

① 임신 중 자궁근종의 변화
　　a. 대부분의 자궁근종은 임신 중 크기가 증가하지 않음
　　b. 다양한 경과를 보일 수 있음

② 자궁근종의 부위에 따른 영향

    a. 점막하 근종 부위의 착상 : 유산, 조산, 태반조기박리, 산후 출혈 유발 가능

    b. 다발성 근종 : 비정상 태위, 조산 등과 관련

    c. 자궁경부의 근종 : 분만 시 태아의 하강 방해 가능성

    d. 적색변성(red degeneration) 또는 출혈변성(hemorrhagic degeneration)

       - 빠른 크기 증가에 비해 혈액 공급이 적은 경우 발생

       - 증상 : 국소적인 통증 및 압통, 미열, 중등도의 백혈구 증가

       - 치료 : 진통제로 통증을 조절하며 관찰, 보통 수일 내에 증상이 완화

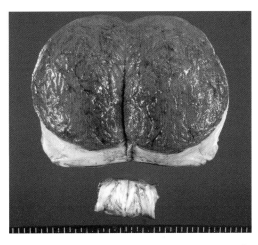

그림 7-7. 자궁근종의 적색변성(red degeneration)

③ 임신 중 근종절제술

    a. 임신 중의 근종절제술은 대량 출혈 유발 가능

    b. 대부분 분만 후 크기가 감소될 수 있어 임신 중에 시행하지 않는 것을 권장

6) 치료

(1) 기대요법(Expectant management)

① 경과관찰이 가능한 경우

    a. 무증상의 자궁근종

    b. 정기적(6개월 간격)으로 근종의 크기와 증상의 유무를 검사

② 치료가 필요한 경우

    a. 생리과다로 인한 심한 빈혈

    b. 자궁근종의 요관 폐색으로 인한 수신증(hydronephrosis)

(2) 내과적 치료(Medical therapy)

① 생식샘자극호르몬분비호르몬 작용제(GnRH agonist)

　a. 생식샘자극호르몬의 분비를 억제하여 이차적인 난포호르몬 저하를 유발해 자궁근종의 크기가 40~60% 정도로 감소

　b. 적응증과 부작용

GnRH agonist의 적응증	GnRH agonist의 부작용
− 큰 근종의 큰 환자에서 가임력 유지를 원할 경우 − 근종절제술 시행 전 크기 감소 − 수술 전 빈혈의 교정 − 폐경기가 가까운 경우 수술적 치료의 대체요법 − 질식 자궁절제술, 자궁경하 근종절제술, 복강경 수술 전 크기 감소 목적 − 내과적인 문제로 인해 수술을 할 수 없는 경우	− 안면홍조 : 가장 흔한 부작용, 1개월 내 발생 − 불규칙적인 질 출혈 − 가성 폐경(pseudomenopause) 상태 : 질 건조 증, 우울증, 두통, 탈모 등 − 관절 및 근육의 경화 − 골밀도 감소 : 가장 심한 부작용, 6개월 이상 투 여 시 발생, 가역적인 변화로 중단 후 회복

　c. 장점과 단점

GnRH agonist의 장점	GnRH agonist의 단점
− 생리양 감소 − 빈혈 교정 − 수술 시 출혈 감소 − 자궁근종의 크기 감소 − 자궁절제술 감소 − 복강경수술 가능성 증가 − 자궁경수술 시 시야 확보 용이	− Leiomyosarcoma 진단 지연 가능성 − 작용이 일시적 − 중단 후 4~10주 후 생리 시작 − 이 후 3~4 개월이면 근종 크기 회복

　d. 추가요법(add-back therapy) 시행

　　- 목적 : 골밀도 감소 및 혈관운동증상(vasomotor symptoms)의 예방

　　　· GnRH agonist에 의해 야기된 골 손실 예방

　　　· 저에스트로겐혈증에 의한 혈관운동증상(vasomotor symptoms) 예방

　　- 방법 : Tibolone 2.5 mg 매일 사용(GnRH agonist와 estrogen, progesterone을 사용)

② 생식샘자극호르몬분비호르몬 길항제(GnRH antagonist)

　a. 성선자극세포의 세포막에 존재하는 GnRH 수용체를 경쟁적으로 차단하는 작용

　b. 2~4주 이내에 자궁근종 크기가 감소

③ 레보놀게스트렐분비 자궁내장치(levonorgestrel-IUS)

　a. 자궁내막을 위축시켜 생리를 감소시키는 효과

　b. 3개월 사용 시 94%의 생리양 감소를 유발하고 대부분의 여성이 불편 없이 사용

　c. 자궁이나 자궁근종의 크기는 변화가 없음

④ 선택적 에스트로겐수용체 조절제(selective estrogen-receptor modulators, SERM)

    a. 에스트로겐수용체에 결합해 조직에 특이적으로 작용제 또는 길항제 작용을 하는 약제

    b. 종류 : Tamoxifen, Raloxifene

⑤ 선택적 프로게스테론수용체 조절제(selective progesteron-receptor modulators)

    a. 종류 : Mifepristone (RU486), Ulipristal acetate

    b. 장기요법 시 자궁내막의 증식이 발생하기 때문에 권유하지 않음

(3) 외과적 치료(Surgical therapy)

① 수술

자궁근종의 수술 적응증

- 빈혈을 동반한 부정 질 출혈, 호르몬 치료에 반응이 없는 경우
- 월경통, 성교통, 하복부 통증 등의 만성적 통증
- 유경근종 혹은 점막하 근종의 탈출로 인한 급성 통증
- 수신증(hydronephrosis)을 동반하는 비뇨기계 증상
- 불임 조사에서 자궁근종 이외의 다른 원인이 없는 경우
- 자궁 크기의 급작스러운 증가로 인한 압통 및 통증 증가
- 자궁강 모양의 변형이 동반된 반복 유산력이 있는 경우

---

    a. 근종절제술(myomectomy)

      - 자궁을 보존하고자 하거나 임신을 원하는 환자에게 적절

      - 15~30%에서 자궁근종이 재발

      - 자궁경하 자궁근종절제술(hysteroscopic myomectomy) : 진단과 치료가 동시에 가능

    b. 자궁절제술(hysterectomy) : 임신을 원하지 않는 경우의 근본적인 치료법

② 자궁동맥색전술(uterine artery embolization)

    a. 자궁근종의 혈액공급을 차단하여 근종의 퇴축 또는 괴사를 유발하는 방법

    b. 시술 후 괴사로 인한 심한 통증이 지속될 수 있어 통증 조절이 중요

    c. 단점

      - 장기추적 결과 추후 수술적 교정이 필요한 경우가 많아 비용적인 이득이 없음

      - 난소 기능의 감소, 임신 합병증 증가 가능성이 있어 임신 계획 중인 경우 비권장

③ 근종용해술(myolysis)

    a. 근종의 혈류를 응고시킴으로써 괴사를 유발하고 크기를 줄이는 방법

    b. 수술 후 자궁근육 상태와 유착형성에 대한 주의가 필요

    c. 완치가 아니라 증상 완화를 위한 치료

④ 고강도 집속초음파

    a. 자궁근종 부위에 고강도로 집약한 초음파를 한 곳의 초점을 정하고 집중적으로 쬐어 열을

발생시킴으로써 종양의 응고괴사를 일으켜 치료하는 방법
  b. 종류
    - 초음파 유도하 고강도 집속초음파(high intensity focused ultrasound ablation, HIFU)
    - 자기공명영상 유도하 고집적 초음파 치료(MR-guided focused ultrasound ablation)
  c. 시술 후 임신에 대한 영향이 명확하지 않음

4 자궁선근증(Adenomyosis)

1) 병태생리
(1) 병인론
① 자궁내막의 샘과 간질조직이 자궁근층 내에 침윤하여 발생
② 이소성 자궁내막조직이 다양한 정도의 평활근세포 과다형성(hyperplasia)
③ 원인
  a. 자궁절개 등으로 자궁내막세포가 직접 근육으로 파고 들어간다는 이론
  b. 태생기 자궁이 만들어지는 시기에 이미 자궁근육에 자궁내막세포가 존재한다는 이론
  c. 산욕기 자궁의 파괴 및 염증에 의해 자궁내막세포가 근육 층으로 침투한다는 이론

(2) 특징
① 자궁의 후벽(posterior wall)에 호발
② 자궁이 둥글게 커지는 양상
③ 임신 12주 이하 크기
④ 불임과는 무관

(3) 증상
① 50% 정도는 무증상
② 다량의 생리 혹은 오래 지속되는 월경출혈
③ 성교통, 생리통, 만성 골반통
④ 월경 출혈이 시작되기 2주 전부터 시작되어 월경 끝난 후에도 지속되는 경향

2) 진단 및 치료
(1) 진단
① 초음파, MRI 등으로 추정진단 가능

초음파 소견	MRI 소견

− Ill−defined margins
− Minimal mass effect
− Lack of contour abnormality
− Elliptical shape of uterus
− Pseudowidening of endometrium
− Poorly defined endometrial junction
− Asymmetric thickening of uterus
	− Most diagnostic tool
	− Thickened junctional zone
	− Hyperintense foci on T2WI
	  • Heterotopic endometrial tissue
	  • Cystic dilated glands
	  • Hemorrhagic foci
	− Hyperintense foci on T1WI
	  • Hemorrhagic areas
	  • Cystic adenomyosis

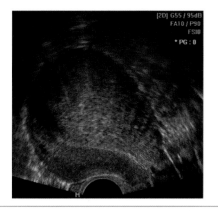 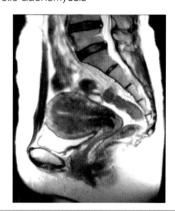

② 조직학적 소견으로만 확진 가능

(2) 치료

① 환자의 나이와 향후 임신을 원하는지 여부에 따라 치료 방법 결정

② 내과적 치료 : NSAIDs, 경구피임제, 프로게스틴(경구 or 자궁 내), GnRH agonist, aromatase inhibitor

③ 수술적 치료

  a. 더 이상 출산을 원하지 않는 경우 : 자궁절제술(hysterectomy)

  b. 가임력 보존을 원하고 내과적 치료에 실패한 경우 : 자궁벽 쐐기절제술, 이중피판법

  c. 기타 치료법 : 자궁동맥색전술, HIFU 등

CHAPTER 08

골반통과 월경통(Pelvic pain and Dysmenorrhea)

1 급성 골반통(Acute pelvic pain)

1) 진단

(1) 감별진단

여성 생식기계	소화기계	비뇨기계
자궁외임신(ectopic pregnancy) 난소낭종 파열(rupture), 누출 (leakage) 자궁부속기 염전(torsion) 난관난소염(salpingo—oophoritis) 골반염(pelvic inflammatory disease) 난관난소농양(tubo—ovarian abscess) 자궁근종(uterine myoma) 자궁내막증(endometriosis)	급성 충수돌기염 급성 게실염(acute appendicitis) 장 폐쇄(intestinal obstruction)	요로 결석(ureteral lithiasis) 방광염(cystitis) 신우신염(pyelonephritis)

(2) 진단검사

① 요 및 혈청의 임신 검사(urine hCG, serum β-hCG)

② 혈액검사(ESR, CRP, CBC; hemoglobin, hematocrit, WBC) 및 요검사

③ 더글라스와 천자

    a. 혈성액 검출 시 적혈구용적률검사

    b. 농 검출 시 그람염색과 배양검사

④ 초음파검사 : 자궁외임신, 자궁부속기 평가

⑤ CT, MRI : 자궁병변, 후복막 종괴 혹은 농양 평가

⑥ 복부 방사선검사 : 위장관계 병소 배제

2) 여성 생식기계

(1) 자궁외임신(Ectopic pregnancy)

① 증상

3대 증상(classic triad)	다른 증상
− 무월경(amenorrhea) − 불규칙한 질 출혈(irregular bleeding) − 복통(abdominal pain)	− 복부의 일측 또는 양측에서 압통, 근육 경직 − 혈복강(hemoperitoneum) : 전반적인 복부 신전과 반발압통 − 장 운동성 : 감소 − 자궁경부 운동성압통(cervical motion tenderness) − 자궁외임신이 발생 부위 주변의 현저한 압통(adnexal tenderness) − 실혈이 많을 경우 : 혈압 저하, 맥박수 감소, 어지러움, 실신 등

② 진단

　　a. 복부진찰, 골반내진

　　b. 소변 혹은 혈청 융모생식선자극호르몬(hCG) 및 연속적인 혈색소 확인

　　c. 초음파검사

③ 치료

　　a. 복강경을 이용한 미세침습수술

　　b. Methotrexate를 이용한 내과적 치료

(2) 난소낭종의 파열 또는 누출

① 원인

　　a. 배란통(mittelschmerz)

　　　- 배란 시 난포의 파열로 인한 통증

　　　- 보통 심하지 않고 자연소실 되는 경우가 대부분

　　b. 황체낭종(corpus luteum cyst)

　　　- 혈복강을 유발하는 가장 흔한 난소낭종

　　　- 파열 시 복강 내 출혈이 일어나 혈복강으로 인한 급성 복통이 유발

　　　- 주로 황체기 후반에 파열이 흔함

　　c. 농양과 양성 신생물

　　　- 자궁부속기에 생기는 농양(abscess), 자궁내막종(endometrioma), 기형종(dermoid cyst) 같은 양성 신생물이 파열되면 화학적 복막염(chemical peritonitis)이 발생

　　　- 향후 임신에 영향을 줄 수 있어 수술적 치료가 필요

② 진단

　　a. 소변 혹은 혈청 융모생식선자극호르몬(hCG) 및 전혈구 계산(CBC)

b. 초음파검사, 전산화단층촬영(CT)

c. 더글라스와 천자(culdocentesis)

추출액 상태	파열 의심 질환
혈성 액체	황체낭종 (적혈구용적률이 16% 이상인 경우는 혈복강을 시사)
초콜릿색	자궁내막종
지방성 피지	기형종
농양성	골반염, 난관난소농양

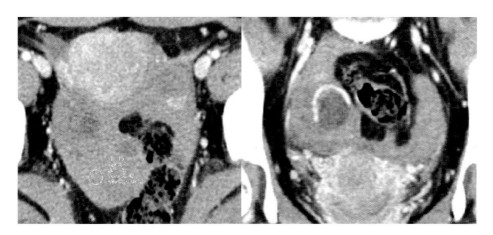

그림 8-1. 황체낭종 파열에 의한 혈복강의 CT

③ 치료

a. 혈복강(hemoperitoneum) : 복강경이나 개복술에 의한 수술적 치료가 필요

b. 혈복강이 의심되더라도 소량이고 증상이 심하지 않으면 수술 없이 관찰

(3) 자궁부속기 염전(Torsion)

① 원인 및 특성

a. 줄기(pedicle)를 축으로 회전하여 꼬임으로써 허혈이 발생

b. 강도가 매우 심하고 지속적인 양상의 통증이 특징이고, 부분적인 염전이 발생한 경우에는 간헐적인 통증이 발생

c. 양성 기형종(benign dermoid cyst) : 가장 흔한 원인

d. 유착이 발생하는 자궁내막종이나 농양에서는 드물게 발생

② 진단

    a. 일측 난소낭종 + 급성 통증 : 의심

    b. 초음파 : 난소낭종과 염전된 줄기의 혈관 꼬임을 확인

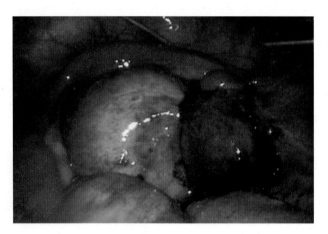

그림 8-2. 자궁부속기 염전(torsion)

③ 치료

    a. 수술(surgery)

      - 염전 부위를 풀고 낭종절제술(detorsion with cystectomy) 시행

      - 반복적인 염전 발생 시 난소고정술(oophoropexy) 시행

    b. 괴사된 난소로 보이는 경우라도 난소를 보존하면 이후 생식능과 내분비능이 유지

(4) 난관난소염(Salpingo-oophoritis) 및 골반염(Pelvic inflammatory disease, PID)

  ① 원인

    a. 성적 접촉 시 감염되는 미생물에 의해 발병

    b. 질내 혐기성, 호기성 세균의 상행성 감염이 주된 원인

    c. 보통 양측성이나, 일측성으로도 발생 가능

  ② 진단

    a. 자궁경부와 부속기 운동성 압통

    b. 38℃ 이상의 발열

    c. 백혈구증가증(leukocytosis)

    d. ESR, CRP 증가

    e. 질 분비물 검사상 임균 혹은 클라미디아 검출

③ 치료

    a. 광범위 경구용 항생제를 투여

    b. 입원 치료의 적응증

      - 농양이 의심되는 경우   - 임신 또는 자궁내피임장치가 있는 경우

      - 진단이 불확실한 경우   - 상부 복막염이 의심되는 경우

      - 경구약 사용이 힘든 경우   - 48시간 동안의 경구 항생제에 반응이 없는 경우

    c. 진단이 불확실한 경우에는 복강경 시행

(5) 난관난소농양(Tubo-ovarian abscess)

  ① 원인

    a. 급성난관염의 후유증

    b. 보통 일측성, 다방낭(multilocular)으로 발생

  ② 진단

    a. 패혈증으로 가는 경우 발열, 빈맥, 저혈압 등이 발생

    b. 복부 진찰에서 매우 단단하고 압통을 동반하는 고정된 종괴가 만져질 때 의심

    c. 농양이 더글라스와로 모인 경우 천자술로 농이 추출되면 진단의 중요한 단서

    d. 초음파, CT : 정확한 진단을 위해 시행

초음파	CT & MRI
• 초기에는 정상 소견	• 초기에는 정상 소견
• Thickening of fallopian tubes	• Multilocular, thick-walled, fluid-density mass
• Incomplete septa in the dilated tubes	• Hydrosalpinx or pyosalpinx
• Multilocular, thick-walled cyst	• Thickening of mesoslapinx & ligaments
• Pyoslapinx or hydrosalpinx	• Regional infiltration
• Swollen & polycystic-appearance ovary	• Swollen & polycystic-appearance ovary
	• Lymphadenopathy

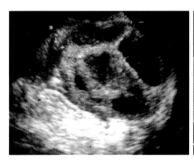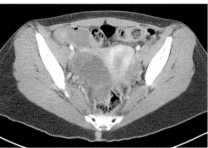

그림 8-3. 난관난소농양(Tubo-ovarian abscess)

③ 치료

    a. 입원하여 광범위 항생제를 투여하고 보존적 치료를 시행

    b. 발열이 지속되고 임상적 호전을 보이지 않는다면, CT나 초음파를 보면서 배농 시도

    c. 수술 : 내과적 치료 중에도 진행하는 소견이나 저혈압, 빈뇨가 보이는 경우

(6) 자궁근종(Uterine myoma)

① 증상

    a. 통증, 압박감, 월경통, 성교통, 빈뇨, 변비 등

    b. 근종의 염전이 발생하는 경우 급성 골반통이 발생

    c. 변성이 일어나게 되면 염증이 생겨 복부 압통과 국소적인 반발통이 발생

② 진단

    a. 복부진찰, 내진

    b. 초음파

    c. CT, MRI : 진단이 불명확한 경우 시행

③ 치료

    a. 변성 : 관찰, 진통제 투여

    b. 염전 : 수술적 치료

(7) 자궁내막증(Endometriosis)

① 자궁내막의 샘과 기질이 난소, 더글라스와를 포함한 복강 내에 존재하는 것

② 증상 : 월경통, 성교통, 배변통

③ 진단 : 복강경

3) 소화기계

(1) 급성 충수돌기염(Acute appendicitis)

① 여성에서 나타나는 소화기계 급성 골반통의 가장 흔한 원인

② 증상

    a. 국소적 압통이 우하복부, 특히 맥버니점(McBurney point) 부위를 촉지 시 발생

    b. 심한 근육강직, 복부경직, 반발통, 우하복부종괴, 직장촉진 시 압통, 요근징후(psoas sign), 폐쇄근 징후(obturator sign) 등

    c. 자궁경부 운동성 압통(cervical motion tenderness)과 양측 자궁부속기 압통은 없음

③ 진단

    a. 초음파, CT : 비정상 충수돌기를 확인

    b. 혈액검사 : 백혈구는 보통 정상 또는 증가

④ 치료 : 수술(복강경 or 개복술)

(2) 급성 게실염(Acute diverticulitis)

① 대장벽의 게실에 염증이 생긴 것으로 주로 구불창자(sigmoid colon)에 발생

② 증상

　　a. 보통 무증상

　　b. 과민성 대장증상이 오래 있었던 환자에서 발생하면 좌하복부의 심한 통증이 유발

　　c. 좌하복부 촉진 시 복부 팽만과 좌하복부에 압통과 반발통이 있으면서 고정된 염증성 종물
　　　 이 만져질 수 있다

　　d. 장음은 감소되는데 파열이 일어나 복막염이 진행되면 더 감소

③ 진단

　　a. 병력청취, 신체 검진

　　b. CT : 진단에 매우 유용

　　c. 바륨관장 : 금기

　　　 병력 청취, 신체 검진과 더불어 CT검사가 진단에 유용하고, 바륨관장은 금기이다. 초기 게
　　　 실염은 광범위 정맥항생제요법의 내과적 치료를 하지만 게실 농양, 폐쇄, 누공, 파열이 된
　　　 경우에는 외과적 치료를 시행한다.

④ 치료

　　a. 초기 게실염 : 광범위 항생제 정맥투여

　　b. 게실 농양, 폐쇄, 누공, 파열이 된 경우 : 외과적 치료

(3) 장 폐쇄(Intestinal obstruction)

① 여성에서의 흔한 원인 : 수술 후 유착, 탈장, 염증성 장질환, 장이나 난소의 악성 종양

② 증상

　　a. 산통성 복통이 있으면서 복부 팽만, 구토, 변비 등이 발생

　　b. 상부의 급성 폐쇄의 증상 : 구토

　　c. 하부 대장의 폐쇄의 증상 : 심한 복부팽만과 된변비(obstipation)

③ 진단 : 복부 방사선 검사, CT

④ 치료

　　a. 완전 폐쇄 : 수술적 치료

　　b. 부분적 폐쇄 : 정맥 수액요법, 금식, 코위흡인(nasogastric suction)

4) 비뇨기계

(1) 요로결석(Ureteral lithiasis)

① 증상 : 늑골척추각(costovertebral angle)에서 사타구니까지 전파되는 통증, 혈뇨

② 진단 : 초음파, CT, 경정맥 신우조영술(intravenous pyelography, IVP)

(2) 방광염(Cystitis)

① 증상 : 둔한 치골상부통증, 빈뇨, 긴박뇨, 배뇨통, 혈뇨

② 진단 : 소변검사, 요 배양검사

2 주기성 골반통(Cyclic pelvic pain)

1) 일차성 월경통(Primary dysmenorrhea)

(1) 특성

① 원인

    a. 증가된 자궁내막의 prostaglandin F2α 생성

    b. 강력한 혈관수축 및 근육수축을 유발하여 자궁의 허혈과 통증을 유발

② 증상

    a. 월경 시작과 동시에 혹은 수 시간 전에 시작하여 2~3일 지속되는 산통(colicky pain)

    b. 치골 상부의 경련통, 요통, 대퇴부 연관통, 오심, 구토, 설사 등

    c. 복부마사지, 압박, 몸의 움직임으로 호전

(2) 진단

① 골반 내 병변이 없는 상태에서 나타나는 주기적인 통증의 확인이 필수

② 자궁경부에서 임균, 클라미디아 배양검사

③ 혈액검사 : CBC, ESR, CRP 등

④ 초음파 검사 : NSAIDs 치료 시행 후에도 증상이 지속되면 시행

    → 모든 검사에서 이상 소견이 없는 경우 일차성 월경통으로 진단

(3) 치료

① Prostaglandin 합성억제제

    a. 월경 시작 1~3일 전에 투여, 월경 주기가 불규칙한 경우 약한 통증이 시작되거나 월경혈이 보일 때 바로 투여

    b. 매 6~8시간마다 복용해야 새로운 prostaglandin의 재합성 억제 가능

    c. 4~6개월 간의 복용 후 치료의 반응 여부를 확인

    d. 종류 : NSAIDs, propionic acid, mefenamic acid, selective COX-2 inhibitor

    e. 금기 : 기관지경련 같은 아스피린 과민성 환자, 위십이지장 궤양

② 경구피임제

    a. 피임약 금기에 속하지 않고 피임을 원하면서 NSAIDs 약물에 반응하지 않는 경우 투여

b. 배란을 억제함으로써 자궁내막을 prostaglandin의 농도가 가장 낮은 초기 증식기와 유사한 상태로 유지하여 월경통이 감소

c. 복합 경구피임제, 단일 경구피임제, 프로게스틴 주사, 피부패치, LNG-IUS 모두 효과적

③ Hydrocodone, codeine : 위의 요법이 효과가 없을 경우 추가

④ 내과적 치료에 반응하지 않는 경우

　　a. 침 or 경피신경전기자극술(transcutaneous electrical nerve stimulation, TENS)

　　b. 복강경하 자궁천골인대소작술(laparoscopic uterosacral nerve ablation, LUNA)

　　c. 천골신경절제술(presacral neurectomy)

2) 이차성 월경통(Secondary dysmenorrhea)

(1) 자궁선근증(Adenomyosis)

① 자궁내막의 샘과 기질이 자궁근층 내에 존재하는 것

② 증상

　　a. 생리 1주 전 증상이 나타나고 생리가 끝날 때까지 지속되는 통증

　　b. 대개 무증상, 월경통, 월경과다, 성교통 등

③ 진단

　　a. 초음파, MRI 등으로 추정진단 가능

　　b. 조직학적 소견으로만 확진 가능

④ 치료

　　a. 환자의 나이와 향후 임신을 원하는지 여부에 따라 치료 방법 결정

　　b. 내과적 치료 or 수술적 치료

(2) 자궁내막증(Endometriosis)

① 자궁내막의 샘과 기질이 난소, 더글라스와를 포함한 복강 내에 존재하는 것

② 증상

　　a. 이차성 월경통의 가장 흔한 원인

　　b. 월경 2주전부터 시작되는 주기성 통증(하복부, 허리, 항문 부위)

　　c. 동반 증상 : 성교통, 난임, 부정 출혈, 주기성 배변통, 빈뇨, 절박뇨 등

　　d. 사춘기 생리통 여성에서는 반드시 뮐러관 기형(Müllerian anomaly) 확인이 필요

③ 진단

　　a. 초음파, CA-125

　　b. 확진 : 복강경이나 개복술을 통한 병변의 확인

④ 치료

　　a. 내과적 치료

- NSAIDs + 혼합 경구피임제 : 1차 치료제
- 고농도 progestins 또는 GnRH agonist

b. 수술 : 내과적 치료에 반응하지 않는 경우 시도

(3) 일차성 월경통과 이차성 월경통의 비교

	일차성 월경통	이차성 월경통
정의	기저 질환이 없는 월경통	기저 질환을 동반하는 월경통
발병 연령	초경으로부터 1~2년 이내	초경으로부터 수년 후
배란	대개 배란을 동반	대개 무배란 동반
통증 시작 시기	생리 시작과 함께 or 시작 직후	생리 시작 1~2주 전
기간	48~72시간 지속	생리 후 수일간 지속
NSAIDs에 대한 반응	통증 경감	통증 경감이 덜함
치료	– NSAIDs 중 한 가지를 선택하여 최소 3개월 이상 치료 → 효과가 없으면 용량을 늘리거나 다른 약으로 교체 – NSAIDs + 호르몬 피임제	– NSAIDs + 호르몬 피임제 – 고농도 progestins 또는 GnRH agonist – 사춘기 여성은 뮐러관 기형 확인

3 만성 골반통(Chronic pelvic pain)

1) 여성 생식기계

(1) 자궁내막증(Endometriosis)

① 속발성 생리통 및 만성골반통의 원인 중 가장 많은 원인

② 자궁내막증의 위치와 병기는 증상과 상관관계가 없음

③ 자궁내막증의 통증은 치료가 어렵고 재발이 많아 단계적이고 체계적인 치료가 중요

제1단계 : 자궁내막증 병변에 대한 내과적 치료 혹은 수술적 치료

– 자궁내막증의 약물 치료 : 다나졸(danazol), 생식샘자극호르몬분비호르몬작용제(GnRH agonist), 게스트리논(gestrinone), 지속적 경구피임제, 고용량 황체호르몬 요법(medroxy progesterone acetate, MPA)
– 자궁내막증의 수술 치료 : 복강경을 이용, 유착 박리를 통한 정상 해부학적 구조 회복이 좋음

제2단계 : 내과적 치료 혹은 수술적 치료 후 잔존하는 통증에 대한 치료

– 약물 치료 후 통증이 재발한 경우 수술적 치료를 고려
– 수술 후에 약 10~30% 정도의 통증이 잔류 → 수술 후 약물 치료를 시행

제3단계 : 수술 후 약물 치료 혹은 약물 치료 후 수술 이후에 잔존하는 통증에 대한 치료

- 다른 원인에 의한 만성 골반통이 아닌지 감별이 필요, 반드시 근막통증에 의한 유발점 통증을 구분
- 유발점(trigger point) : 피하 지방조직 깊이에 이르는 1~2 cm 정도의 산재된 통증점
- 1% 리도케인과 등장성 생리 식염수를 반씩 섞어서 통증 유발점에 주사

제4단계 : 수술과 약물의 병합치료를 했음에도 잔존하여 통증유발점 주사(trigger point injection)로 근육 근막 원인의 통증을 감별한 후의 치료(비스테로이드소염제의 장기 치료)

- 자궁내막증 통증의 원인 : 자궁내막증 병변 자체 증식에 의한 통증 + 주위 염증성 변화에 의한 통증
- 자궁내막증 병변에 대한 치료로 조절되지 않는 통증은 비스테로이드 소염제를 통증 관리에 이용
- 비스테로이드 소염제 장기 치료의 장점 : 일차 자궁내막증에 의한 통증은 치료됐다고 생각되는 경우 다른 병합된 밝혀지지 않은 원인에 의한 만성 골반통을 치료할 수 있다는 이점

제5단계 : 비스테로이드소염제 치료 후에도 잔존하는 통증에 대한 치료(면역 치료)

- 자궁내막증 환자는 정상 여성에 비해 복강액의 증가, 복강 내 대식세포의 증가, 대식세포의 기능의 변화 및 활성도 증가 등이 나타남
- 면역학적 변화를 주어 치료에 기여

(2) 자궁선근증(Adenomyosis)

① 만성 골반통의 원인으로 자궁내막증 다음으로 흔한 질환

② 자궁샘근증은 자궁자체의 크기가 커짐에 따라 자궁 수축이 강해지고 자궁이 커진 만큼 자궁 내막의 양이 늘어나 과다월경과 심한 월경통을 일으킨다.

③ 근본적인 치료 : 자궁절제술

④ 자궁을 보존해야 하는 경우 : NSAIDs를 생리 때마다 투여, 반응 없으면 LNG-IUS 삽입

(3) 골반 울혈(Pelvic congestion)

① 만성 골반통의 원인으로 세번째로 흔한 질환

② 골반 복벽 및 정맥의 울혈, 과민성 등에 의해 장 운동, 성관계 시 통증을 느끼는 것

③ 진단

　　a. 골반 정맥염주(pelvic varicosity)를 확인

　　b. 정맥조영술, 골반 초음파, MRI, CT, 복강경

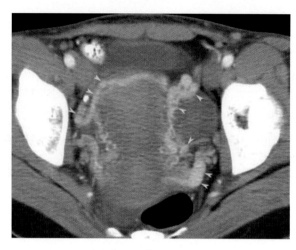

그림 8-4. 난관난소농양(Tubo-ovarian abscess)

④ 치료

    a. 직장을 통한 마사지

    b. 데포프로베라(depo-MPA)

    c. 난소정맥 복막외절제(extraperitoneal resection)

    d. 자궁절제술 및 부속기절제술 : 치유가 안 되는 경우 시행

(4) 유착(Adhesions)

  ① 유착의 특정한 위치, 심한 정도와 통증의 증상과는 관계가 없음

  ② 소화기계, 비뇨기계 또는 섬유근통이나 신경통 등 다른 원인이 배제되고, 정신과적인 검사
    도 음성일 경우에 진단적 복강경이 권유

  ③ 유착박리술(adhesiolysis) : 유착의 재생성, 장기의 손상을 유발할 수 있어 권장되지 않음

(5) 아급성 난관난소염(Subacute salpingo-oophoritis)

  ① 아급성(subacute) 또는 비정형(atypical) 감염 : Chlamydia, Mycoplasma

  ② 임균성 골반염증성 질환(gonococcal PID) : 좀더 반복적인 감염이 발생

  ③ 경험적 치료를 시행

(6) 난소잔류증후군(Ovarian remnant syndrome)

  ① 난소절제술을 시행하고 2~5년 후에 일부 남아 있는 난소조직에 의해 발생

  ② 남아 있는 난소 조직은 유착에 둘러싸여 통증을 동반하는 낭종을 형성

  ③ 진단

a. 초음파검사

b. 양측 난소난관절제술 후 estradiol >30 pg/mL, FSH <40 mIU/mL

④ 치료

a. 내과적 치료 : Danazol, 고용량 progestin, 경구피임제, GnRH agonist

b. 수술로 남은 난소 조직을 완벽히 제거 : 궁극적인 치료법

2) 소화기계

(1) 과민성장증후군(Irritable bowel syndrome)

① 하복부 통증의 가장 흔한 원인 중 하나

② 증상

a. 전형적인 증상 : 하복부 통증, 배변 습관의 변화

b. 점액질 변, 복부 팽만이나 잦은 트림, 방귀, 전신피로, 두통, 불면, 어깨 결림 등

③ 진단 기준 : 지난 3개월간 한달에 3번 이상, 다음 3가지 중 2가지 이상의 증상

a. 복통이나 불쾌감이 배변 후 호전

b. 복통이나 불쾌감과 동반해 배변 횟수가 변함(하루 4회 이상 또는 4일에 1번 이하)

c. 복통이나 불쾌감이 있으면서 대변의 형태가 변함(너무 무르거나 딱딱해짐)

④ 치료 : 안심시키기, 스트레스 감소, 변비약, 항불안제, 저용량의 삼환계 항우울제 등

(2) 기타 소화기계 질환

① 크론씨 질환(Crohn's disease), 궤양대장염(ulcerative colitis), 감염성 장염, 장 게실, 장 종양, 충수돌기염, 탈장, 허혈성 장질환, 장 자궁내막증 등

② 각 원인을 진단하여 그에 따른 내과적 혹은 외과적 치료를 시행하고, 스트레스 관리와 보조 정신요법을 반드시 같이 시행

3) 비뇨기계

(1) 만성 요도증후군(Chronic urethral syndrome)

① 특별한 병변이 없지만 하부 비뇨기계의 자극증상을 지속적으로 호소하는 경우

② 치료

a. 배뇨습관 재교육

b. 저용량 항생제 : trimethoprim-sulfamethoxazole(TMP-SMX), nitrofurantoin

c. 클라미디아 감염 의심 시 : doxycycline 투여

d. 근이완제(diazepam, cyclobenzaprine), 평활근이완제(prazosin, dibenzyline)

e. 요도 확장기 사용, 폐경 여성에는 호르몬 치료, 요도주위 스테로이드 주사, 안정제, 정신과 적 치료 등

(2) 간질방광염(Interstitial cystitis)

① 방광벽의 만성 염증에 의한 반흔으로 방광 용적이 감소해 하루 종일 혹은 밤중에 빈뇨를 호소하는 질환

② 여성에서 자주 발생하며 40~60대에서 호발

③ 원인 : 확실하지 않으나 자가면역질환(autoimmune disease)으로 알려짐

④ 치료

    a. 배뇨 간격을 늘리는 방법, 삼환계 항우울제(tricyclic antidepressant)

    b. Dimethyl sulfoxide 방광 내 주입 : 항염증성 작용과 진통 효과

    c. 약물치료에 반응하지 않으면 수술

4) 신경 및 근골격계

(1) 신경포착(Nerve entrapment)

① 치골상부절개(suprapubic incision)나 복강경 때 복벽신경이 결찰 혹은 손상되어 발생

② 국소마취제로 진단적으로 신경을 차단하여 통증이 사라지면 진단 가능

③ 진단되면 특별한 치료는 필요 없음

(2) 근막통증증후군(Myofascial syndrome)

① 만성 골반통의 15% 정도를 차지하고 만성 피로와 밀접하게 연관되어 있음

② 복벽에 특별한 통증 유발점(trigger point)이 존재

③ 증상 : 확산성 통증, 피로, 지속적인 수면 욕구

(3) 요통증후군(Low back pain syndrome)

① 부인과, 혈관, 신경계, 심인성, 척추 원인에 의해 허리통증 유발 가능

② 골반통 없이 허리통만 호소하는 경우 대부분 부인과적 원인이 없지만 드물게 동반 가능

5) 만성 골반통(Chronic pelvic pain)의 치료

(1) 다면적인 접근(Multidisciplinary approach)

① 원인을 찾을 수 없거나 확실하지 않은 환자들에게는 다면적인 치료가 적합

② 부인과, 정신과 치료와 물리치료를 병행

③ 만성 통증 환자에게 치료적이고 낙관적이고 지지적인 의료진의 태도가 중요

(2) 내과적 치료

① 삼환계 항우울제(TCA), 항경련제, Selective serotonin reuptake inhibitor(SSRI), Serotonin-norepinephrine reuptake inhibitor (SNRI)

② 인지행동치료와 함께 병합하여 시행

(3) 수술적 치료

① 복강경(Laparoscopy)

    a. NSAIDs나 경구피임제에 반응하지 않는 주기성 통증에 사용

    b. 진단적 복강경(diagnostic laparoscopy) 동안 endometriotic lesion excision 필요

    c. 감염이 의심되면 배양검사 시행

    d. 부인과 이외 통증의 원인을 모두 배제한 이후에 시행

    e. 유착박리(lysis of adhesion) : 다시 유착 발생 가능

    f. 복강경하 자궁천골인대소작술(laparoscopic uterosacral nerve ablation, LUNA) : 일차성 or 이차성 월경통의 치료에 사용 가능

② 자궁절제술(Hysterectomy)

    a. 더 이상 임신을 원하지 않는 여성에서 시행

    b. 골반통을 호소하는 환자의 약 30%는 이미 자궁절제술을 시행한 후에도 통증 호소

    c. 골반통 치료 목적으로 시행 되는 경우 교정 가능한 원인 없이 6개월 이상 통증이 지속될 때만 시행

4 월경전증후군(Premenstrual syndrome)

1) 서론

(1) 정의

① 월경과 관련된 정서장애로서 월경 시작 1주 전에 신체적, 정서적, 행동적 증상이 반복적, 주기적으로 발생하여 월경 시작 4일 안에 해소되고 적어도 13일까지는 나타나지 않는 것

② 최소 2주기 동안 증상 발현을 매일 기록하여 확인

③ 진단 조건

    a. 황체기에 나타나는 주기적인 증상들

    b. 난포기에는 증상이 없음

    c. 일상 생활에 지장을 초래할 정도의 증상들

(2) 원인

① 정확인 원인과 기전은 확실하지 않음

② 호르몬 불균형으로 생각하고 연구가 이루어졌지만 특별한 이상을 찾을 수 없었음

(3) 증상

① 정신적 증상 : 불안, 우울, 과민, 기분변화, 식욕증가, 공격성, 피로, 건망증, 수면장애 등

② 신체적 증상 : 복부팽만, 부종, 체중 증가, 변비, 안면홍조, 유방통, 두통, 여드름, 비염 등

2) 치료

(1) 생활습관 개선

① 카페인, 흡연, 스트레스의 감소

② 규칙적인 운동, 식사, 적절한 수면

(2) 내과적 치료

① Selective serotonin reuptake inhibitors(SSRI)

    a. 생리 전 증후군에 가장 효과적인 치료

    b. 종류 : Fluoxetine (Prozac)

② Benzodiazepine계 항불안제 : Alprazolam

③ GnRH agonist

④ 경구피임제

⑤ Spironolactone : 부유감(bloating) 및 다른 증상들의 호전

CHAPTER 09

여성 생식기 감염(Genitourinary infection)

1 정상 질(Normal vagina)

1) 정상 질 분비물(Normal vaginal secretions)

(1) 구성

① 피지선, 땀샘, 바르톨린샘, 스케네씨(Skene glands)샘으로부터 나오는 분비물

② 질 벽에서 나오는 삼출액

③ 질과 자궁 경부에서 떨어져 나오는 세포들

④ 자궁경부 점액

⑤ 자궁내막과 난관에서 나오는 액

⑥ 질 내 미생물과 그 대사물질

(2) 양상

① 흰색의 솜 모양(floccular)

② 흰색이고 보통 낮은 부분인 질후원개(posterior fornix)에 고임

(3) 정상 질의 산도(Normal vaginal pH)

① 정상 pH <4.5

② 질상피세포가 glycogen을 monosaccharides로 분해하고 이것을 lactobacilli가 lactic acid로 전환하여 pH <4.5로 유지(self purifications of vagina)

(4) 초경 전 질 분비물

① 초경 전 나타나는 냄새가 없는 비자극성의 진한 백색 분비물

② 감염 증상이 아님

2) 정상 질 세균총

(1) 정상 세균총(Normal flora)

호기성 세균(aerobic bacteria)		혐기성 세균(anaerobic)
Gram positive	Gram negative	
Lactobacillus (68%) Staphylococcus epidermidis (53%) Streptococcus-non hemolytic (37%) Corynebacterium (31%) Enterococcus (26%) Staphylococcus aureus (8%)	Gardnerella vaginalis (25%) Escherichis coli (20%) Anaerobic : Bacteroides (52%) Peptostreptococcus (26%) Fusobacterium (21%) Clostridium (12%)	Bacteroides (52%) Peptostreptococcus (26%) Fusobacterium (21%) Clostridium (12%)

(2) 질 미생물의 생존력에 영향을 주는 인자들

① 질의 산도(vaginal pH)
② 세균 대사에 필요한 당분 유무

2 질염(Vaginal infections)

1) 세균성 질염(Bacterial vaginosis)

(1) 특성

① 정상 질 세균총(normal vaginal flora)의 변화 때문에 발생 : 질의 주된 균주인 유산균주(lacto-bacillus)가 감소되고 비호기성(anaerobe)균이 과증식 후 대체 되어 있는 경우
② 특성
  a. 가장 흔하게 발생하는 질염
  b. 세균 감염에 의해 발생하는 것이 아닌 질내 미생물군 생태계의 변화 때문에 발생
  c. Gardnerella vaginalis, Mycoplasma hominis, Ureaplasma spp. 등과 같은 비호기성 균의 농도가 정상 여성에 비하여 100~1,000배 증가
③ 원인 : 잦은 성교나 질세척(douche) 후 자주 반복되는 알칼리화(alkalinization)에 기인
④ 증상 : 대부분의 경우 무증상, 질 분비물 증가 및 악취
⑤ 증가하는 위험성
  a. 부인과 : 골반염, 자궁절제술 후 질염, 이상자궁경부 세포의 빈도
  b. 산과 : 조기양막파수, 조산, 양수 내 감염, 융모양막염, 제왕절개 후 자궁내막염

(2) 증상

① 생선 냄새가 나는 분비물(관계 후 늘어나는 질 분비물)

② 맑고 균질한 회백색의 질 분비물

③ 외음부나 질의 소양증과 통증은 드묾

(3) 진단

① 임상적 진단기준

  a. 회색의 균일하고, 얇게 질을 덮고 있으며, 생선 냄새가 나는 분비물

  b. 질 분비물의 산도 : pH >4.5(4.7~5.7)

  c. 직접 도말표본법(wet smear)

    - 단서세포(clue cell) 증가 : 세포막에 부착된 세균을 가진 점상 모습의 질 상피세포

    - 백혈구 및 lactobacillus 등은 거의 관찰되지 않음

  d. Whiff test(질 분비물에 10~20% KOH를 첨가) : 양성(fishy amine-like 냄새)

② 질의 홍반(erythema)은 드물고, 배양 검사(culture)는 추천하지 않음

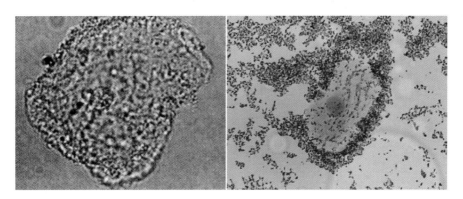

그림 9-1. 세균성 질염의 단서세포(clue cell)

(4) 치료

Metronidazole
Metronidazole 500 mg, 1일 2회, 7일간, 경구투여(복용 24시간 후까지 음주는 삼가) Metronidazole gel 0.75% 5 g, 1일 1~2회, 5일간, 질내투여

Clindamycin
Clindamycin cream 2% 5 g, 1일 1회(자기 전), 7일간, 질내투여 Clindamycin 300 mg, 1일 2회, 7일간, 경구투여 Clindamycin ovules 100 mg, 1일 1회(자기 전), 3일간, 질내투여

– 성 파트너의 동시치료는 치료 효과를 향상시키지 않으므로 성 파트너를 같이 치료하는 것은 권고되지 않음

2) 트리코모나스 질염(Trichomonas vaginitis)

(1) 특성

① 성적 접촉을 통한 질 편모충(Trichomonas vaginalis)에 의한 성병

    a. 질 편모충 : 3~5개의 편모를 가진 병원성 단세포 원충

    b. 질염 원인의 25%를 차지

② 젖은 수건이나 기타 다른 물건의 표면에서도 살 수 있을 정도로 강하기 때문에 성적인 접촉이 아니더라도 전달 가능

③ 트리코모나스 질염의 60%에서 세균성 질염이 동반

④ 임신 시 조기양막파수, 조산 등이 증가

(2) 증상

① 기포가 많은 다량의 화농성 냄새가 나는 질 분비물

② 질 소양증, 작열 통증, 성교통

③ 심한 감염의 경우 질 점막의 부종, 반점형 질 홍반(patch vaginal erythema), 딸기 자궁경부(strawberry cervix) 등 관찰

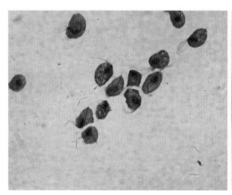 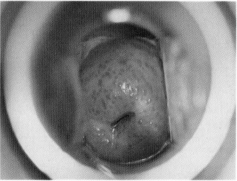

그림 9-2. 트리코모나스 질염의 질 편모충과 딸기 경부

(3) 진단

① 임상 증상과 징후

② 검사 소견 : 트리코모나스균의 확인

    a. 직접 도말표본법(wet smear) : 움직이는 편모를 가진 트리코모나스 원충 확인

    b. 질 분비물의 산도 : pH >5.0 (5.0~7.0)

    c. 세균성 질염과 동반되어 단서세포(clue cell)가 관찰되고 Whiff test 양성 가능

③ 다른 성 매개 질환 검사가 필요 : 임질, 클라미디아, 매독, HIV 등

(4) 치료

권장요법
Metronidazole 2 g, 1일 1회, 경구투여
Tinidazole 2 g, 1일 1회, 경구투여

대체요법
Metronidazole 500 mg, 1일 2회, 7일간, 경구투여(복용 24시간 후까지 음주는 삼가)

초회치료 실패 시
Metronidazole 500 mg, 1일 2회, 7일간, 경구투여
그래도 반응이 없으면 metronidazole 혹은 tinidazole 2 g, 1일 1회, 5일간, 경구투여

임신 및 수유 중 치료
임신 모든 분기에서 metronidazole 2 g, 1일 1회 요법 사용 가능
수유 중에는 metronidazole 복용 종료 12~24시간 동안, tinidazole 복용 종료 3일간은 수유를 중단

주의사항
배우자도 함께 치료를 해야 하며, 특히 재발 시 반드시 같이 치료
Metronidazole gel은 트리코모나스 질염의 치료에는 효과적이지 않으므로 사용되지 않음
재감염률이 높아 3개월 후에 T. vaginialis에 대한 재선별검사 시행을 고려

3) 외음부질 칸디다증(Vulvovaginal candidiasis)

(1) 특성

① 원인균 : Candida albicans (85~90%), Candida glabrata, Candida tropicalis

② 원인 : 칸디다가 존재하는 대변에 의한 오염, 구강, 남성 성기, 질세척, 속옷, 수건 등

③ 위험인자

    a. 항생제 사용 : 젖산균, 정상 균을 감소시켜 곰팡이의 과성장 유발

    b. 임신, 당뇨 : 세포성 면역(cell mediated immunity) 감소

    c. 광범위 항생제 남용, 경구피임제 복용, 면역억제상태, 질 위생상태 불량, 남성 요인 등

(2) 증상

① 외음부 소양감(vulvar pruritus) : 전형적인 증상

② 치즈 형태 질 분비물(cottage cheese discharge)

③ 외음부 작열감, 성교통, 배뇨통, 외음부 및 질의 홍반, 부종 등이 동반

(3) 진단

① 임상증상 및 소견

② 검사 소견 : 칸디다균의 확인

a. 10~20% KOH 표본 : 균사나 bud 관찰(fungal element, budding yeast form, mycelia)

b. 배양검사 : Sabouroud 배지 또는 Nicherson 배지를 사용

③ 질 분비물의 산도 : 대개 정상(pH <4.5)

④ Whiff test : 음성(negative)

⑤ 균이 발견되지 않더라도 분비물 pH가 정상이고 질과 외음부에 홍반이 있으면 추정진단이 가능하며 확진을 위해 배양검사가 추천

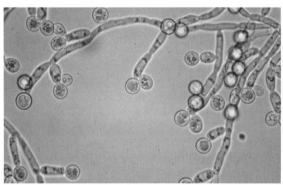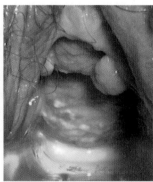

그림 9-3. 외음부질 칸디다증의 균사와 치즈 형태 질 분비물

(4) 치료

① 국소요법(topical azole drug)

a. butoconazole, clotrimazole, miconazole, ticonazole, terconazole을 3일간 국소투여

b. Azole 제제들이 nystatin보다 효능이 좋으며, 사용기간이 짧아 현재 가장 많이 사용

Butoconazole	Ticonazole
2% cream, 1일 5 g, 질내투여, 3일간 사용	6.5% onitment, 1일 5 g, 질내투여, 1일 사용
Clotrimazole	Treconazole
1% cream, 1일 5 g, 질내투여, 7~14일간 사용 2% cream, 1일 5 g, 질내투여, 3일간 사용	0.4% cream, 1일 5 g, 질내투여, 7일간 사용 0.8% cream, 1일 5 g, 질내투여, 3일간 사용 80 mg 질정, 1일 1회, 3일간 사용
Miconazole	Nystatin
2% cream, 1일 5g, 질내투여, 7일간 사용 4% cream, 1일 5g, 질내투여, 3일간 사용 200 mg 질정, 1일 1회, 3일간 사용 100 mg 질정, 1일 1회, 7일간 사용 1,200 mg 질정, 1일 1회, 1일간 사용	100,000 unit 질정, 1일 1회, 14일간 사용

② 경구투여

a. Fluconazole 150 mg, 1일 1회, 경구투여

b. 증상이 심한 경우 72시간 후 150 mg 추가로 투여

③ 국소 스테로이드 보조요법 : 1% hydrocortisone cream, 외음부 자극증상의 완화에 도움

④ 임신 중의 치료

a. 임신 시 질염의 증상이 없을 때는 치료가 필요 없음

b. 선천성 기형 가능성 때문에 경구 fluconazole은 피하고 국소요법으로 치료

(5) 재발성 칸디다증

① 1년에 최소 3회의 임상적 및 검사상 칸디다증이 발병하는 경우

a. 자가전염이 잘 되는 질환으로 항문, 외음부, 피부 등에 있는 균으로부터 질로 침입하거나 외음부 심층에 균이 있어 제거하기 힘든 경우가 있어서 재발이 빈번

b. 만성 위축성 질염이나 피부염이 소양증의 원인인 경우가 많은데, 많은 환자들이 만성 곰팡이성 감염이 있다고 잘못 생각하는 경향

② 증상 : 주로 외음부와 전정부(vestibule)의 지속적인 가려움증

③ 진단 : 칸디다증 완치 후 KOH 도말검사와 배양검사에서 칸디다균이 발견

④ 위험인자 : 경구피임제, 항생제, 부신피질호르몬, 항암제, 임신부, 당뇨병 등

⑤ 치료

a. Fluconazole 100 mg, 150 mg, 200 mg 1일 1회, 각각 1일, 4일, 7일에 경구투여를 7~14일간 시행

b. 예방적 fluconazole (100 mg, 150 mg or 200 mg/week)을 유지요법으로 6개월 투여

4) 위축성 질염(Atrophic vaginitis)

(1) 특성

① 폐경 또는 난소를 수술적으로 제거한 뒤 에스트로겐 감소로 생기는 염증성 질염

② 질과 외음부 피부의 위축으로 성교통과 성교 후 출혈을 호소

(2) 진단

① 질 점막의 육안 소견 : 질 주름이 소실되고, 외음부의 위축 및 약해진 질 점막

② 질 분비물의 현미경 소견 : Parabasal epithelial cells의 분포가 우세해지고, 백혈구 증가

(3) 치료

① 국소 에스트로겐 크림 1 g, 1~2주간, 질내투여

② 경구 에스트로겐 요법 : 재발을 막기 위해 고려

3 자궁경부염(Cervicitis)

1) 자궁경부의 구성 및 염증

(1) 자궁경부(Cervix)

① 내자궁경부(endocervix) : 편평상피세포(squamous epithelium)로 구성

② 외자궁경부(ectocervix) : 선상피세포(glandular epithelium)로 구성

(2) 내자궁경부(Endocervix)의 염증

① 자궁경부 편평상피세포(squamous epithelium)의 염증

② 원인 : 질염의 원인균(trichomonas, candida, HSV)에 의해 생긴 염증

③ 질점막세포와 연결

(3) 외자궁경부(Ectocervix)의 염증

① 자궁경부 선상피세포(glandular epithelium)의 염증

② 원인 : N. gonorrhoeae, C. trachomatis에 의해 생긴 염증

③ 화농성 점액 자궁경부염(mucopurulent endocervicitis, MPC)

2) 증상 및 진단

(1) 증상

① 화농성 점액(mucopus) : 노란색 혹은 초록색의 점액

② 부종, 홍반, 연약하고 쉽게 출혈을 일으키는 자궁경부

(2) 진단

① 자궁경부의 화농성 점액이 진단에 필수

② 그람 염색(gram stain)

　　a. 임균 내자궁경부염(gonococcal endocervicitis) : 호중구가 30/HPF 이상 관찰되고, 세포 내 그람 음성의 diplococci가 관찰

　　b. 클라미디아 내자궁경부염(chlamydial endocervicitis) : 세포 내 임질균이 없는 경우

② 임질 검사와 클라미디아 검사, 혹은 direct fluorescent antibody (MicroTrak) 검사를 시행

3) 치료

(1) 원칙

① 합병증이 없는 하부생식기 감염(클라미디아, 임질)에 사용하는 항생제로 치료

② 모든 성적 배우자도 함께 치료

③ 임질과 클라미디아는 동시 감염이 많아 두 질환 모두에 효과적인 항생제를 선택

④ 세균성 질염(bacterial vaginosis)과 동반하는 경우가 많아 동시에 치료하지 않으면 자궁경부염의 증상이 지속되므로 세균성 질염이 의심되면 같이 치료 시행

(2) 항생제 치료

임균 내자궁경부염(gonococcal endocervicitis)
Ceftriaxone 250 mg, 1회, 근육주사 Cephalosporin 주사용법＋Azithromycin 1 g, 1회, 경구투여 Doxycycline 100 mg, 1일 2회, 7일간, 경구투여 (cephalosporin 주사용법이 불가능한 경우에만 cefixime 400 mg 경구 1회 용법)
클라미디아 내자궁경부염(chlamydial endocervicitis)
Doxycycline 100 mg, 1일 2회 7일간, 경구투여 Azithromycin 1 g, 1회, 경구투여
임신부의 자궁경부염
신생아로의 수직감염 위험 Cephalosporin 요법 혹은 Azithromycin 1 g, 1회, 경구투여 권장 치료 종료 3주 후에 재검사 시행

4 기타 주요 감염(Other major infections)

1) 방광염(Cystitis), 요도염(Urethritis)

(1) 증상

① 성인 여성에 있어서 가장 흔한 세균 감염증이며 임신부의 가장 흔한 합병증

② 여성들은 요도가 짧고 질의 세균이 요도 말단에 집락화되어 남성보다 더 흔히 발생

③ 증상 : 배뇨통, 빈뇨, 긴박뇨, 치골상복부 압통 등

④ 가장 흔한 병원균 : E.coli, Staphylococcus saprophyticus

(2) 진단

① 청결한 중간뇨 검체로 현미경 검사, 배양/감수성 검사

② 골반 검사 : 질염, 자궁경부염, 기타 원인들을 배제

(3) 치료

단일요법
Amoxicillin 3 g Ampicillin 2 g Cephalexin 2 g Nitrofurantoin 200 mg Sulfisoxazole 2 g Trimethoprim—sulfamethoxazole 320/1,600 mg

단기요법(3~7일)
Amoxicillin 250~500 mg, 1일 3회 Ampicillin 250 mg, 1일 4회 Cephalexin 250~500 mg, 1일 4회 Nitrofurantoin 100 mg, 1일 2회 Sulfisoxazole 1 g 이후 500 mg, 1일 4회 Trimethoprim—sulfamethoxazole 320/1,600 mg, 1일 2회

억제요법
Nitrofurantoin 100 mg, 자기 전 1회 복용 Ampicillin 250 mg, 1일 2회, 경구투여 Trimethoprim—sulfamethoxazole 160/800 mg, 1일 2회, 경구투여

(4) 예방법

① 대상 : 성교 후 비뇨기계 감염증이 자주 재발되는 환자
② 예방적 항생제 투여와 성교 후 즉시 배뇨를 권함
③ 에스트로겐(estrogen) 보충요법을 받고 있지 않은 폐경기 여성은 에스트로겐 보충요법이 재발 예방에 도움

2) 골반염(Pelvic inflammatory disease, PID)

(1) 정의

① 내자궁경부(endocervix) 상부의 미생물 감염에 의한 염증이 발생한 질환
② 자궁내막염, 난관염, 복막염, 난소염, 난관난소농양을 포괄하는 용어

(2) 병인론

① 원인균

임균(Neisseria gonorrhoeae)

Gram negative diplococcus
생리 직후 발생 호발
Endometrial spread로 난관 폐쇄 및 확장을 일으켜 불임이 증가

클라미디아(Chlamydia trachomatis)

Silent PID로 불림
임균(Neisseria gonorrhoeae) 감염이 있는 경우 1/4에서 중복감염이 발생

기타 원인균

Mycoplasma genitalium : 최근에는 비임균 비클라미디아 골반염의 새로운 원인균으로 주목
정상 질 내 세균인 prevotella, peptostreptococci, gardnerella vaginalis에 의해서도 발생
흔하지는 않지만 haemophilus influenza, group A streptococcus, pneumococcus

② 발생기전
    a. 질과 자궁경부에는 정상적으로 호기성 및 혐기성 균들이 존재하여 임균이나 클라미디아
        균의 성장을 억제
    b. 세균성 질염이 있는 경우 질 내 세균총의 변화로 인해 자궁경부의 방어작용이 변하여 병
        원성 세균의 상행감염이 가능하게 되고 골반염이 흔하게 발생
    c. 세균성 질염이 있으면 골반염의 위험이 2배 증가

(3) 위험인자
  ① 골반염의 과거력
  ② 단기간 다수의 파트너와 성관계
  ③ 성병 원인균, 비복합성 항문성기 임균 : 생리 직후 또는 끝난 후 골반염으로 발생 가능
  ④ 자궁내장치 : 골반염의 위험 증가(위험이 가장 큰 시기는 삽입 시와 삽입 후 첫 3주)

(4) 증상
  ① 특징적인 증상 3가지
    a. 복부와 골반의 통증
    b. 자궁경부 운동성 압통과 부속기 압통 : 복막의 염증을 의미
    c. 발열
  ② 무증상을 포함한 다양한 증상의 발현

(5) 진단

임상적 징후

자궁경부 운동성 압통(cervical motion tenderness), 부속기 압통(adnexal tenderness)
질 분비물(leukorrhea) ± 화농성점액 내자궁경부염(mucopurulent endocervicitis)

진단을 위한 추가적인 기준

자궁내막 조직검사에서 자궁내막염(endometritis)의 진단
C-반응단백질(CRP)과 적혈구 침강속도(ESR) 증가
38℃ 이상의 고열
백혈구증가증(leukocytosis)
임균(Neisseria gonorrhoeae), 클라미디아(Chlamydia trachomatis) 양성

정밀검사

초음파상 난관난소농양(tubo-ovarian abscess)
복강경에서 진단된 난관염(salpingitis)

(6) 치료

① 골반염의 입원 및 퇴원 기준

입원 기준	퇴원 기준
임신과 동반된 골반염 외래치료에 반응하지 않는 경우 38℃ 이상의 고열 상부 복강 내 염증소견 골반 내 또는 난관난소농양 의심 자궁내장치 사용자 경구요법이 힘든 구역, 구토 동반 청소년의 골반염	24시간 이상 38℃ 이하 유지 백혈구 수치의 정상화 반발통 소실 골반 압통 호전

② 골반염의 외래치료

권고요법

Ceftriaxone 250 mg, 1회, 근육주사
or Cefoxitin 2 g, 1회, 근육주사 + Probenecid 1 g, 1회, 경구투여
다른 3세대 cephalosporin(ceftizoxime, cefotaxime) 비경구투여
+ Doxycycline 100 mg, 1일 2회, 14일간, 경구투여
± Metronidazole 500 mg, 1일 2회, 14일간, 경구투여

대체요법(cephalosporin 비경구투여가 불가능하고 임균의 유병률이 낮은 경우)

Levofloxacin500 mg, 1일 1회, 14일간, 경구투여
or Ofloxacin 400 mg, 1일 2회, 14일간, 경구투여
± Metronidazole 500 mg, 1일 2회, 14일간, 경구투여

③ 골반염의 입원치료

권고요법 A
Cefotetan 2 g, 12시간 간격, 정맥주사 or Cefoxitin 2 g, 12시간 간격, 정맥주사 + Doxycycline 100 mg, 12시간 간격, 경구투여 or 정맥주사

권고요법 B
Clindamycin 900 mg, 8시간 간격, 정맥주사 + Gentamicin, 부하용량(2 mg/kg), 정맥주사 or 근육주사 → 유지용량(1.5 mg/kg), 8시간 간격

권고요법 C
Ampicillin–sulbactam 3 g, 6시간 간격, 정맥주사 + Doxycycline 100 mg, 12시간 간격, 정맥주사 or 근육주사

④ 수술치료

　　a. 약물치료에 반응이 없는 난관난소농양(tubo-ovarian abscess)

　　b. 파열된 난관난소농양(tubo-ovarian abscess)

　　c. 급성 충수염(acute appendicitis)과 감별이 어려운 경우

　　d. 불임의 원인이 난관폐쇄(tubal obstruction)인 경우

(6) 합병증

　① 장기 후유증(약 25%) : 불임, 자궁외임신(6~10배 증가), 만성 골반통, 성교통

　② Fitz-Hugh-Curtis 증후군

　　a. 골반염에 의한 간주위염(perihepatitis)

　　b. 급성 우상복부(RUQ)의 통증과 압통이 유발

(7) 난관난소농양(Tubo-ovarian abscess)

　① 골반검진 : 급성 골반염의 최종 단계로 골반 종괴가 촉지

　② 진단 : 초음파

　③ 치료

　　a. 입원하여 항생제 투여(75%에서 항생제로 치료가 가능)

　　b. 초음파나 전산화단층촬영유도하 피부를 경유한 농양 배액

　　c. 배액술이 불가능 한 경우 수술

5 성병(Sexually transmitted disease, STD)

1) 임질(Gonorrhea)

(1) 증상

① 남성의 증상 : 배뇨통, 음경 분비물 등
② 여성의 증상
   a. 대부분 증상이 없거나 있더라도 경미한 질내 감염으로 오인될 수 있는 정도
   b. 배뇨통, 질 분비물 증가, 생리주기 중간의 출혈 등과 같이 비특이적인 증상
   c. 증상이 없어도 골반염 등의 심각한 합병증을 일으킬 수 있어 치료가 필요
③ 임질의 선별검사 권고군 : 임질 및 성매개질환의 과거력, 다수의 성 배우자

(2) 진단

① 검체 : 내자궁경부(endocervix), 질, 소변에서 채취
② 검사
   a. 배양, nucleic acid hybridization test : 내자궁경부에서 채취한 검체
   b. nucleic acid amplification testing : 내자궁경부, 질, 소변에서 채취한 검체
   c. 그람 염색 : 현재 권고되지 않는 방법
   d. 임질로 진단된 경우 : 클라미디아, 매독, HIV에 대한 추가검사 시행
③ 초기 치료에 실패한 경우 배양검사가 필요

(3) 치료

① 표준치료법

임질 감염의 치료

Ceftriaxone 250 mg, 1회, 근육주사
   or Cefixime 400 mg, 1회, 경구투여
+ Azithromycin 1 g, 1회, 경구투여
   or Doxycycline 100 mg, 1일 2회, 7일간, 경구투여

---

② 치료 후 추적검사
   a. 임질에 대한 항생제 치료 후 추적 배양검사 등은 필요하지 않음
   b. 치료 후 증상호전이 없는 경우 임질균에 대한 배양 및 항생제 감수성검사가 필요
③ 성 배우자에 대한 치료
   a. 임질 재감염을 막기 위해 환자의 최근 성 배우자에 대한 평가 및 필요 시 치료
   b. 만약 성 배우자의 병원 방문이 용이하지 않으면 임질 및 동시 감염이 흔한 클라미디아에
      대한 항생제를 환자를 통해 성 파트너에게 처방

2) 클라미디아(Chlamydia trachomatis)

(1) 증상

① 남녀 모두 무증상인 경우가 대부분

② 25세 이하 성생활을 하는 여성의 경우 클라미디아에 대한 매년 선별검사를 시행을 권고

(2) 진단

① 검체 : 소변, 질, 내자궁경부에서 채취

② 검사

    a. 배양, nucleic acid hybridization test, nucleic acid amplification testing, direct immunofluorescence

    b. 최근에는 액상 자궁경부세포진 검사 시 얻어지는 검체로도 진단이 가능

    c. 클라미디아로 진단된 경우 : 다른 성매개질환에 대한 추가검사 시행

(3) 치료

① 표준치료법

권고되는 요법
Azithromycin 1 g, 1회, 경구투여 Doxycycline 100 mg, 1일 2회, 7일간, 경구투여
대체 가능한 요법
Erythromycin base 500 mg, 1일 4회, 7일간, 경구투여 Erythromycin ethylsuccinate 800 mg, 1일 4회, 7일간, 경구투여 Levofloxacin 500 mg, 1일 1회, 7일간, 경구투여 Ofloxacin 300 mg, 1일 2회, 7일간, 경구투여

– 치료 후 추적 균배양검사 등은 필요 없음
– 치료 7일간 금욕을 권하며, 재감염을 막기 위해 성 파트너에 대한 치료가 끝날 때까지도 금욕을 권함

② 임신부의 치료

    a. Azithromycin 1 g, 1회, 경구투여

    b. 치료 종료 3주 뒤 균에 대한 추적검사, 이후 3개월 뒤에도 추적검사를 시행

3) 매독(Syphilis)

(1) 원인

① Treponema pallidum에 의한 만성 전신성 질환

② 피부나 점막을 통해 침투할 수 있으며, 성관계, 수혈, 태반을 통해 감염

③ 전염 기간 : 1기와 2기 그리고 잠복기의 첫해 내내(잠복기 10~90일)

(2) 증상

① 1기 매독(primary syphilis)

  a. 경성하감(chancre) : 외음부나 질 또는 경부에 단단하고 둥글며 경계가 분명하면서 깨끗한 기저부를 가진 한개의 무통성 궤양

  b. 자궁경부나 질 속에 발생하는 병변은 모르고 지나가는 수도 있으며, 생식기 이외의 다른 부위에도 발병 가능

  c. 딱딱한 서혜부 임파선병증(inguinal lymphadenopathy)이 흔히 동반

  d. 치료를 하지 않아도 2~6주 안에 일차 경성하감이 사라지기도 함

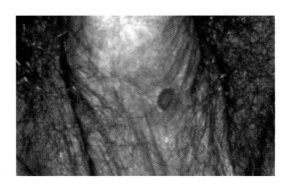

그림 9-4. 외음부 매독

② 2기 매독(secondary syphilis)

  a. 일차감염 후 6주에서 6개월 후 균주가 혈액을 통해 전파되어 나타나는 전신질환

  b. 특징 : 피부의 발진과 점막의 병적인 증상

    - 발진은 전신에 걸쳐 발생, 특히 손바닥과 발바닥 발진은 매독의 특징적인 증상

    - 발진 이외에도 발열, 눌렀을 때 아프지 않은 임파절 종대, 인후통, 두통, 체중 감소, 근육통 등의 증상이 함께 나타날 수 있다

  c. 2~6주 내에 저절로 소실

③ 잠복매독(latent syphilis)

  a. 2기 매독을 치료하지 않으면 잠복기 매독이 나타나고 2~20년간 지속 가능

  b. 혈청검사에서는 양성이지만 증상은 없는 상태

  c. 조기 잠복매독 : 감염 후 1년 이내, 전염력 있음

  d. 만기 잠복매독 : 감염 후 1년 이상, 성 접촉에 의해서는 전염되지 않지만 스파이로헤타(spirochetes)가 태반을 통해 태아에 감염 가능

④ 3기 매독(tertiary syphilis)

  a. 매독 치료를 받지 않거나 치료가 충분하지 않은 경우 환자의 1/3정도에서 발생

b. 다양한 발현 증상
- Argyll Robertson pupil : 3기 매독의 특징적인 증상, 가까운 물체를 볼 때 양쪽 동공이 작아지지만 밝은 빛에 노출 시 양쪽 동공 모두 수축되지 않는 광반사가 없는 상태
- 중추신경계 : 전신성 부전마비, 척수배면근 위축, 정신상태의 변화, 시력 위축
- 심혈관계 : 동맥내막염, 대동맥류, 대동맥판 폐쇄부전증
- 골격근계 : 3기 매독의 후반에 피부와 뼈에 생기는 고무종(gumma)
c. 뇌척수액 FTA-ABS 반응검사 : 매독을 1년 이상 앓은 경우 신경매독 배제를 위해 시행

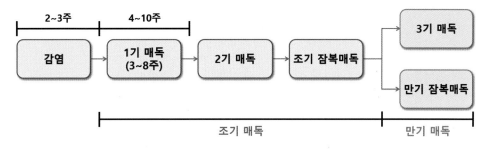

그림 9-5. 매독의 자연경과

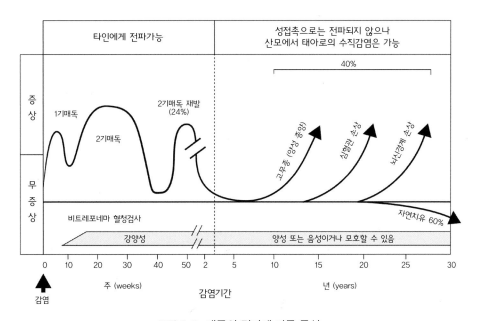

그림 9-6. 매독의 경과에 따른 특성

(3) 진단
① 혈청학적 진단

선별검사

- Treponema pallidum 직접 관찰
  - 병소의 바닥을 짜서 나온 장액성 삼출액을 슬라이드 위에서 식염수와 섞은 후 암시야 검경법과 직접 형광항체검사를 통해 관찰
- 매독균 비특이항체 검사(nontreponemal test)
  - 종류 : VDRL(venereal disease research laboratory), RPR(rapid plasma reagin)
  - 항체 역가는 매독의 활성도와 연관성이 있어 선별검사, 무증상 환자의 진단, 치료 효과의 판정에 유용
  - 1기와 2기 매독이 치료되면 12개월 이내로 역가가 4배 이하(2회 희석)로 감소
  - 위양성을 보이는 경우 : 자가면역질환, 약물 오용, 림프종, 감염 질환, 간경화, 항인지질항체증후군

확진검사

- 매독균 특이항체 검사(treponemal test)
  - FTA-ABS (fluorescent treponemal antibody absorption test)
  - MHA-TP (microhemagglutination assay for Ab to treponema pallidum)
  - TP-PA (Treponema pallidum passive particle agglutination test)
  - ICS (immunochromatographic strip)
- 매독에 감염되면 매독균 특이항체 검사는 일생동안 양성

② 진단의 흐름도

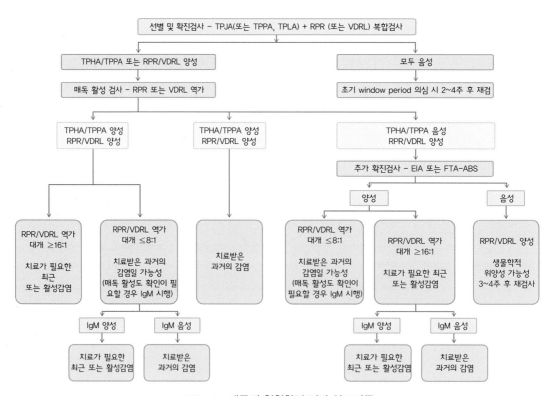

그림 9-7. 매독의 혈청학적 진단 알고리즘

(4) 치료

① 경과에 따른 치료(임신 중에도 동일한 치료)

조기 매독

Benzathine penicillin G 240만 units, 근육주사, 1회
(임신 20주 이상은 1주일 간격으로 2회 요법)

만기 매독(신경매독 제외)

Benzathine penicillin G 240만 units, 근육주사, 1주일 간격 3회

신경매독

Potassium crystalline penicillin G 300~400만 units, 6회/일, 18~21일 간
(페니실린 정맥주사는 하루라도 빠지면 처음부터 다시 시작)

– 성적 파트너의 치료는 권장되지 않음

② Penicillin 알러지가 있는 경우

    a. 탈감작 후 치료를 실시

    b. 처음에 페니실린 100 units를 30 mL의 물에 희석하여 경구 복용 한 후 15분마다 페니실린
       의 단위를 2배씩 증가시켜 동일한 방법으로 물에 희석하여 경구 복용

    c. 최종 복용 횟수는 14회로, 이때 복용량은 640,000 units, 전체 누적량은 1,296,700 units

    d. 경구 페니실린 탈감작 과정을 마친 후 Benzathine penicillin G 치료를 시작

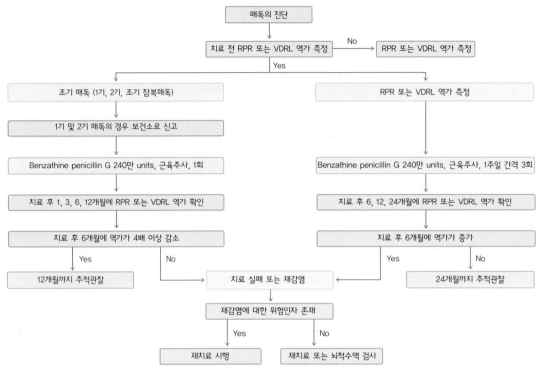

그림 9-8. 매독의 치료 및 추적검사

③ 매독 치료 시 첫 24시간 내 Jarisch-Herxheimer 반응이 나타날 수 있음

　　a. 조기 매독에서 penicillin 투여 후 발생하는 비교적 흔한 급성 열성 과민 반응

　　b. 대증적인 처치만으로 단기간 내에 호전

　　c. 약물과민반응 및 기타 감염성 질환과 구별하는 것이 중요

4) 헤르페스(Herpes)

(1) 원인

① Herpes simplex virus(HSV)에 의해 생식기 궤양이 발생하는 재발성 병변

② 단순포진 바이러스 2형(HSV type 2) : 80%

③ 잠복 기간 : 3~7일

(2) 증상

① 권태감과 발열 등 바이러스감염과 같은 전신증상과 외음부 감각이상 후 나타나는 소포

② 수포가 터지면서 깊지 않은 통증성 궤양을 형성하고 서로 합쳐지기도 함

③ 증상들은 약 14일간 지속되며 7일째에 최고조에 달한 후 저절로 호전

④ 바이러스 전염기간 : 병변 발현 후 2~3주 동안 지속

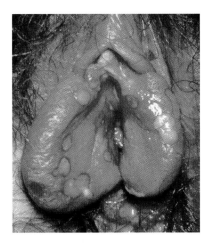

그림 9-9. 외음부 헤르페스

(3) 진단

① 전형적인 외음부 수포 및 궤양 ± 과거의 비슷한 증상

② 중합효소연쇄반응(polymerase chain reaction, PCR) : 최근 가장 많이 사용

③ 바이러스 배양 : PCR에 비해 민감도가 떨어지는 단점

③ 두 가지 방법 모두에서 검출되지 않았다고 해서 헤르페스 감염이 없다고 보기는 어려움

(4) 치료

① 치료 시 고려해야 할 사항

   a. 치료 목적 : 치료 과정을 단축하고 전이를 억제하며 합병증과 재발을 막는데 있음

   b. 바이러스를 완전히 소멸시킬 수는 없음

   c. 아직까지는 효과적인 단순포진 바이러스 백신은 없음

② 항바이러스제 치료

억제 요법

Acyclovir 400 mg, 1일 3회, 7~10일간, 경구투여

Acyclovir 200 mg, 1일 5회, 7~10일간, 경구투여

Famciclovir 250 mg, 1일 3회, 7~10일간, 경구투여

Valacyclovir 1 g, 1일 2회, 7~10일간, 경구투여

– 10일간의 치료가 끝난 후 효과가 불충분하면 연장해서 사용 가능

– 재발성 헤르페스인 경우 5일간 복용

억제 요법

Acyclovir 400 mg, 1일 2회, 경구투여
Famciclovir 250 mg, 1일 2회, 경구투여
Valacyclovir 1 g, 1일 1회, 경구투여
Valacyclovir 500 mg, 1일 1회, 경구투여
– 안전성 보고 : acyclovir 6년, valacyclovir, famciclovir 1년

---

③ 임신 중 처치

    a. 임신 중 일차적인 단순포진 바이러스 감염이 있는 여성은 항바이러스 치료(Acyclovir)를 받아야 함

    b. 임신 중 단순포진 바이러스 감염의 재발이 있었던 경우 임신 36주부터 acyclovir를 복용하는 억제 요법이 필요

    c. 활성 병변(active lesion)이 있거나 분만 시 단순포진 바이러스의 전구 증상이 있는 여성은 제왕절개술을 권고

5) 연성하감(Chancroid)

(1) 원인

① Haemophilus ducreyi 감염
② 성 전파성 질환

(2) 증상

① 통증이 심한 궤양(painful ulceration)
② 압통이 있는 서혜부림프절증(tender inguinal lymphadenopathy)

(3) 진단

① 임상적으로 진단
② 특수한 배지를 이용하여 H. ducreyi를 동정
③ Culture & Gram's stain : extracellular "school of fish"

(4) 치료

연성하감(Chancroid)의 치료

Azithromycin 1 g, 1회, 경구투여
Ceftriaxone 250 mg, 1회, 근육주사
Erythromycin 500 mg, 1일 3회, 7일간, 경구투여

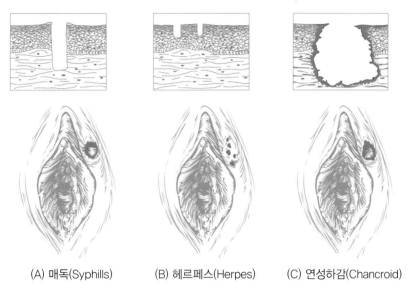

(A) 매독(Syphilis)   (B) 헤르페스(Herpes)   (C) 연성하감(Chancroid)

그림 9-10. 외음부 궤양성 병변의 비교

6) 성병성 림프육아종(Lymphogranuloma venereum, LGV)

(1) 원인 및 증상

① 원인균 : Chlamydia trachomatis L1, L2, L3

② 증상 및 증후

　a. 서혜부림프절증(inguinal lymphadenopathy)

　b. 서혜부고름과 부종

　c. 외음부 이외의 침범 : 직장결장염, 장협착, 요도협착, 질협착

　d. 전암성 병변(premalignant lesion)

(2) 진단

① 프라이검사(Frei test)

　a. 환자 림프절 천자액 희석한 후 가열 멸균한 것을 항원으로 사용(killed Ag)

　b. 항원 0.1 mL를 피내주사하면 환자는 정상인과는 달리 24~48시간 후에 직경이 7 mm 이상
　　인 적색경결이 발생

② 현미경검사

　a. 국소 미세농양 형성

　b. 가결절(pseudotubercle) 형성을 동반한 내피 증식

(3) 치료

① Tetracycline

② 농양(abscess) 형성 시 외과적 절제술 시행

CHAPTER 10

외음부 질환(Vulvar disorders)

1 외음부 질환의 빈도 및 검사방법

1) 시기에 따른 외음부 질환

(1) 신생아기
① 여러 가지 발달이상 및 선천성 기형이 발견 가능
② 불확실한 성기를 갖는 반음양 장애(intersexual disorder)
    a. 원인 : 염색체 이상, 특정 효소결핍증, 남성호르몬을 분비하는 종양, 약물노출
    b. 사회적, 의학적 응급상황으로서 비뇨기과, 소아과, 내분비 전문의가 협력하여 진료
③ 선천적인 외음부 종양
    a. 표재성 혈관병변인 딸기모양의 혈관종, 공동성 혈관종(cavernous hemangioma)
    b. 대부분 저절로 소실

(2) 아동기
① 외음부질염(vulvovaginitis)
    a. 아동기에 생길 수 있는 가장 흔한 부인과적 질환
    b. 사춘기 전에는 외음부와 질, 질전정이 항문과 가깝기 때문에 이러한 곳에서 세균의 과성
      장을 가져와 원발성 외음질염과 이차성 질염이 발생
② 만성 피부질환
    a. 경피선 태선(lichen sclerosis), 지루성 피부염(seborrheic dermatitis), 아토피성 외음부염
      (atopic vulvitis)
    b. 소아의 경피선 태선은 성장함에 따라 퇴행하는 경우가 많아 안심시키면서 치료
③ 음순유착(labial agglutination)
    a. 사춘기 이전의 낮은 에스트로겐 농도 혹은 피부자극으로 인한 만성 염증으로 대음순과 소

음순이 중앙선에서 유착되어 발생

  b. 빈도 : 사춘기 이전, 특히 영유아에 빈번

  c. 치료 : 에스트로겐 크림을 2~4주간 바르면서 유착부위가 얇아지면 국소마취제를 사용 후 분리 시행

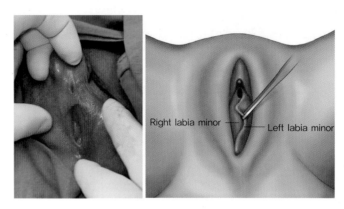

Right labia minor ———— Left labia minor

그림 10-1. 음순유착(Labial agglutination)

  ④ 요도탈출증(urethrocele) : 급성 통증, 출혈 유발 가능

  ⑤ 아동이 외음부와 질의 증상을 호소 시 반드시 성추행을 고려

(3) 청소년기

  ① 성발달 이상 : 신생아기에는 불확실한 성기, 청소년기에는 남성화가 특징

  ② 성선형성부전증(gonadal dysgenesis), 안드로겐불감성(androgen insensitivity) : 비정상 사춘기 발달과 일차성 무월경

  ③ 생식기 사마귀(condyloma acuminatum)

    a. 주로 성관계에 의해 발생

    b. 증상이 없으나 가려움증, 출혈 등 발생 가능

    c. 치료 : 환자와 상의하여 선택

    d. HPV 예방접종으로 발생빈도를 감소 가능

(4) 가임기

  ① 질 분비물 : 외음부 자극증상, 진균성 외음부염 유발

  ② 가임기 여성의 외음부 증상 : 소양증, 통증, 분비물, 불편감, 작열감, 배뇨통, 성교통 등

  ③ 소양증 : 아주 흔한 외음부 증상, 여러가지 외음부질환으로 인해 발생

  ④ 외음부의 피부질환

원인	피부질환
감염성	연조직염, 모낭염, 종기, 곤충 교상, 괴사성 근막염, 사면발이, 백선, 콘딜로마, 외음부질 칸디다증, 헤르페스
비감염성	흑색가시세포증, 위축성 피부염, 베체트병, 접촉성 피부염, 크론병, 당뇨성 외음염, 고름땀샘염, 경화태선, 파제트병, 모낭염, 가성모낭염, 건선, 지루성 피부염, 아프타궤양, 질상피내종양

(5) 폐경 후 여성

① 대음순이 위축되어 소음순이 도드라지게 되며 처녀막과 질 안의 표피가 얇아짐

② 만성 소양증, 작열감, 외음부 통증, 표재성 성교통이 발생

③ 소양증 : 주로 야간에 심하고 심한 경우 불면증을 유발

④ 분비물은 감염이 있거나 악성 궤양인 경우 발생

⑤ 폐경 후에 나타나는 병변은 상피내종양 혹은 악성 종양의 가능성을 항상 염두

2) 외음부 검사 및 조직검사

(1) 외음부 검사

① 자가면역질환이나 종양과 관련이 있을 수 있어 전신증상을 확인

② 외음부와 항문 주위, 질, 자궁경부의 철저한 확인

③ 예비검사 : 질과 자궁경부의 질경검사, 골반 내진

④ 질확대경(colposcopy)

    a. 외음부 침습전질환 진단의 필수 검사

    b. 5% 초산용액을 사용하고 7배 이상 확대하여 관찰하면 병변을 뚜렷이 확인 가능

    c. 초산반응이 잘 일어나는 부위는 붉거나 비착색 부위

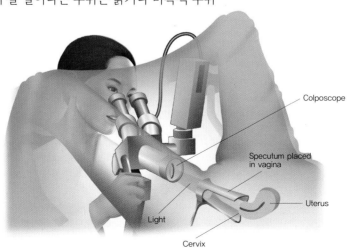

그림 10-2. 질확대경(colposcopy)

(2) 조직검사

① 외음부의 많은 병변들은 다소간 비슷한 모양을 가지고 있어 양성질환을 외음부 전암병변이
나 악성질환으로부터 감별하여 적절하게 치료하기 위해서 조직검사를 시행

② 방법

    a. 우선 소독액으로 외음부를 소독한 후 병소 부위에 1% 리도카인을 국소 주입

    b. Biopsy forceps을 이용하여 다양한 크기의 표피와 진피를 포함한 조직 획득

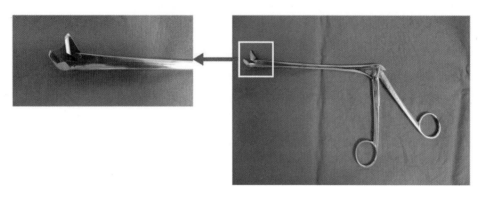

그림 10-3. 조직검사집게(Biopsy forceps)

2 양성 외음부 질환(Benign vulvar disorders)

1) 외음부 종양, 낭종, 및 종괴(Vulvar tumors, cysts, masses)

(1) 외음부의 양성 종양

외음부 양성 종양의 유형	

낭성 병소
  – 바르톨린샘낭종
  – 배성 기원 : 음낭수종, Gartner 낭종, 선증, 유피낭
  – 상피성 기원 : 표피봉입낭, 모소낭
  – 상피부속기 기원 : 한선종, Fox-Fordyce병, 한관종
  – 요도 기원 : 스케네관 낭종(skene duct cyst)
 	
고형 종양
  – 상피성 기원 : 첨형 콘딜로마, 섬유종, 유두종증
  – 상피 부속물 기원 : 한선종, 피지선종
  – 중배엽성 기원 : 섬유종, 혈관종, 림프관종, 평활근종,
    지방종, 신경섬유종, 과립세포모세포증
  – 바르톨린 및 전정선 기원 : 선섬유종, 점액선종
	감염
	  – 농양(바르톨린, 스케네, 음핵주위)
	  – 편평 콘딜로마
	  – 전염성 연속종
	  – 화농성 육아종
	
	해부학적 이상
	  – 탈장
	  – 요도게실
	  – 정맥류
	
	이소성(ectopic)
	  – 자궁내막증
	  – 이소성 유방조직 : 다유방선 낭종

(2) 첨형 콘딜로마(Condyloma acuminatum)

① 인유두종바이러스(주로 HPV type 6, 11)에 의해 자라는 양성 종괴

    a. 성적 접촉에 의해 발생

    b. 드물게 감염부위를 부적절하게 만지거나 분만에 의해 전파

    c. 높은 감염력 : 노출 시 75%에서 감염

② 특성

    a. 성관계 시 직접 닿는 부분에 호발

    b. 임신, 당뇨, 면역억제 환자에서 호발하며 크기도 증가

    c. 2기 매독의 편평 콘딜로마(condyloma lata)와 감별이 필요

③ 진단

    a. 육안소견 : 점막이나 피부의 다양한 크기와 형태의 부드러운 돌기형 병변을 확인

    b. 질확대경(colposcopy) : 자궁경부나 질의 병변을 확인

    c. 조직검사 및 자궁경부세포도말검사(Pap test) : HPV에 의한 조직학적 변화를 확인

    d. DNA유형검사(DNA typing test)

④ 치료

임신 중에도 가능한 치료법	임신 중 금기법

Trichloroacetic or bichloracetic acid solution
  – Topically once a week
  – 80~90%에서 효과
  – 넓은 범위에 사용할 수 있음
냉동치료(cryotherapy)
레이저절제술(laser ablation)
전기소작술(electrocautery)
수술적 절제술(surgical excision)
	Podophyllin (topical application of 25% or 10%)
	Podofilox
	5–FU cream
	Imiquimod cream
	Interferon

(3) 표피낭종(epidermal cyst)

① 모발피지모낭이 막히거나, 외상 등에 의해 표피세포가 진피 안에서 자라고 안에 각질세포의 부산물로 채워지면서 주머니 같은 병변을 형성

② 특성

    a. 가장 흔한 외음부 피하질환

    b. 피부 안에서 만져지는 무증상의 부드러운 덩어리

    c. 덩어리 가운데에는 작은 구멍이 있는 경우가 흔하고 서서히 자라는 경향

    d. 내용물이 나올 경우 악취가 날 수 있고, 이차감염이 된 경우 통증이나 열감이 동반

③ 치료

    a. 증상이 없는 경우는 치료가 필요 없음

b. 통증이 있는 경우 병변 부위를 절개한 후 내용물과 주머니를 완전히 제거

c. 이차감염이 동반된 경우에는 항생제 및 배농을 시행

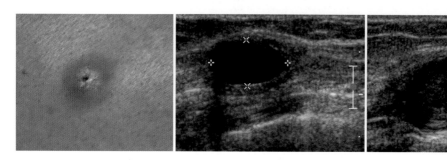

그림 10-4. 표피낭종(epidermal cyst)

(4) 바르톨린샘낭종(Bartholin's gland cyst)

① 분비샘이 막히는 경우 점액 축적되어 낭종을 형성

② 원인균

    a. 임균(gonococcus) : 가장 흔한 원인균

    b. 포도상구균, 대장균, 연쇄상구균 등

③ 바르톨린샘농양(Bartholin's gland abscess) : 바르톨린샘 감염으로 화농성 물질이 축적되어 갑작스럽게 커지고, 통증이 심한 염증성 종괴를 형성한 것

④ 치료

    a. 휴식, 진통제, 좌욕

    b. 항생제

    c. 통증이 있는 낭이 형성되면 절개 및 배농

    d. 재발되는 만성 바르톨린샘농양은 주머니형성술(masupialization)이 필요

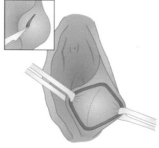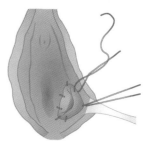

그림 10-5. 바르톨린샘낭종과 주머니형성술

(5) 모낭염(Folliculitis)

　① 스트레스나, 과로, 수면 부족 등에 의해 면역력이 약해진 피부 속으로 균이 침투해 발생

　② 원인균 : 독성이 약한 표피 포도상구균(staphylococcus)이 가장 흔함

　③ 특성

　　a. 균이 침입한 부위는 가렵고 통증이 느껴지며, 좁쌀같이 노랗게 곪은 형태가 발생

　　b. 모낭을 중심으로 붉은 반점이 생기면서 작은 구진이나 농포가 생기기도 함

　　c. 발열이나 오한 등 전신 증상이 심하게 나타나서 국소 림프절이 붓거나 털을 중심으로 단
　　　단하고 통증이 심한 홍색 결절이 나타나기도 함

　④ 치료

　　a. 초기 염증 : 농양 부위를 절개하고 고름을 빼낸 후 항생제를 복용

　　b. 만성 염증 : 부신피질호르몬 제제를 피부에 도포

　　c. 치료하면 2주 내에 완전히 회복되지만, 보통 재발

(6) 부요도샘낭종(Paraurethral cyst or Skene's gland cyst)

　① 외음부 전정 내의 요도에 인접한 Skene's gland의 낭성 확장

　② 원인 : Skene's gland의 만성 감염

　③ 증상

　　a. 대부분 작고 무증상

　　b. 커지면 요로 폐쇄 유발 가능 → 절제술 시행

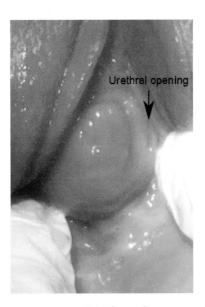

그림 10-6. **부요도샘낭종**(Skene's gland cyst)

2) 외음부 궤양(Vulvar ulcers)

(1) 원인과 증상

원인	궤양 전 병변	궤양	통증, 압통
생식기 헤르페스(genital herpes)	잔물집(vesicle)	다발성	○
매독(syphilis)	구진(papules)	단독	X
연성하감(chancroid)	구진(papules)	다발성	○
서혜부육아종(granuloma inguinale)	구진(papules)	다발성	X
성병성 림프육아종(lymphogranuloma venereum)	구진(papules)	단독	X
모낭염(folliculitis)	고름물집(pastules)	단독 or 다발성	○ or X
암종(carcinoma)			X

– 다른 원인 : 베체트병(Behcet's disease), 찰과상(abrasion), 고정약진(fixed drug eruption)

(2) 검사

① 자궁경부세포도말검사, 질확대경검사, 조직검사가 진단에 도움
② 궤양을 가진 모든 환자는 혈청 매독검사를 시행
③ 질환에 따른 검사 시행

3) 외음부 피부염(Vulvar dermatoses)

(1) 편평세포증식증(Squamous hyperplasia)

① 폐경 여성에서 가장 흔히 보이나 가임기에도 발생 가능
② 가장 흔한 증상 : 소양증
③ 특성
    a. 병변이 두껍고 과각화에 의한 표피박리
    b. 병변이 따로따로 분리되는 경향을 보이나 대칭적이고 다양하게 발현
    c. 심한 경우 피부가 딱딱해지고 백색반(plaque)을 통해 붉은 색조가 나타남
④ 진단
    a. 조직검사가 필수
    b. 질환의 유형을 진단함하고 상피내종양이나 암을 감별

그림 10-7. 편평세포증식증(Squamous hyperplasia)

(2) 경화태선(Lichen sclerosus)
① 외음부의 가장 흔한 백색 병소
② 폐경 여성에서 가장 흔하지만 전 연령에서 발생 가능
③ 증상 : 소양증, 성교통, 작열감 등
④ 특성
　a. 전형적인 모양 : 외음부가 백색으로 위축되고, 피부가 종이 같이 얇고 광택이 있으며 외음부에서 항문 둘레까지 퍼진 8자 모양
　b. 소음순은 작거나 없고, 대음순이 얇으며, 소음순이 대음순에 유착되어 질 입구 축소가 나타나기도 함
　c. 표면은 창백하고 주름지며 갈라지고 표피 박리가 발생
　d. 환자의 20%에서 무증상의 상아색 작은 반점(macule)이나 구진(papule)들이 성기 이외 부위에 발생
　e. 외음부암 환자 10%에서 경화태선을 동반
⑤ 진단
　a. 생검으로 확진
　b. 백색궤양, 결절, 균열, 비정상 융기된 색소침착 부위는 모두 조직검사
⑥ 치료
　a. 0.05% clobetasol 크림과 같은 고효능 국소 부신피질호르몬을 사용
　b. 저효능 국소 부신피질호르몬을 유지요법으로 사용

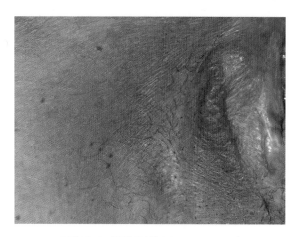

그림 10-8. 경화태선(Lichen sclerosus)

(3) 편평태선(Lichen planus)

　① 외음부 점막, 특히 전정부위를 침범

　② 원인 : 불명확

　③ 증상 : 접촉을 하면 출혈과 심한 성교통

　④ 특성

　　a. 과각화(hyperkeratosis), 상피하 림프구침윤 및 상피 전층의 비대

　　b. 동통의 까진 부위(erosion), 반대편 점막과 유착으로 질 입구의 협착

　⑤ 치료

　　a. 고효능 국소 부신피질호르몬 크림

　　b. 심한 경우는 전신 부신피질호르몬 투여나 재건수술 시행

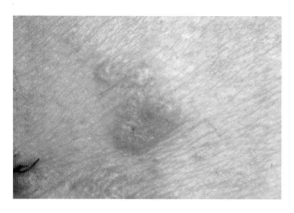

그림 10-9. 편평태선(Lichen planus)

4) 외음부 통증증후군(Vulvar pain syndrome, Vulvodynia)

(1) 병인론

① 기질적인 원인이 있을 수 있고, 특별한 선행요인이 없는 본태성 외음부 통증증후군

② 원인 : 접촉성 피부염, 곰팡이균이나 트리코모나스 감염, HPV 감염, 헤르페스 감염 등

③ 증상 : 작열통, 따끔거림, 건조감, 자극감 등

④ 본태성 외음부 통증 증후군

    a. 특별한 부위에 국한되지 않는 계속적인 작열통

    b. 접촉이나 성교에 의한 통증은 없음

(2) 치료

① 항우울제

    a. Amitriptyline 10 mg, 1일 2회, 통증이 사라질 때까지 2~3주 간격으로 증량

    b. 평균 하루용량은 60 mg, 치료 평균기간은 7개월

② 항우울제가 효과가 없는 경우 : CT나 MRI로 엉치뼈종양, 신경뿌리낭종 등을 감별

(3) 외음부전정염(vulvar vestibulitis)

① 외음부 통증증후군 중 하나

② 특징

    a. 접촉이나 질 내 삽입 시 심한 통증을 호소

    b. 외음부전정 내 경미한 접촉에도 압통을 호소하는 국소부위 존재

    c. 전정 내 국한된 홍반(erythema)이 관찰

    d. 조직검사 : 만성 염증 소견

③ 원인 : 불명확

④ 증상

    a. 표재성 성교통, 외음부 압박 시 통증, 계속되는 작열감

    b. 전정 내 국소부위를 면봉으로 부드럽게 압박 시에 심한 작열감을 호소

    c. 만성 외음부전정염 : 증상이 6개월 이상 지속되는 경우

⑤ 치료

    a. 인터페론 주사 : 50~80%의 환자에서 증상 감소와 소멸

    b. 가장 효과적인 치료 : 전정과 처녀막의 수술적 절제

5) 외상(Trauma)

(1) 사고

① 외음부 사고 외상 : 무딘 외상이나 관통손상에 의해 발생

② 외상 정도에 따른 치료

    a. 작은 타박상(contusion) : 냉각압박

    b. 큰 혈종으로 저혈압이 동반된 경우 : 압박하거나 메우기(packing)로 출혈을 조절

    c. 감염을 막기 위해서 광범위 항생제를 주사

    d. 요도 손상이나 요도 입구를 막는 경우는 소변줄 삽입

③ 주의사항

    a. 특별한 원인 없이 계속 혈액손실이 있는 경우 후복막혈종을 의심

    b. 폭행이나 교통사고에 의한 경우 골반골절 가능성이 있으므로 주의 깊게 관찰

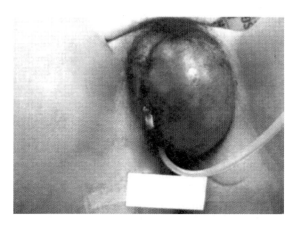

그림 10-10. 외음부 외상으로 인한 혈종

(2) 성관계 외상

    ① 첫 성관계 중 처녀막 손상 : 대개 경미하지만 가끔 심한 출혈을 유발

    ② 과격한 성적 행동, 강간, 성적 학대로 인한 강한 삽입으로 인한 열상(laceration)

CHAPTER **11**

난소의 양성종양(Benign ovarian tumors)

1 **난소종양의 분류**

1) 분류

(1) 난소종양의 세포형태에 따른 분류

① 상피종양의 세포형태에 따라 장액성, 점액성, 자궁내막모양 등의 종양으로 분류

② 각각의 조직학적 비정형 정도에 따라 양성, 경계성, 악성 종양으로 구분

③ 악성 종양의 90%는 상피종양

(2) 양성 난소종양의 조직학적 발생 분포

양성 난소종양	발생 분포 (%)
장액성 종양	16.2~22.6
점액성 종양	22.5~26.8
자궁내막모양 종양	0.6~1.2
브레너종양	0.6~1.0
양성 기형종	47.2~51.3
섬유종	3.9~6.5
혼성상피종양	1.7

2) 난소의 비종양성 낭종

(1) 기능성 낭종(Functional cyst)

① 난소의 비종양성 낭종을 부르는 명칭

② 난소의 종양성 낭종과 달리 생리 주기에 따라 발생

③ 가임기 여성에게서 발생하며 대부분 증상을 유발하지 않거나 저절로 사라짐

④ 낭종 파열 시 혈복강, 염전으로 심한 골반통이 발생할 경우 수술적 치료가 필요

(2) 기능성 낭종의 종류

　① 난포낭종(follicular cyst)

　　a. 가장 흔한 난소의 기능성 낭종

　　b. 낭난포(cystic follicle)의 크기가 3 cm 이상인 경우

　　c. 대부분 증상이 없고 자연 소실, 드물게 파열되어 골반통을 유발

　② 황체낭종(corpus luteum cyst)

　　a. 황체의 중심은 정상적인 낭성 변화와 출혈이 발생하지만 그 크기가 2 cm 이상인 경우

　　b. 출혈성 황체 낭종(hemorrhagic corpus luteum)

　　　- 황체기에 주로 발생

　　　- 낭종 파열 시 소량의 출혈이 발생

　　　- 혈복강을 유발할 수 있지만 활력징후가 안정적이면 보존적 치료가 우선

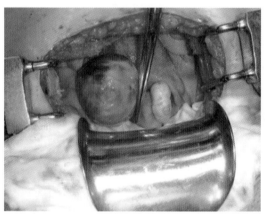

그림 11-1. 출혈성 황체낭종(hemorrhagic corpus luteum cyst)

　③ 난포막황체낭종(theca lutein cyst)

　　a. 혈중 융모생식샘자극호르몬(hCG)과 연관

　　b. 임신 중 특히 다태아, 포상기태, 융모막암종, 과배란유도 후에 발생

　　c. 대부분 저절로 소실되지만 염전 발생 시 통증이나 복수 동반 가능

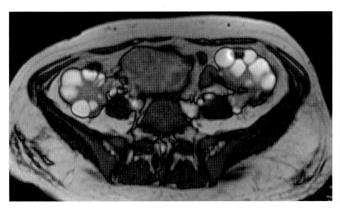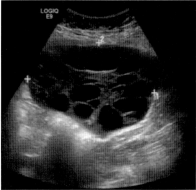

그림 11-2. 난포막황체낭종(theca lutein cyst)

④ 부난관낭종(paraovarian cyst)

    a. 난소 근처의 나팔관에서 발견되는 액체로 채워진 낭종

    b. 주로 염증과 연관되어 발생

    c. 초음파 소견

       - 얇은 벽(thin wall)

       - 일측성(unilocular)

       - 기능성낭종과 구별이 불가능(indistinguishable from functional cyst)

       - 월경주기에 대한 영향이 없음(no change with menstruation cycle)

       - 동측 난소를 확인 가능(detection of ipsilateral ovary)

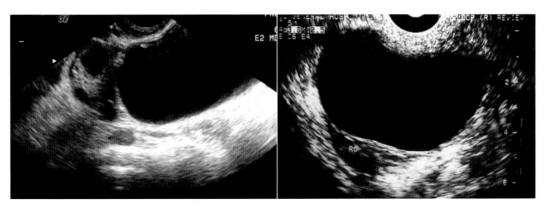

그림 11-3. 출혈성 황체낭종(hemorrhagic corpus luteum cyst)

2 양성 상피성 종양

1) 양성 상피성 종양의 분류

(1) 장액성종양(Serous tumors)

① 난소표면 상피세포의 함입에 의해 발생하며 장액성 액체를 함유하고 있는 낭종

　　a. 사종체(psammoma body)는 종종 함입과 연관되고 자극물질에 대한 반응으로 생각

　　b. 중피함입(mesothelial invagination)이 있는 곳에서 유두상 성장이 흔하며, 이것은 유두상장

　　　액낭선종(papillary serous cystadenoma) 발생의 초기단계

② 특성

　　a. 난소종양의 30%를 차지(양성 50~70%, 경계성 10~15%, 악성 25~35%)

　　b. 어느 연령에서나 발생할 수 있으나 주로 30~40대에 호발

　　c. 약 20% 정도에서 양측성으로 발생

③ 증상 : 압박 증상이나 복부의 증대 외의 특별한 증상이 없음

④ 진단

육안적 소견	현미경 소견	초음파 소견
– 매끈하고 분엽화된 표면 – 회색 혹은 청회색을 띠며 낭종 내 출혈 시 검은색 – 단방성 혹은 다방성의 얇은 막	– 미세한 유두상 돌기 관찰 – 상피세포들은 단층의 편평입방 상피세포로 구성되는데 나팔관의 점막과 흡사한 양상 – 사종체(psammoma body) : 양성 종양의 15% 정도에서 관찰	– 경계가 명확하고 단방성
		혈액검사
		– CA–125 : 정상

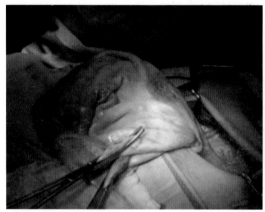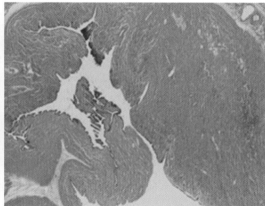

그림 11-4. 장액성종양(Serous tumors)

⑤ 장액성 낭샘섬유종(serous cystadenofibroma)

    a. 장액성낭종에서 발생한 구조적 변이로써 섬유성 기질이 25% 이상 포함된 경우

    b. 현미경상 고형체로 보이는 충실성 부분은 나선형의 섬유성 결합 조직으로 구성되며 전형
       적인 표면 혹은 배아상피로 정렬되어 있음

(2) **점액성종양**(Mucinous tumors)

  ① 점액(mucin)을 분비하는 상피세포로 구성되어 있는 낭종

  ② 특성

    a. 난소종양의 12~15%를 차지(양성 75%, 경계성 10%, 악성 15%)

    b. 양성 난소종양의 20~30%로 장액성보다 약간 높은 빈도

    c. 주로 20~40대에 호발

    d. 양측성은 2~10%로 장액성에 비하여 낮음

  ③ 증상

    a. 대부분 무증상

    b. 큰 종양으로 인해 위장관이나 요관의 눌림, 호흡곤란

  ④ 육안적 소견

    a. 표면은 매끈하고 종종 분엽화되어 있으며 낭종 외부에 유두상 증식은 없음

    b. 주로 다방성이며 분엽의 크기가 다양하고 끈적한 점액성 또는 맑은 물질로 차 있음

    c. 상피는 자궁경과내상피세포 또는 장내상피세포와 유사

    d. 장액성낭종과 비교해 막이 더 두껍고 많은 분엽이 보이며 낭종 내 물질이 자주 관찰

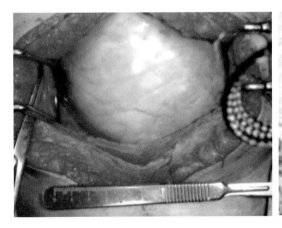 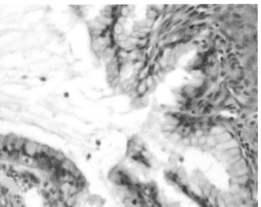

그림 11-5. **점액성종양**(Mucinous tumors)

  ⑤ 복막가점액종(psedomyxomaperitonei)

    a. 주로 장이나 충수돌기 등에 점액성종양이 있을 때 동반되는 경우가 많음

b. 원인 : 잘 알려져 있지 않으나 점액분비 상피세포의 복강내 착상에 기인으로 생각

c. 증상

   - 복강 내에 점성이 강한 유동액이 점차적으로 고여 복부가 팽창

   - 장운동이 저하되어 영양실조와 호흡 곤란 등이 유발

d. 충수돌기암에서도 동반될 수 있어 이에 대한 감별진단이 필요

e. 특성

   - 수술로도 점성 때문에 많은 유동액을 제거하기 어렵고 이식된 상피는 아주 적으면서 넓게 분포되어 있어서 모두 제거하기가 어려움

   - 화학요법이나 방사선치료에도 큰 효과가 없어서 반복적인 수술이 병의 진행과 환자의 영양 상태를 유지할 수 있는 방법

   - 예후는 비록 양성종양이라 할지라도 악성종양처럼 좋지 않음

그림 11-6. 복막가점액종(psedomyxomaperitonei)

(3) 자궁내막모양종양(Endometrioid tumors)

① 난소의 자궁내막모양 종양은 샘섬유종과 같은 양상으로 샘을 이루는 상피조직과 함께 섬유조직이 함께 있어 마치 자궁내막과 같은 구성을 이루고 있는 것이 특징

② 특성

   a. 80% 이상이 악성종양

   b. 양성 난소종양 중에서도 1% 미만의 드문 종양

   c. 발생 연령은 40~50대로 폐경 후 여성에서도 흔함

   d. 자궁내막증, 자궁내막증식증, 자궁내막암과 연관 가능

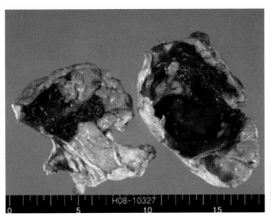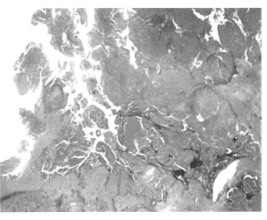

그림 11-7. 자궁내막모양종양(Endometrioid tumors)

(4) 투명세포종(Clear cell tumors)

　① 특성

　　a. 대부분이 암종이며, 난소암의 약 10%를 차지

　　b. 발생 연령은 평균 61세

　　c. 흔히 자궁내막암종 및 고칼슘혈증과 관련되어 발생하며, 자궁내막이나 질 등과 같은 뮬러
　　　관 기원의 다른 장기에서도 발생하므로 뮬러관 기원으로 간주

　② 조직학적 소견

　　a. 섬유종양 기질이 풍부하며, 세포핵은 작고 균일하며 비정형을 거의 보이지 않음

　　b. 투명세포와 구두징세포(hobnail cell)로 구성

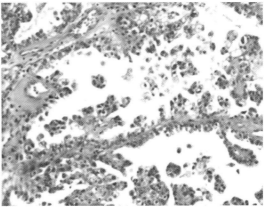

그림 11-8. 투명세포종(Clear cell tumors)

(5) 양성 브레너종양(Brenner tumor)

① 주로 양성종양으로 나타나며, 남성의 고환에서도 발생 가능

② 특성

    a. 난소종양에서 1~3.2% 정도로 보고되는 드문 질환

    b. 양측성은 10% 미만이고, 다른 원인에 의해서 제거된 난소에서 우연히 발견되는 경우가 많음

    c. 40~60대에 호발

    d. 장액성 및 점액성 낭종과 동반되는 경우가 있는데 점액성과 동반이 더 흔함

③ 진단

육안적 소견	현미경 소견
− 작은 크기(대부분 10 cm 이하) − 표면은 매끄러우며 강하면서 분엽을 형성	− 섬유 조직안에 상피세포의 군집 − 요로상피와 유사한 상피로 구성 − 표피모양세포의 핵이 특징적인 coffee− bean 모양

2) 진단 및 치료

(1) 진단

① 악성 난소종양과의 감별 진단이 가장 중요

    a. 환자의 나이, 증상과 자세한 부인과 병력, 가족력 등을 세밀히 조사

    b. 혈청 CA-125, CA19-9, 초음파검사 : 악성종양의 감별에 주로 사용

② 단순 낭성종양

    a. 양성과 악성의 가능성

양성의 가능성이 높은 경우	악성의 가능성이 높은 경우
− 폐경기 전후에서 대부분 양성 − 낭종에 출혈이 동반되어 있는 경우 − 낭종의 크기가 작은 경우 (악성 발생률 ≤5 cm : 0.5%, 5~10 cm : 2%)	− 낭종의 크기가 증가하는 경우 − 나이가 많을수록 악성의 가능성

    b. 추적검사

폐경 전 여성	폐경 후 여성
− 직경 3 cm 이상인 경우 6~8주 간격으로 초음파 − 계속 크기가 증가하거나 감소하지 않을 경우 추가적인 검사 혹은 본격적인 치료를 시행	− 직경이 5 cm 이하인 경우 초음파로 추적관찰 − 직경이 5 cm 이상인 경우에는 제거 − 크기 증가, 모양 변화, 복수 발생, CA-125 증가가 있을 경우 수술을 시행

③ 복합 성분의 난소종양

  a. 복합성 내용물이 있는 경우 : 색도플러(color Doppler), MRI, CT 등으로 감별진단

  b. 중격, 고형성 부위의 형태, 종양 벽의 두께의 불규칙성, 초음파의 음영 등을 확인

  c. 지속적인 복합성 난소종양의 악성 가능성 : 폐경 전 약 17%, 폐경 후 약 7.9%

④ 고형성분의 난소종양인 경우는 양성 난소기형종, 섬유종, 양성 이행세포종일 경우를 제외하고는 대부분 악성으로 추정

(2) 치료

① 양측성, 악성의 가능성, 유두상 돌기의 존재 여부 및 향후 가임력 보존 여부가 중요

② 수술 시에 시행하는 동결절편검사(frozen biopsy)로 확인이 수술의 범위를 결정

③ 양성 난소 종양 : 일측 부속기절제술

④ 가임기가 지난 경우, 고령, 자궁에 다른 병변이 있는 경우 : 자궁절제술을 같이 시행

⑤ 폐경기 여성 : 양측 부속기절제술

CHAPTER 12

자궁내막증(Endometriosis)

1 서론

1) 정의 및 역학

(1) 정의

① 샘(gland)과 기질(stroma)을 포함한 자궁내막 조직이 자궁강(endometrial cavity) 이외의 부위에 위치하는 것

② 월경 주기에 따라 병변에서 주기적인 출혈이 일어나 염증을 일으키고 반흔과 유착을 남겨 다양한 임상 증상을 나타내는 질환

③ Estrogen 의존성 질환

(2) 유병률

① 가임기 여성에서 주로 발생(에스트로겐의 영향)

② 때로 사춘기와 호르몬 치료를 받고 있는 폐경기 여성에서도 발견

③ 유병률 : 약 10% 정도

　　a. 골반통과 불임이 있는 여성 : 20~90%

　　b. 원인불명의 생식력 저하(±통증) : 50%

　　c. 증상이 없으면서 난관결찰술을 받은 경우 : 3~43%

(3) 호발 부위

① 난소(ovary) : 가장 흔한 부위

② 자궁인대(uterine ligament)

③ 직장질중격(rectovaginal septum)

④ 골반복강(pelvic peritoneum)

⑤ 배꼽(umbilicus)

(4) 위험인자와 보호인자

위험인자		보호인자
불임	큰 키	다분만부
빠른 초경	다태아 중 한 명	모유수유
짧은 월경주기	DES 노출	자궁 내에서 담배에 노출
월경과다	적은 출생체중	BMI 증가
미분만부	Dioxin 또는 PCB 노출	Waist-to-hip ratio 증가
뮬러관기형	고지방 및 붉은 고기	운동
가족력	과거 자궁내막증 치료	과일 및 채소

2) 병인론

(1) 자궁내막증의 발생인자

자궁내막증의 병인론

- 월경혈의 역류 및 착상(retrograde menstruation and implantation)
- 체강상피화생(celomic metaplasia)
- 유도설(induction theory)
- 혈액성파종설 및 직접 이식(vascular dissemination theory and direct transplantation)
- 유전적 요인(genetic predisposition)
  - 단일 뉴클레오티드 다형성(single nucleotide polymorphism)
  - 유전자 발현(gene expression)
- 면역학적 인자(immunologic factor)
- 환경적 인자(environmental factor)
- 감염(infection)
- 줄기세포(stem cell)

(2) 병태생리

① 월경혈의 역류 및 착상(retrograde menstruation and implantation)

　　a. 생리 때 자궁내막조직이 생리혈과 함께 난관을 통해 역류하여 복강에 들어와서 착상되어 성장한다는 가설

　　b. 증거

　　　- 70~80%의 여성에서 생리혈의 역류가 발견

　　　- 생리 출구의 폐쇄 시는 자궁내막증 발병이 증가

　　　- 생리 주기가 짧거나 생리기간이 길면 발병이 증가

　　　- 난소와 골반강의 의존성 부위(dependent portion 즉 cul-de-sac)에 잘 생김

② 체강상피화생(celomic metaplasia)과 유도설(induction theory)

    a. 체강상피는 뮬러관(Müllerian duct)의 상피세포를 형성하는데 난소의 상피 외에도 복막이나 흉막으로 분화

    b. 체강상피에서 기원한 세포가 화생을 거쳐 자궁내막증을 일으킬 수 있다는 가설

    c. 증거

       - 초경을 시작하지 않은 소녀에서도 자궁내막증이 발생

       - 복강에서 멀리 떨어진 흉막, 폐, 손가락, 허벅지, 무릎에서도 자궁내막증이 발생

       - 고농도 에스트로겐에 노출된 남성의 방광과 복벽에서 자궁내막증이 발생

       - 난소의 상피세포를 에스트라디올과 함께 배양할 경우 자궁내막조직이 발생

       - 자궁내막증 병변에서 발견되는 자궁내막세포가 자궁 내 자궁내막세포와 구조적, 기능적 특성이 다름

③ 혈액성 파종설(vascular dissemination theory)과 직접 이식(direct transplantation)

    a. 자궁내막세포가 혈액이나 림프계를 통해 파종되어 병변을 만든다는 가설

    b. 자궁으로부터 멀리 떨어진 위장관이나 비뇨기계, 서혜관(inguinal canal), 배꼽 등의 부위에 발생한 자궁내막증을 설명 가능

    c. 직접 이식설은 제왕절개술 후 수술 부위에 자궁내막증이 발생하거나 분만 후 외음절개술(episiotomy)을 시행한 부위에 자궁내막증이 발생한 경우로 설명

④ 유전적 요인(genetic predisposition)

    a. 인구학적 연구(population study)

       - 일촌(1st degree relative)에 자궁내막증이 있는 경우 위험도 7배 증가

       - 다인자유전(multifactorial inheritance)

       - 일란성 쌍둥이에서 같이 발생

       - 자매에서 발병하는 시기가 비슷

       - 쌍둥이, SLE, 이형성 모반, 흑색종, HLA 등과 연관

    b. 단일 뉴클레오티드 다형성(single nucleotide polymorphism)

       - 자궁내막증의 감수성과 연관되는 것으로 여겨지는 에스트로겐 수용체-알파 다형성이 있는 경우 자궁내막증의 예후가 더 불량하고 재발률이 높음

    c. 유전자 발현(gene expression)

       - 자궁내막 세포가 복강 내에서 살아남아 복막에 부착되어 증식하며, 신생혈관을 형성하고 염증 반응을 일으키는 데 관여하는 유전자가 비정상적으로 발현될 가능성이 보고

       - 자궁내막증 환자의 자궁내막 세포는 세포자멸사(apoptosis)에 저항성을 나타냄

⑤ 면역학적 요인(immunologic factor)

    a. 역류된 월경혈을 통해 복강 내로 들어온 자궁내막조직이 비활성화되고 파괴되어 제거되는데 이때 작용하는 면역계에 이상이 생길 경우 자궁내막증이 발생

       - 복강 내 macrophage, prostaglandin 증가

- 복강 내 cytokines(TNF-α) 분비 증가
- 성장인자(growth factors)와 혈관생성인자(angiogenic factors) 증가
- 자연세포독성세포(natural killer cell)의 활성 저하
b. 면역학적 변화가 자궁내막증의 원인인지, 결과인지는 확실하지 않으나 자궁내막 착상물의 유지 및 발전에 중요한 역할을 하는 것으로 생각
⑥ 환경인자(environmental factor)
a. Bisphenol A 및 몇몇 프탈산에 과도하게 노출된 여성에서 자궁내막증의 유병률이 증가
b. 2, 3, 7, 8-tetrachlorodibenzo-p-dioxin과 같은 환경호르몬 노출이 프로게스테론 반응성을 감소시키고, 전염증성(proinflammatory) 자극에 과민반응을 나타내어 자궁내막증으로 진행하는 매개체로 작용 가능
⑦ 감염(infection)
a. 자궁내 미생물들이 자궁내막증의 개시에 결정적인 역할을 한다는 가설
b. 미생물의 자극에 의해서 병원균 인식 수용기가 활성화됨에 따라 전-염증성 경로와 선천성 면역(innate immunity)의 활성화를 유발
⑧ 줄기세포(stem cell)
a. 자궁내막증 병변에서는 자궁내막에 비해 중간엽 줄기세포의 발현이 높았으며, 증식 잠재력 또한 더 큰 것으로 확인
b. 자궁내막증 병변의 중간엽 줄기세포는 침습력과 이동력이 자궁내막의 줄기세포보다 좋으며, 혈관신생을 자극

(3) 자궁내막증과 악성암
① 난소암의 위험이 증가
② 대체로 1.3~1.9배 정도 증가
③ Endometroid carcinoma 및 clear cell carcinoma : 관련성이 확인

2 진단

1) 임상양상
(1) 통증
① 자궁내막증의 골반통 : 월경통, 월경사이 통증(intermenstrual pain), 성교통
② 월경통의 양상
a. 월경과 함께 시작하거나 종종 월경이 시작되기 전부터 시작
b. 월경의 전 기간 동안 지속되며 월경이 끝난 며칠 후까지도 지속되는 양상

c. 하복부와 심부 골반에 국한되며 양측성이고, 등이나 허벅지로 방사

d. 둔한 통증이나 쑤시는 듯한 통증과 직장 압박, 오심, 설사가 동반

e. 대개 양측성 통증으로 발생하지만 통증 정도와 자궁내막증 단계, 중증도는 무관

③ 성교통 : 자궁내막증 병변의 깊은 침윤이 있는 경우 및 월경 시작 전에 가장 심함

④ 통증의 원인

  a. 국소염증

  b. 조직파괴를 동반한 깊은 침윤

  c. 유착 형성

  d. 섬유화를 동반한 조직의 비후

  e. 자궁내막증 병변 내로 탈락된 월경혈의 저류

(2) 임신율의 저하

① 임신율 저하의 원인

  a. 골반 유착 : 난관의 운동성과 난소 채취를 저해하는 유착 발생

  b. 배란장애

  c. 복강 내 염증 : 복막액 내 prostaglandin, macrophage 증가

② 경미 및 경증의 자궁내막증(stage I, II)이 불임을 초래하는 기전은 불분명하지만 중증도 이상 (stage III, IV)의 자궁내막증은 불임과 명확히 관련

(3) 골반 외 자궁내막증(Extrapelvic endometriosis)

① 위장관을 침범한 경우 : 장기능의 저하, 배변곤란, 주기적인 혈변, 장폐색

② 요관을 침범한 경우 : 배뇨통, 긴박뇨, 빈뇨

③ 방광 배뇨근을 침범한 경우 : 간질성 방광염과 유사한 증상

④ 폐와 흉막을 침범한 경우 : 각혈, 흉통, 호흡곤란, 만성적으로 주기적인 어깨 통증

⑤ 말초신경을 침범하는 경우 : 근골격계 질환과 유사한 증상

⑥ 대뇌를 침범하는 경우 : 월경 무렵의 두통, 발작(seizure)

(4) 자궁내막증의 악성 변화

① 악성 변화율 : 0.7~1%

  a. 난소에서 기인한 경우 : 80% 정도

  b. Complex hyperplasia with atypia : 암 전환 증가

② 조직학적 유형

  a. Clear cell type

  b. Endometrioid type

2) 진단검사

(1) 이학적 검사

① 월경통, 성교통, 난임이나 불임, 만성 골반통이 있는 환자는 자궁내막증을 의심

② 골반 내진과 질경검사상 자궁내막증 의심소견

    a. 난소종양 촉지

    b. 자궁골반인대나 직장질중격 부위의 압통을 지닌 결절, 비후

    c. 자궁이 후굴되어 고정

    d. 질경검사상 건드리면 쉽게 출혈하는 청색병변(bluish lesion) 또는 적색병변(red lesion)

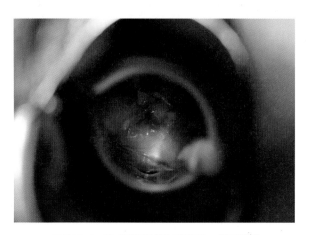

그림 12-1. 질 후원개에서 관찰되는 청색병변

(2) 혈청표지자

① CA-125

    a. 체강상피(coelomic epithelium)에서 유래한 세포표면항원(cell surface antigen)

    b. 자궁내막증 이외에도 비점액성 상피성 난소종양, 자궁선근증, 자궁근종, 골반 결핵 및 월경 중에도 증가하는 비특이적 표지물질

    c. 기준치 : 약 35 U/mL

    d. 선별검사나 진단에 이용하기에는 부적합

      - 특이도는 20~50%

      - 자궁내막증 고위험군 : 특이도 86~100%로 높지만 민감도는 13%로 낮음

    e. 특성

      - 재발 확인 및 치료효과 관찰에 유용

      - 임상 병기, 통증 등이 CA-125 수치와 비례하지 않음

      - 채혈시기가 검사 결과에 유의하게 영향을 미침 : 월경 중 가장 높은 농도를 보이고 난포기 중기나 배란기 동안에 가장 낮은 농도

② 기타 표지자 검사

    a. CA 19-9 : CA-125에 추가로 중등도 및 중증 자궁내막증의 진단에 도움

    b. CA-72, CA-15-3, TAG-72 : 너무 낮은 민감도

(3) 영상진단

  ① 초음파

    a. 자궁내막증이 의심되는 환자에게 가장 흔하게 사용되는 방법

    b. 초음파 소견

      - 내부에 미만성 저에코(diffuse low-echogenecity)를 띤 낭성 구조

      - 격막, 낭종벽에서 고형성 결절의 돌출(20%에서 발생)

    c. 유피낭종(dermoid cyst), 출혈성 낭종, 낭성 신생물은 자궁내막종과 유사한 소견

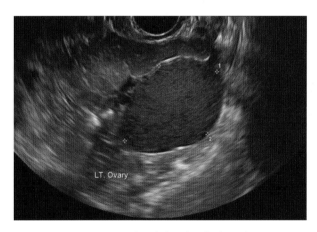

그림 12-2. 자궁내막증의 초음파 소견

  ② 자기공명영상(MRI)

    a. 자궁내막증의 진단에 특히 도움이 되는데 종종 고형성 자궁내막증 병변이나 유착을 발견
할 수 있어서 선택된 고위험군 환자에서 비침습적인 검사로 유용

    b. MRI 소견

      - T1 강조영상에서 고신호강도(high signal intensity) : methemoglobin과 deoxyhemoglobin
을 포함한 변성된 혈액 때문

      - T2 강조영상에서 저신호강도(low signal intensity)

    c. 질식 초음파와 유사하거나 더 좋은 민감도와 특이도

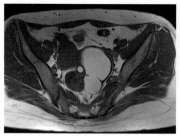
(A) T1 강조영상

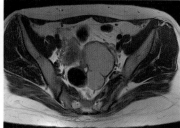
(B) T2 강조영상

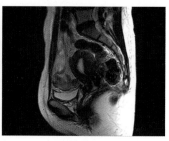
(C) 자궁과 직장의 유착

그림 12-3. 자궁내막증의 MRI 소견

③ 기타 검사법

    a. 전산화단층촬영(CT) : 흉막, 뇌, 흔하지 않은 부위의 자궁내막증을 발견하는 데 사용

    b. 이중조영을 이용한 바륨관장(barium enema) : 장관 침윤을 진단

    c. 정맥신우조영술(IVP), 방광경, 요관경검사 : 방광, 요관 침범이 의심되는 경우 시행

(4) 진단적 복강경

    ① 병변의 확인

전형적 병변(typical lesion)	비전형적 병변(Subtle lesion)
– 흑갈색의 복막 병변(powder–burn or gunshot) – 생리 때 병변으로부터 출혈이 발생하고 그로 인해 주위에 유착과 반흔을 형성	– 적색 병변(red implants) – 투명한 수포(serous or clear vesicle) – 백색판(white plague) : 염증이 진행하여 혈관 분포가 없어지면 형성 – 복막의 황변이나 갈변 – 난소하 유착(subovarian adhesion)

    ② 자궁내막종(endometrioma)

        a. 자궁내막증이 난소에 발생하여 낭종을 형성

        b. 낭종에는 절개하면 조직 출혈과 혈색소 축적으로 발생한 짙은 갈색의 초콜릿 양상 액체가 누출

        c. 난소의 면밀한 육안적 검사만으로도 97%의 민감도와 95%의 특이도로 진단 가능

        d. 병기(staging) : 질환의 범위, 정도와 임상적 증상과 연관성이 낮기 때문에 병기 분류는 큰 의미가 없음

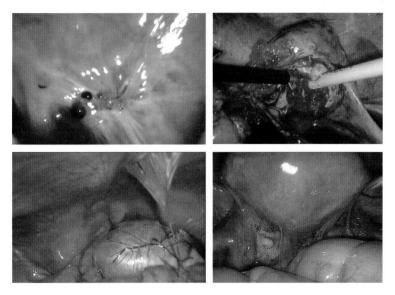

그림 12-4. 자궁내막증의 복강경 소견

(5) 조직학적 소견

① 확진을 위한 필수적인 방법

② 샘(gland)조직보다는 기질(stroma)조직이 특징적인 양상

③ 기질의 자궁내막증은 혈철소(hemosiderin)를 함유한 대식세포나 출혈 양상을 보임

④ 각기 다른 병변은 서로 다른 증식기 또는 분비기에 있는 샘조직을 가질 수 있음

⑤ 현미경적 자궁내막증(microscopic endometriosis)

    a. 정상 복막에 보이는 조직학적 자궁내막증

    b. 발견이 드물지만 재발 예측에 중요

3 치료

1) 외과적 치료

(1) 적응증

① 복강경 수술의 적응증

자궁내막증이 의심되는 자각 증상이 있는 경우	증상이 있으면서 이학적 소견을 보이는 경우
– 반복적인 만성 골반통증 – 월경통 – 성교통 – 미혼 여성에서 월경통이 골반통증 또는 직장통증과 동반되는 경우 – 미혼 여성에서 점차 심해지는 월경통으로 정상적인 생활에 제약을 받는 경우 – 하부 요추 혹은 천골 부위의 통증 – 월경 직전 또는 월경 중 배변통 – 원발성 및 속발성 불임증	– 자궁천골인대 혹은 더글라스와의 결절 또는 압통 – 자궁부속기의 종괴 또는 압통 – 내진 시 자궁 및 자궁부속기의 움직임 저하

② 보존적 수술과 근치적 수술의 적응증

보존적 수술(conservative surgery)의 적응증	근치적 수술(radical surgery)의 적응증
– 통증이 주소인 환자에서 약물치료가 실패한 경우 – 중증 자궁내막증과 연관된 불임에서 자궁내막증 병변과 유착에 의한 해부학적 손상이 있는 경우 – 난소의 자궁내막종이 의심되는 경우 – 더글러스와, 자궁천골인대 등 후복막에 발생한 심부 자궁내막증 병변이 있는 경우 – 자궁내막증에 의한 장관 및 요관 폐쇄	– 약물치료, 보존적 수술에도 반응하지 않는 극심한 통증이 있으면서 향후 임신을 원하지 않은 경우 – 자궁절제술을 요하는 자궁질환이 동반된 경우

(2) 보존적 수술(Conservative surgery)

① 수술법

수술 방법	병변의 제거법
– 복강경(laparoscopy) : 대부분의 경우에서 시행되는 가장 우선적인 방법 – 개복술(laparotomy) : 복강경을 할 수 없는 진행된 질환에서 시행	– 낭종절제술(cystectomy), 절제(excision) – 방전요법(fulguration), 레이저증발법(laser evaporation) – 장기부분 절제(직장, 방광 등에 깊이 침투한 경우) – 유착박리(adhesiolysis)

② 수술 후 6개월 간 GnRH agonist 투여

　　a. 통증을 감소시키고 통증의 재발을 12개월 이상 지연효과

b. 치료 중 난소의 기능(ovarian reserve) 확인 : Anti-Müllerian hormone (AMH)

c. 수술 후 불임증의 치료가 필요한 경우에는 환자에 따라 약 2~4개월의 약물치료 후 즉시 보조생식술을 시행

③ 치료 효과

    a. 통증 감소 : 보존적 복강경 수술 후 약 74%에서 호전

    b. 임신력의 향상

      - 생식기관의 변형이 있는 불임의 경우에 필수적인 치료

      - 수술 후 임신율은 중증, 중등도의 경우에는 향상되지만 경증의 경우에는 논란이 있음

      - 임신율이 가장 높은 시기 : 수술 후 6~12개월

④ 자궁내막증 관련 통증의 내과적 치료

	투여 경로	용량	빈도
Progestogens			
Medroxyprogesterone acetate	경구	30 mg	매일
Dienogest	경구	2 mg	매일
Megestrol acetate	경구	40 mg	매일
Lyestrenol	경구	10 mg	매일
Dydrogesterone	경구	20~30 mg	매일
Antiprogestins			
Gestrinone	경구	1.25 or 2.5 mg	일주일에 2회
Danazol	경구	400 mg	매일
Gonadotropin-Releasing Hormone			
Leuprolide	피하주사	500 mg	매일
	근육주사	3.75 mg	매월
Goserelin	피하주사	3.6 mg	매월
Buserelin	비강내	300 μg	매일
	피하주사	200 μg	매일
Nafarelin	비강내	200 μg	매일
Triptorelin	근육주사	3.75 mg	매월

(3) 근치적 수술(Radical surgery)

① 전자궁절제술과 양측 부속기절제술

② 폐경기가 가까우면서 보존적 수술이 어려운 심한 경우에만 적용

Patient's Name _____   Date _____

Stage Ⅰ(Minimal)   - 1~5   Laparoscopy _____ Laparotomy _____ Photography _____

Stage Ⅱ(Mild)   - 6~15   RecommendedTreatment _____

Stage Ⅲ(Moderate)   - 16~40   _____

Stage Ⅳ(Severe)   - > 40   _____

Total _____   Prognosis _____

		ENDOMETERIOSIS ⟨1 cm 1~3 cm ⟩3 cm		⟨1 cm	1~3 cm	⟩3 cm
PERITONEUM			Superficial	1	2	4
			Deep	2	4	6
OVARY	R		Superficial	1	2	4
			Deep	4	16	20
	L		Superficial	1	2	4
			Deep	4	16	20
	POSTERIOR CULDESACOBLITERATION			Partial		Complete
				4		40
	ADHESIONS			⟨1/3 Enclosure	1/3–2/3 Enclosure	⟩2/3 Enclosure
OVARY	R		Filmy	1	2	4
			Dense	4	8	16
	L		Filmy	1	2	4
			Dense	4	8	16
TUBE	R		Filmy	1	2	4
			Dense	4*	8*	16
	L		Filmy	1	2	4
			Dense	4*	8*	16

그림 12-5. 미국생식의학회(ASRM)의 자궁내막증 병기분류

2) 내과적 치료

(1) 적응증

통증이 주소인 경우	불임이 주소인 경우

– 복강경으로 자궁내막증을 확인한 경우
– 자궁내막증의 수술 후에 병변이 남아있거나 통증
  이 지속되는 경우
– 재발성 자궁내막증인 경우
	– 경증 자궁내막증 환자에서 약물치료가 임신력을 향
	  상시킨다는 구체적인 증거는 밝혀져 있지 않음
	– 중증 자궁내막증 환자의 체외수정 시술 전

(2) 생식샘자극호르몬분비호르몬 작용제(GnRH agonist)

① GnRH 수용체의 하향조절에 의해 약물적 뇌하수체절제(medical hypophysectomy) 상태를 유
도 → 성호르몬의 농도를 낮춰 가성폐경(pseudomenopause) 유발

② 약물 종류 : leuprolide, buserelin, nafarelin, bistrelin, goserelin, deslorelin, triptorelin

③ 투여 경로 : 근육, 피하 및 비점막을 경유하여 투여, 경구투여는 불가능

④ 투여 기간 : 3~6개월 간 사용

⑤ 부작용

    a. 저에스트로겐 효과(hypoestrogenic effect), 골밀도 감소

    b. 최대 골량에 이르지 못한 16세 미만의 사춘기 여성에는 금기

    c. 보충요법(add-back therapy) 시행 : 저용량 progestin 또는 Estrogen-Progestin 복합제

(3) 프로게스틴(Progestins)

① Medroxyprogesterone acetate (MPA)

    a. 자궁내막증 약물치료에서 1차 약물치료제로 선택

    b. 특성

      - 자궁내막증 관련 통증에 효과적

      - 다나졸(danazol), GnRH agonist와 유사한 효능

      - 저렴한 비용과 적은 부작용

    c. 불임 여성에서는 사용 안 함 : 무월경과 무배란을 일으키고, 치료종결 후 배란재개까지의 기간이 다양하기 때문

    d. 부작용

      - 불규칙 자궁출혈, 체중 증가, 체액 저류, 우울증 등

      - GnRH agonist에 비해 저에스트로겐 효과, 골밀도 감소는 적지만 부정출혈이 많음

      - 보충요법(add-back therapy) : 저용량 progestin 또는 Estrogen-Progestin 복합제 투여

② 다른 progestins

    a. MPA depot 150 mg, 3개월에 1회, 근육주사

    b. Megestrol acetate 40 mg/day

    c. Dydrogesterone 20~30 mg/day

    d. Lynestrenol 10 mg/day

③ Levonorgestrel-IUS (LNG-IUS)

    a. 월경통, 골반통, 성교통의 호전 및 직장-질 부위의 심부 자궁내막증 병변의 부피 감소

    b. 분만 경험이 없는 여성에서는 상대적인 금기

(4) 경구피임제(Oral contraceptives)

① 지속적 저용량 단일 경구피임제

    a. 가성임신(pseudopregnancy)을 만들어 무월경, 자궁내막증 병변의 쇠퇴를 유발

    b. 지속적으로 6~12개월간 사용 : 월경통 및 골반통 등의 증상이 60~95%에서 완화

② 주기적 복용법 : 지속적 투여보다 덜 효과적

③ 장점

　　a. 생리통과 골반통의 감소

　　b. 생리혈 역류의 감소

　　c. 자궁내막증의 진행 위험도 감소

(5) 다나졸(Danazol)

　① 성분 : 17-isoxasol testosterone

　② 작용기전

　　a. FSH, LH surge를 억제하고, 난소의 steroid 생산을 억제

　　　→ 혈중 free testosterone 증가와 estrogen 감소를 초래

　　　→ 가성폐경 상태로 전환

　　　→ 자궁내막증 병변을 위축, 골반강 내로 자궁내막 조직의 착상 억제

　　b. 스테로이드호르몬수용체에 대한 활성

　　　- Androgen receptor : agonist

　　　- Progesterone receptor : agonist-antagonist

　　　- Glucocorticoid receptor : agonist

　　　- Estrogen receptor : agonist

　③ 용량 : 하루 400~800 mg, 4~12개월 정도

　④ 효과 : 임상증상의 완화와 추적 복강경 시의 호전은 GnRH agonist와 유사

　⑤ 부작용

　　a. Androgenic state : 여드름, 다모증, 굵은 목소리, 체중 증가, 부종, 지루성 피부

　　b. Hypoestrogenic state : 유방 위축, 성욕 감퇴, 위축성 질염, 안면홍조, 감정변화

　　c. 피로, 오심, 근육경련

　⑥ 금기증

　　a. 간질환 : 다나졸이 간에서 대사 되기 때문

　　b. 고혈압, 울혈성 심부전, 신장기능 손상 : 수분 저류 때문

　　c. 임신

(6) 게스트리논(Gestrinone)

　① 성분 : 19-nortestosterone

　② 작용기전

　　a. 특성 : androgenic, anti-progestogen, anti-estrogenic, anti-gonadotropic

　　b. 혈중 free testosterone 증가, 혈중 성호르몬결합단백(SHBG) 및 에스트로겐의 농도 감소

　③ 무월경은 약물사용 용량에 비례하여 사용자의 50~100%에서 관찰, 월경은 약물치료 종료 후

33일경에 회복

④ 금기증 : 임신

⑤ 부작용

    a. 다나졸과 비슷하나 덜 심함

    b. 오심, 근육경련, 체중 증가, 여드름, 지루성 피부 및 모발, 다모증, 목소리 변화 등

(7) 비스테로이드 소염제(NSAIDs) & COX-2 억제제(COX-2 inhibitor)

① 임신 계획이 없는 경증 자궁내막증 환자의 월경통, 성교통, 만성 골반통 조절

② 자궁내막증 연관 통증에 대한 보조치료제

(8) 자궁내막증에 대한 새로운 약물치료

① Selective progesterone receptor modulator (SPRM)

② Selective estrogen receptor modulators (SERM)

③ Aromatase inhibitors : anastrozole, letrozole

④ GnRH antagonist

⑤ Pentoxifylline과 같은 면역조절제 : 최근 연구에서 통증경감 및 불임의 개선, 자궁내막증 재발 방지 등에 효과가 없음이 확인

(9) 병합치료

① 수술 후 약물치료로 GnRH agonist, 경구피임제, progestin 등을 사용

② 장점 : 재발률의 감소(수술 후 남은 병변 치료)

③ 단점 : 임신의 최적 시기(수술 후 6~12개월)를 놓치고, 비용 증가

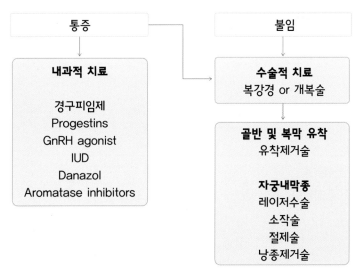

그림 12-6. 자궁내막증의 병합치료

3) 자궁내막증과 관련된 불임증의 치료

(1) 치료방법의 선택

① 복강경 수술로 자궁내막증 병변을 최대한 제거

② 이후 자궁내막증의 병기, 환자의 연령, 불임 기간, 난소-난관 침습정도, 이전의 치료 방법, 자궁내막증 연관 자각증상 정도, 환자의 치료에 대한 우선순위 등에 따라 기대요법, 과배란유도, 인공수정 등의 보조생식술을 선택

    a. Intrauterine insemination (IUI) : 난소자극 시행 시 효과적

    b. In vitro fertilization (IVF) : 난관난소변형이 있을 때 우선치료법

    c. Intracytoplasmic sperm injection (ICSI)

③ 자궁선근증이 동반되는 경우, 자궁내막증의 병변이 자궁내막증 1, 2기에 해당되나 복강경 소견과는 맞지 않는 자각 증상을 보이는 경우 : 약물치료를 3~6개월간 시행한 후 자궁내막증의 병기, 환자의 연령, 불임 기간 등에 따라 기대요법, 과배란유도 및 인공수정, 보조생식술 등을 선택적으로 시행

④ 미혼여성에서 경증의 자궁내막증이 진단되는 경우 : 향후 임신력의 보존을 위하여 복강경 시 자궁내막증 병변을 제거한 후 재발방지를 위한 주기적 저용량 복합 경구피임제 투여

(2) 자궁내막증 단계에 따른 선택

① 경증의 자궁내막증과 연관된 불임 : 불임증에 대한 검사를 시행하고 원인불명의 불임증에 준하는 치료를 시행

② 중증의 자궁내막증과 연관된 불임 : 복강경 수술로 자궁내막증 병변을 최대한 제거한 이후에 치료방법의 개별화

(3) 기대요법과 보조생식술

① 기대요법 : 자궁내막증의 병기가 경증이고, 환자의 연령이 30세 미만이며 다른 불임의 원인이 없는 경우에는 12~36개월 정도의 기대요법을 시행

② 보조생식술 : 중등도 이상의 병변이 있거나 환자의 연령이 30세 이상인 경우 수술적 치료 또는 보조생식술을 시행

4) 자궁내막증의 재발

(1) 치료방법에 따른 재발률

① 자궁내막증의 재발률 : 1년에 약 5~20%, 5년에 약 40%

② 내과적 치료

    a. 완치가 아닌 자궁내막증의 활동을 억누르는 치료

    b. 약물치료 종결 후 6개월에서 2년 내 거의 모든 환자에서 자궁내막증의 재발이 관찰

       c. 재발은 자궁내막증의 중증도에 비례

  ③ 보존적 수술

      a. 병변의 완전한 제거를 하지 못한 경우 재발하는 경향

      b 복강경 시 보이는 병변을 완벽히 제거한 경우에도 5년 내 통증의 재발은 5명 중 1명

      c. 재발을 막기 위해 수술 후 보조적 내과적 치료를 병행

(2) 수술 후 재발의 위험인자

  ① 수술적 제거가 완벽하게 이루어지지 않을 경우

  ② 낭종절제술 이외의 수술법을 시행한 경우(낭종절제술이 재발 및 재수술이 가장 낮음)

  ③ 수술 당시 병변이 왼쪽에 위치하는 경우(왼쪽 vs 오른쪽의 재발률 = 29% vs 7.3%)

  ④ 낮은 발병 연령

  ⑤ 수술 당시 ASRM 병기가 높거나, 자궁내막종의 크기가 큰 경우

(3) 재발의 방지

  ① 수술 후 장기간 추적검사를 하면서 규칙적인 내과적 치료를 병행

  ② 수술 당시의 연령이 32세 이하가 재발하기 쉬운 연령이며, 수술 후 치료받지 않은 환자의 5년
간 누적 재발률은 50%

  ③ 가임력 보전의 측면에서 최소한 32세 이하에 수술적 치료를 받은 환자에서 수술 후 지속적인
호르몬치료가 필요하며, 그 추적기간은 최소한 5년

CHAPTER 13

자궁경부, 외음부, 질의 상피내종양
(Cervical, Vulvar, Vaginal intraepithelial neoplasia)

1 자궁경부 상피내종양(Cervical intraepithelial neoplasia, CIN)

1) 자궁경부 상피내종양의 병인론

(1) 자궁경부 상피의 구성

자궁경부의 부위	상피세포	특성
내자궁경부 (endocervix)	원주상피세포 (columnar epithelium)	길게 생긴 단층 점액을 분비
편평원주접합부 (squamocolumnar junction)	원주상피세포와 편평상피세포의 접촉 부위	
외자궁경부 (exocervix)	편평상피세포 (squamous epithelium)	네 종류의 세포층으로 구성 기저층(basal layer), 부기저층(parabasal layer), 중간층(intermediate layer), 표피층(superficial layer)

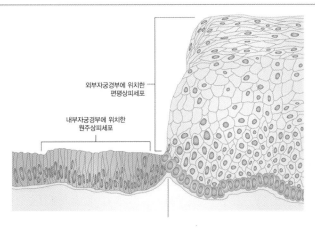

외부자궁경부에 위치한
편평상피세포

내부자궁경부에 위치한
원주상피세포

그림 13-1. 자궁경부 상피의 구성

① 편평원주접합부(squamocolumnar junction, SCJ)

    a. 내자궁경부(endocervix)와 외자궁경부(exocervix)의 두 상피가 만나는 부분

    b. 사춘기, 임신, 호르몬 투여, 폐경 등에 의해 위치가 변화

② 변형대(transformational zone)

    a. SCJ의 변화로 인해 original SCJ과 active SCJ사이에 형성된 지역

    b. 편평원주 경계면 주위에서 화생(metaplasia)이 일어나는 부위

    c. Squamous metaplasia에 의해 CIN이 생성되고, 자궁경부암이 잘 생기는 위치

    d. Nabothian cyst, gland 입구가 관찰

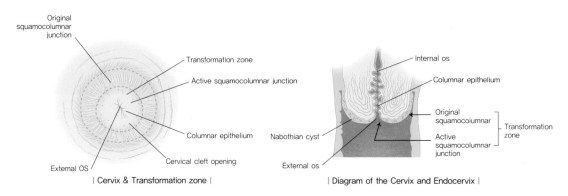

| Cervix & Transformation zone | | Diagram of the Cervix and Endocervix |

그림 13-1. 자궁경부 상피의 구성

(2) 자궁경부 상피의 변화

① 화생(metaplasia)

    a. 사춘기, 임신, 호르몬 투여에 의하여 자궁경부 세포들이 성장을 하게 되어 SCJ가 자궁경부 바깥쪽으로 위치가 변화

    b. 여성호르몬, 질 상피세포의 산성화와 체내의 생리적인 변화에 의하여 원주상피세포가 편평상피세포로 변하는 정상적인 과정

② 이형성(dysplasia)

    a. 성교에 의하여 암을 일으키는 물질들이 정상적인 생리학적인 변화를 자극하여 변형대(transformational zone)의 예비세포(reserve cell)가 암 세포의 전 단계인 이형세포가 되는 비정상적인 과정

    b. 사춘기와 임신으로 과도한 여성 호르몬이 분비되면 자궁경부가 성장을 하면서 자궁경부 안쪽이 외번(eversion) → 변형대에서 화생이 활발하게 나타나므로 발암물질에 노출이 되면 기저막 부위에 인접한 예비세포가 이형세포로 변화될 가능성이 증가

    c. 폐경기에는 SCJ도 자궁경부 안쪽으로 이동하게 되며 화생변화도 감소

(3) 자궁경부 상피내종양의 발병기전

① 인유두종바이러스(Human papillomavirus, HPV)

　a. 자궁경부암을 일으키는 바이러스

　b. 호흡기, 눈, 항문, 성기주변 등에 사마귀 형태의 병변을 유발

　c. 특성

　　- 대부분의 감염은 일과성(평균 지속기간은 12개월)

　　- 10~20% 정도는 감염이 보다 더 지속되고 병변이 자궁경부암 전구단계로 진행

그림 13-3. HPV 감염 후 자궁경부암의 발생과정

　d. 저위험군 : 콘딜로마(condyloma)와 관련

　e. 고위험군 : 자궁경부 상피내종양, 자궁경부암과 관련

　　- HPV 16 : 자궁경부암에서 나타나는 가장 흔한 종류

　　- HPV 18 : 예후가 불량한 자궁경부 선암(adenocarcinoma)에서 자주 발견

　　- HPV 16, 18이 전체 자궁경부암의 70%에서 확인

위험도	HPV 종류
고위험군	16, 18, 31, 33, 35, 39, 45, 51, 52, 56, 58, 59, 68
저위험군	6, 11, 34, 40, 42, 43, 44, 54, 61, 70, 72, 81

② 인유두종바이러스(HPV)의 감염

　a. HPV는 상피세포층의 기저세포(basal cell)에 감염되어 복제를 시작

　b. 감염된 세포는 표피층으로 이동하면서 분화

　c. 바이러스 DNA 복제는 증폭하게 되며 세포분화가 종료되면 바이러스의 생활사도 완료

　d. HPV의 E6와 E7 유전자

　　- 자궁경부암의 진행에 중요한 역할을 하는 종양유전자(oncogene)

　　- E6 단백질 : 정상세포의 세포주기조절 및 세포자멸사(apoptosis)에 중요한 p53 종양억제 유전자 단백질과 결합 → E6AP 단백질의 도움으로 p53 단백질이 분해 → 종양억제 기능 소실 → 세포주기를 합성기로 진행시켜서 세포의 성장 지속을 유발

　　- E7 단백질 : 종양억제유전자 Rb 단백질과 결합 → Rb에 의하여 조절되고 있던 전사인자

인 E2F가 유리되어 세포 주기를 활성화하는 유전자들을 가동 → p21, AP-1 유전자의 기능을 억제하여 악성화 변형과 영구 불멸화를 유발

e. 원반세포증(koilocytosis)
- HPV에 의한 세포의 변화
  - Perinuclear halo (clear perinuclear zone)
  - Dense peripheral cytoplasmic rim
  - 커지고 주름진 핵
- CIN의 정도가 심해질수록 koilocytes는 감소하며, 대신 HPV DNA가 숙주세포 내로 통합(integration)되는데 이런 통합과정을 거쳐 악성화로 진행
- 통합과정을 위해서는 HPV의 E6와 E7 단백질의 발현이 필요

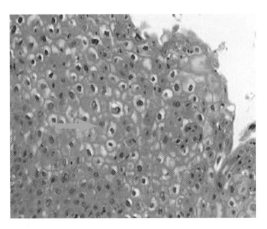

그림 13-4. HPV 감염 후 관찰되는 원반세포증(koilocytosis)

(4) 호발 연령 및 위험인자
① 자궁경부 상피내종양 : 20~30대
② 자궁경부암 : 35~39세, 60~64세
③ 위험인자
  a. HPV에 노출 가능성 증가 : 어린 나이의 성경험, 여러 명의 성 파트너, 이른 임신, 낮은 사회경제 상태, 성전파성질환 등
  b. HIV 등에 의한 면역저하상태, 경구피임제의 장기간 복용, 흡연

2) 자궁경부 상피내종양의 진단
(1) 증상
① 대부분 무증상
② 성교 후 출혈, 부정출혈, 질 분비물의 증가, 냄새나는 질 분비물, 골반통, 대변/소변 증상

③ 진행된 병변의 경우, 배뇨통이나 하지 부종, 편측성 요관폐쇄 등을 유발 가능

(2) 자궁경부 세포진단 분류

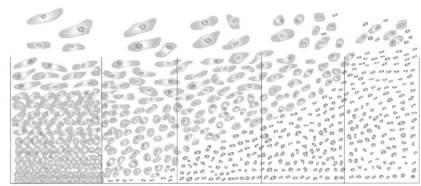

자궁경부 이형성(Dysplasia	정상	경증 이형성증 (Mild dysplasia)	중등도 이형성증 (Moderate dysplasia)	중증 이형성증 (Severe dysplasia)	편평세포암 (Squamous cell carcinoma)
상피내종양 등급(CIN grade)	정상	CIN 1 =	CIN 2	CIN3	CIS
The Bethesda System(TBS)	정상	LSIL	HISL		
자궁경부 상태	정상	HPV infection	Precancer		Carcinoma

그림 13-5. 자궁경부 상피내종양의 조직학적 분류

① 이형성(dysplasia)
  a. 자궁경부의 미성숙도와 상피층의 점유율에 따른 구분
  b. 경증(mild), 중등도(moderate), 중증(severe) 이형성증
  c. 자궁경부 상피내암(carcinoma in situ) : 최상 표피층까지 이형성 세포로 바뀐 경우
② 자궁경부 상피내종양(cervical intraepithelial neoplasia, CIN)
  a. 자궁경부암의 전암 병변이라는 개념
  b. 자궁경부 상피내종양 등급(CIN grade)
    - CIN 1 : 형질전환세포(transformed cells)가 상피의 아래 1/3에 국한된 경우
    - CIN 2 : 형질전환세포가 상피의 아래 2/3에 국한된 경우
    - CIN 3 : 형질전환세포가 상피의 2/3 이상의 대치된 경우
③ The Bethesda System (TBS)
  a. 2단계로 분류하여 단순화하고 검체 적정성 여부를 포함시키며 서술적으로 진단을 기술
  b. 서술적 진단
    - 양성 세포변화와 상피세포 병변으로 분류

- 상피세포 병변 : 편평상피세포와 선세포로 분류

The Bethesda System 2014 분류

편평세포(Squamous cells)
- 비정형 편평세포(atypical squamous cells)
  : 의미 미결정 비정형 편평세포(atypical squamous cells of undetermined significance, ASC–US)
  : 고등급 편평상피내병변을 배제할 수 없는 비정형 편평세포(atypical squamous cells cannot exclude HSIL, ASC–H)
- 저등급 편평상피내병변(low grade squamous intraepithelial lesion, LSIL)
  : 인유두종바이러스 감염/경증 이형증/자궁경부 상피내종양 1을 포함
- 고등급 편평상피내병변(high grade squamous intraepithelial lesion, HSIL)
  : 중등도와 중증 이형증, 상피내암/자궁경부 상피내종양 2, 3을 포함
- 편평세포암(squamous cell carcinoma)

선세포(Glandular cells)
- 비정형 선세포(atypical glandular cells, AGC)
  : 내자궁경부 세포, 자궁내막세포, 다른 특별한 점이 없는 세포
- 비정형 선세포, 종양의 가능성이 있는(atypical glandular cells, favor neoplastic)
  : 내자궁경부 세포, 다른 특별한 점이 없는 세포
- 내자궁경부 선상피내암(endocervical adenocarcinoma in situ, AIS)
- 선암종(adenocarcinoma)

(3) 자궁경부질세포진검사(Pap test)

① 특성

  a. 현재까지 가장 보편적으로 쓰이고 있는 자궁경부암 선별검사

  b. 장점 : 통증이 거의 없고 검사시간이 짧아 단시간에 많은 여성을 검사 가능

  c. 단점 : 낮은 민감도(sensitivity), 세포검사에 병리의사가 필요, 검체 간의 낮은 재현성

② 검사 대상

  a. 성생활을 시작한지 3년 이내에 선별검사를 시작하고 이후 매년 시행 권장

  b. 자궁절제술을 시행한 경우

    - 양성 질환 : 더 이상 자궁경부 세포진 검사를 시행할 필요가 없음

    - 자궁경부 상피내 종양, 자궁경부암 : 계속적으로 자궁경부 세포진 검사를 시행

③ 검사 방법

  a. 변형대(transformational zone)에 있는 세포들을 얻어 세포병리검사를 시행

  b. 눈으로 보며 Ayre spatula나 cytobrush를 이용하여 endocervix와 exocervix에서 채취

  c. 세포도말(smear)에는 화생세포와 자궁경부세포가 포함되어야 하고, 화생세포를 얻기 위해 변형대에서 가능한 한 많은 검체를 채취

  d. 직접 슬라이드에 가능한 얇게 도말하여 95% 에탄올로 고정 후 검사실로 전달

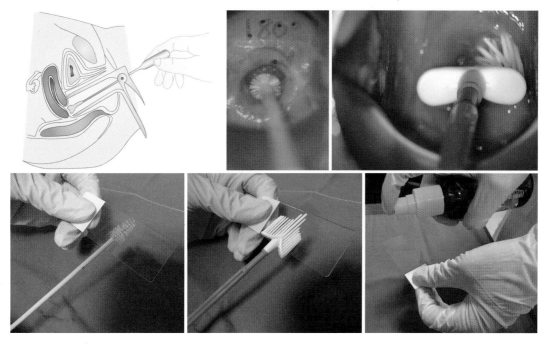

그림 13-6. 자궁경부질세포진검사

④ 주의사항

검사 전 환자의 주의사항	검사 시 의사의 주의사항
− 일주일 전 vaginal cream 금지 − 48시간 전 질 세척 금지 − 검사 전 24시간 동안 성관계 자제	− 내·외자궁경부 모두에서 조직 채취 − 채취 즉시 슬라이드에 가능한 얇게 펴 바르고 95% 에탄올로 고정 − 폐경 전 여성에서 도말표본에 내자궁경부세포가 반드시 포함 − 질경에 윤활제 사용 금지 − 질 분비물을 통한 채취 금지

⑤ 위음성(false negative)

    a. 비정상적인 상피세포들이 탈락되지 않아서 세포들이 잘 모아지지 않는 경우 발생

    b. 원인 : 채취 오류(sampling error)

       - 병변이 있는 상피세포를 정확하게 채취하지 못하는 경우

       - 병변이 상피세포층 깊숙이 위치하여 비정상적인 세포가 탈락되지 못하는 경우

       - 세포와 세포 사이의 유착이 강하게 형성되어 탈락되지 못하는 경우

위음성률	위음성을 줄이기 위한 방법	

– Squamous cancer : 약 20~30%
  • CIN 1 : 약 50%
  • CIN 2, 3 : 약 30%
  • Invasive cancer : 약 50% 정
    도(혈액, 염증성 삼출물, 괴사된
    조직 때문)
– Adenocarcinoma : 약 40%
	– 환자 : 검사 전 주의사항을 지키고, 생리주기 중간에 검사
	  시행
	– Sample preparation
	  device
	  • ThinPrep
	  • AutoCytePrep
	  • MonoPrep2
	– Stage control devices
	  • Pathfinder
	  • AcCell
		– Automated scanners
		– 보조방법
		  • Colposcopy
		  • Cervicography
		  • Speculoscopy
		  • Polarprobe

⑥ 자궁경부 액상세포검사(liquid based cytology)

  a. Pap smear의 단점을 보완하기 위한 검사법

    - 세포를 액체배지(liquid media)에 고정 : 공기 중 건조에 의한 세포 손상 방지

    - 훨씬 많은 세포를 배지에 옮겨서 채취 및 고정에 따른 오류가 감소

  b. 검사 방법

    - ThinPrep Pap test : 세포채취기구로 자궁경부세포를 채취하고 보존용액이 있는 통에 담
      고 충분히 흔들어 세포들을 용액 내로 유리시킨 후 세포채취기구는 버리며 필터로 검
      체에 있는 혈액 및 점액을 제거하는 방법

    - SurePath Pap test : 세포채취기구로 자궁경부세포를 채취하고 기구 윗부분을 분리하여
      특수용액이 들어 있는 통에 담근 뒤 원심분리로 혈액 및 점액을 제거 후 진단적인 세포
      만 모아주는 방법

  c. 장점과 단점

장점

- 점액, 혈액, 염증세포 등이 제거되고, 비정상 세포를 잘 발견
- 적은 세포로도 검사 가능
- 한 검체를 가지고 반복적인 검사 가능
- 보존액에 남은 검체를 이용해 HPV, 클라미디아, 임질 등에 대한 검사 가능
- 민감도(sensitivity) 증가(80%까지 개선)
- 불만족스러운 검체의 감소, 명확한 배경을 제공
- 공기 중 건조에 의한 세포손상 방지

단점

- 자궁경부질세포진검사(Pap smear)에 비해 비싼 비용

(4) 초산 혹은 요오드를 이용한 육안검사법

  ① 3~5% 초산(acetic acid) 용액

    a. 원리

정상 상피조직	비정상 상피조직
– 정상 중층편평상피는 질 및 자궁경부 확대경으로 보면 분홍색(상피 하 모세혈관 구조가 적색이기 때문)	– 상피층이 백색상피(white epithelium)로 일시적 변화 – 단백질의 농축이 높을수록 초산용액을 바른 후 더 백색으로 변화

    b. 초산 효과는 정상 상피의 경우 약 30~40초 후 사라지지만 다시 바르면 다시 나타남

    c. 세계보건기구는 자궁경부질세포진검사에 근거한 자궁경부암 선별검진이 정착되지 않은 개발도상국에서는 자궁경부암 선별검사법으로 육안관찰법을 추천

    d. 개발도상국에서 자궁경부 상피내종양의 발견에 pap test를 대처할 만한 간단한 검사법

② 루골 용액(Lugol's solution, iodine-potassium iodide solution)

    a. 초산을 이용한 육안검사법 시행 후에 다시 루골 용액을 이용한 Schiller test를 실시

      - 자궁경부와 질의 정상 상피는 glycogen이 풍부하여 요오드에 짙은 갈색을 나타냄

      - Schiller test 양성 : 이형성증(dysplasia), 암세포는 요오드에 염색되지 않음

      - 양성이 나타나는 경우 : 외상, 외번(eversion), 미란(erosion), 백반증(leukoplakia), 염증, 원주상피(columnar epithelium), 편평상피화생(squamous metaplasia), 암종(carcinoma)

    b. 육안으로 초산 반응이 명확하지 않거나 애매할 경우에 이용

    c. 우리나라에서도 육안검사법이 필요한 경우 세포검사의 보조로 이용

(5) 질확대경검사(Colposcopy)

① 적응증

    a. 세포진검사에서 비정상 소견을 보이거나 과거력이 있는 경우

    b. 세포진검사는 정상이지만 육안적으로 의심스런 자궁경부의 병변이 있는 경우

    c. 세포진검사는 정상이지만 HPV 16 or 18 양성인 경우

    d. 접촉성 출혈이나 성교 후 질 출혈이 있는 경우

② 검사 방법

    a. 생리식염수(normal saline)로 닦은 후 관찰

    b. Green filter를 사용하고 8~18배율로 관찰

    c. 3~5% 초산(acetic acid) 용액으로 60~90초간 준비 후 관찰

    d. 매 5분마다 초산(acetic acid) 용액 다시 도포

    e. 루골 용액(Lugol's solution) 도포

③ 소견

비정형 혈관(atypical vascular pattern)	초산 백색상피(acetowhite epithelium)
– 혈관이 매우 불규칙하게 배열 – 매우 심한 혈관의 굵기의 변화 – 혈관의 주행방향이 불규칙하고 급한 각도를 형성 – 서로의 간격이 일정치 못한 형태 – 비교적 평평하게 보이는 병변에서 이러한 혈관이 모여 있을 때는 미세침윤암을 의심	– 초산 도포 후 나타나는 백색 혹은 회색 병변 – 자궁경부 상피내종양에서 흔히 관찰 가능한 소견 – 세포핵대 세포질 비율의 증가나 초산 도포로 인해 세포 내 수분의 세포공간으로 이동 혹은 세포 내의 케라틴과 다른 단백과 반응하여 빛을 반사해 발생 – 성숙한 당원(glycogen)을 함유한 정상 상피는 침투하지 못하여 영향을 주지 못함 – 화생상피의 경우 표면이 투명하며 주위 정상 상피와의 경계가 불분명 – 상피내종양의 경우 백색 상피가 두꺼우며 불투명하고 주위와 뚜렷한 경계
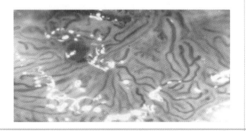	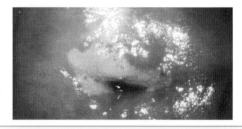
모자이시즘(mosaicism)	**점적반(punctation)**
– 모세혈관이 타일모양으로 배열되어 모자이크 형상으로 보이는 것 – 점적반(punctation)과 혼재해서 나타날 수 있음 – 정상 편평상피 화생 초기에서부터 초기 침윤암에 걸쳐 나타날 수 있음 – 분명한 경계를 가진 백색상피와 같이 존재 시 임상적 의미를 갖음	– 확장된 모세혈관이 상피 표면에서 붉은색의 점상으로 끝이 나는 상태 – 분명한 경계를 가진 초산 백색 상피와 같이 존재할 때 임상적 의미를 갖음
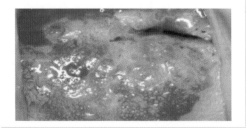	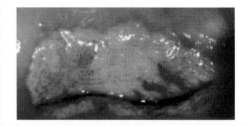

백반증(leukoplakia)

- 국소 상피에 조직학적으로 과각화 되어 발생
- 초산과 무관하며 편평하게 융기된 백색병변
- 변형대에 국소적으로 있는 경우 전암병변을 의심
- 가장 흔한 원인 : 인유두종바이러스(HPV) 감염
- 다른 원인 : 각질화 암종(keratinizing carcinoma), 각질화 상피내종양, 피임용 가로막 (diaphragm), 페서리, 탐폰 등에 의한 만성손상, 방사선 치료

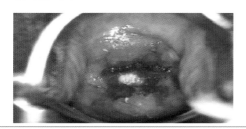

---

④ 동시에 시행할 수 있는 진단적 검사들

    a. 질확대경생검(colposcopy directed biopsy)

    b. 내자궁경부소파술(endocervical curettage, ECC)

    c. 자궁경부질세포진검사(Pap test)

    d. Schiller test

(6) 인유두종바이러스 검사(HPV test)

  ① 분자유전학적 방법을 사용하여 질 분비물과 세포에서 HPV DNA를 검출하는 방법

  ② 장점

    a. Pap test의 낮은 민감도를 보완 : Pap test와 병행 시 높은 민감도와 음성예측율

    b. 결과가 객관적

    c. 관찰자간의 재현성이 높음

  ③ HPV 검사의 이용

    a. 자궁경부암의 일차 선별검사

    b. 비정상 자궁경부질세포진검사의 관리

    c. 자궁경부 상피내종양의 치료 후 관리

(7) 내자궁경부소파술(Endocervical curettage, ECC)

  ① 내자궁경부(endocervix)에 숨어 있는 병변을 찾아내기 위하여 시행하는 검사

  ② 적응증

a. 불만족스러운 질확대경검사(unsatisfactory colposcopy)인 경우

b. 치료 후 반복되는 비정형세포

c. Pap test에서 비정형 선세포가 보이는 경우

- 비정형 선세포(atypical glandular cell, AGC),

- 내자궁경부 선상피내암(endocervical adenocarcinoma in situ, AIS)

- 선암종(adenocarcinoma)

- 선평편상피암종(adenosquamous carcinoma)

(8) 조직생검(Biopsy)

① 펀치생검(punch biopsy)

　　a. 초산 또는 루골 용액을 도포 후 이상부위의 조직을 biopsy forcep을 이용하여 채취

　　b. 육안에 의존하는 4부위 생검은 신뢰성이 낮아 초기 병변의 진단에는 이용하지 않음

② 질확대경생검(colposcopy directed biopsy)

　　a. 질확대경으로 자궁경부를 자세히 관찰한 후 병변 부위를 조준하여 생검하는 방법

　　b. 정확도가 매우 높아 초기 병변의 진단에 적합

　　c. 자궁경부 외부에 병변이 없고 내부에 숨어있는 경우 질확대경생검이 어렵거나 불가능

③ 원뿔생검(cone biopsy)

　　a. 자궁경부를 원뿔모양으로 절제하는 검사(치료적 방법을 진단을 위하여 이용)

　　b. 수술도(knife), 레이저 또는 전류가 흐르는 루프(loop)를 이용

　　c. 적응증

　　　- 질확대경검사 과정이 불만족스러운 경우

　　　- 가장 고등급 병변이 질확대경으로 보이는 범위를 넘어 자궁경부 상부에 있는 경우

　　　- 내자궁경부소파술의 결과가 비정상적이거나 결정하기 어려운 경우

　　　- 자궁경부 선상피내암(adenocarcinoma in situ, AIS)이 의심되는 경우

　　　- 자궁경부 미세침윤암(microinvasive carcinoma)이 의심되는 경우

　　　- 세포검사와 조직생검의 결과에 심한 차이가 나타나는 경우

3) 비정상 자궁경부세포 검사의 처치

(1) 부적절한 검체

① 내자궁경부세포가 검체에 없는 경우

② 위험인자가 없을 경우 1년 후 Pap test를 시행

③ 위험인자가 있을 경우 6개월 후 Pap test를 시행

④ 위험인자 : 이전에 ASC-US 이상의 병변 또는 6개월 내 HPV 관련 병변이 있었던 경우, 선세포(glandular cell) 이상소견이 있었던 경우, 면역저하상태 등

(2) 상피내병변 또는 악성종양의 음성(Negative for intraepithelial lesion or malignancy)

　① 암, 전암 또는 다른 중대한 이상소견이 없는 경우

　② 자궁경부암과 관련 없는 herpes, trichomonas, candida 등이 발견될 수 있음

(3) 반응성세포변화(Reactive cellular change, RCC)

　① 염증, 호르몬 변화 등의 영향으로 세포모양에 변화가 나타난 정상 세포변화 과정

　② 정상적인 상태로 대부분 추가적인 검사가 필요하지 않지만 6개월에 한 번씩 재검을 통해 세포가 정상화되었는지 확인을 권장

　③ 검사 시 염증이 심한 상태였다면 염증치료 후 다시 검사를 시행하여 상태를 확인

(4) 비정형 편평세포(Atypical squamous cells, ASC)

　① 의미미결정 비정형 편평세포(ASC-US)

　　a. 20세 이상의 여성에서 ASC-US가 진단된 경우

반복적인 자궁경부질세포진검사(Pap test)

－ 6개월 간격으로 시행하여 ASC-US 이상이면 질확대경검사를 시행
－ 2회 연속으로 음성 소견이면 일반 선별검사로 복귀

HPV 검사

－ 고위험군 HPV 양성인 경우에는 질확대경검사를 시행
－ 12개월 후 HPV 검사가 음성이면 일반 선별검사로 복귀

즉각적인 질확대경검사(colposcopy)

－ 만족스러운 질확대경검사(satisfactory colposcopy)면서, 조직검사 소견이 저등급 자궁경부 상피내종양(CIN 1) 이하인 경우 → 12개월 후 HPV 검사 or 6개월과 12개월 후 Pap test를 시행
－ 불만족스러운 질확대경검사(unsatisfactory colposcopy)인 경우 내자궁경부소파술(ECC) 시행

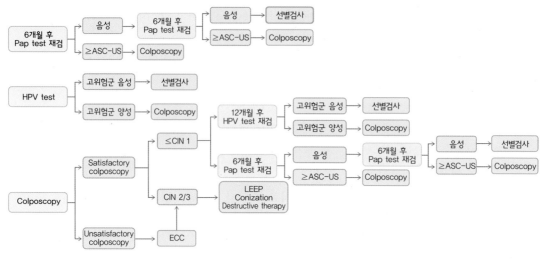

그림 13-7. 20세 이상 여성의 ASC-US에 대한 처치

b. 임신부에서 ASC-US가 진단된 경우
- 비임신 시와 동일하게 처치
- 질확대경검사는 산후 6주 후로 연기
- 내자궁경부소파술(ECC)은 임신 중 금기
c. 폐경 여성에서 ASC-US가 진단된 경우
- Pap test에서 위축성 질염을 보이는 경우 에스트로겐 질크림을 1주 사용 후 재검
- 6개월 간격으로 Pap test를 실시하여 2회 연속 음성인 경우 정기검진 시행
- 재검에서 ASC-US 이상이면 질확대경검사를 시행
d. 청소년에서 ASC-US가 진단된 경우
- 어린 여성에서는 HPV 감염률과 자연치유율이 높기 때문에 Pap test에서 ASC-US가 나온 경우에도 HPV 검사를 권유하지 않음
- 1년 후 Pap test를 시행 → HSIL 이상 or 2년 후 Pap test에서 ASC-US 이상이면 질확대경 검사를 시행
② 고등급 편평상피내병변을 배제할 수 없는 비정형 편평세포(ASC-H)
a. 질확대경검사 및 질확대경생검(colposcopy directed biopsy)을 실시
- CIN 2 이상의 병변이 아닌 경우 : Pap test, 조직검사, 질확대경검사를 다시 판독
→ CIN 2 이상이 아닌 경우, 6개월 간격으로 Pap test와 질확대경검사를 시행
→ 6개월 간격으로 2회 연속 정상인 경우 일반 선별검사로 복귀
- CIN 2 이상의 병변이 발견된 경우 : 진단적 자궁경부 절제술을 시행

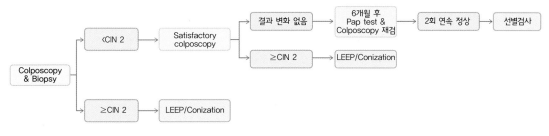

그림 13-8. 2ASC-H에 대한 처치

   b. 청소년에서 ASC-H가 진단된 경우
     - CIN 2 이상의 병변이 나올 확률이 높기 때문에 질확대경검사를 시행
     - 만족스러운 질확대경검사(satisfactory colposcopy)와 CIN 2/3의 고등급 병변이 관찰되지
       않을 때는 6개월 후 자궁경부질세포진 검사를 시행
       • 2번 연속적으로 Pap test에서 음성으로 나온다면 일반 선별검사로 복귀
       • ASC-US 이상의 결과가 나온 경우에는 질확대경검사를 시행 → CIN 2/3 발견 시 원뿔
        생검(cone biopsy) or 6개월 간격으로 Pap test와 질확대경검사를 반복
     - 불만족스러운 질확대경검사(unsatisfactory colposcopy)를 보이는 경우 반드시 내자궁경
       부소파술(ECC)과 자궁경부 조직생검을 고려

(5) 비정형 선세포(Atypical glandular cells, AGC)
   ① AGC가 나타날 수 있는 경우
     a. 반응성 세포변화 혹은 자궁경부 용종과 같은 양성질환과 연관
     b. 자궁경부 상피내종양(약 45%), 자궁경부 선상피내암(adenocarcinoma in situ), 자궁경부
       암, 자궁내막암, 난소암 또는 난관암과 관련
   ② 여러 검사를 복합적으로 시행(35세를 기준으로 시행하는 검사들이 달라짐)
   ③ 35세 이상
     a. HPV 검사, 질확대경검사, 내자궁경부소파술(ECC), 자궁내막 조직생검을 시행
     b. 질확대경생검(colposcopy directed biopsy)이나 내자궁경부소파술(ECC)에서 자궁경부 상
       피내종양(CIN), 자궁경부 선상피내암(AIS)이 발견되면 진단적 자궁경부절제술을 시행
     c. 질확대경으로 충분히 자궁경부가 관찰되며, 조직생검상 CIN 1으로 내자궁경부소파술에
       서도 음성인 경우 → 6개월 간격으로 Pap test or 1년마다 HPV 검사 시행
     d. 재검한 Pap test에서 ASC-US 이상이 나오면 질확대경검사를 시행
   ④ 35세 미만
     a. HPV 검사, 질확대경검사, 내자궁경부소파술(ECC)을 시행
     b. 자궁내막 조직생검의 적응증

- 비만, 불임, 다낭성난소증후군
- Tamoxifen 치료 중인 경우
- 비정상적인 질 출혈이 있거나, 비정상 자궁내막세포가 관찰되는 경우
- 직장암/대장암, 자궁내막암의 가족력

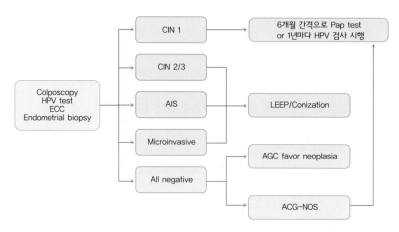

그림 13-9. AGC에 대한 처치

(6) 저등급 편평상피내병변(LSIL)

① 고위험군 HPV와 관련

    a. HPV 감염률 약 72.9%, 16/18번 HPV 감염률 약 26.7%

    b. 질확대경생검의 11~14%에서 HSIL, 침윤성 자궁경부암 확인

② 질확대경검사(colposcopy)를 시행

    a. 조직생검에서 CIN 2/3가 없는 경우 : 6개월 간격의 Pap test or 1년마다 HPV 검사 시행

      - Pap test가 2회 연속 음성 또는 HPV 검사에서 음성인 경우 일반 선별검사로 복귀

      - 재검한 Pap test에서 ASC-US 이상 또는 HPV 검사가 양성이면 질확대경검사 시행

    b. 불만족스러운 질확대경검사(unsatisfactory colposcopy)

      - 내자궁경부소파술(ECC)을 시행

      - 내자궁경부소파술에서 CIN 2/3가 진단된 경우 진단적 절제술을 시행

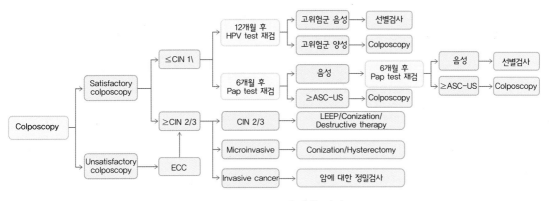

그림 13-10. LSIL에 대한 처치

③ 임신부에서 LSIL이 진단된 경우
　　a. 질확대경검사를 분만 6주 후에 시행
　　b. 내자궁경부소파술(ECC)은 임신 중 금기

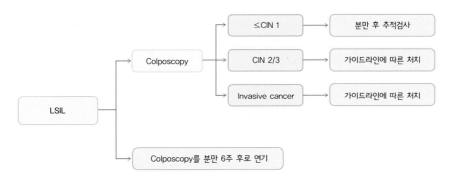

그림 13-11. 임신부의 LSIL에 대한 처치

④ 청소년에서 LSIL이 진단된 경우 : ASC-US에서의 처치와 동일
　　- 어린 여성에서는 HPV 감염률과 자연치유율이 높기 때문에 Pap test에서 ASC-US가 나온
　　　경우에도 HPV 검사를 권유하지 않음
　　- 1년 후 Pap test를 시행 → HSIL 이상 or 2년 후 Pap test에서 ASC-US 이상이면 질확대경검
　　　사를 시행

(7) 고등급 편평상피내병변(HSIL)
　① 고등급 병변, 침윤암의 가능성이 높음
　② 진단적 절제술을 시행
　　a. 청소년을 제외하고, 질확대경검사 없이 LEEP을 포함한 즉각적인 진단적 절제술 시행

b. 질확대경검사와 Pap test의 반복 시행은 부적절
③ 추가검사
    a. 만족스러운 질확대경검사(satisfactory colposcopy)
      - Pap test와 질확대경검사를 6개월마다, 2회 연속 정상으로 나올 때까지 시행
      - 조직생검에서 CIN 1으로 나오면 진단적 절제술 or 1년간 6개월마다 반복적인 Pap test와 질확대경검사로 관찰
      - 1년간의 경과관찰에서 Pap test가 2번의 연속적인 음성 or 질확대경검사가 정상으로 나온다면 일반 선별검사로 복귀
    b. 불만족스러운 질확대경검사(unsatisfactory colposcopy)
      - 내자궁경부소파술(ECC)을 시행
      - 자궁경부 상피내종양(CIN)으로 진단되면 진단적 절제술 시행

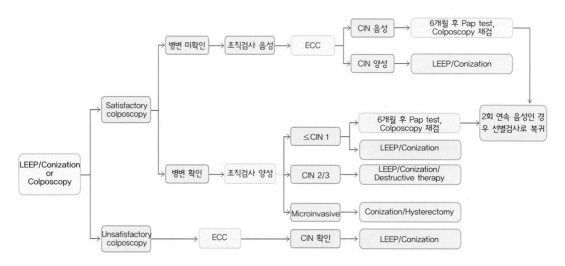

그림 13-12. HSIL에 대한 처치

④ 임신부에서 HSIL이 진단된 경우
a. 질확대경검사(colposcopy)를 시행
b. 고등급 병변이나 침윤성 자궁경부암이 의심되는 경우 조직생검을 시행
c. 침윤성 자궁경부암이 의심되지 않는다면, 진단적 절제술은 분만 후까지 연기
d. 내자궁경부소파술(ECC)은 임신 중 금기

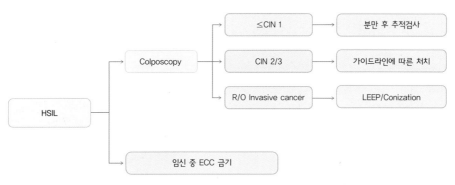

그림 13-13. 임신부의 HSIL에 대한 처치

⑤ 청소년에서 HSIL이 진단된 경우
  a. 질확대경검사(colposcopy)를 시행
  b. 조직생검 결과에 따른 처치
    - CIN 2/3가 나오지 않으면, 6개월 간격으로 2년 동안 Pap test와 질확대경검사를 시행
      • 고등급 병변이 관찰되거나 HSIL이 1년 동안 지속되는 경우 조직생검이 필요
      • 2년간 추적검사한 Pap test에서 HSIL이 지속적으로 관찰되면 진단적 절제술 시행
      • 2번의 연속검사에서 Pap test가 정상이고 질확대경검사에서 고등급 병변이 관찰되지
        않으면 일반 선별검사로 복귀
    - CIN 2/3로 진단되는 경우 6개월 간격으로 Pap test와 질확대경검사를 2년 동안 시행하거
      나, 병변의 절제술 시행
  c. 불만족스러운 질확대경검사 : 내자궁경부소파술 or 자궁경부 조직생검을 고려

4) 자궁경부 상피내종양의 치료법
  ### (1) 국소파괴요법(Destructive therapy)
  ① 냉동수술(cryosurgery)
    a. 특성
      - 세포내액을 결정화(crystalize)하여 세포괴사를 유발하고 자궁경부상피 표면층을 파괴
      - 마취가 필요 없고, 외래에서 안전하게 시행 가능

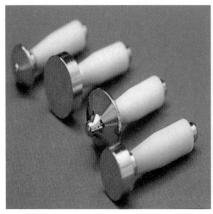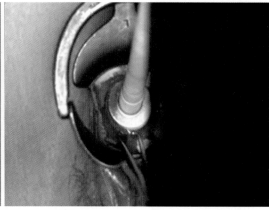

그림 13-14. 냉동수술(Cryosurgery)

b. 적응증

- CIN 1/2
- 작은 병변
- 외자궁경부(ectocervix)에 국한
- 내자궁경부소파술(ECC) 음성
- 조직검사에서 내자궁경부 선조직(endocervical gland) 침범이 없음

c. 치료 결과

- 치료 성공률은 90% 정도
- 병변이 크고 자궁경부 상피내종양의 등급이 높을수록 치료 성공률이 떨어지므로 중증의 이형증 치료와 병변이 큰 경우에는 적합하지 못함

d. 치료 실패가 증가하는 경우

- 변형대 전체를 충분한 깊이로 파괴하지 못한 경우(가장 흔한 원인)
- 병변이 큰 경우, 자궁경부의 해부학적 이상과 자궁경부내막으로 병변이 확장된 경우, 내자궁경부 선조직으로의 침범, CIN 3 등

② CO_2 레이저절제술(carbon dioxide laser ablation)

a. 특성

- 자궁경부세포에 레이저를 조사하면 순간적으로 조직의 수분이 기화(vaporization)하고 세포성분이 연소하여 병변 부위를 파괴
- 장점 : 병변의 범위가 아주 넓거나 질 부위로 확산되어 있는 경우에도 사용이 가능, 정확하게 기화 범위와 깊이를 조절 가능, 주위 자궁경부의 손상이 적고 치유가 빠름

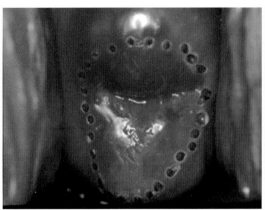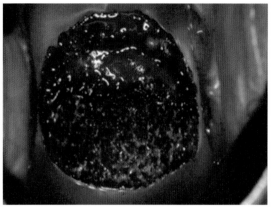

그림 13-15. CO_2 레이저절제술(Carbon dioxide laser ablation)

  b. 적응증
    - 매우 큰 병변으로 냉동수술이 불가능한 경우
    - 표면이 불규칙하거나 깊이가 깊은 병변
    - 병변이 질까지 침범한 경우
    - 선(gland)을 광범위하게 침범한 경우
  c. 효과
    - 자궁경부 상피내종양(CIN)에서 95% 이상의 치료 성공률
    - 합병증과 회복기간은 냉동수술과 비슷
③ 냉응고법(cold coagulation)
  a. 특성
    - 냉응고기(cold coagulator)를 이용하여 100℃의 열로 병변을 1회 20초간 2~5회 가열하는
      방법으로 상피를 파괴
    - 파괴의 깊이는 정확히 알기 어렵지만 약 4 mm 정도까지 가능
  b. 효과
    - 자궁경부 상피내종양(CIN)에서 약 95% 정도의 치료 성공률
    - 치료 대상의 선택과 조직 파괴의 정도 및 치료효과는 냉동수술과 비슷
④ 전기소작술(electrocautery)
  a. 특성
    - 비정상 상피만이 아닌 변형대 전체를 파괴
    - 파괴하는 깊이는 경부점액 분비가 없을 때까지 시술함으로써 원하는 깊이에 도달
    - 시술 시 통증이 있어 마취가 필요
  b. 효과

- 성공률은 레이저나 냉동수술의 성적과 비슷
- 자궁경부 상피내종양 3에서 1회 시술 후 실패율은 약 13%

(2) 절제술(Excision)

① 고리전기절제술(LEEP)

a. 가는 고리를 이용해 열 손상 거의 없이 한번의 조작으로 전 변형대를 제거하는 방법

b. 장점과 단점

장점	단점
− 시술이 어렵지 않아 배우기 쉬움 − 시술 시간이 짧음 − 통증이 적어 국소마취로 외래에서도 시행 가능 − 레이저 노출에 의한 시술자의 눈 손상이 없음 − 판독에 영향을 미치지 않게 조직 절제 가능	− 변형대가 커서 한 조각으로 절제가 안되어 여러 조각이 난 경우 병리 판독 시 정확한 위치 판독이 어려움

c. 효과

- 자궁경부 상피내종양(CIN)에서 95% 이상의 치료 성공률
- 예상치 못한 침윤암 또는 고등급 선병변의 발견율이 1~2%로 높음

d. 금기증 및 합병증

금기증	합병증
− 불안증 환자 − 국소마취제나 혈관수축제에 금기증이 있는 경우 − 매우 큰 병변 − 질까지 침범한 병변 − 침윤암이 의심될 때	− 출혈 : 2~5% − 감염 − 자궁경부 협착(stenosis) : 1~4% − 자궁경부무력증(cervical incompetence) − 조산

e. 추적관찰

- 시행 후 1개월, 3개월, 6개월 후에 진료하고 이후 6개월 간격으로 추적 검사
- 추적검사로 Pap test를 시행하며 검사 중 의심스러운 부분이나 증상이 있으면 질확대경 검사와 조직생검을 시행하여 침윤암의 확인이 필요

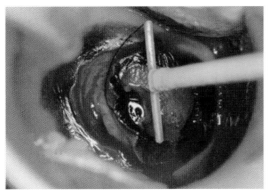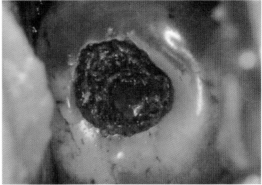

그림 13-16. 고리전기절제술(LEEP)

② 냉도 원추절제술(cold knife conization, CKC)

    a. 수술도를 사용하여 자궁경부를 도려내는 방법

      - 절제 시 원형을 반드시 유지할 필요는 없음

      - 내자궁경부의 침범이 추정되는 깊이까지 절제 시행

    b. 장점과 단점

장점	단점
− 검체 크기를 조절 가능 − 절제면에 종양 존재 여부를 판단하기 적절 − 속자궁경부를 깊이 도려낼 수 있어 속자궁경부 에 위치하는 병변을 치료할 때 유용	− 많은 출혈량

    c. 합병증 : 출혈, 자궁경부 협착, 감염, 자궁천공, 방광 또는 직장 손상 등

    d. 논란 중인 합병증 : 자연유산, 조기진통, 저체중출생아 등

③ 자궁절제술

    a. 가장 재발률이 낮은 방법이지만 일차치료로는 거의 적용되지 않음

    b. 적응증

      - 미세침윤암(microinvasive carcinoma)

      - 원추절제술 조직 절단면 가장자리에서 CIN 2/3의 확인

      - 추적관찰이 어려운 환자

      - 자궁절제술의 적응증이 되는 자궁질환이 있는 환자

      - 치료 후에 재발된 HSIL

    c. 추적관찰

      - HSIL의 2~3%에서 질원개(vaginal vault) 침범이 보고

      - 수술 후 질원개 부위의 질확대경검사, 루골 용액 등으로 질부의 병변 침범을 확인

5) 자궁경부 상피내종양의 등급에 따른 처치

(1) CIN 1

① CIN 1으로 진단된 경우, 1년 이내 자연 소실될 확률은 60~85%

② CIN 1의 치료

추적관찰
6개월, 12개월 후에 Pap test 시행 or 12개월 후 HPV 검사 시행 → 정상소견을 보이면 매년 Pap test 시행 Pap test에서 비정형 세포 or HPV 검사 양성 → 질확대경검사 시행
질확대경검사가 충분한 경우
국소파괴요법 혹은 절제술 시행 국소파괴요법을 시행하기 전 내자궁경부소파술을 시행하여 내자궁경부 병변을 확인 국소파괴요법 후 추적관찰 도중 자궁경부 상피내종양이 재발되면 절제술을 시행
질확대경검사가 불충분한 경우
진단적 절제술 시행 임산부, 면역 억제 여성, 사춘기 여성에서는 추적관찰 시행(국소파괴요법은 금기) 24개월 동안 지속적으로 CIN 1인 환자의 치료는 선택

(2) CIN 2/3

① 진행하는 경우가 많아 치료가 필요

② CIN 2/3의 치료

질확대경검사에서 전체 병변이 관찰되고, 내자궁경부소파술에서 음성인 경우
국소파괴요법(destructive therapy) 시행 침윤암이 있을 가능성은 0.5%로 낮기 때문
질확대경검사에서 전체 병변이 관찰되지 않는 경우
절제술(LEEP/conization) 시행 침윤암이 숨겨져 있을 가능성이 7%까지 보고, 국소파괴요법은 사용하지 않음

(3) 가임기 젊은 여성의 CIN 2/3

① 젊은 여성의 CIN 2의 치료

4~6개월마다 Pap test와 질확대경검사를 시행하면서 추적관찰이 가능한 경우
질확대경 검사에서 전체 병변이 관찰 + 내자궁경부소파술 음성 + 환자가 잠재 병소에 대한 위험을 감수할 수 있는 경우

② 젊은 여성의 CIN 3는 치료가 필요

(4) 임신부의 CIN

① 펀치생검이나 질확대경검사를 시행

② 내자궁경부소파술 혹은 LEEP는 금기

③ 침윤암이 의심되지 않는 한 분만 후 치료

(5) 절제술 절단면 가장자리의 병변 유무

① 국소파괴요법 이후에는 수술경계부위의 병변 유무를 판단 불가능

→ 6개월 후 Pap test 또는 12개월 후 HPV 검사로 추적관찰

② 절제면 가장자리의 종양 유무에 따른 처치

절제면 가장자리에 종양이 없는 경우

6개월 후 Pap test 또는 12개월 후 HPV 검사로 추적관찰

CIN2/3에서 절제면 가장자리에 종양이 있는 경우

자궁경부질세포진 검사를 6개월 후 시행
or 내자궁경부소파술 고려
or 침윤암이 의심되는 경우에는 재시술 또는 자궁절제술 시행

추적관찰

6개월 후 Pap test 또는 12개월 후 HPV 검사가 음성 → 선별검사로 복귀
6개월 후 시행한 Pap test에서 ASC-US 이상 → 비정상 Pap test의 처치를 따름
12개월 후에 시행한 HPV 검사가 양성 → 질확대경검사 시행

(6) 자궁경부 선상피내암(Adenocarcinoma in situ, AIS)

① 고령이거나 임신을 원치 않을 때는 자궁절제술을 시행

② 가임기 여성에서는 보존적 치료를 시행

a. 반드시 원뿔생검(cone biopsy)을 하여 침윤암의 존재 유무를 확인

b. 원뿔생검의 최소 깊이 : 3 cm 이상

c. 냉도 원추절제술(CKC) : 정확한 진단을 위한 조직을 얻기 가장 적당한 방법

d. 절단면이 양성인 경우에는 반드시 원추절제술을 다시 시행

2 질 상피내종양(Vaginal intraepithelial neoplasia, VAIN)

1) 질 상피내종양의 병인론

(1) 특성

① 인유두종바이러스(HPV)가 원인으로 추정

a. 병변이 상피층(epithelium)에 국한

b. 성교나 탐폰 등으로 인한 질상피 손상 부위에 HPV가 감염되어 발생

② 호발 부위

a. 질 상부 1/3 : 가장 흔한 부위

b. 질에는 미성숙 상피세포가 있는 변형층(transformation zone)이 없기 때문에 어떤 부위에서도 발생 가능

c. 병변은 단발성일 수도 있지만 다발성인 경우가 많음

(2) 임상양상

① 빈도

a. 드문 질환, 미국 여성 10만명당 0.2~0.3명

b. 하부생식기에서 발생하는 상피내종양의 0.4% 차지

② 발생 평균 연령 : 47~50세(40대 중, 후반)

③ 약 50%에서 하부생식기에 종양성 질환이 공존(CIN이 가장 흔함)

a. 가장 흔한 질환 : 자궁경부 상피내종양(CIN)

b. 고등급 질상피내종양의 경우 92.6%에서 HPV 감염이 발견

c. HPV 16, 18번 : 고등급 VAIN에서 60% 발견, 저등급 VAIN에서 41% 발견

(3) 증상

① 대부분 무증상

② 비정상적인 질 출혈이나 질 분비물

③ 외음부 사마귀(vulvar warts)

2) 질 상피내종양의 진단

(1) 선별검사

① 자궁경부질세포진검사(Pap test) : 지속적으로 이상소견을 보이지만 자궁경부 조직검사는 정상인 경우

② HPV 감염 과거력이 있어 자궁절제술 시행한 환자의 경우 질 상피내종양의 발생 가능성을 고려하여 매년 선별검사를 시행

(2) 진단검사

① 질확대경검사(colposcopy)

a. 비정상 세포검사 결과를 보인 경우 질확대경검사를 할 때에는 질 벽도 검사해야 하며, 특히 질 상부에 주의를 기울여 검사

b. CIN 환자를 질확대경검사 시 1~6% 정도에서 같이 진단

c. 질확대경생검(colposcopy directed biopsy)을 통해 확진

② VAIN의 질확대경 소견은 CIN의 소견과 유사

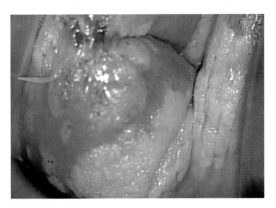

그림 13-17. VAIN 2의 질확대경 소견

(3) 질 상피내종양의 등급(VAIN grade)

질 상피 이형성(Dysplasia)	경증 이형성증 (Mild dysplasia)	중등도 이형성증 (Moderate dysplasia)	중증 이형성증 (Severe dysplasia)
질 상피내종양의 등급(VAIN grade)	VAIN 1	VAIN 2	VAIN 3
The Bethesda System(TBS)	LSIL	HSIL	
질 상피 상태	HPV (±)	Precancer	

① VAIN 1 (low-grade VAIN) : 질 표면층 두께의 1/3이 영향을 받은 경우

② VAIN 2 (high-grade VAIN) : 질 표면층 두께의 2/3가 영향을 받은 경우

③ VAIN 3 (high-grade VAIN) : 질 표면층 전체가 영향을 받은 경우

3) 질 상피내종양의 치료

(1) 저등급 질상피내종양(VAIN 1, vaginal LSIL)

① 특별한 치료를 하지 않고 경과관찰

② 침윤암으로 진행되는 경우가 거의 없고, 치료하지 않아도 39~85%에서 자연 소실

③ 종종 여러 부위에 발생하고 절제요법 시행 후 빠른 재발을 보임

(2) 고등급 질상피내종양(VAIN 2/3, vaginal HSIL)

① 침윤암으로 진행하거나 조기 침윤암과 관련될 수 있어 치료가 필요

② 수술적 방법

    a. CO_2 레이저절제술(CO_2 laser ablation)

      - 조직과 구조물들을 보존할 수 있어 성기능 및 정신적 영향을 최소화할 수 있는 방법

      - 젊은 여성, 다발성, 수술적 절제술을 거부하는 여성들에게 유용

      - 치료 성공률 69~87.5%, 재발률 32~33%

    b. 국소절제술(local excision)

      - 점막하에 국소마취제나 식염수 주사 후 점막이 들어올려지면 점막을 박리하는 방법

      - 절제된 검체를 이용하여 조직학적 검사 가능

      - 질의 길이가 짧아져서 성기능에 영향을 미칠 수 있음

      - 치료 성공률 66~83%

    c. 질절제술(vaginectomy)

      - 부분 혹은 질전체의 점막을 절제하는 방법

      - 자궁절제술 후 질원개(vaginal vault) 부위에 단발성 병변이 있는 경우 가장 좋은 방법

      - 고리전기절제술로 하는 경우 방광, 직장과 같은 주위 조직의 열 손상을 주의

      - 치료 성공률 80%

    d. 전질절제술(total vaginectomy)

      - 성적으로(sexually) 활발한 여성에게는 적합하지 않은 방법

      - 피부이식이 필요하고 방광-질 누공, 직장-질 누공과 같은 심각한 합병증

③ 비수술적 방법

    a. 5-fluorouracil (5-FU)

      - 화학요법에 의한 염증반응 혹은 궤양의 발생을 이용한 치료법

      - 병변이 넓거나 다발성인 경우에 국한되어 사용

      - 질의 작열감, 성교통, 궤양, 분비물과 같은 부작용

      - 치료 성공율 46~62.5%

    b. 방사선 근접치료(brachytherapy)

      - 중간이나 낮은 용량의 방사선을 사용

      - 방사선 그 자체가 가지는 부작용, 성기능에 대한 영향, 방사선 치료 후 재발하면 다시 방사선 치료를 하거나 수술적 치료가 어려운 단점

      - 일차치료로 적합하지 않고, 기존의 치료에 실패한 경우에 한해서 고려

3 외음부 상피내종양(Vulvar intraepithelial neoplasia, VIN)

1) 외음부 상피내종양의 병인론

(1) 특성

① 주요 원인 : 인유두종바이러스(HPV) 감염(80~90%에서 발견)

② 대부분의 VIN에서 HPV DNA가 발견

    a. HPV 단일감염 91.6%

    b. HPV 16형이 77%로 가장 많음

③ 젊은 여성에서 발생하는 외음부 편평상피암이나 VIN은 HPV 연관 악성질환으로 간주

(2) 임상양상

① 빈도

    a. 10만명당 5명 정도, 최근 증가 추세

    b. 백인 > 흑인, 아시아, 히스패닉계

② 발생 연령

    a. 대체로 40~49세에 최고조(최근 평균 발생 연령은 감소)

    b. 55세를 넘어서도 발생 증가가 관찰

③ 위험인자 : 감염된 고위험 바이러스에 대한 반응에 대한 숙주의 면역기능저하

(3) 증상

① 대부분 무증상(50% 이상) 또는 가려움 정도의 경미한 증상

② 침윤성 암을 의심하는 경우 : 만져지는 종괴, 출혈, 분비물 등

③ 육안적 소견

    a. 외음부에 생긴 불연속적인 다발성의 병변

    b. 흰색, 적색, 색소침착이 된 융기 또는 편평한 병변

④ 병변 위치

    a. 호발 부위 : 소음순과 질 입구

    b. 젊은 여성 : 여러 군데 병변을 보이는 경향

    c. 나이 많은 여성 : 질, 항문 등 드문 곳에 동시에 발생하는 경향

2) 외음부 상피내종양의 진단

(1) 진단검사

① 충분한 조명하에 외음부 전체를 관찰

    a. 육안 또는 질확대경이나 확대 가능한 렌즈 사용

b. 병변의 조직검사(biopsy)로 확진

② Toluidine blue test

  a. Toluidine solution을 2~3분 정도 도포 후 1% 초산으로 닦아 내는 방법

  b. 염색은 종양성 병변이나 궤양에서 잘 되며, 염색이 안되면 악성병변은 배제 가능

  c. 수술 시 경계를 확인하는 데 사용 가능

③ 권고되지 않는 방법

  a. 초산(acetic acid) 사용 : acetowhitening이 특징적 소견은 아님

  b. 질확대경검사(colposcopy)

   - 외음부 각질층이 두껍고 건조하여 상피 아래의 혈관 관찰이 어려움

   - 선상 구조물이 없어 모자이시즘(mosaicism), 점적반(punctation)이 잘 보이지 않음

(2) 외음부 상피내종양의 등급(VIN grade)

2015 Terminology	2004 Terminology
Low–grade squamous intraepithelial lesion of the vulva (vulvar LSIL, flat condyloma, HPV effect)	Condyloma, HPV effect
High–grade squamous intraepithelial lesion of the vulva (vulvar HSIL, VIN usual type)	Usual type VIN a. VIN, warty type b. VIN, basaloid type c. VIN, mixed (warty or basaloid) type
Differentiated type VIN (dVIN)	Differentiated type VIN (dVIN)

3) 외음부 상피내종양의 치료

(1) 외과적 치료

① 병변의 크기, 환자의 상태(나이, 증상, 동반질환), 이용 가능한 치료방법 등에 의해 결정

  a. 국한된 병변은 넓게 절제하면 조직학적 결과를 확인할 수 있으며 치료 효과도 좋음

  b. 다발성의 넓은 병변은 반복적으로 절제

② 병변 제거의 방법

  a. 냉도 절제술(cold knife surgery)

  b. 고리전기절제술(LEEP)

  c. CO_2 레이저절제술(CO_2 laser ablation) : 통증이 심하고 비용이 많이 들며 조직학적 결과를 확인할 수 없는 단점

③ 재발성, 다발성 병변으로 표재성 외음부절제술을 시행하는 경우

  a. 외음부의 해부학적인 형태를 보존하려는 노력이 필요

  b. 외음부 앞쪽과 음핵 부위는 될 수 있으면 보존

c. 항문 쪽의 병변은 반드시 절제

d. 허벅지나 엉덩이 부위에서 피부이식(split thickness skin graft)을 하는 것이 바람직

(2) 내과적 치료

① 시도포버(cidofovir) : 항바이러스제로 HPV에 감염된 세포의 사멸을 유도

② 광선역학요법(photodynamic therapy) : 종양 특이적 광민감체인 5-aminolevulinic acid를 사용하여 빛을 투사하고 세포사멸을 유도

③ 이미퀴모드(imiquimod)

a. 항바이러스 및 종양억제 효과를 가진 면역반응조절물질

b. HPV에 대한 면역반응 유도 여부에 의해 결정

(3) 단순관찰

① 자연 소실은 예측이 어렵기 때문에 면밀한 관찰이 필요

② 환자의 나이, 임상증상, 병변 지속기간 등이 소실 여부의 중요한 요소

CHAPTER 14

수술 전 평가 및 수술 후 관리
(Preoperative evaluation and Postoperative management)

---

1 수술 전 평가

1) 병력 및 신체검진

(1) 부인과 수술 전 확인해야 하는 내용

① 수술이나 마취 시 악영향을 줄 수 있는 의학적 질병

② 현재 사용 중인 약물과 한달 이내에 복용을 중단한 약물

③ 약물, 음식, 환경요인 등에 의한 알레르기 병력

④ 과거 수술력 및 발생했던 합병증

⑤ 수술 후 발생할 수 있는 합병증에 대한 가족력

⑥ 주요 장기에 대한 평가

(2) 신체상태 분류법

미국 마취과학회(AASA)에서 제시한 신체상태 분류법	
I	전신질환이 없는 건강한 환자
II	수술질환이나 동반질환으로 경도나 중등도의 전신질환을 가진 환자
III	일상생활에 제약을 주는 고도의 전신질환을 가진 환자
IV	생명을 위협할 정도의 심한 전신질환을 가진 환자로 수술로 반드시 치유된다고 보기 어려운 환자
V	수술에 관계 없이 24시간 이내에 사망률이 50%인 사망 직전의 환자
VI	환자의 사망이 선언되고 장기기증을 목적으로 수술 받는 환자
E	환자가 응급수술을 요할 때 신체상태 등급 숫자 뒤에 E를 붙인다.

2) 수술 전 검사

(1) 수술 전 검사의 선택

① 수술 전 검사의 목적은 아직 진단되지 않은 질환을 조기에 선별함과 동시에 수술 결과에 영향을 주는 주요 질환을 평가하기 위함

② 수술 전 검사의 종류

검사	특성
전혈구(CBC), 혈소판(platelet)	정규적으로 시행
전해질(electrolyte), 간기능(LFT)	내과적 과거력이나 약을 복용하지 않는 무증상 환자에서 비정상은 드묾
혈액응고검사(PT/PTT)	환자가 중요한 내과적 과거력이 없으면 큰 의미는 없음
가슴 X-선(CXR), 심전도(EKG)	50세 이전에서 무증상 심폐질환의 발견은 어려워 큰 의미는 없음

(2) 추가적인 방사선학적 검사

① 인접한 장기와의 연관성을 알아보는데 도움

② 반드시 시행해야 하는 경우

    a. 정맥신우조영술(IVP) : 골반내종괴, 뮬러관기형이 있을 경우 요관의 통관성과 경로 확인

    b. 바륨관장, 상부위장관조영술 : 양성질환과 악성질환의 위장관 침범을 확인

    c. 초음파, CT, MRI : 특수한 경우의 환자에게만 사용

3) 수술 전 장기 평가

(1) 심혈관계

① 심혈관질환은 수술 기간의 심장과 관련된 질병과 사망의 가장 큰 원인

② 심혈관 질환 동반 시 고려해야 할 사항

    a. 수술 전 검사가 필요한 의학적 문제

    b. 예방적 베타차단제를 사용해야 되는 경우

    c. 수술기간 동안 항혈전요법의 관리

③ 수술 전 검사

    a. 활동성 심장질환 환자는 합병증에 대한 위험을 고려하여 응급 상황에서만 수술 시행

안정화 전까지 수술을 하면 안되는 심장 상태

- 불안정 협심증이나 심한 협심증, 걸을 때 생기는 협심증, 계단 한 층을 올라갈 때 생기는 협심증, 최소한의 신체활동이나 휴식 중에 생기는 협심증으로 정의
- 1달 이내에 발생한 심근경색
- 더 심해지거나 새로 발생한 심부전 혹은 휴식 중에 증상이 발생하는 NYHA Class Ⅳ 심부전
- 다음을 포함하는 심한 부정맥
  - Mobitz Ⅱ나 3도 방실차단 같은 고등급으로 생각되는 방실차단
  - 증상이 있거나 새로 인식된 심실빈맥
  - 심방세동을 포함하는 상심실성빈맥이며 심실전도율이 휴식 시 100회/분을 초과할 때
  - 증상이 있는 서맥
- 다음을 포함하는 심각한 판막질환
  - 판막 면적이 1 cm^{2}보다 작으며 평균 압력차이가 40 mmHg보다 크거나, 흉통 증상이 있거나, 심부전이 있거나 어지러운 증상이 있는 심한 대동맥판막 협착
  - 운동 시 전실신, 심부전, 운동 시 호흡곤란이 진행되는 증상이 있는 승모판 협착

b. 기능적 능력 4 METs 미만 + 1~3개의 위험인자 : 심장에 대한 추가검사 필요

4 METs	임상적 위험인자
평지를 걷고, 계단을 오르거나 간단한 집안일을 할 수 있는 정도	허혈성 심장질환의 과거력 보상성이나 이전의 심부전 과거력 뇌혈관 질환(중풍)의 과거력 당뇨 만성 신부전(creatinine ≥2 mg/dL인 경우)

④ 예방적 베타차단제 사용

a. 사용기준

베타차단제의 사용은 지속	베타차단제가 유용	유용성이 불확실
협심증, 부정맥, 고혈압 혹은 다른 심장질환으로 치료받고 있는 환자에서 부인과 수술이 필요한 경우	중간위험도의 수술을 받는 환자에서 1개 이상의 위험요인을 가지고 있는 경우	위험요인을 한 가지만 가지고 있는 경우

b. 사용방법

수술기간 동안의 베타차단제 사용방법

- 수술 며칠 전부터 베타차단제를 사용하기 시작(2~3주 전부터 사용하는 것이 이상적이지만, 수술이 다가와서 사용하는 것도 유용)
- 휴식 시 심박수가 60회에 도달할 용량으로 사용
- 베타차단제는 수술 중에도 지속적으로 투여(수술 당일에 아침 용량으로 복용)
- 베타차단제는 수술 후 적어도 1달간 지속(고혈압 같은 부가적인 심장질환 위험요인이 있다면 베타차단제가 중단되어서는 안됨)
- 지속성 베타1 특이적 베타차단제(atenolol, metoprolol)는 속효성 베타차단제(propranolol) 보다 더 효과가 좋음

⑤ 수술기간 동안 항혈전요법의 관리

    a. Bare metal stent나 balloon angioplasty 시술 후 4~6주간 비심장병 수술은 비추천

    b. 약제방출성 스텐트 삽입술

      - 스텐트를 삽입한 후 12개월간 aspirin과 thienopyridine(예 clopidogrel)을 중단할 때까지 수술을 미룸

      - 12개월에 thienopyridine을 중단했더라도 수술기간에 aspirin을 중단하지 않음

    c. Aspirin은 수술 중 출혈빈도를 증가시키지만 출혈 합병증으로 인한 사망률 증가는 없음

    d. 복용하는 약이 중단되어야 할 때, 수술 전 5일간 약을 끊는 것이 이상적

(2) 호흡기계

① 수술 전 폐기능 검사의 역할

    a. 쉴 때나 일상생활에서 숨이 헐떡거리거나 쌕쌕거리는 소리가 들리는 증상 확인

    b. 증상들은 종종 수술 전 처치로 치료해야 하며 정규 수술 전에는 반드시 고려돼야 함

    c. 이러한 증상이 있는 경우, 수술 전 적절한 치료가 수술 후의 폐 합병증을 예방

② 증상이 없는 환자에서 수술 전 가슴 X선 검사 시행

    a. 수술 전 X선 검사를 촬영하는 것은 많은 병원에서 치료의 표준으로 여겨지지만 뒷받침할 만한 근거는 아직 부족

    b. 가슴 X선 촬영이 유용한 경우 : 50세 이상의 상복부, 흉부, 복부 대동맥류 수술

    c. 증상이 없고 저위험군에서 가슴 X선 검사를 수술 전에 정규적으로 할 필요는 없음

    d. 대부분 수술 후 합병증은 폐렴이나 무기폐 : 수술 부위에서 유래하거나, 자세, 폐쇄성/제한성 질환 때문에 깊은 호흡이 어려워 폐를 충분히 팽창시키지 못해 발생

(3) 심부정맥혈전증(Deep vein thrombosis)

① 부인과적 수술 후 폐색전증에 의한 사망률은 15~40% 정도

② 심부정맥혈전증의 위험인자

    a. 악성종양, 호르몬치료, 골반 방사선치료 과거력, 비만, 40세 이상 등

    b. 다리 정맥에 손상을 입힐 수 있는 쇄석위 자세의 경우 위험성이 더욱 증가

(4) 신장요로계

① 수술 전 크레아티닌이 2.0 mg/dL 보다 높은 경우 심장 부작용의 독립적인 위험인자

② 이전에 신부전을 앓고 있는 환자들은 심근경색증의 과거력과 허혈성 심장질환의 증상에 대한 철저한 문진과 신체 진찰이 필요

③ 중탄산나트륨(sodium bicarbonate)은 대사성 산증에서 혈청 내 중탄산나트륨 수치가 15 mEq/L 이하일 때 사용(5% dextrose solution 1 L에 1~2 앰플을 섞어 IV)

④ 저나트륨혈증은 수분섭취제한으로 치료(일반적으로는 투석이 수술 후 체내 수분량과 전해질 비정상 조절에 사용)

⑤ 만성 말기신부전

    a. 수술 전에 체내 수분량과 칼륨 조절을 위해 투석을 시행

    b. 수술 중 조작, 수혈로 인하여 고칼륨혈증이 발생할 수 있어 수술 다음 날 투석 시행

    c. 급성의 경우, 안정적인 체액량 상태에 응급투석 적응증이 없다면 수술 전 투석없이 수술 진행 가능

    d. 수술 후 입원기간의 이차적인 신장손상 예방

       - 신독성 약제를 피하고 적절한 혈관내 체액량을 유지

       - 수술 후 통증 조절을 위한 narcotics는 간의 해독작용에도 불구하고 신장과 연관된 작용을 보이며, NSAIDs는 신부전에서 금기

(5) 간담도계

① 간부전 환자는 기능 손상의 정도의 세심한 평가를 시행

② 간경화 환자들의 Child-Pugh 분류

	1	2	3
뇌병증	없음	Stage I or II	Stage III or IV
복수	없음	약간	이뇨제 치료에도 중등도 이상
빌리루빈(mg/dL)	<2	2~3	>3
알부민(g/L)	>3.5	2.8~3.5	<2.8
프로트롬빈(초)	<4	4~6	>6
INR	<1.7	1.7~2.3	>2.3

Class A 5~6점, Class B 7~9점, Class C 10~15점

    a. 수술 위험도를 비정상 알부민, 빌리루빈 레벨, PT의 연장, 복수와 뇌병증의 정도를 바탕으로 하는 점수를 통해 계층화한 것

    b. 병의 중증도에 따라 복부 수술에 추가적인 위험도를 의심 가능

(6) 당뇨(Diabetes mellitus)

① 수술 중 발생할 수 있는 합병증(신부전, 신경학적 합병증, 급성 심근경색증)이 당뇨 여성에서 더 크게 나타나는데, 젊은 나이일수록 발생 가능성이 더욱 증가

② 당뇨 환자의 위험 평가

    a. 당뇨 환자의 경우, 놓치기 쉬운 대혈관질환, 미세혈관질환, 신경병증 등이 발생 가능

       - 이러한 합병증들은 심근경색증, 뇌졸중, 신부전 등의 합병증을 증가

- 당뇨가 오래된 사람일수록 수술 전후에 심부전이 발생할 가능성이 더 높음
  b. 쇄석위(lithotomy position)의 경우 심부전 발생할 가능성이 더 증가
  c. 당뇨 여성 환자에 대한 수술 전 평가 시 심혈관 환자 위험성 평가와 동일하게 시행
③ 당뇨환자의 수술 전 관리
  a. 수술 전 당조절이 잘되는 환자의 경우 수술에 의한 합병증 역시 더 적게 발생
  b. 국소마취를 이용할 만큼 수술 시간이 짧거나 수술 당일 퇴원하는 복강경 수술을 받는 환자의 경우 당뇨 약물변경은 최소한으로 시행
  c. 수술시간이 긴 경우, 경구섭취가 수술 당일 이루어지면 약물 자체는 변동이 필요 없음
  d. 수술 후 집중치료실에서 관리가 필요한 환자의 경우 80~110 mg/dL로 당조절이 필요
  e. 다른 시술의 경우 대략 200 mg/dL 이하로 당을 조절하는 것을 추천
④ 인슐린 펌프를 사용하는 당뇨 환자의 관리
  a. 인슐린 펌프를 사용하는 환자는 일반적으로 제1형 당뇨인데 보통 많은 교육을 받았고 경험이 많은 사람들이 대부분
  b. 인슐린 펌프는 장시간형 인슐린을 기본으로 사용하면서 간헐적으로 속효성 인슐린을 사용하는 것과 거의 유사한 효과
  c. 내분비 내과 전문의나 내과 전문의와 함께 관리하는 것이 필요

(7) 면역계
① 스테로이드 치료
  a. 부신기능부전, 염증치료 등으로 스테로이드 치료 중이라면 스테로이드를 지속
    - 소수술 : 현재 용량을 유지
    - 대수술 : 일시적 용량 증가 용법을 사용
  b. 반복적, 고용량 스테로이드 치료를 받는 경우
    - 고용량 스테로이드 : prednisolone 20 mg 이상 or 5일 이상 투여
    - 수술 뒤 부신기능부전이 발생할 수 있음을 고려
    - 최근 2달 내에 고용량의 스테로이드 치료 : 잠재적인 부신기능부전 가능성
    - 2달 전 적절한 용량으로 짧은 치료 : 위험성을 고려할 필요 없음
② 대체 치료와 치료 용량의 조절
  a. 스테로이드를 복용하고 보충이 필요한 환자는 50% 증량이 적절
  b. 현재 스테로이드를 복용하고 있지 않은 환자에서는 다음과 같이 조절
    - 마취 시작 전 hydrocortisone 50 mg, 정맥주사
    - 이후 24~72시간동안 25~50 mg, 8시간 간격, 정맥주사
    - 경구투여 가능 시 4~6일간 기저치까지 감량하고 10~20 mg을 매일 지속
  c. 수술 전 이미 중등도 용량 이상의 스테로이드 복용 환자

　　　- 수술 뒤 감염이나 상처 치유에 어려움

　　　- 당뇨 조절을 힘들거나 정신상태 변화

(8) 혈액계

　① 빈혈

　　a. 수술 전 환자에게서 가장 흔한 비정상적인 검사치

　　b. 검사 : CBC, reticulocyte, serum Fe, TIBC, ferritin, vit. B_{12}, folate

　　c. 중대한 심장 위험이 없고, 예상되는 실혈이 없는 정상 체액량을 유지하는 빈혈 환자는 혈색소가 6~7 g/dL 이어도 수혈 없이 안전하게 수술 가능

　② 급성 출혈 시 적혈구 수혈을 위한 지침

　　a. 급성 허혈(ischemia)의 위험도를 평가

　　b. 출혈 정도를 예측(수술 전 건강한 사람은 30% 미만의 급성 출혈은 수혈이 필요 없음)

　　c. 혈색소 측정

　　　- <6 g/dL : 수혈이 보통 필요

　　　- 6~10 g/dL : 임상적인 상황을 보고 수혈을 지시

　　　- >10 g/dL : 드물게 수혈이 필요

(9) 기타 질환

　① 비만

　　a. 검사가 필요한 경우 : 운동부하능력 측정 시 4 METs 미만, 당뇨 과거력이 없지만 공복혈당 126 mg/dL 이상, 수면무호흡증 같은 저환기 증후군 등

　　b. 수술 후 심부정맥혈전증, 절개부위 탈장, 감염, 봉합부위 벌어짐 등 가능성 증가

　② 다낭성난소증후군(polycystic ovary syndrome, PCOS)

　　a. 심혈관 위험성 증가 : 인슐린 저항성, 이상지질혈증, 대사증후군 발생 가능성 증가

　　b. 수술 시 심혈관질환 발생 가능성과 혈당 조절에 대한 주의가 필요

　③ 류마티스질환

　　a. 류마티스관절염

　　　- 수술 후 류마티스관절염이 심해질 수도 있음을 고려

　　　- NSAIDs는 혈소판 기능을 억제하고 수술 후 출혈 때문에 대부분 수술 1~3일 전 중단

　　　- 수술 2일 전에는 면역억제제(methotrexate)의 용량을 평소보다 조금 더 감량

　　　- 수술 후 상태가 안정되고 감염이 없을 때 다시 약물요법을 시작

　　b. 전신홍반루프스(SLE)

　　　- 수술 전후에 항말라리아약물에서부터 면역억제제까지 모두 유지 가능

　　　- 혈구감소증, 루푸스신장염이 발생 가능

- 수술 전 신장기능에 대한 평가를 함으로써 수술 후 합병증에 대한 대비
- 수술 후 발생 가능한 심부정맥혈전증에 대한 대비와 예방적 항응고제를 반드시 고려

4) 수술 전 상담 및 동의서 작성

(1) 수술 전 상담의 목적
① 환자의 불안과 공포를 경감시키고 환자의 의문에 대한 답을 하는 것
② 최초 면담 시 환자에게 진찰소견, 검사결과, 질병의 일반적인 진행, 수술의 목적에 대해 상세한 부분까지 설명

(2) 수술 동의서 작성 시 환자에게 설명할 항목들
① 질병 진행의 특징과 범위
② 수술의 위험성과 발생 가능한 합병증
③ 실제적인 수술의 범위와 수술 중 소견에 따른 잠재적인 수술의 변경 가능성
④ 예상되는 수술의 이익과 짐작되는 성공적인 결과
⑤ 치료를 받지 않았을 때에 생길 수 있는 결과
⑥ 대체할 수 있는 다른 치료법 및 그것에 따른 위험성 및 결과

2 일반적인 고려 사항

1) 나이

(1) 노인 환자와 섬망
① 수술 후 회복, 합병증, 사망률과 밀접한 연관이 있는 요소
② 노인 환자는 수술의 이점과 수술 후 회복 가능성, 남은 여생과의 관계를 함께 평가
③ 수술 후 섬망을 예방하고 조절하는 것은 수술 후 회복에 중요한 부분을 차지

(2) 수술 후 섬망의 위험인자
① 다음 인자 중 3가지 이상을 보일 때 수술 후 섬망이 호발

수술 후 섬망의 위험인자	
70세 이상의 노인	알코올 의존성 또는 중독
인지장애 유무	기능상태 이상
수술 전 혈청 나트륨, 칼륨, 혈당 수치 이상	심장 이외의 흉부 수술
대동맥류 수술	

② 세심한 관찰 및 정신과의 협진이 필요

2) 영양

(1) 수술 전후의 영양보충

① 영양평가가 필요한 경우

    a. 부인암 수술 같은 대수술 : 수술 후 회복에 장시간이 필요

    b. 이상체중의 10% 이상 소실된 환자

② 일반적인 수술 전 검사 외에 알부민, 트랜스페린, 아연, 지질, 간기능 검사를 추가 시행

③ 혈청 알부민

    a. 혈청 알부민 수치가 2.1 미만일 때 심각한 영양불량 상태를 의미

    b. 알부민 감소는 수술 후 합병증의 증가와 관련이 있으므로 수술 전 교정이 필요

④ 수술 전후의 영양공급은 치사율을 줄이고 입원기간을 단축시켜 수술경과가 조기에 호전

⑤ 환자가 7~10일 이상의 오랜 대사소모 기간이 요구되는 수술을 받은 경우 혈역학적 징후가 안정되면 수술 후 조기에 완전 비경구영양(TPN)을 시행

(2) 투여 경로

경장 영양(Enteral nutrition)	완전 비경구영양(Total parenteral nutrition, TPN)
첫번째 선택법 적은 합병증 상처 치유의 향상 저렴한 비용	수술 후 7일 이상 경구 섭취가 어려울 경우 선택 중심정맥(central vein)으로 시행 가장 흔한 합병증 : 감염(infection)

3) 수분과 전해질

(1) 체액 조성

① 수분은 체중의 약 60% 차지

② 분포

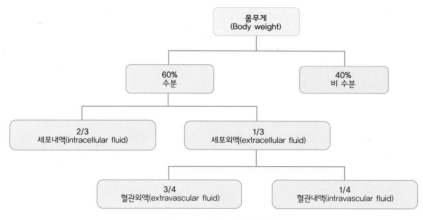

그림 14-1. 신체의 수분 분포

③ 성인의 일일 수분 유지요구량 : 30 mL/kg/day 또는 2,000~3,000 mL/day

④ 무감각 소실(insensible loss) : 1,200 mL/day(폐 600 mL, 피부 400 mL, 위장관 200 mL)

⑤ 체내는 세포의 pH 7.4를 유지하기 위해 중탄산염과 탄산의 비를 20:1로 유지

(2) 수분과 전해질의 유지요구량

① 혈장 삼투압의 변화에 따라 섭취하는 수분의 양을 조절

→ 삼투압의 변화가 혈중 항이뇨 호르몬의 변화를 조장

→ 신장의 원위세뇨관에서 수분재흡수를 조절

② 수술 전 또는 후 초기에는 대개 나트륨과 칼륨의 보충만을 필요로 하게 되고 염소는 나트륨과 칼륨의 보충 시에 저절로 보충

③ 정맥 수액의 조합으로 일일 요구량을 조절

(3) 수분과 전해질의 보충

① 일일 체중소실의 300 g까지는 경구섭취를 못하는 환자에게서 단백질과 지방의 이화작용 때문에 발생 가능

② 이 이상의 감소는 수분의 소실 때문이며 그러므로 이에 따른 수분 보충이 필요

③ 수분보충 방법

　a. 열이 나는 환자

　　- 땀은 전형적인 경우 혈장 삼투압의 1/3 정도

　　- 5% 포도당 용액(5DW)으로 보충

　b. 급성 실혈이 있는 환자

　　- 적절한 등장성 수액 혹은 혈액을 이용한 보충이 필요

　　- 투여 가능한 수액

0.9% 생리식염수, Lactated Ringer solution
1/3은 혈관 내에 남고, 나머지는 세포간질액(interstitial fluid)으로 이동
Plasma solution
급성 실혈이 있는 환자에서 가장 초기에 권장
혈장량증가제(albumin, starch-based colloids)
albumin, dextran, voluven, volulyte는 대체 치료법이 없는 경우에만 사용(Sabiston, 21th)

　　c. 장폐색이 있는 환자
　　　- 하루 1~3 L의 체액이 위장관 내에서 소실
　　　- 등장성 생리식염수나 Lactated Ringer 용액으로 보충

(4) 전해질 이상의 교정 및 치료
　① 수술 전에 체액 및 전해질 이상이 있는 경우 정확한 측정이 반드시 필요
　② 수술 후 발생하는 가장 흔한 수분 및 전해질 장애 : 수분과부하
　③ 수술 후 유리 수분을 저류시키는 경향 : 이뇨제를 사용하여 소변으로 수액 배설을 촉진

(6) 수술 후 산-염기장애
　① 알칼리혈증(alkalosis)
　　a. 수술 후 발생하는 가장 흔한 산-염기장애
　　b. 원인 : 통증과 관련된 과호흡, 외상 후 일시적인 고알도스테론혈증으로 인한 신장의 중탄
　　　산염의 배설 감소, 비위관 흡인으로 인한 수소이온의 제거, 수혈하는 동안 중탄산염의 투
　　　여, 외부에서 알칼리의 공급, 이뇨제의 사용 등
　　c. 치료 : 원인인자를 제거
　② 산혈증(acidosis)
　　a. 알칼리혈증에 비해 드물지만 심혈관계에 미치는 영향 때문에 심각할 수 있음
　　b. 발생 가능한 위험성 : 심근수축력의 감소, 저혈압을 유발하는 말초혈관의 확장, 심장세동
　　　시의 세동제거술에 대한 무반응 등
　　c. 대사성 산혈증의 치료
　　　- 심혈관계와 호흡기 지지치료
　　　- 당뇨에 의한 케톤산증은 인슐린 치료를 통해 서서히 교정
　　　- 만성 기아와 수술 후 칼로리 보충이 결여 되어있는 환자는 영양공급에 의해 교정

4) 수술 후 폐 관리

(1) 수술 후 합병증 예방을 위한 수술 전 중재 방법

① 금연을 수술 6~8주 전 완료되도록 시행

② 수술 후 비위관(NG tube)의 장기간 사용이 폐렴 빈도를 증가시킨다는 것은 명확하므로 최대한 빨리 제거

(2) 무기폐(Atelectasis)

① 수술 후 발생하는 폐 합병증의 90% 이상을 차지

② 원인

    a. 기관지가 폐쇄되거나, 깊게 숨을 쉬지 못하는 상황

    b. 허탈된 폐포(collapsed alveoli)는 중복감염에 취약

③ 발생빈도가 가장 높은 시기 : 수술 후 3일간

④ 증상 : 미열, 호흡음 감소, 호흡곤란, 청색증 등

⑤ 진단

    a. 가슴 X-선(CXR) : 폐의 쪼그라든 허탈부위가 하얗게 보이는 음영으로 확인

    b. 전산화단층촬영(CT) : 흉부의 상태를 더욱 자세히 확인 가능

⑥ 치료 : 원인의 제거

    a. 기관지 분비물에 의한 무기폐

       - 기침, 기관지 분비물의 흡입, 양압환기, 기관지 내시경 등

       - 이물질이 잘 배출되는 자세를 취하게 하고 환자의 등을 두드려 주는 것도 효과적

    b. 합병증으로 감염이 생겼다면 항생제 치료를 시행

    c. 늑막강의 공기나 액체가 폐를 압박하여 생긴 무기폐 : 흉강천자, 흉관 삽입

5) 통증 관리

(1) 자가 통증 조절(Patient controlled analgesia, PCA)

① 환자의 정맥주사관에 연결하여 환자가 필요시 스위치를 누르면 주입 펌프가 작동하여 일정량을 주입하도록 조절

② 장점

    a. 통증의 시작과 진통제의 처방 및 투여가 지연되는 것을 방지

    b. 한계량 이상의 마약이 투입되는 것을 방지

    c. 진통효과가 좋음

    d. 수술 후 폐 합병증 발생이 낮고, 진통제 근주 시와 비교해 의식의 혼동상태를 더 감소

(2) 경막 또는 척수 진통제 투여

① 용법 : 한 번에 다량 투여 or 간헐적 투여 or 지속적으로 투입이 가능

② 경막 vs 척수 투여

경막 내 투여	척수 내 투여
경막 내 주입을 더 선호 수술 후 오랜 시간()24시간) 진통효과 제공 상대적 금기 : 응고장애가 있는 경우, 패혈 증 혹은 저혈압이 있는 경우	중추신경계 감염, 두통의 위험이 증가 한 번 주입 또는 국소 마취에 국한하여 사용 뇌척수액 내 약물농도를 높여 더 긴 작용 지속기간 중추신경계 부전과 호흡부전, 전신 저혈압 등의 위험이 증가

(3) 비스테로이드 소염제(Non-steroidal anti-inflammatory drugs, NSAIDs)

① NSAID의 장점

    a. 마약성 진통제에 비해 호흡부전이 적음

    b. 남용의 위험이 적고, 진정효과가 적음

    c. 오심이 적고 장 기능의 조기 회복 그리고 빠른 회복을 보임

② 부작용 : 신기능 약화의 위험이 높으며, 위장관 부작용, 과민반응, 출혈 등이 증가

③ 천식(asthma) 환자에게 사용 시 주의 필요

3 내과적, 외과적 문제의 관리

1) 수술 전후 감염관리

(1) 예방적 항생제

① 수술 종류에 따른 예방적 항생제

수술 및 시술	항생제	용량
Vaginal hysterectomy	1st or 2nd generation cephalosporin	Single dose, IV
Abdominal hysterectomy	1st or 2nd generation cephalosporin	Single dose, IV
Laparoscopic hysterectomy	1st or 2nd generation cephalosporin	Single dose, IV
Pelvic organ prolapse ± SUI surgery	1st generation cephalosporin	Single dose, IV
Hysteroscopy	None recommended	
Therapeutic abortion	Doxycycline	100 mg, PO, pre-procedure 200 mg, PO, post-procedure
Missed/incomplete abortion	None recommended	
IUD insertion	None recommended	

Endometrial biopsy	None recommended	
Hysterosalpingogram	1. Consider screening for STIs 2. Antibiotics if dilated tubes	1. Rx as per STI guidelines 2. e.g., doxycycline
Urodynamic testing	None recommended	

② 예방적 항생제의 투여

　　a. 모든 부인과 수술 환자에게 예방적 항생제를 투여하지 않음

　　b. 균의 오염 이전, 조직에 항생제 침투 시 효과적

　　　- 자궁절제술의 경우 수술 30분 전에 투여하는 것이 가장 효과적

　　　- 마취 유도 직전이나 유도 중 투여가 일반적

　　c. 단기간(24시간 이내) 동안만 투여하고, 일반적으로 한 번 투여로 가능

　　d. 단일투여의 장점 : 가격 절감, 독성 감소, 정상 숙주균의 최소변화, 저항균 발생 감소

　　e. 수술 중 항생제 재투여 : 약물 반감기 1~2배 이상의 수술시간, 1.5 L 초과하는 출혈

(2) 수술 후 외과적 감염

① 위험인자 : 수술 전후 예방적 항생제의 미사용, 수술부위 오염, 면역력이 약한 환자, 영양상태 불량, 만성 중증질환, 수술 술기 불량, 기존의 국부 혹은 전신적 감염 등

② 수술 환자의 열성 유병률(febrile morbidity)

　　a. 수술 후 첫 24시간 이후에 4시간 간격으로 측정하여 2번 이상 38℃ 이상인 경우

　　b. 수술 환자의 절반 정도에서 첫 2일 이내에 호발

　　c. 비감염성인 경우 : 치료 없이도 자연 소실

　　d. 열이 72시간 이상 지속되는 경우

　　　- 추가적인 임상병리 검사와 방사선학적 검사가 필요(백혈구와 요 검사 포함)

　　　- 혈액 배양은 38.3℃ 이상이 아니면 큰 의의가 없음

　　e. 자궁절제술 후 감염부위

수술 부위		비수술 부위	
Vaginal cuff	Abdominal incision	Urinary tract	Atelectasis
Pelvic cellulitis	Cellulitis	Asymptomatic bacteriuria	Pneumonia
Pelvic abscess	Simple	Cystitis	Vascular
Intraperitoneal	Progressive bacterial synergistic	Respiratory	Phlebitis
Adnexa	Necrotizing fasciitis	Septic pelvic thrombophlebitis	Pyelonephritis
Abscess	Myonecrosis		

③ 요로 감염

　　a. 수술 후 감염의 가장 흔한 원인

b. 수술 중 예방적 항생제 1회 투여로 4%까지 발생 감소

c. 대부분 coliform 간균 : 그 중에서도 대장균(Escherichia coli)이 가장 흔함

d. 치료 : 수액요법(hydration) + 항생제

    - 항생제 : penicillin, sulfonamides, cephalosporins, fluoroquinolones, nitrofurantoin

    - 배양균의 감수성 검사를 확인

    - 합병증이 없다면 배양과 감수성 결과를 기다리는 동안 대장균에 적합한 항생제 투여

    - Fluoroquinolones은 내성균이 잘 나타나므로 장기간 투여는 피함

④ 폐 감염

a. 부인과 수술 환자에서 흔하지 않은 감염 부위

b. 위험인자 : 광범위한 혹은 장기간의 무기폐, 기존의 만성폐쇄성 폐질환, 심한 전신쇠약성 질환, 중추신경질환, 경비위흡인

c. 수술 후 조기 보행과 무기폐에 대한 적극적 처치가 매우 중요한 예방법

d. 예방적 항생제의 역할은 확실하지 않음

⑤ 정맥염(phlebitis)

a. 정맥 내 카테터 관련 감염은 25~35%로 흔하게 발생

b. 동통, 발적, 경화(induration) 등이 있으면 카테터 제거,

c. 치료 : 카테터 제거 + 온열 습윤 마사지 + 포도상구균(staphylococcus)에 대한 항생제

⑥ 창상 감염(wound infection)

a. 부인과 수술의 창상 감염률은 5% 이하

b. 증상 : 수술 4일 이후에 발생하는 발열, 발적, 압통, 경결, 농성 배액 등

c. 치료 : 감염 부위를 근막층 윗부분까지 개방 → 상처소독 후 괴사조직 제거 → 육아 조직의 성장을 촉진시키기 위해 하루 2~3회 소독 및 마른 거즈 충전

⑦ 골반연조직염(pelvic cellulitis)

a. 질 상부(cuff) 연조직염은 자궁절제술 후 발적, 경화, 압통을 동반하지만 간혹 자연소실

b. 발열, 백혈구 증가 그리고 골반부 동통이 있으면 연조직염의 확산을 시사

c. 치료 : 광범위 항생제 투여 + 농양이 보이면 배농

⑧ 복강내 또는 골반 농양(intra-abdominal and pelvic abscess)

a. 오염된 수술의 경우나 혈종의 이차 감염으로 발생(polymicrobial infection)

b. 진단 : 진단이 매우 어려움

    - 백혈구 상승을 동반한 지속성 발열이 있으면 의심

    - 초음파 검사(ultrasonography)

    - 전산화단층촬영(CT) : 민감도와 특이도가 높은 일차 선택법

c. 치료 : 외과적 제거 및 배농 + 항생제(ampicillin, gentamicin, clindamycin의 병합요법)

    - 복부 전방 농양 : 전산화단층촬영하 주사를 이용한 배농(CT-directed needle drainage)

- 직장질중격의 후방 농양 : 후질벽 절개(posterior colpotomy)를 통한 배농
- 요근 농양(psoas abscess) : 항생제 치료, 경피흡인 배농술(percutaneous drainage)

⑨ 괴사근막염(necrotizing fasciitis)

   a. 근육은 포함되지 않고 피하 조직과 근막에 발생하여 급속히 퍼지는 세균 감염

   b. 균 독소나 패혈증으로 인한 고온과 저온이 있으며 초기에는 피부에 압통, 발적, 부종이 있으나 발적이 산재되어 명확한 경계나 경화가 없는 것이 특징

   c. 위험인자 : 당뇨, 알코올 중독, 면역저하, 고혈압, 말초혈관질환, 정맥주사 남용, 비만

   d. 치료 : 괴사조직의 광범위 절제 + 광범위 항생제

2) 수술 후 위장관 합병증

(1) 위장관 전처치(Gastrointestinal preparation)

① 고형식은 적어도 6시간, 맑은 액체는 2시간 섭취 금지

② 수술 전일 8시 및 수술 당일 아침 Colclean-S 용액 133 mL 2회 관장

③ 수술 전후 정맥 항생제 사용으로 예방적 경구 항생제 장 전처치는 하지 않음

(2) 장폐쇄(Ileus)

① 개복이나 복강경 수술 후 대부분의 환자에서 정도의 차이는 있지만 장폐쇄를 경험

   a. 장을 만지거나 장시간 수술을 한 경우

   b. 감염, 복막염 및 전해질의 불균형

② 장음(bowel sound)의 감소, 복부 팽만, 오심, 구토 지속 시 장폐쇄를 의심

③ 최소침습수술인 경우 장폐쇄는 위장관 손상 가능성이 높아 전산화단층촬영(CT) 시행

④ 검사

   a. 복부 방사선 검사 : simple abdomen(erect/supine)

   b. 전산화단층촬영(CT)

⑤ 치료 : 위장관 감압 + 정맥을 통한 수액투여 + 전해질 교정

   a. 대개 수일 내 호전, 위장관 기능이 돌아오면 비위관(NG tube)을 제거하고 유동식 시작

   b. 비위관 삽입 48~72시간 이내 호전이 없으면 다른 원인 확인

(3) 소장폐쇄(Small bowel obstruction)

① 원인

   a. 수술 부위 소장의 유착(가장 흔한 원인)

   b. 절개 부위 장탈장으로 장이 박히는 경우, 대장이나 소장의 장간막 결손

② 치료

   a. 부인과 수술 후 소장폐쇄는 대부분 부분폐쇄

- 초기 치료 : 장폐쇄와 동일(위장관 감압 + 정맥을 통한 수액투여 + 전해질 교정)

- 폐쇄가 오래가면 완전 비경구영양(TPN) 시행

- 폐쇄가 풀리지 않으면 수술 시행

b. 장간막 혈관이 막혀서 장의 괴사나 천공이 발생한 경우

- 복통, 점차적인 복부 팽만, 체온 상승, 백혈구 증가, 산혈증(acidosis) 유발

- 즉각적인 수술 시행

(4) 결장폐쇄(Colonic obstruction)

① 골반 종괴에 의한 외부압박이 원인(진행된 난소암이 가장 흔함)

② 검사 : 바륨 관장, 대장내시경

③ 치료 : 보존적 치료 없이 진단되면 즉시 수술 시행

(5) 누공(Fistula)

① 원인

a. 악성종양, 방사선 치료 과거력, 장절제 및 장문합과 관련

b. 수술 중 부적절한 문합이나 인지하지 못한 장손상

② 누공이 의심되면, 수용성 조영제를 사용한 위장관 검사를 시행

③ 복강내누공(intraperitoneal gastrointestinal leak or fistula) : 즉시 수술

④ 소장에 생긴 장피부누공(enterocutaneous fistula) : 내과적 치료

⑤ 자궁내막증, 골반염의 심한 유착으로 수술 후 생긴 직장질누공(rectovaginal fistula)은 작다면 자연 치유를 기대하며 보존적 치료 시행

(6) 설사(Diarrhea)

① 복부나 골반 수술 후 장기능과 장운동이 돌아오는 동안 설사 발생 가능

② 지속되거나 자주 일어나면, 소장폐쇄, 결장폐쇄, 위막성 대장염 등을 의심

③ Clostridium difficile과 관련된 위막성 대장염(pseudomembranous colitis)

a. 어떠한 종류의 항생제에서도 발생 가능

b. 사용 중인 항생제를 중지 + Metronidazole 경구투여(설사가 멈출 때까지)

3) 혈전색전증(Thromboembolism)

(1) 위험인자

① 임상적인 위험인자 : 대수술, 노령, 악성 종양, 심부정맥혈전증 과거력, 과체중, 방사선 치료 과거력, 과응고상태, 임신, 에스트로겐 혹은 타목시펜 사용, 경구피임제 등

② 혈전증 위험도

Low Risk	Moderate Risk
− Minor surgery − No other risk factors	− Age ⟩40 and major surgery − Age ⟨40 with other risk factors and major surgery
High Risk	**Highest Risk**
− Age ⟩60 years and major surgery − Cancer − History of deep venous thrombosis or pulmonary embolism − Thrombophilia	− Age ⟩60 and cancer or history of venous thromboembolism

(2) 예방법

① 약물적 예방법

    a. 저용량 미분획 헤파린(low dose unfractionated heparin, UFH)

      - 수술 2시간 전 UFH 5000 units, 피하주사 → 수술 후 8~12시간마다 추가로 투여

      - 저용량이므로 혈액응고수치에 이상을 일으키지 않아 aPTT 추적관찰이 필요 없음

      - 4일 이상 사용한 경우에는 혈소판 수를 확인

    b. 저분자량 헤파린(Low molecular weight heparin, LMWH)

      - 헤파린 유발 혈소판감소증 같은 출혈 합병증이 더 적어 사용이 가장 추천되는 약제

      - FDA 승인 약제 : enoxaparin, dalteparin

      - 수술 2시간 전 enoxaparin 40 mg(1 mg/kg), 피하주사 → 하루 1회, 7~10일 정도 투여

      - 약물 농도가 일정하게 유지되어 추적관찰이 필요 없음

      - 고령 및 신기능 저하 시에 용량 감량이 필요

② 물리적 예방법

    a. 탄력 스타킹(elastic stocking)

      - 잘 사용하면 어느 정도의 효과 발생

      - 간단히 착용할 수 있고, 부작용이 없음

      - 혈전색전증 예방에 허벅지까지 긴 스타킹과 장딴지까지 짧은 스타킹은 차이가 없음

    b. 외부 공기압박(external pneumatic compression)

      - 수술 중과 수술 후에 사용하는 장딴지 압박은 저용량의 헤파린과 거의 비슷한 효과

      - 정맥 혈류의 증가와 정맥의 주기적 비움으로 내혈관 혈전용해(fibrinolysis)를 가속

      - 수술 중과 후, 첫 5일간 사용 시 정맥혈전색전 합병증이 1/3 정도 감소

      - 약물을 이용한 예방법과 비교하여 부작용이나 위험이 없고, 비용 면에 저렴

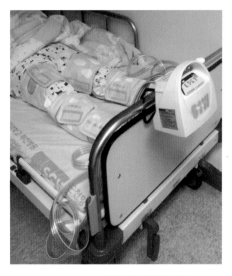

그림 14-2. 간헐적 공기압박장치

(3) 수술 후 심부정맥혈전증 및 폐색전증의 진단

심부정맥혈전증의 진단

하지혈관 도플러 초음파
  – 현재 증상이 있는 심부정맥혈전증의 진단에 가장 많이 사용되는 방법
  – 대퇴부정맥 같은 근위부 심부정맥에서 혈전이 잘 보이지만 장딴지나 골반의 정맥에서는 결과가 부정확
정맥조영술(Venography)
  – 심부정맥혈전증의 확진에 가장 정확한 검사
  – 불편하고, 조영제 주입으로 인해 알러지 반응이나 신손상, 혈관염이 발생 가능
  – 비침습적인 다른 검사들의 결과가 확정적이지 않으면서 임상적으로 의심이 될 때 시행

자기공명정맥조영술(Magnetic resonance venography, MRV)
  – 정맥조영술과 비교하여 민감도 및 특이도는 비슷
  – 정맥조영술에서 보이지 않는 골반정맥의 혈전을 찾아낼 수 있는 장점
  – 시간과 비용이 상대적으로 많이 소요
D–dimer
  – 섬유소(fibrin)의 분해산물로 500 ng/mL 이상일 때 양성으로 간주
  – 민감도와 음성 예측도가 높으나, 특이도와 양성예측도는 낮음
  – D–dimer가 음성이면서 다른 비침습적인 검사도 음성일 경우에는 진단의 배제가 가능

폐색전증의 진단

증상 : 빈맥, 빈호흡, 흉통, 호흡곤란, 객혈 등
초기 검사 : 가슴 X-선, 심전도, 동맥혈 가스검사
CT 폐혈관조영술(CT pulmonary angiography)
  - 폐색전증 의심 시 가장 먼저 시행하는 검사
  - 98% 정도 발견할 수 있는 정확한 검사
  - 조영제 사용과 관련된 부작용 가능성
폐 환기-관류 스캔(Lung ventilation-perfusion scan, V/Q scan)
  - 폐혈전색전증의 의심될 경우 시행해볼 수 있으나 결과 해석 시 불확정적으로 나타나는 경우가 많음
  - 흉부 전산화단층촬영의 시행이 어려운 경우에 차선책으로 고려
심장 초음파
  - 오직 35~40%에서만 우심실 크기 증가, 우심실 기능 저하, 삼첨판 역류 등이 발견
  - 4%에서 우심실 혈전이 관찰
심기능 혈액검사 : BNP, cardiac enzyme 등

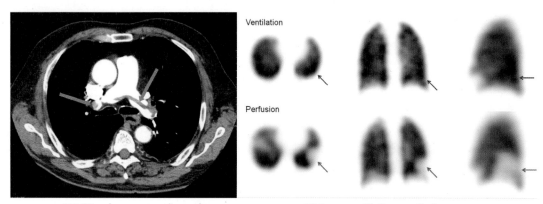

(A) CT pulmonary angiography　　　**(B) Lung ventilation-perfusion scan**

그림 14-3. 폐색전증(pulmonary embolism)

(4) 수술 후 심부정맥혈전증 및 폐색전증의 치료

심부정맥혈전증의 치료

발견 즉시 항응고치료(저분자량 헤파린 또는 미분획 헤파린)를 시작
이후 3개월 동안 경구 항응고치료(와파린)를 유지

폐색전증의 치료

발견 즉시 항응고치료(저분자량 헤파린 또는 미분획 헤파린)를 시작
이후 6개월 동안 경구 항응고치료(와파린)를 유지
산소 공급 및 집중 관찰하의 호흡보조치료 시행
대량 폐혈전색전증의 중증(혈역학적으로 불안정)일 경우 수술 또는 카테터를 이용한 폐색전 제거술을 시도
폐동맥 카테터 삽입하 혈전용해제 투여 : 대량 폐색전증일 경우(우심부전은 있으나 혈압은 안정적) 고려
하대정맥 차단(Vena cava interruption) : 항응고치료가 재발방지에 비효과적이거나, 하지나 골반에서 반복
적인 혈전이 발생할 경우, 항응고치료의 금기, 항응고치료 후 심한 출혈 시 시행

CHAPTER 15

부인과 내시경(Gynecologic endoscopy)

1 복강경(Laparoscopy)

1) 진단적 복강경(Diagnostic laparoscopy)

(1) 이용

① 자궁내막증과 유착의 감별에 표준방법
② 영상의학적 진단법의 발달로 진단적 복강경을 적용하는 경우가 급격히 감소

(2) 장점 및 단점

장점	단점
치료적 복강경으로 즉시 전환 가능 환자의 호소 증상과 다른 문제를 발견 가능	시야가 제한적 연부조직, 근층 내 근종, 장기 내부의 촉진이 어려움 (경험 축적 시 어느 정도 극복)

2) 치료적 복강경(Therapeutic laparoscopy)

(1) 장점 및 단점

장점	단점
입원기간 단축 수술 후 통증 경감 더 빠른 일상생활 복귀 유착의 생성 감소 복막의 외상 감소 복강 내 요염의 최소화 수술관리의 간접적인 비용 감소	수술 부위의 시야가 제한적 기구가 작고 고정된 곳을 통해서만 조작 가능 골반 장기의 조종 능력이 제한 수술자의 경험과 교육이 부족 시 복강경 효과가 감소

(2) 적응증 및 금기증

적응증	금기증
난관 수술 : 피임술, 자궁외임신 난소 수술 : 난소종양, 난소염전, 다낭성난소 자궁 수술 : 근종절제술, 자궁절제술 불임 수술 : 난관성형술, 난관절제술, 유착박리술 자궁내막증 : 자궁내막종, 다병소 자궁내막증 골반바닥질환 : 후질벽탈장봉합술, 질원개탈출증, 질 주위복구 등 부인과 악성종양	중증 심장질환(Class IV) 혈역학적으로 불안정한 환자 확장된 장이 있는 장폐쇄 다수의 주요 수술 과거력 심각한 비만 임신 후반기 환자 마취가 어려운 중증, 만성질환자

3) 자세 및 기법

(1) 환자의 자세

① 환자가 깨어 있을 때 자세를 잡는 것은 자세 연관성 합병증의 발생 감소에 도움

② 낮은 쇄석위 자세(low lithotomy position)

　　a. 발은 복강경수술 전용기구에 지지

　　b. 엉덩이는 테이블의 낮은 쪽 모서리의 밖으로 약간 돌출

　　c. 허벅지는 대개 약간 구부리거나 중립자세(neutral position)를 유지

③ 신경손상 예방을 위한 방법

　　a. 발은 편평하게 하고, 무릎 바깥은 보호대로 비골신경(peroneal nerve) 손상을 예방

　　b. 무릎을 약간 굽혀서 좌골신경(sciatic nerve)의 신전을 감소

　　c. 팔은 내전(adduction) 및 회내(pronation)하여 위팔신경(brachial plexus) 손상을 예방

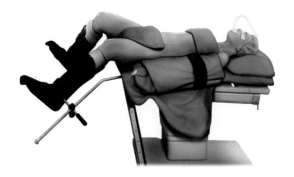

그림 15-1. 낮은 쇄석위 자세(Low lithotomy position)

(2) 복막의 접근

① 접근 방법

a. Open laparoscopy : 작은 개복수술 같이 복막까지 절개 후 투관침(trocar)을 삽입

b. 사전주입법(preinsufflation) : Verres needle로 가스를 넣은 후 투관침(trocar)을 삽입

② 진입 위치

    a. 일차 접근 부위 : 배꼽(복막이 가장 얇고 혈관이 없는 부위)

    b. 복강 내 유착이 의심될 때의 대체 부위

      - 왼쪽 위 사분면(LUQ, Left costal margin)

      - Rectouterine pouch (pouch of Douglas)

      - 자궁저부(fundus of uterus)

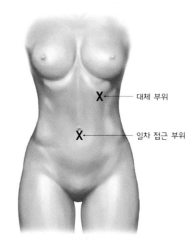

그림 15-2. 일반적인 삽입 부위

③ 주입바늘(insufflation needles)

바늘의 적절한 위치 소견	바늘의 위치 이상 확인
– 낮은 복강 내 압력(<10 mmHg) – 간의 둔탁음 소실 – 복부의 대칭적인 확장 – Xyphoid process를 누르면 복압이 증가	– 주사기로 흡인 – 생리식염수 주입 – 복벽을 들어올릴 때 음압을 확인

④ 복강 내 가스

    a. 가스의 양(volume)이 아닌 복강 내 압력(pressure)으로 조절

    b. 25~30 mmHg 정도일 때 투관침(trocar) 삽입

    c. 삽입관(cannula) 위치 후 10~15 mmHg 정도로 압력을 유지

⑤ 첫 투관침의 삽입은 위치가 바뀌지 않는 반듯이 누운 자세에서 시행

⑥ 조직의 적출

    a. 단단한 조직 : 가위, 초음파장비, 세절기(morcellator)

    b. 낭성 종괴 : 절개 및 바늘을 이용한 흡인

    c. 악성 의심 : 유출(spillage) 예방 위해 endopouch, bag 등을 이용

4) 복강경의 합병증

(1) 마취 및 심폐 합병증

① CO_2 색전(CO_2 embolus)

    a. 이산화탄소(CO_2) : 혈액에 빠르게 흡수되어 색전증 가능성이 적고 폭발성이 없음

    b. 증상

       - 갑작스러운 저혈압, 부정맥, 청색증, 심잡음

       - End tidal CO_2 증가

       - 폐부종(pulmonary edema)

       - 폐고혈압으로 인한 우심부전(right sided heart failure)

       - 고탄산혈증(hypercarbia), 혈중 pH 감소(acidemia)

    c. 예방

       - 적절한 바늘 위치의 선택

       - 투관침(trocar) 삽입 시 초기 복강 압력 25~30 mmHg → 수술 중 10~15 mmHg 유지

       - 조직들에 대한 주의 깊은 지혈

    d. 치료

       - 발생 즉시 복강 내 CO_2를 배출

       - 좌측와위자세(left lateral decubitus position)

       - 머리를 우심방(right atrium)보다 낮게 위치

       - 큰 중심정맥관(central venous line)으로 심장의 가스흡인 시도

② 심장 부정맥(cardiac arrhythmias)

    a. 고탄산혈증(hypercarbia), 산혈증(acidemia)과 연관

    b. 복강 내 압력 12 mmHg 미만에서 발생은 드묾

    c. NO_2 사용 시 부정맥 위험성은 감소하지만 가스 색전의 위험성이 증가

③ 저혈압(hypotension)

    a. Pneumoperitoneum, 자세 등으로 인해 복강 내 압력의 증가

    b. 정맥 환류(venous return)의 감소

④ 위 역류(gastric reflux)

    a. 비만, gastroparesis, hiatal hernia, 위출구폐쇄가 있을 때 호발

    b. 예방

- Cuffed endotracheal tube
- 비위관을 통한 위 감압
- 복강 내 압력을 가능한 낮게 유지
- Trendelenburg 자세를 풀고 기도삽관 제거
- 수술 전 metoclopramide, H2-blocking agent 등을 투여

(2) 가스의 복강 외 주입

① 원인

a. 주입바늘(insufflation needle)의 잘못된 위치

b. 삽입관(cannula) 주위로의 CO_2 누출

② 대개 피하기종(subcutaneous emphysema)이지만 심할 경우 사지, 목, 종격까지 발생

③ 예방법

a. 정확한 주입바늘의 위치 확인

b. 삽입관을 위치시킨 후 낮은 복압 유지

c. Open laparoscopy 방법과 복벽 거상법 사용

④ 치료

a. 복강경 제거 후 다시 수술 시도 가능

b. 경증의 피하기종(mild subcutaneous emphysema)

- 복강 내 가스의 배출을 시행하면 증상이 빨리 호전
- 수술 중과 후에 특별한 치료가 필요 없음

c. 유출이 목까지 확장된 경우

- 수술을 즉각 종료 : 기종격(pneumomediastinum), 기흉(pneumothorax), 고탄산혈증(hypercarbia), 심혈관 허혈(cardiovascular collapse) 가능성 때문
- Chest X-ray 시행
- 긴장성 기흉(tension pneumothorax) 발생 시 흉관(chest tube) 또는 구멍이 큰 바늘(14~16 gauge) 삽입

(3) 전극기구에 의한 합병증

Active electrode trauma

실수로 유발된 monopolar 기구에 의한 인접 조직의 손상
장, 방광, 요관의 열손상 : 즉시 치료 시행
응고괴사(coagulative necrosis)의 잠재적 범위에 대한 고려가 필요
예방법
– 집도의가 항상 전극 활성화를 직접 제어
– 사용하지 않는 모든 기구를 복강에서 제거

Current diversion		
Monopolar 기구 사용 중 활성 전극과 전기 외과 발전기 사이의 의도하지 않은 경로를 따라 발생 Insulation defects, direct coupling, capacitive coupling에서 발생 가능		
Insulation defects	Direct coupling	Capacitive coupling
절연체 피복에 결손이 생겨 발생	기구간 직접 접촉에 의해 발생	직접적인 접촉 없이 절연체가 없는 부위에서 전류가 방출되어 인접 장기나 기구에 흘러 발생
Dispersive electrode burns		
환자에 부착한 pad의 일부분이 떨어져 피부와 접촉하는 표면적이 감소해 전류 밀도가 높아지며 발생		

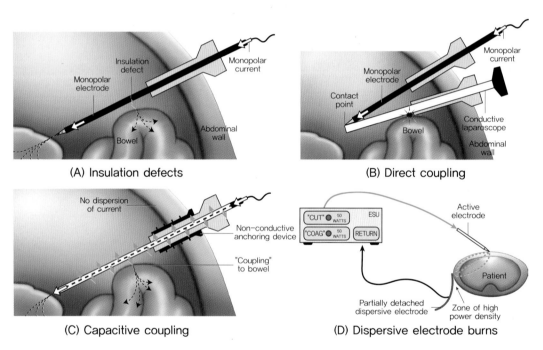

(A) Insulation defects

(B) Direct coupling

(C) Capacitive coupling

(D) Dispersive electrode burns

그림 15-3. 전극기구에 의한 손상

(4) 출혈

① 대혈관 손상(great vessel injury)

    a. 원인 : Insufflation needle, trocar 삽입 시 발생

    b. 흔한 손상 혈관 : Aorta, right common iliac artery

② 복벽 혈관 손상(abdominal wall vessel injury)

복벽 혈관 손상의 징후	가장 손상되기 쉬운 혈관	심각한 혈관 손상
– 삽입관에서 떨어지는 혈액 – 수술 후 쇼크 양상 – 복벽의 변색 또는 혈종 – 직장주위나 외음부 종괴 발생	– Superficial inferior epigastric vessel – 대개 자연적 지혈 – Trocar 삽입 시 복벽의 투과조명법(transillumination)을 이용하여 손상 방지 가능	– Deep inferior epigastric vessel – 수술 중 처치 : Straight ligation – 수술 후 처치 : 압박, 밀착감시

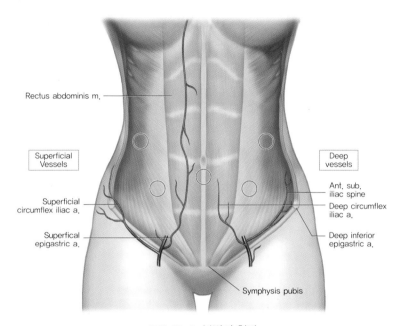

그림 15-4. 복벽의 혈관

③ 복강 내 혈관 손상(intraperitoneal vessel injury)

　　a. 수술 중 복강 내 압력으로 인해 출혈이 가려질 수 있음

　　b. Supine position 후 복강 내 압력을 제거하고 면밀히 확인

④ 지혈 방법

　　a. 봉합(suture), 클립(clip), 스테이플러(stapler)

　　b. 전기소작(bipolar, monopolar), 국소 또는 주입물질(topical or injectable substance)

(5) 위장관 합병증

① 주입바늘(insufflation needle)에 의한 손상

　　a. Particulate debris가 발견되면 바늘을 그대로 둔 채 LUQ로 복강 내 진입

　　b. 손상이 있으면 즉시 수복(repair)

② 투관침(trocar)에 의한 손상

    a. 위천공 위험성을 줄이는 방법 : 수술 전 비위관(NG tube)

    b. 위, 장의 손상 : 발견 즉시 수복

③ 절개 및 열 손상

④ 골반염, 이전 복강 내 수술 등에 의한 유착 시 손상 가능성 증가

(6) 비뇨기 합병증

① 방광 손상(bladder injury)

    a. 증상 : 기뇨(pneumaturia), 혈뇨, 수술 후 요저류, 수술 후 복막염, 치골상부 통증

    b. 진단 : 소변줄에 희석된 methylene blue 용액을 투여해 방광에서 새는지 확인

    c. 치료

       - 매우 작은 손상(1~2 mm)

          · 3~7일간 도뇨관 유치

          · 즉시 수복했다면 도뇨관 불필요

       - 작은 손상 : 2-0, 3-0 흡수성 봉합사로 봉합

       - 조금 더 큰 손상 : 복강경으로 수복

       - Trigone(또는 근처) 손상 : 개복술 시행

       - 열 손상 : 응고부위의 절제

       - 수술 후 도뇨관 유치

          · 작은 방광저부(fundus) 열상 : 2~5일

          · Trigone 손상 : 10~14일

          · 도뇨관 제거 전 방광조영술(cystography)로 먼저 확인

② 요관 손상(ureteral injury)

    a. 원인

       - 전기기구에 의한 손상 : 가장 흔함

       - 기계적 절개(mechanical dissection) 시 손상

    b. 수술 중 손상이 의심되는 경우

       - 요관 열상(ureteral laceration) : 수술 중 indigo-carmine 정맥주사 후 누출을 확인

       - 기계적 폐쇄(mechanical obstruction) : Indigo-carmine 정맥주사 후 cystoscopy로 확인

    c. 수술 후 손상의 확인 : Abdominal ultrasound, CT urogram

    d. 알아채지 못한 요관 폐쇄의 증상 : 수술 후 수일~1주 후 옆구리통증, 발열 등 발생

(7) 신경학적 손상

　① 말초 신경 손상의 원인

　　a. 수술 시 환자의 잘못된 자세

　　b. 수술자가 가한 과도한 압력

　　c. 외과적 손상

　② 예방법 : 환자가 깨어 있을 때 자세를 잡음(환자의 압박감과 불편함 확인 가능)

　③ 신경에 따른 손상 원인

　　a. Common peroneal nerve : 발판에 눌려 발생

　　b. Femoral or sciatic nerve : 엉덩이 또는 무릎 관절의 과도한 신전

　　c. Brachial plexus : 잘못된 자세 또는 수술자에 의한 눌림

　④ 치료

　　a. 대개 자연적으로 소실

　　b. 손상 부위와 정도에 따라 다르지만 보통 3~6개월 간 증상 지속 가능

　　c. 물리치료, 전기자극요법, 적절한 보호대

(8) 반흔 탈장(incisional hernia)과 창상열개(wound dehiscence)

　① 투관침(trocar)이 10 mm 이상인 경우 위험성 증가

　② 가장 흔한 결함 : 수술 후 발생하는 상처의 열개(dehiscence)

　③ 가장 흔한 탈장 부위 : Midline의 lateral incision

　④ 증상

　　a. 무증상

　　b. 통증, 발열, 배꼽주변 종물 등

　　c. 기계적 장폐쇄의 증상

　⑤ 예방법

　　a. 소구경 삽입관(small-caliber cannula)의 사용

　　b. 신중한 근막과 복막의 결찰

　⑥ 처치

　　a. 장 조직의 허혈성 괴사 전 : 탈장된 장을 복강으로 환원

　　b. 장 조직의 허혈성 괴사 후 : 괴사된 장 조직을 제거한 후 봉합

2 자궁경(Hysteroscopy)

1) 진단적 자궁경(Diagnostic hysteroscopy)

(1) 장점과 단점

장점	단점
자궁 내부를 직접 관찰 조직검사와 치료가 동시에 가능 영상기록 저장 외래에서 마취없이 시행 가능	적절한 마취가 없으면 통증 및 불편감 발생 가능 통증 시 국소마취로 조절이 어려움

(2) 적응증과 금기증

적응증	금기증
자궁 내 질환의 진단 및 치료 - 비정상 자궁출혈의 진단 - 점막하근종 - 자궁내막 용종 - 자궁내막유착증 자궁내피임장치 같은 이물질의 위치 확인 불임 환자 - 자궁난관조영술의 이상소견 - 보조생식술 전 검사 - 습관성 유산 - 자궁의 선천성 기형 진단 - 난관개구술 자궁내막암의 수술 전, 후 자궁내부 검사	절대적 금기증 - 수술자의 경험 부족 - 불충분한 장비 - 비협조적인 환자 - 자궁경부암, - 급성 골반염 - 심한 자궁경부의 감염 상대적 금기증 - 질염이나 자궁경부염 - 임신 - 자궁출혈 - 중증 자궁경부 협착 - 중증 심폐질환 - 자궁내막암

2) 수술적 자궁경(Operative hysteroscopy)

(1) 이물질(Foreign body)

① 자궁내장치의 제거가 어렵거나 불가능한 경우 시행

② 위치 확인 후 집게 겸자(grasping forceps)로 제거

(2) 자궁중격(Uterine septum)

① 반복 유산의 원인이 중격에 의한 것이면 중격 절제를 시행

② 개복 자궁성형술만큼 임신력 향상 가능

(3) 자궁내막 용종(Endometrial polyps)

   ① 비정상 자궁 출혈, 불임과 연관

   ② 1~2개월 간 자궁내막 생성억제 후 난포기 초기(early follicular phase)에 시행

(4) 자궁근종(Leiomyomas)

   ① 적응증 : 월경과다를 동반한 자궁강 내 근종, 불임 또는 재발성 자연 유산

   ② 자궁근종의 위치와 크기에 따라 수술 가능성이 결정

   ③ 근육침범 확인 : 초음파, 초음파 자궁조영술(sonohysterography)

   ④ 수술 전 GnRH agonist : 점막하근종의 위축을 유도

(5) 자궁내막유착증(Uterine synechiae)

   ① 습관성 유산과 불임, 무월경 등의 원인이 되는 질환

   ② 소파술에 의한 자궁내막의 손상이 중요한 원인

   ③ 진단 : 진단적 자궁경, 자궁난관조영술(HSG) 등

   ④ 치료

      a. 유착의 제거 또는 박리

      b. 수술 후 재유착 방지

        - 유착방지제, 도뇨관의 풍선을 1주일간 자궁 내 유치

        - High dose estrogen(Premarin) 2.5 mg, 1~2개월간, 경구투여

      c. 치료 후 자궁내부 재확인을 위한 진단적 자궁경 필요

(6) 자궁내막절제술(Endometrial ablation)

   ① 적응증 : 약물 치료에 반응하지 않는 월경과다(menorrhagia)

   ② 자궁내막이 얇을 때 시행

      a. 월경이 끝난 직후에 자궁내막이 가장 얇은 시기

      b. 수술 전 Danazol 또는 GnRH analogue 투여

      c. 장점 : 수술시간 단축, 출혈 감소, 체순환으로의 흡수되는 수액량 감소

   ③ 전신마취는 필요한 경우에만 시행, 정맥마취와 국소마취의 병용하 수술 가능

   ④ 절제범위

      a. 부분 절제술 : 월경을 하기 원하는 경우

      b. 완전 절제술 : 월경을 원하지 않는 경우

3) 자세 및 기법

(1) 환자의 자세 및 마취

① 변형된 등쪽 쇄석위 자세(modified dorsal lithotomy position)

② 마취

    a. 진단적 자궁경 : 마취 없이 시행 가능

    b. 자궁경부주위 마취(paracervical block) : 가장 효과적인 마취

(2) 자궁경부의 확장

① 시술 12시간 전 prostaglandin E1(misoprostol) 400 μg, 경구투여 or 200 μg, 질내투여

② 자궁경부 4시 8시 방향에 vasopressin 0.05 U/mL, 4 cc 주사

③ 시술 3~8시간 전 laminaria 삽입

④ 폐경 여성 : 2주 전부터 질 estrogen 투여

(3) 자궁경과 자궁경 덮개

① 자궁경 : 외부 덮개를 통해 자궁강 내로 진입

② 자궁경 덮개

    a. 기구들이 들어가고 자궁확장매체를 주입

    b. 한쪽 통로로 자궁확장매체가 들어가고, 다른 통로로 매체와 조직파편이 배출

③ 절제경 : 수술자의 조작으로 절제경 덮개 밖으로 기구가 이동하며 병변을 절제

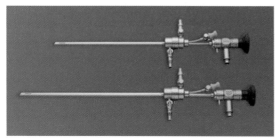 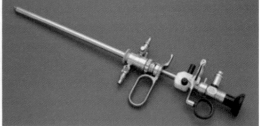

(A) 자궁경(Hysteroscopy)   **(B) 단극성 절제경**

그림 15-5. 자궁경과 단극성 절제경

(4) 자궁확장매체

① 자궁경을 위해 자궁강의 압력은 적어도 30 mmHg 유지가 필요

② 이산화탄소(CO_2)

    a. 진단적 자궁경에는 좋은 시야를 제공하지만 수술적 자궁경에는 부적합

    b. 장점과 단점

장점	단점
공기와 굴절률이 동일해 수술 시야 확보가 용이 실제와 가장 유사한 상태를 확인 가능	시술 중 혈액과 조직파편(debris)의 제거 불가능 자궁확장력(uterine distension)이 떨어짐 CO_2 색전의 발생 가능성

③ 생리식염수(normal saline)

    a. 고주파가 필요 없어 유용하고 안전한 매체

    b. 많은 양이 흡수되어도 전해질 불균형을 일으키지 않음

    c. 전도성이 좋아 monopolar 사용 불가능, bipolar는 사용 가능

④ 고점성 용액(high viscosity fluid)

    a. 종류 : Dextran 70 (Hyskon®)

    b. 장점과 단점

장점	단점
굴절률이 공기와 거의 유사 점도가 높아 혈액과 섞이지 않아 시야확보가 좋음 뛰어난 확장(distension) 능력	과민반응(anaphylactic reactions) 수액 과부하 및 전해질 불균형 유발 가능 자궁경에 응고되어 붙는 성질(온수 세척 필요)

⑤ 저점성 용액(low viscosity fluid)

    a. 종류 : 1.5% glycine, 3% sorbitol, 5% mannitol

    b. 장점과 단점

장점	단점
Monopolar 사용 가능 과민반응이 없음 Continuous flow 이용 가능 저렴한 비용	혈량과다증, 저나트륨혈증, 삼투압저하증 유발 가능 주입량과 유출량의 세심한 감시가 필요 혈액과 섞이면 시야 확보가 어려움 자궁의 경련성 통증(uterine cramping) 가능성

    c. 합병증

      - 전해질 불균형 유발 가능 : 수술 전 전해질 측정, 5분 간격의 흡수량 확인 필요

        • 흡수량 1 L 이상 : 전해질 수치 측정, furosemide 사용 고려

        • 흡수량 1.5~2 L : 수술을 중단

      - 수술 전 GnRH agonist 투여 : 수술 시간 및 용액 흡수 감소

      - Sorbitol 과흡수 : 고혈당(hyperglycemia) 유발 가능, 대사물질의 독성작용도 보고

      - Glycine 과흡수 : 저나트륨혈증(hyponatremia), 혈량과다증 유발 가능

4) 자궁경의 합병증

(1) 자궁천공(Perforation)

① 자궁경의 가장 흔한 합병증 중의 하나(발생빈도 약 1.1%)

② 자궁천공 발생 시 자궁 내 압력의 갑작스러운 감소 발생

③ 처치

    a. 즉시 시술을 중단

    b. 복강경으로 천공의 위치와 크기, 복강 내 다른 장기의 손상 여부 등을 확인

④ 예방

    a. 자궁경의 삽입 시 무리한 힘을 주지 않으면서 자궁강으로 진입

    b. 자궁경부 협착이 심할 경우 충분히 자궁경부를 확장 후 시행

    c. 자궁확장매체의 유입과 유출을 적절히 조절해 시야를 충분히 확보한 상태에서 시술

    d. 전기 수술기구는 앞 방향 이동 시에는 사용하지 않고 자궁경부 쪽으로 빼면서 사용

    e. 필요한 경우 복강경으로 모니터링을 하면서 자궁경을 시행

(2) 출혈

① 수술 중의 출혈

    a. 원인 : 자궁근육 혈관 손상 또는 골반혈관 손상 시 발생

    b. 조절

        - 혈액을 흡인하고 동맥압을 넘도록 자궁내압을 높여서 자궁벽을 압박

        - 전기소작술, 풍선압박, 희석된 vasopressin 근육주사

② 수술 후의 지연 출혈

    a. 원인 : 자궁내막소작술 후 슬러프(slough), 만성 자궁내막염, 제거된 점막하근종의 근육 내 부분 노출

    b. 자궁경 후 늦게 출혈이 발생한 경우 혈액응고장애에 대한 검사가 필요

③ 자궁경 시 출혈 감소를 위한 수술 전 처치

    a. 수술 전 자궁경부에 바소프레신(vasopressin) 주사

    b. 수술 전 GnRH agonist or Danazol 6~8주 투여 → 근종 크기, 내막 두께, 혈류 감소

(3) 감염

① 흔하지 않은 합병증(발생빈도 약 0.25~1%)

② 자궁경부염, 자궁염, 난관염이 있는 경우 자궁경을 미룸

③ 증상 : 시술 후 72시간 이내에 발열을 동반한 질 분비물, 골반통을 호소

④ 치료 : 항생제 투여

⑤ 예후 : 자궁내막유착, 골반유착, 불임 등

(4) 열에 의한 손상

① 대부분 자궁 천공과 동반되어 발생

② 진단

   a. 시술 중에 진단되는 경우가 상대적으로 드묾

   b. 시술 수일 후 발열, 복통과 같은 복막염의 임상 증상

③ 시술 중에 천공이 발생 시

   a. 즉시 시술을 중단

   b. 복강경, 개복술 등을 통하여 주위 장기의 손상여부를 확인

(5) 자궁확장제와 관련된 합병증

① 이산화탄소 색전증(CO_2 embolus)

   a. 자궁확장매체로 이산화탄소를 사용하는 경우 발생하는 가장 심각한 합병증

   b. 주입된 이산화탄소의 양이 너무 많거나 속도 및 압력이 너무 높을 때 발생

   c. 호기 시 이산화탄소가 급격하게 감소하면서 cog-wheel 심잡음이 들리면 진단이 가능

   d. 예방법

     - 수술적 자궁경에는 이산화탄소를 자궁확장매체로 사용 금지

     - 가스 주입 압력 100 mmHg, 주입 속도 100 mL/min, 자궁 내 압력 80 mmHg 미만으로 제한

     - 자궁경 중 평균 동맥압, 심박동수, 혈액가스분석, 가스압력, 자궁내 압력에 대한 철저한 감시가 필요

   e. CO_2 색전증 의심 시 기관 삽관, 헤파린 투여, 중환자실 입원

② 액체 자궁확장제의 혈관 내 유입

   a. 자궁강의 압력이 평균 동맥압보다 크면 액체 자궁확장제의 혈관 내 유입이 증가

   b. 합병증

     - Dextran 70 : 과민반응 → 신부전, 횡문근융해증, 폐부종, 심부전 등을 유발 가능

     - Sorbitol 과흡수 : 고혈당(hyperglycemia) 유발 가능, 대사물질의 독성작용도 보고

     - Glycine 과흡수 : 저나트륨혈증(hyponatremia), 혈량과다증 유발 가능

   c. 치료

     - 저나트륨혈증이 진단 시 수분 공급을 제한

     - 이뇨제 투여 및 고장성 식염수의 사용을 고려

   d. 예방

     - 자궁경 시행 전에 전해질 기저농도를 측정하고, 시술 중에도 일정한 간격으로 측정

     - 시술 전 GnRH agonist, Danazol 등을 사용하여 시술 시간을 줄임

     - 자궁확장제의 유입량과 유출량을 확인하여 그 차이가 1,000 mL를 넘지 않도록 주의, 1,500 mL 이상의 차이를 보이면 시술 중단

- 자궁 내 압력을 평균 동맥압보다 낮은 70∼80 mmHg 정도로 유지
- Dextran 70의 사용량을 300 mL 미만으로 제한

(6) 후기 합병증
① 자궁경하 자궁내막소작술 후 자궁내막암
   a. 자궁내막소작술 후 남아있는 정상 자궁내막조직에서 발생 가능
   b. 자궁출혈 증상이 없을 수 있어 종양의 진단 및 치료가 지연
   c. 고위험 환자에서 수술 전 검사, 세밀한 술기, 수술 후 추적관찰이 필요
   d. 자궁내막암 고위험군에 속하며 비정상 자궁출혈이 있는 경우 자궁내막소작술보다 자궁 절제술이 더 적절
② 자궁혈종
   a. 자궁경 후 첫 16개월 내에 주기적인 경련성 통증을 호소
   b. 치료
      - 자궁경부의 확장 : 대부분에서 호전
      - 일부에서는 자궁경하 유착박리술이 필요
   c. 자궁내막소작술 및 절제술 시 반흔 형성, 자궁경부의 내구 폐색을 막기 위하여 자궁하부 (lower uterine segment)를 피하는 것이 중요
③ Postablation tubal sterilization syndrome (PTSS)
   a. 자궁내막소작술 후 폐쇄된 난관으로 월경혈이 역류되어 국소적인 자궁각 혈종이 발생하여 통증을 유발하는 경우
      - 자궁내막소작술 후 자궁각의 내막조직이 존재하거나 재생이 되는 경우에 발생
      - 자궁각은 천공의 위험성이 있어서 완전히 소작하기 어렵기 때문
   b. 자궁내막소작술 두 달 이후에 주기적 골반통을 호소하는 경우 의심
   c. 진단
      - 초음파 : 자궁각 근처에 자궁 내 액체저류 소견
      - 확진 : 복강경에서 근위부 난관의 부종이 확인
   d. 치료
      - 복강경하 난관절제술 및 자궁경하 유착 박리
      - 반대쪽에서 재발 가능성이 있으므로 양측 난관절제술이 추천
      - 위의 치료가 효과 없을 시 자궁절제술 시행
④ 자궁내막소작술 후 임신
   a. 자궁내막소작술은 피임방법이 아님
   b. 진단
      - 의심 시 즉각적인 임신반응검사 시행

- 조기 초음파검사 : 자궁외임신을 배제를 위해

c. 임신 합병증이 증가하므로 산전진찰에 주의가 필요

⑤ 수술적 자궁경 후 임신 시 자궁파열

    a. 자궁에 형성된 반흔으로 인하여 임신 중 자궁 확장이 제한되어 발생

    b. 원인별 빈도 : 중격절제술, 유착박리술 > 수술 중 자궁천공 > monopolar 사용

    c. 임신 19~41주 사이에 발생

1) 자궁절제술의 적응증

  (1) 자궁근종(Leiomyoma)

    ① 자궁절제술의 가장 흔한 원인

    ② 향후 임신 계획에 따른 수술방법 결정

      a. 임신 계획이 있는 경우 : 근종절제술(myomectomy)

      b. 임신 계획이 없는 경우 : 자궁절제술(hysterectomy)

    ③ 수술 적응증

자궁근종으로 인한 자궁절제술의 적응증

출혈
골반통
골반압박 또는 요관압박 증상
근종이 빠르게 커지는 경우
폐경 후 근종의 크기 증가
→ 임신을 원하지 않고 내과적, 보존적 치료에 반응하지 않는 증상이 있는 경우에만 시행

  – 근종의 크기 증가 속도에 대한 명확한 기준은 없음
  – 수술을 해야 하는 자궁의 크기 기준은 없음
  – 과거에는 증상이 없더라도 임신 12주 이상의 자궁크기이면 자궁절제술을 시행

    ④ 자궁절제술 전 GnRH agonist 투여

      a. 수술 전 단기간 사용 : 약 8주

      b. 장점

        - 수술 전 자궁의 크기 감소(경우에 따라 개복술을 복강경으로 전환 가능)

        - 혈색소 수치를 증가시켜 재원기간과 회복기간의 단축

(2) 비정상 자궁출혈(Abnormal uterine bleeding, AUB)

① 배란 이상이 원인인 자궁출혈 : NSAIDs, 호르몬요법, tranexamic acid, LNG-IUS로 조절

② 자궁절제술 전 자궁내막 조직검사를 반드시 시행

③ 소파술은 출혈을 조절하는 효과적인 방법이 아니며, 자궁절제술 전 필수도 아님

④ 자궁절제술 대체 요법 : 자궁내막의 소작술 또는 절제술

(3) 난치성 월경통(Intractable dysmenorrhea)

① 월경통의 종류

일차성 월경통(Primary dysmenorrhea)	이차성 월경통(Secondary dysmenorrhea)
기저질환 없이 특발성으로 발생하는 월경통 거의 자궁절제술의 적응증이 되지 않음	기저질환에 의해 발생하는 월경통 원인의 치료가 우선

② 치료 : NSAIDs, 복합 경구피임제, 다른 호르몬제와 조합, LNG-IUS 등

③ 자궁절제술은 약물치료에 실패하고 더 이상 임신을 원하지 않는 경우에만 고려

(4) 골반통(Pelvic pain)

① 다양한 원인의 복합적인 상황이기 때문에 자궁절제술 고려 전 신중한 검사가 필요

② 검사

　　a. 진찰, 골반초음파, 비뇨기계, 위장관계, 근골격계 등의 다각적인 접근이 필요

　　b. 정신과적 검사 : 우울증, 수면장애 같은 심신적인 요인과 성적학대의 과거력과도 연관

③ 치료 : NSAIDs, 경구피임제, 다나졸, 고용량 progesterone, GnRH agonist 등

④ 자궁절제술은 통증이 부인과적인 원인에서 기인하고 비수술적인 치료에 반응하지 않는 경우에만 시행

(5) 자궁경부 상피내종양(Cervical intraepithelial neoplasia, CIN)

① 자궁경부 상피내종양 자체로는 자궁절제술의 적응증이 아님

② 냉동요법, 레이저, LEEP 같은 보존적인 치료가 병변의 치료에 효과적

③ 자궁절제술의 적응증 : 보존적인 치료에 실패하고 임신을 원하지 않으면서 재발하는 고등급 편평상피내병변(HSIL)

④ 자궁절제술 후에도 상기 병변의 환자들은 질상피내암의 고위험군

(6) 산과적 응급상황(Obstetric emergency)

① 자궁이완증(uterine atony) : 산과적 응급상황의 가장 흔한 원인

② 다른 원인 : 복구될 수 없는 자궁파열, 내과적 치료에 반응하지 않는 골반농양, 유착태반(placenta accreta), 감입태반(placenta increta) 등

(7) 골반염(Pelvic inflammatory disease)
① 골반 농양(pelvic abscess)의 치료
  a. 항생제
  b. 초음파나 컴퓨터단층촬영(CT)하 경피카테터를 이용한 배농
② 자궁절제술의 적응증
  a. 난관난소농양의 파열이 있으면서 복막염과 패혈증의 징후가 있는 경우
  b. 항생제 정맥 주사 치료에 반응하지 않는 경우

(8) 자궁내막증(Endometriosis)
① 적응증
  a. 자궁내막증으로 인한 골반통이 내과적 치료나 보존적 수술 치료에 반응하지 않고 임신을 원하지 않는 환자에서만 고려
  b. 임신을 원하지 않으면서 요관이나 대장 등 다른 골반장기까지 파급된 경우
② 부속기절제와 상관없이 자궁절제술은 대부분의 환자에서 의미 있는 통증 감소를 제공
  → 자궁내막증의 자궁절제술 시 정상 난소를 보존하는 것을 염두

(9) 양성 난소종양(Benign ovarian tumor)
① 수술적 치료 : 지속되거나 증상이 있는 난소종양에서 시행
② 임신을 원하지 않거나 폐경기 환자인 경우 자궁의 보존을 신중히 고려

(10) 골반장기탈출증(Pelvic organ prolapse)
① 주요 증상 : 밑 빠지는 느낌, 회음부의 불편감, 요실금, 직장 불편감, 외부 점막 자극 등
② 수술적 치료의 목적
  a. 증상을 개선시키고 골반지지조직의 재건 및 정상 해부학적인 구조로의 회복
  b. 자궁을 제거하는 것은 골반이완증의 수술적 치료의 한 부분
  c. 질 구조의 회복을 위해 동반되어 있는 방광류나 직장류도 동시에 교정
③ 질식 자궁절제술(vaginal hysterectomy)을 우선적으로 시행

2) 수술 전 고려사항
(1) 건강상태의 평가
① 수술 전 환자의 건강 상태에 대한 평가가 가장 중요
② 수술 전 빈혈(anemia)을 확인하여 교정

③ 수술 시 위험인자 : 고령, 내과적 과거력, 비만, 흡연, 호르몬제 복용

(2) 자궁절제술(Hysterectomy) vs 상자궁경부 자궁절제술(Supracervical hysterectomy)

① 상자궁경부 자궁절제술(supracervical hysterectomy)의 적응증

　　a. 더글라스와 폐쇄를 동반한 자궁내막증

　　b. 자궁경부의 완전 개대 후 제왕자궁절제술을 하는 경우

　　c. 성기능에 대한 염려

　　　　→ 명확하지 않은 모호한 기준

② 수술의 비교

자궁절제술(Hysterectomy)	상자궁경부 자궁절제술 (Supracervical hysterectomy)
– 자궁경부암, 자궁경부질환의 발생 위험성이 없음 – 수술 후 자궁출혈의 위험성이 없음 – 질 길이의 감소 – 증가하는 위험성 : 질원개 탈출(vault prolapse), 질원개 육아종, 난관탈출	– 수술시간이 짧고 실혈량이 적음 – 비뇨기계적, 성적(sexual), 위장관계적인 향상은 없음 – 1~2%에서 자궁경부 제거를 위한 재수술 필요 – 주기적 출혈(cyclic bleeding)의 가능성 – 수술 전 자궁경부 세포검사가 정상이어야 하며, 이후 자궁경부암이나 자궁경부질환의 발생 위험성 존재

(3) 예방적 난관난소절제술(Prophylactic salpingo-oophorectomy)

① 난소암의 예방을 위해 시행

　　a. 난소암의 발생 감소에 효과적

　　b. 고려 사항 : 나이, 암발생의 위험, 폐경 여부, 골다공증이나 심혈관질환의 위험, 환자의 추후 호르몬 요법 수용여부 등

② 난관난소절제술에 대한 권고안(ACOG, 2008)

　　a. BRCA1/2 돌연변이가 확인된 여성은 출산 종료 이후 예방적 난관난소절제술을 권고

　　b. 난소암의 위험이 증가되어 있는 여성에서 난관난소절제술 시 골반강 내의 시진과 세척,

난관의 제거, 난소동맥의 절제를 같이 시행

    c. 난소암의 위험이 증가되지 않은 폐경 전 여성은 자궁절제술 시 난소의 보존을 권유

    d. 난소암의 위험을 고려할 때 폐경 후 여성은 자궁절제술 시 난관난소절제술을 권유

(4) 동시 수술(Concurrent surgical procedures)

① 충수절제술(appendectomy)

    a. 현재의 충수염 혹은 예방목적으로 자궁절제술과 동반되어 시행 가능

    b. 충수절제술의 동시 시행 시 수술시간이 10분 정도 더 걸리지만 이환율의 증가는 없음

② 담낭절제술(cholecystectomy)

    a. 여성에서 4배 정도 흔하게 발생

    b. 호발 연령대가 자궁절제술이 가장 흔하게 시행되는 50대에서 70대 사이

    c. 담낭절제술을 동시 시행 시 열성 유병률과 입원기간의 증가는 없음

③ 복부성형술(abdominoplasty)

    a. 복부성형술을 동시 시행 시 각각의 수술을 따로 하는 것보다 짧은 재원 기간, 짧은 수술시간, 적은 실혈량 등의 이점

    b. 지방흡입술 또한 동시에 안전하게 시행 가능

(5) 수술 방법의 선택

① 자궁절제술의 경로에 영향을 미치는 요인

자궁절제술의 경로 선택의 영향 인자
질의 형태와 자궁에 대한 접근성
자궁의 크기와 모양
자궁 외 질환의 정도와 동시 시술의 필요성
기타 임상적 요인
수술자의 능력 및 사용 가능한 지원 시설
환자의 선호

② 질식 vs 복식 vs 복강경 비교

질식 자궁절제술	복식 자궁절제술	복강경 자궁절제술
국소 or 전신 마취	전신 마취	전신 마취
약 4주간의 회복기	약 8주간의 회복기	약 4주간의 회복기
내부 절개	내부와 외부 절개	내부와 외부 절개
복부 절개 없음	외부의 큰 절개	1~4개의 작은 복부 절개
수술 후 합병증 가장 적음	수술 후 합병증이 가장 많음	수술 후 합병증 보통

가장 저렴한 비용	중간의 비용	가장 비싼 비용
가장 숙련된 기술이 필요	보통의 기술 필요	숙련된 기술이 필요
	자궁 크기에 상관없이 수술 가능	출혈이 가장 적음

2 수술방법

1) 복식 자궁절제술(Abdominal hysterectomy)

(1) 수술 중 합병증

① 요관 손상

  a. 가장 흔한 합병증 중 하나

  b. 예방법

    - 수술 전 ureteral stent를 삽입하여 만져보며 수술

    - External iliac artery의 측부를 열고 후복막(retroperitoneum)의 직접 확인

  c. 요관 막힘(ureter obstruction)의 확인 : Indigo carmine 정맥주사 후 방광경을 통한 확인

② 방광 손상

  a. Trigone 손상이 없으면 쉽게 복구 가능

  b. 상처 크기가 작아 보존적 치료 시 눈에 띄는 혈뇨가 없을 때까지(대개 48시간) 시행

  c. 3-0 polyglycolic acid와 같은 소구경 흡수사로 봉합 시 3~14일 정도 배액 시행

③ 장 손상

  a. 부인과 수술 중 가장 흔한 손상

  b. 복구 원칙

    - 소장(small bowl) : 내부에 수직으로 봉합

    - 상행결장(ascending colon) : 소장과 동일한 방법으로 복구

    - 하행 및 구불결장(descending & rectosigmoid colon)

     · 점막 미침범 : Single running 2-0 or 3-0 suture

     · 점막 침범 : 소장과 동일한 방법으로 복구

④ 출혈

  a. 난소동정맥과 자궁동정맥은 대량 출혈의 흔한 원인

  b. 시야를 확보하고 출혈 혈관을 분리해서 지혈하는 것이 가장 중요

  c. Surgical clip, topical agent, Bovie cautery, argon beam laser 등도 유용함

(2) 수술 후 관리

　① 방광 배액

　　a. 유치도뇨관(indwelling catheter) : 보행과 배뇨가 가능한 수술 후 몇 시간만 거치

　　b. Retropubic urethropexy : Suprapubic catheter 고려 가능

　② 식이

　　a. 환자의 정신이 명료해지면 섭취를 시작

　　b. 수술 당일은 얼음 조각이나 물만 먹게 허용

　　c. 수술 후 1일에 장음이 괜찮으면 식이를 시작

　　d. 수술 후 이른 식이는 환자의 장 기능이 빨리 돌아오는 안전한 방법

　　e. 림프절 절제술, 장 손상, 광범위 절제술은 장 기능이 돌아오는데 오래 걸려 가스가 나올 때까지 물을 허용하지 않음

　③ 활동

　　a. 조기 보행 : 혈전증, 폐렴을 감소

　　b. 수술 당일부터 가능하면 시행

　　c. 근막(fascia)이 완전히 회복되는 6~8주 이후 무거운 물건(20 pounds, 9 kg)을 들거나 성관계 가능

　④ 상처 관리

　　a. 소독 거즈는 첫 24시간 정도만 착용

　　b. 소독 거즈 제거 후 매일 소독

2) 질식 자궁절제술(Vaginal hysterectomy)

(1) 수술 전 평가

　① 자궁의 운동성 : 질식 자궁절제술의 가장 중요한 요소

　② 질식 자궁절제술이 가능한 조건

　　a. Pubic arch >90°

　　b. 질이 충분히 넓을 것

　　c. 질후원개(posterior fornix)가 넓고 깊을 것

　　d. 양좌골 직경(intertuberous diameter) >10 cm

　③ 질식 자궁절제술의 금기증

　　a. 자궁내막증으로 인한 골반 장기의 유착

　　b. 골반염이 있는 경우

　　c. 난소 낭종으로 부속기 절제술이 필요한 경우

　　d. 커다란 골반 종괴가 있을 때

　　e. 자궁내막암, 침윤성 자궁경부암

(2) 수술 중 합병증

① 방광 손상

    a. 가장 흔한 합병증 중 하나

    b. 손상 즉시 긴장이 없게 복구하는 것이 원칙

    c. Trigone의 손상이 있는지 확인 필요

    d. 복구 후 methylene blue, indigo carmine 등으로 누출을 확인

② 장 손상

    a. Posterior colporrhaphy 시 발생

    b. 직장(rectum)이 가장 흔한 손상 위치이고, 손상 시 소구경 흡수사를 이용해서 단일 또는 이중봉합 후 광범위한 복강 내 세척을 시행

③ 출혈

    a. 발생 원인

      - 혈관 결찰의 실패

      - Vaginal cuff에서의 출혈

      - Clamping 전 조직의 벗겨짐

    b. 시야를 충분히 확보하고 정확한 술기를 이용하면 예방 가능

(3) 수술 전과 후의 관리

① 방광 배액

    a. 폐쇄 배액(closed bladder drainage)을 고려하는 경우

      - 상당한 국소 통증

      - 추가적인 질 수술을 시행한 경우

      - 긴장성 요실금 수술을 한 경우

      - 질 안에 거즈 충전을 한 경우

      - 환자가 불안해하는 경우

    b. 추가 수술이 없는 질식 자궁절제술 후 대부분은 자발적 배뇨가 가능하므로 도뇨관이 필요하지 않음

    c. 16-Fr. 도뇨관 삽입 : 환자가 수술 후 통증을 잘 못 견디거나 불안해하는 경우

② 식이

    a. 수술 후 당일 밤 : 맑은 유동식

    b. 수술 다음 날 : 정상 식이

    c. 환자의 식욕과 상태에 따라서 판단하는 것이 가장 중요

3) 복강경 자궁절제술(Laparoscopic hysterectomy)

(1) 수술 전 평가

① 복강경 자궁절제술의 금기증

절대적 금기증	상대적 금기증
충분한 기복(pneumoperitoneum)을 만들 수 없는 경우 적절한 기계환기를 할 수 없는 내과적 또는 마취적 환경	이전 수술로 인한 광범위한 복강 내 유착 자궁이 매우 큰 경우

② 투관침(trocar) 삽입 전 확인할 것들

  a. 골반검사(pelvic examinations)

  b. 도뇨관 삽입(Foley insertion)

  c. 자궁조작기(uterine manipulator)

(2) 전자궁절제술(Total hysterectomy)

복강경하 질식자궁절제술 (Laparoscopic assisted vaginal hysterectomy, LAVH)	복강경하 전자궁절제술 (Total laparoscopic hysterectomy, TLH)
− 복강경을 통해 양측 자궁동맥부위 이전까지 처리 후 나머지 부분은 질식으로 자궁을 절제하는 방법 − 질식 술기 • 자궁동정맥의 결찰과 절단 • 자궁 하부로부터의 방광의 박리 • 양측 기인대와 자궁천골인대의 절단 • 전후 질벽절개술 및 질로부터 자궁경부의 분리 • 질원개의 봉합 − 골반수술 과거력, 자궁내막증, 골반염, 큰 자궁 크 기, 자궁부속기 병변 등에도 시행 가능	− 복강경을 통해 모든 술기가 행해지는 자궁절제술 − 단점 • 자궁혈관의 결찰 및 요관 박리의 어려움 • 정확한 질절제(colpotomy)의 어려움 • 질절제 시 기복(pneumoperitoneum) 유지의 힘 듦 • 질원개(vaginal vault) 봉합 시 술기의 어려움

TLH, LAVH, VH의 결과를 비교

− LAVH와 VH가 일반적인 부인과 수술자에게 선호되는 수술법
− VH가 가장 짧은 수술시간과 적은 혈색소치의 감소를 보임
− LAVH는 질식과 복강경의 장점을 동시에 가지고 있는 다목적 방법이며 특히 난소절제술이 필요할 때 유익

(3) 상자궁경부 자궁절제술(Supracervical hysterectomy)

복강경하 상자궁경부 자궁절제술 (Laparoscopic supracervical hysterectomy, LSH)	복강경하 근막하 아전자궁절제술 (Classic intrafascial semm hysterectomy, CISH)

– 자궁체부만을 절제하는 자궁절제술
– 기대하는 장점
  • 수술시간의 감소
  • 성적인 기능 보존
  • 수술 중 또는 수술 후 유병률의 감소
  • 질 길이의 보존
  • 질원개 및 난관 탈출위험 감소
  • 질원개의 육아종 위험 감소
– 단점
  • 주기적 출혈 발생 가능성
  • 자궁경부암, 자궁경부질환의 발생 위험성 존재
	– SEMM (serrated edged macromorcellator) 및 CURT (calibrated uterine resection tool)를 이용하여 자궁체부를 절제하고 편평원주상피결합부(SCJ)를 포함한 내자궁경부상피(endocervical epithelium)만을 제거한 자궁경부를 남겨두는 방법
	– LSH의 장점 + 주기적 출혈과 자궁경부암 발생 감소
	– 단점
	  • 수술시간의 증가
	  • 비용 증가
	  • CURT set, morcellator 등의 특수한 기구가 필요

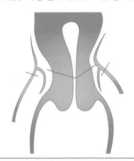	

4) 로봇 복강경 자궁절제술(Robot assisted hysterectomy)

(1) 다빈치수술시스템(The da Vinci robotic surgical system)

① 로봇을 환자에게 장착하고 수술자가 원격으로 조종하여 시행하는 복강경/내시경 수술법

② 전 세계적으로 활발하게 외과분야에 적용 중

③ 기존의 복강경 수술과 같이 환자의 환부에 여러 개의 구멍을 뚫은 뒤 복강경 수술기구 대신 3차원 확대 영상의 수술용 카메라와 로봇 팔을 삽입한 후 의사가 몇 미터 떨어진 콘솔에서 원격조정을 하여 수술을 진행하는 방식

(2) 장점과 단점

장점	단점
좋은 기하학적 정확도 안정적이고 수술로 인한 피로도가 적음 복강경 수술에서는 할 수 없었던 동작이 가능 실혈량이 적고, 개복술로의 전환 비율이 낮음 무균적 처치	비싼 비용 효과나 안전성에 대한 더 많은 비교 연구가 필요

3 합병증 및 퇴원

1) 수술 합병증

(1) 출혈

① 자궁절제술 후 출혈의 확인 방법

    a. 질로부터 출혈을 확인 : 질원개부위 또는 결찰부위에서의 출혈 확인 가능

    b. 후복막에서 출혈이 된 경우 : 혈압 저하, 빈맥, 혈색소 저하, 옆구리와 복부의 통증 등

② 수술 후 2~3시간 동안 지속적인 출혈이 있는 경우

    a. 밝은 조명에서 질경을 이용한 수술부위 관찰

    b. 소량의 질원개 절단면 출혈 → 한두 번 봉합 시행

    c. 출혈량이 많거나 질원개 상방의 출혈 → 수술실로 들어가 수술부위의 철저한 검사

(2) 골반이완증

① 자궁절제술 후 골반이완증의 발생 가능한 기전

    a. 결합조직의 변화와 골반바닥근육의 신경과 혈관 구조에 대한 수술적 손상

    b. 자궁절제술 당시 골반이완증이 있었을 경우 발생 위험성 더욱 증가

② 골반이완증이 없는 경우, 자궁절제술이 향후 골반이완증의 위험인자인지 확실치 않음

(3) 요로계 합병증

① 요정체(urinary retention)

    a. 원인 : 마취에 의한 방광이완(bladder atony) 또는 통증

    b. 치료

      - 수술 후 도뇨관을 삽입하지 않았다면 12~24시간 동안 Foley 카테터 삽입

      - Foley 제거 후 배뇨가 힘들면 요도연축(urethral spasm) 의심 → 근육이완제 투여

② 요실금 : 자궁절제술을 받은 경우 추후 요실금 발생 가능성 증가

③ 요관 손상(ureteral injury)

    a. 자궁절제술 직후 옆구리통증을 호소 시 의심

    b. 가장 흔한 폐쇄부위 : 요관방광이음부(ureterovesical junction)

    c. 빈도 : Laparoscopic > Abdominal > Vaginal hysterectomy

    d. 진단 : CT urogram, 소변검사, 정맥신우조영술(IVP)

    e. 치료 : 방광경하 카테터의 요관 통과(cystoscopic catheter passage)

      - 카테터의 요관 통과 : 4~6주간 카테터 유치하며 경과관찰

      - 카테터의 요관 통과 실패 : 개복술이나 복강경으로 폐쇄부위를 복구

④ 방광질 누공(vesicovaginal fistula)

a. 빈도 : Laparoscopic > Abdominal > Vaginal > Supracervical

b. 수술 중 예방법

- 방광과 자궁경부 사이의 고유면을 확인하여 절개박리(sharp dissection)를 이용

- 질원개를 주의 깊게 결찰

c. 증상 : 수술 후 10~14일 후 나타나는 물 같은 질 분비물

d. 진단

- 질에 탐폰이나 거즈를 넣은 후 경요도카테터로 methylene blue나 indigo carmine을 주입

→ 20분 후 탐폰이 염색되면 방광질 누공 존재 확인

- CT urogram, 정맥신우조영술(IVP) : 요관폐쇄 배제를 위해 검사

e. 치료

- 도뇨관(Foley cath.) 삽입 : 15% 정도는 지속적 배액을 통해 4~6주 후 저절로 막힘

- 6주가 지나도 방광질루가 막히지 않는다면 수술적인 치료 시행

- 염증 감소와 혈류 증가를 위해 3~4달 후 수술적 복원을 시행

(4) 창상감염

① 복식 자궁절제술(abdominal hysterectomy)의 4~6%에서 발생

② 창상감염을 줄일 수 있는 방법

a. 수술 전 샤워

b. 제모의 생략

c. 제모가 필요할 시 수술실에서 가위를 이용하는 것

d. 부착성 수술포의 사용

e. 예방적 항생제의 사용

(5) 질절단면열개(Vaginal cuff dehiscence)

① 수술 후 2~5개월 후 발생하는 질 출혈, 분비물, 통증

② 가장 흔한 원인 : 성관계(coitus)

③ 치료 : 수술적 봉합

2) 정신적 합병증

(1) 성적 기능장애

① 발생빈도 : 약 10~40%

② 성관계율 증가, 성교통 감소, 만족도 증가 → 성적인 기능이 긍정적

③ 자궁절제술 후 만족도의 가장 좋은 예측인자 : 수술 전에 환자가 얼마나 수술에 대해 잘 이해하고 있는 지

(2) 우울증

① 자궁절제술이 우울증의 위험을 증가시킨다는 증거는 거의 없음

② 수술 전 우울증 : 수술 후 성교통, 질건조증, 감소된 성욕 등의 호소 증가

3) 퇴원

(1) 수술 후 환자상담

① 수술 약 7~10일 후에는 신체적 불편감이 완화되어 가벼운 일상생활로의 복귀가 가능

② 질 분비물, 질 출혈은 수술 후 약 2주까지 있을 수 있으며 회복을 위한 정상 반응

③ 과도한 출혈이나 악취, 발열 등의 증상 시 내원

④ 2주 정도는 격한 활동을 피하고 활동강도는 서서히 올림

⑤ 무거운 물건을 들거나 성관계는 6~8주 후부터 가능

⑥ 수술 후 단백질 등의 충분한 영양분을 공급하고 철분과 섬유질 섭취를 권장

⑦ 규칙적인 배변습관과 적절한 운동 권장

(2) 수술 후 외래 추적검사

① 퇴원 후 4주 뒤 첫 외래 방문

② 첫 방문 시 상태 : 자유로운 보행, 소량의 질 분비물이나 출혈

③ 환자의 질문에 대한 대답과 일상생활에 대한 활동도를 올리는 것을 설명

CHAPTER 17

하부요로장애(Lower urinary tract disorders)

1 배뇨 생리학

1) 소변의 저장 및 배뇨

(1) 방광(Bladder)의 저장기능을 구성하는 요인

내인성요인(Intrinsic factor)	외인성요인(Extrinsic factor)
탄력성 평활근섬유(elastic smooth muscle fibers)	흥분성 신경자극(excitatory neurologic stimuli) 억제성 신경자극(inhibitory neurologic stimuli)

(2) 요도(Urethra)의 기능을 구성하는 요인

내인성요인(Intrinsic factor)	외인성요인(Extrinsic factor)
요도벽의 횡문근(striated muscle) 점막하 정맥총(submucosal venous plexus) 요도벽의 평활근(smooth muscle) 및 관련된 혈관 요도내막주름의 상피 접합 요도의 탄력성과 긴장도	내골반근막(endopelvic fascia) : 가장 중요한 역할 항문올림근(levator ani muscles) 내골반근막과 항문올림근의 부착상태
– 결함 시 내인성 괄약근 부전(intrinsic sphincter deficiency)에 의한 요실금 유발	– 결함 시 요도의 과운동성(urethral hypermotility)에 의한 요실금 유발

→ 요도를 지지하는 외인성요인과 요도 자체의 내인성요인은 동등하게 중요

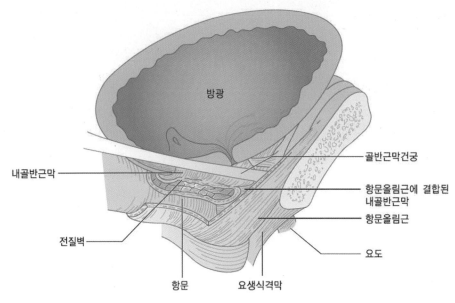

방광

골반근막건궁

내골반근막

항문올림근에 결합된
내골반근막

항문올림근

전질벽

요도

항문   요생식격막

그림 17-1. 골반장기를 지지하는 구조들

(3) 방광과 요도의 조절

① 정상 방광 기능 : 자발적 배출 전에는 소변이 새지 않고 절박감을 느끼지 않는 상태에서 낮은
방광내압으로 소변을 저장

② 방광과 방광출구(내, 외요도괄약근)는 신경학적으로 긴밀히 조절

　a. 방광과 내요도괄약근(int. urethral sphincter) : 평활근(smooth m.)으로 구성 - 불수의근

　b. 외요도괄약근(ext. urethral sphincter) : 횡문근(striated m.)으로 구성 - 수의근

③ 방광과 요도의 수축과 이완

　a. 요저장 시 방광이 이완하는 동안 요도는 수축

　b. 요배출 시 방광이 수축하는 동안 요도는 이완

　　→ 방광기능이상 치료 시 요도에 대해서 반대가 되는 효과가 필수적

2) 신경분포(Innervation)

(1) 자율신경계(Autonomic nervous system)

① 교감신경계(sympathetic)

　a. 소변을 저장하게 하며, thoracolumbar spinal cord(주로 T11~L2/L3)에서 기원

　b. 두 종류의 수용체

　　- α-receptors : 요도와 방광목에 분포, 요도압을 증가시켜 방광 출구를 닫는 기능

　　- β-receptors : 방광체부에 분포, 방광체부를 이완시키는 기능

② 부교감신경계(parasympathetic)

a. 소변을 보게 하며, sacral spinal cord(특히 S2~S4)에서 기원

b. Muscarinic receptor에 작용

(2) 체신경계(Somatic nervous system)

① 골반바닥(pelvic floor)과 외요도괄약근의 신경분포를 통해 하부요로계의 말초신경 조절

② 소변 저장 시에는 수축, 배출 시에는 이완을 유발해 배뇨활동에 관여

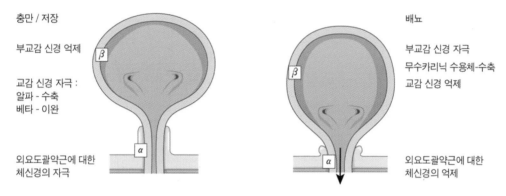

충만 / 저장

부교감 신경 억제

교감 신경 자극 :
알파 - 수축
베타 - 이완

외요도괄약근에 대한
체신경의 자극

배뇨

부교감 신경 자극
무수카리닉 수용체-수축
교감 신경 억제

외요도괄약근에 대한
체신경의 억제

그림 17-1. 골반장기를 지지하는 구조들

(3) 소변의 저장과 배뇨 시 신경반사

소변의 저장
교감신경계 – 억제신호를 방광의 β-receptor에 보내 이완 – 자극신호를 삼각근과 요도 평활근에 보내 수축 방광이 팽창하면 pelvic n.를 통해 CNS로 신호전달 → 두가지 자극을 유발 1. 배뇨반사로 방광에 돌아오는 수평자극 2. 뇌로 전달되는 수직자극 배뇨가 부적절한 상황인 경우 → Pudendal n.를 통한 자극신호로 골반바닥근육과 외요도괄약근을 수축시키고, 억제신호를 통한 교감신경 계의 기능을 보완
소변의 배출
배뇨가 적절한 상황인 경우 1. 뇌에서 골반바닥과 요도괄약근의 이완을 위해 횡문근에 자발적 자극을 전달 2. 교뇌의 배뇨중추(pontine micturition center)로 자극 전달 → 척수로 자극을 전달하여 부교감신경계를 통해 천골 배뇨반사(sacral micturition reflex)를 활성화하여 요 도가 이완되는 동안 콜린성 수용체와 방광수축을 자극

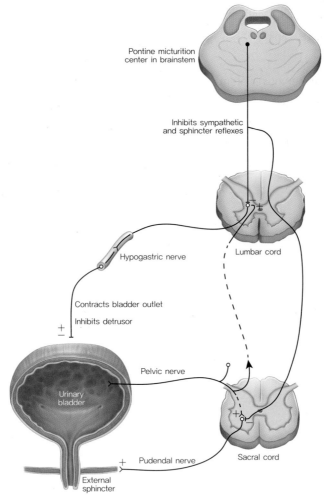

Pontine micturition
center in brainstem

Inhibits sympathetic
and sphincter reflexes

Lumbar cord

Hypogastric nerve

Contracts bladder outlet

Inhibits detrusor

Pelvic nerve

Urinary
bladder

Pudendal nerve

Sacral cord

External
sphincter

그림 17-1. 골반장기를 지지하는 구조들

3) 하부요로장애의 분류

(1) 저장장애(Abnormal storage)

저장장애	증상
요실금(urinary incontinence)	불수의적으로 소변이 새는 것
복압성 요실금(stress urinary incontinence)	육체적 운동을 하거나 기침, 재채기 등을 할 때 불수의적으로 소변이 새는 것
절박성 요실금(urgency urinary incontinence)	소변이 마려우면 참지 못하고 소변이 새는 것
기립성 요실금(postural urinary incontinence)	체위를 바꿀 때 소변이 새는 것

범람 요실금(overflow incontinence)	방광 내에 다량의 소변이 잔류해 방광내압이 상승함으로써 소량의 소변이 지속적으로 새는 것
야뇨증(nocturnal enuresis)	잠자는 중에 소변이 새는 것
혼합성 요실금(mixed urinary incontinence)	복압성 요실금과 절박성 요실금이 같이 있는 것
지속성 요실금(continuous urinary incontinence)	소변이 계속 새는 것
무감각 요실금(insensible urinary incontinence)	소변이 새는 것을 인지하지 못한 상태로 소변이 새는 것
성교 요실금(coital incontinence)	성교 시에 소변이 새는 것
주간 빈뇨(increased daytime urinary frequency)	주간의 활동시간에 정상적인 배뇨횟수보다 더 자주 소변을 보는 것(통상적으로 7회 이내가 정상으로 간주)
야간뇨(nocturia)	배뇨 때문에 수면 중 1회 이상 잠이 깨는 것
절박뇨(urgency)	갑자기 참기 어려울 정도로 소변이 마려운 것
과민성 방광(overactive bladder syndrome, OAB)	부요로계의 감염이나 병적소견이 없는 상태에서 절박뇨 증상이 빈뇨, 야간뇨 증상과 동반되어 나타나는 것(±절박성 요실금)

(2) 감각장애(Abnormal sensory)

감각장애	증상
방광감각증가(increased bladder sensation)	방광에 소변이 찰 때 이전보다 배뇨 욕구가 일찍 나타나거나 더 지속적으로 나타나는 것(소변이 마려우나 배뇨를 늦출 수 있다는 것이 절박뇨와의 차이점)
방광감각저하(decreased bladder sensation)	소변이 차는 것은 느끼지만 이전에 비해 배뇨 욕구가 늦게 나타나는 것
방광무감각(absent bladder sensation)	방광에 소변이 차는 느낌과 소변이 마려운 느낌이 없는 것

(3) 배출장애(Abnormal emptying)

배출장애	증상
배뇨 지연(hesitancy)	배뇨의 시작이 지체되는 것
느린 배뇨(slow stream)	배뇨 시 소변흐름이 이전보다 느리다고 느껴지는 것
간헐뇨(intermittency)	배뇨 중 1회 이상 배뇨가 중단되었다가 다시 시작되는 것
긴장뇨(straining to void)	배뇨를 시작하거나 유지하기 위해 많은 힘을 주어야 하는 것
요줄기의 분열(spraying of urinary stream)	배뇨 시 요줄기가 갈라져서 나오거나 분무형으로 배출되는 것

불완전 배뇨(feeling of incomplete emptying)	배뇨 후 방광이 완전히 비워지지 않았다는 느낌이 드는 것
재배뇨 욕구(need to immediately re-void)	배뇨 직후 추가적인 배뇨가 필요한 것
배뇨 후 요실금(postmicturition leakage)	배뇨가 완료된 후 추가적으로 소변이 새는 것
체위성 배뇨(position-dependent micturition)	소변을 잘 보기 위해 특정한 자세가 필요한 것
배뇨통(dysuria)	배뇨 중 작열통 또는 하부요로계의 내인적 불편감이 있는 것
요정체(urinary retention)	힘을 계속 주어도 소변이 나오지 않는 것

2 요실금(Urinary incontinence)

1) 분류

(1) 복압성 요실금(Stress urinary incontinence, SUI)

① 기침, 운동에 의해 복압이 높아질 때 방광압이 요도압보다 커져 소변이 새는 증상

② 가장 흔한 형태의 요실금(50세 미만에서 호발)

③ 원인

   a. 내인성 요도괄약근 기능부전(요실금수술, 척수손상, 방사선조사 등의 과거력)

   b. 요도방광접합부(urethrovesical junction) 지지조직의 해부학적인 결핍

④ 생체행동모델(biobehavioral model)

   a. 개개인의 생활 습관에 따라 다양하게 발현되며 이에 영향을 미치는 요인

   b. 환자의 증상과 요실금에 대한 반응에 따라 다양한 반응

> **운동 중 요실금이 있는 환자**
>
> 운동을 포기하여 요실금을 간단히 해결, 생활의 질 손해
> 골반근육운동을 열심히 하여 요실금을 극복 → 개개인의 다양성을 고려하여 환자의
> 가끔씩 나타나는 약간 양의 요실금을 대수롭지 않게 생각   치료 방침을 결정

(2) 절박성 요실금(Urgency urinary incontinence, UUI)

① 배뇨중추(micturition center)와 방광 사이의 경로에 이상이 있는 경우 발생

② 나이가 많은 여성에서 가장 많은 형태

③ 과민성 방광(overactive bladder, OAB)

   a. 절박성 요실금의 유무에 관계없이 절박뇨가 주로 빈뇨(OAB-dry) 및 야간뇨(OAB-wet)와 같이 있는 경우

   b. 요로감염 같은 국소적 병변이나 대사질환이 없어야 하고 단지 증상으로만 정의

c. 빈뇨 : 하루 8회 이상(최근 미국연구 12회 이상)

④ 배뇨근 과활동(detrusor overactivity)

    a. 요역동학검사로 방광의 불수의적 수축이 객관적으로 확인된 경우

    b. 분류

      - 특발성 배뇨근 과활동(idiopathic detrusor overactivity)

      - 신경인성 배뇨근 과활동(neurogenic detrusor overactivity)

(3) 혼합성 요실금(Mixed urinary incontinence, MUI)

① 복압성 및 절박성 요실금이 같이 있는 경우

② 많은 요실금 환자들이 해당

③ 젊은 여성들은 복압성 요실금이 많지만 나이 든 여성에서는 혼합성 요실금이 많음

(4) 가역적 원인에 의한 요실금

① 생리적 배뇨기능은 정상이나 다른 신체능력이 저하된 노인 여성에서 흔히 발생

② 기능성 요실금(functional urinary incontinence)

    a. 소변이 나오려고 하는데 미처 화장실을 찾지 못하거나 도착을 못하든지, 속옷을 많이 껴
입어서 빨리 내리지 못하는 경우 발생하는 요실금

    b. 환경이 개선되거나 옷을 편하게 입으면 해소

③ 일과성 요실금(transient urinary incontinence)

    a. 다른 신체적 요인에 의해 일시적으로 나타나는 요실금

    b. 원인

일과성 요실금의 원인 : DIAPPERS

Delirium
Infection
Atrophic urethritis and vaginitis
Pharmacologic causes
Psychological cause
Excessive urine production
Restricted mobility
Stool impaction

---

(5) 외요도 요실금(Extraurethral incontinence)

① 선천성 : 방광외번증(bladder exstrophy), 딴곳 요관(ectopic ureter)

② 후천성 : 방광질 누공(vesicovaginal fistula)

    a. 외요도 요실금의 가장 흔한 원인

b. 방광질 누공의 원인
- 장기간 폐쇄분만(obstructed labor) : 전세계적으로 가장 흔한 원인
- 자궁절제술, 암, 방사선 치료 등

2) 위험인자

(1) 분류

선행인자(Predisposing factors)	자극인자(Inciting factors)
– 유전적 요인(가족력) – 인종(코카시안)	– 임신 – 출산이 골반저부의 항문거근을 약화시키고 방광경부를 하강시키며 여기에 분포하는 배뇨 자제에 관련되는 신경을 손상시키기 때문 – 제왕절개도 다산에서는 도움이 되지 않음
촉진인자(Promoting factors)	대상부전인자(Decompensating factors)
– 비만 – 만성 변비 – 만성 기관지염, 기흉 – 흡연 – 신경질환 : 뇌졸중, 파킨슨병, 우울증, 다발성경화증 등 – 복압을 증가시키는 힘든 직업 – 갱년기 – α–adrenergic agonist	– 일시적으로 요실금을 유발하지만 영구적인 요실금을 유발하지는 않음 → 선행, 자극, 촉진인자가 있으면 요실금 발생 증가 – 노령 – 치매 – 육체적 정신적인 건강상태 – 당뇨나 심장병 같은 내과 질환 – 약물복용의 여부 – 환경 변화

(2) 요실금 분류에 따른 위험인자

Risk factor	Urinary incontinence subtype		
	Stress UI	Urgency UI	Mixed UI
Age			
〈50	++	+	+
≥50	No effect	++	++
Race(White = referent)			
Black	–	–	–
Hispanic	–	–	–
Parity	++	No effect	+
Obesity	++	++	++
Diabetes	++	++	+
COPD/Smoking	++	+	++
Surgery for stress UI	–	+	–

3) 진단

(1) 병력청취

① 전신적인 건강상태, 요실금과 배뇨장애증상(잔뇨감, 배뇨통)

② 배변장애증상(변비, 설사, 변실금, 불완전 배변) 유무를 확인

③ 성기능 장애 여부, 요통이나 아래가 빠지는 느낌이나 하복통 같은 골반 불쾌감 확인

④ 설문지를 이용하여 증상 및 삶의 질에 미치는 영향을 확인

(2) 신체검사

① 환자의 상태 확인

　a. 영양 상태, 정신 상태, 운동능력 등을 확인

　b. 환자들이 표현하는 배뇨장애 증상을 객관화하기 위하여 배뇨일지를 기록하게 함

　c. 하부요로의 기능에 영향을 미치거나 요실금을 유발할 수 있는 질환 및 약물 확인

배뇨와 요실금에 영향을 미치는 약물

중추신경 작용제	Serotonin, Dopamine	중추 신경에 작용하여 배뇨 억제
진정제, 수면제, 최면제	Benzodiazepins	정신이 혼미해져서 이차적으로 요실금 발생
알코올		지각 행동 장애와 소변 과다
항콜린제	Terodiline, Nifedipine	배뇨근 수축력을 감소시켜 배뇨장애를 일으키고 소변이 넘쳐 흘러 범람 요실금 발생
알파-아드레날린 작용제		출구 저항을 증가시켜 배뇨장애 발생
알파-아드레날린 차단제	Prazosin, Terazosin	출구 저항을 감소시켜 요실금 발생
베타-아드레날린 작용제	Terbutaline	배뇨근 수축력을 감소시켜 배뇨장애 발생
칼슘-채널 차단제	Terodiline, Nifedipine, Diltiazem, Verapamil	배뇨근 수축력을 감소시켜 배뇨장애 발생

② 부인과적 검사

　a. Q-tip test

　　- 윤활제를 바른 소독된 면봉을 요도방광접합부의 안쪽(외요도구에서 2~3 cm 안쪽) 부위까지 집어넣고 아랫배에 강한 힘을 주게 하거나 기침을 시켜서 수평 상태에서 면봉이 최대로 휘는 정도를 측정

　　- 전면의 질 지지구조와 요도의 과운동성을 방지하는 기능이 손실된 경우 방광경부가 떨어지고 면봉이 위쪽으로 상승

　　- 최대 각도가 20~30° 변하면 요도의 과운동성이 있다고 진단

　　- 민감도와 특이도가 낮아 진단에는 부적합

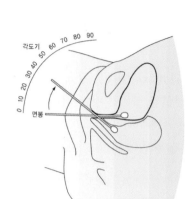

그림 17-4. Q-tip test

b. 보니검사(Bonney test)
- 질 내에 두 손가락을 넣고 요도방광 이행부에서 상방으로 압력을 가한 상태에서 기침을 시켜 소변 누출이 있는지 보는 방법
- 압력을 가하지 않은 상태에서는 소변 누출이 있으나 압력을 가한 후에는 누출이 없다면 요도 지지구조의 손상을 의미

(3) 배뇨일기(Voiding diary)
① 배뇨와 증상을 일기 형식으로 기록하게 하여 요실금 증상을 객관적으로 확인
② 24시간 동안 소변의 양, 배뇨 횟수, 요실금 횟수, 요실금이 일어난 상황과 양, 야간뇨의 시간 및 양 등을 기록

(4) 소변검사(Urinalysis)
① 비뇨기감염, 대사질환, 신장과 요로, 방광의 질환 유무를 알아보기 위해 시행
② 소변의 세균배양검사를 하여 감염증이 있는지를 확인
③ 혈뇨가 있으면 소변세포검사, 정맥신우조영술(IVP), 방광경 시행

(5) 배뇨 후 잔뇨량 측정(Postvoid residual urine volume, PVR)
① 배뇨 후 잔뇨량의 증가 → 방광의 기능적 용량이 감소
② 잔뇨량
- 50 mL 미만 : 정상
- 200 mL 이상 : 확실한 소변 배출의 문제
- 실제로 일어난 배뇨량을 고려하고, 최소 80%는 배뇨해야 정상

(6) 기침유발검사(Cough stress test)

① 방광이 충만한 상태에서 기침을 시켜 소변이 새는지 확인

② 누운 자세에서 유출이 없으면 세워서 확인

③ 배뇨근 과활동(detrusor overactivity)에 의한 절박성 요실금 때에도 나타날 수 있음

(7) 패드검사(Pad test)

① 검사 15분 전 500 mL의 수분섭취 후 패드를 착용하고 일정 시간이 지난 뒤 무게를 측정하는 검사

② 검사방법

　a. 1시간 동안의 활동 후 패드 무게가 1 g 이상 증가하면 요실금을 진단

　b. 24시간 동안 패드를 한 후 무게를 재서 1.3 g 이상 증가하면 요실금을 진단

(8) 요역동학검사(Urodynamic tests)

① 방광 및 요도기능에 대한 모든 검사를 포함한 의미

　a. 전통적 요역동학검사 : 검사실에서 도관을 이용하여 인위적으로 방광을 충전하여 검사

　b. 이동 요역동학검사 : 환자가 일상생활을 하면서 자연스럽게 소변이 차면 검사

② 모든 요실금 환자를 대상으로 요역동학검사를 시행하지는 않음

요역동학검사의 적응증

환자의 증상과 일치하지 않는 소견이 있을 때

요실금은 호소하나 다른 방법으로 증명이 되지 않을 때

기본적인 간단한 검사로 진단을 내리기 어려울 때

보존적인 치료에 반응하지 않을 때

과거에 요실금 수술을 받은 적이 있거나 요실금 수술이 고려될 때

혼합성 요실금의 증상이 있어서 주 증상의 원인 규명이 필요할 때

직장암이나 자궁암 등으로 근치 수술이나 방사선 조사를 받았을 때

신경 질환의 의심이 있을 때

심한 골반장기탈출증이 동반되었을 때

잔뇨량이 많을 때 감염증이 없으면서 혈뇨가 있을 때

③ 단순 방광충전검사(simple bladder filling test)

　a. 요도관을 통하여 방광에 삽입된 단일도관으로 방광내압만을 측정 기록하는 방법

　b. 방광을 채우는 도중 기침을 시켜서 복압 상승 시 요실금이 발생하면 복압성 요실금

　c. 절박한 요의를 느끼면서 요실금을 나타내면 배뇨근 과활동에 의한 절박성 요실금

　d. 혼합성 요실금이 의심되거나 기침으로 계속 소변이 새는 경우에는 추가검사가 필요

　e. 단점 : 복압에 의한 방광압을 알 수 없어 순수 배뇨근 수축에 의한 압력 측정 불가능

④ 다중채널 요역동학검사(multichannel urodynamic studies)

　　a. 복압을 측정하는 도관이 따로 있어 단순 방광충전검사를 보완한 검사

　　b. 주의 깊은 문진과 신체검사의 선행이 필요

⑤ 비디오 요역동학검사(videocystourethrography)

　　a. 다중채널 요역동학검사를 하면서 방광을 용액으로 채울 때 방사선 조영제를 섞어서 사용하고 방사선 투시검사를 같이 하는 검사

　　b. 장점

　　　- 방광내압과 직장내압뿐 아니라 요도와 방광, 그리고 골반저 사이의 상호 역동적인 연관성을 비디오 화면으로 이미지화 시켜 확인 가능

　　　- 녹화하여 이를 다시 검증할 수 있는 자료로 저장 가능

⑥ 방광충전검사(bladder filling phase test)

　　a. 검사 항목

　　　- 최초 방광충전 감각, 최초 요의 및 강한 요의가 나타나는 시점

　　　- 방광내압측정용적(cystometric capacity) : 요의를 느껴 충전이 중지될 때의 용량

　　　- 최대 방광내압측정용적(maximum cystometric capacity) : 더 이상 소변을 참지 못할 때의 용량

　　b. 방광내압측정법(cystometry)

　　　- 방광내압과 양의 관계를 측정하는 방법

　　　- 기립 자세로 검사하는 것이 가장 이상적

　　　- 방광압, 복압, 배뇨근압을 측정 가능

배뇨근압(detrusor pressure)의 측정

Pdet = Pves − Pabd

(Pdet = detrusor pressure, Pves = vesical pressure, Pabd = abdominal pressure)

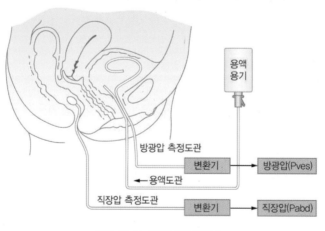

그림 17-5. 방광내압측정법

c. 정상적인 여성의 방광기능

정상적인 여성 방광기능

– 정상 일일 소변량 : 1,500~2,500 mL
– 평균 소변량 : 250 mL
– 잔뇨량(Residual urine) 〈50 mL
– 방광 용적 : 400~600 mL
– 강한 배뇨 욕구 : 250 mL 이후 발생

– 용액을 채울 때 유발을 시키더라도 불수의적인 배뇨근의 수축은 없음
– 유발을 시키더라도 복압성 또는 절박성 요실금이 없음
– 배뇨근 수축을 수의적으로 시작, 유지함으로써 배뇨가 유발
– 배뇨압 〈50 cmH$_2$O, 유속 〉15 mL/sec

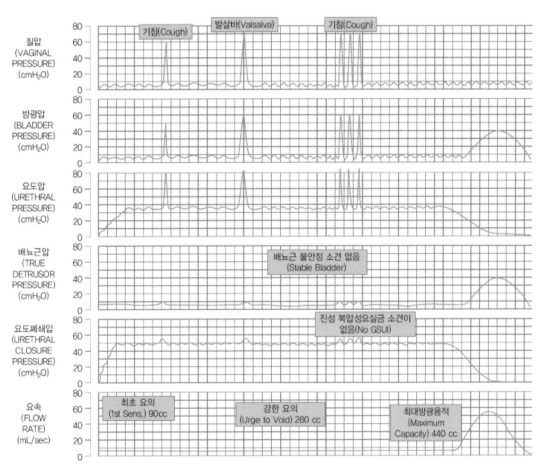

그림 17-6. 요역동학 검사의 정상소견

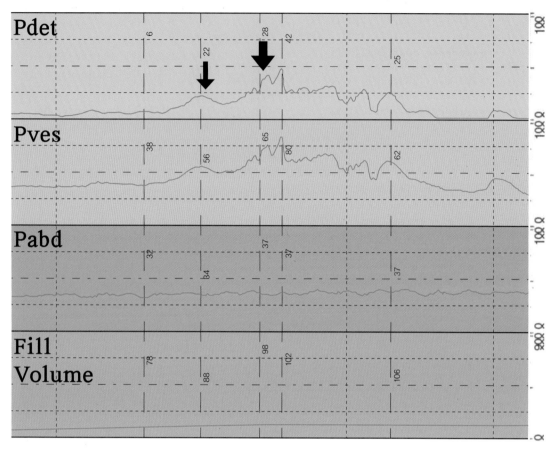

그림 17-7. 배뇨근 과활동(Detrusor overactivity)

⑦ 요도기능검사(urethral function tests)
　　a. 검사의 종류
　　　- 요도내압검사(urethral pressure profile, UPP)
　　　- 발살바 요누출압검사(valsalva leak point pressure, VLPP)
　　　- 방광경 방광경부 관찰법
　　b. 요도내압검사(UPP)
　　　- 요도 저항을 측정하는 검사
　　　- 내인성 괄약근 기능부전을 가진 복압성 요실금 환자의 진단에 사용
　　　- 요도폐쇄압이 20 cmH$_2$O보다 낮으면 요실금 수술의 결과가 좋지 않음

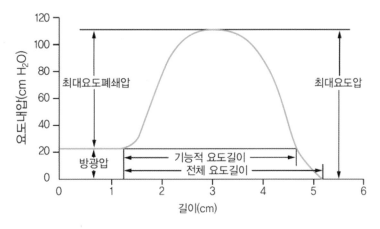

그림 17-8. 배뇨근 과활동(Detrusor overactivity)

⑧ 발살바 요누출압검사(valsalva leak point pressure, VLPP)

    a. 내인성 괄약근 기능부전이 동반된 복압성 요실금의 감별진단에 유용

    b. 압력 변화가 60 cmH$_2$O 이하에서 소변 유출이 있으면 내인성 괄약근 기능부전을 의미

    c. 150 cmH$_2$O 이상에서도 요실금이 있다면 요도 이상이 원인이 아닐 가능성이 높음

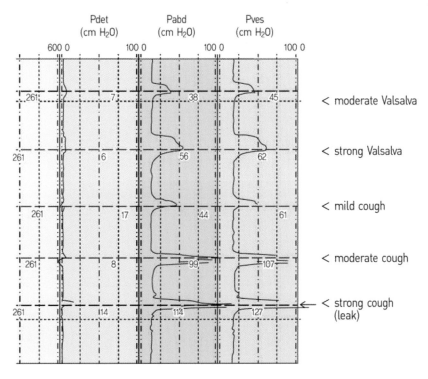

그림 17-9. 발살바 요누출압검사(valsalva leak point pressure)

⑨ 방광배출검사(bladder emptying phase test)

    a. 방광이 비워질 때의 검사로 방광이 요를 배출할 수 있는 능력과 각 상태에서의 압력을 알기 위한 검사

    b. 요류검사(uroflowmetry)

      - 방광이 비워지는 속도와 양상을 비침습적으로 측정

      - 환자는 편안히 앉아 평상시 배뇨 상태와 유사한 상태에서 검사

      - 정상적인 요류 곡선 : 지속적이고 부드럽게 올라갔다 내려오는 모양

      - 비정상적인 요류 곡선 : 요류가 끊어지거나 시간이 지연되는 모양

      - 비정상 소견 : 평균 요속 ≤10 mL/s, 최대 요속 ≤15 mL/s

      - 단점 : 방광출구 폐쇄와 배뇨근 기능저하를 감별하기 어려움

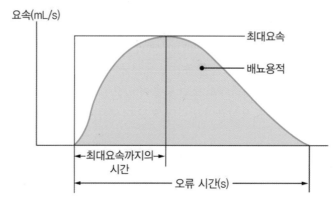

그림 17-10. 정상 요류 곡선

    c. 압력-요류검사(pressure-flow study)

      - 방광출구 폐쇄와 배뇨근 기능저하를 구분할 수 있는 객관적 검사 방법

      - 요류검사를 먼저 시행하고 도관을 잔뇨를 측정

      - 이후 방광내압측정을 하고 환자가 소변을 참기 어려울 때 요류검사를 다시 하여 처음의 요류검사 결과와 비교

4) 치료

(1) 일반적인 치료 원칙

① 복압성 요실금(SUI)

    a. 요도와 그 주위를 받치고 있는 조직이 이완되어 발생 → 이를 회복시키면 치료

    b. 수술이 가장 효과적(심한 요실금, 다른 치료에 실패한 경우, 나이가 많아 골반저근 수축기능이 약한 경우)

c. 증상이 경한 젊은 여성의 경우는 물리치료를 시행

② 절박성 요실금(UUI)

    a. 급작스럽고 강한 배뇨 충동 → 방광수축억제 약물 + 방광훈련과 같은 행동치료

    b. 약제에 잘 반응하지 않는 경우 약제와 전기자극치료, 바이오피드백 등을 병행

③ 범람 요실금(overflow incontinence)

    a. 배출구가 막히거나 신경손상으로 방광수축 부전 → 배출구 확보 + 약물치료와 함께 신경 회복을 기다림

    b. 신장에 악영향을 미칠 수 있으므로 반드시 치료

	복압성 요실금 (Stress urinary incontinence)	절박성 요실금 (Urgency urinary incontinence)	범람 요실금 (Overflow incontinence)
1차 치료	행동치료(골반저근 운동)	행동치료(방광훈련)	간헐적 카테터삽입
2차 치료	약물치료 : 드물게 사용 (α-adrenergics, 에스트로겐)	약물치료 (항무스카린 제제, imipramine)	유치 카테터삽입
3차 치료	수술치료	수술치료 : 드물게 사용	치골 위 카테터삽입

(2) 비수술적 치료

① 생활양식의 변화

    a. 요실금을 유발하는 요인을 제거하는 방법

    b. 체중 감량 : 중등도 이상의 비만 여성에서 효과적

    c. 카페인, 수분 섭취의 감소

    d. 자세의 변화 : 복압이 상승하는 상황(기침, 재채기)에서는 다리를 꼬는 것

② 행동치료와 방광훈련

    a. 방광훈련

      - 배뇨 욕구를 의지로 조절하는 훈련을 함으로써 배뇨 습관을 변화시키는 치료

      - 골반저근 운동을 함으로써 절박뇨 증상을 억제하여 배뇨 간격을 늘려가는 방법

      - 과민성 방광에서 일차적으로 권하는 치료 방법

      - 규칙적 화장실 방문이 중요

    b. 행동치료 : 방광의 기능보다는 자발적인 조절을 개선시키는 방법

    c. 배뇨근 과활동(detrusor overactivity)에는 부적합한 치료법

③ 물리치료

    a. 골반저근 운동(pelvic floor muscle exercise)

      - 다른 명칭 : Kegel 운동

      - 소대변을 참기 위한 것처럼 골반근육을 바짝 조이는 운동

- 요도, 질 및 항문을 감싸고 있는 근육의 강도와 기능을 복구하는 효과
- 적응증 : 고령, 임신, 분만부, 수술을 못하거나 피하는 경우, 운동 중만 발생, 심각하게 생각하지 않는 환자, 배뇨곤란이나 혼합성 요실금이 있는 환자

b. 전기자극치료, 체외자기 신경감응치료(extracorporeal magnetic innervation)

④ 약물치료

긴장성 요실금(Stress urinary incontinence)

α-아드레날린제제
- 요도와 방광목은 α-adrenergics에 의해 긴장도가 유지
- 제제 : Pseudoephedrine(15 mg 1일 2회~30 mg 1일 4회), imipramine, ephedrine, phenylpropanolamine, norepinephrine
- 부작용 : 졸음, 입마름, 두통, 부정맥, 고혈압

β-아드레날린차단제
- 방광체부의 이완을 차단시키는 기능
- 제제 : Propranolol(10 mg 1일 2회~40 mg 1일 3회)
- 부작용 : 기립성 저혈압, 부정맥, 심혈관계 부작용(고령), 간기능 이상

Estrogen
- 제제 : 질크림(0.5~1 mg 주1회), 질 고리(Estring)
- 부작용 : 자궁내막암 위험 증가(주기적 프로게스틴 필요), 불규칙 질 출혈

절박성 요실금(Urgency urinary incontinence)

Anticholinergic agent
- 배뇨근 과활동(detrusor overactivity) 억제를 위해 muscarinic 수용체에서 acetylcholine 효과를 억제함으로써 절박뇨 증상을 치료
- 예전 약 : Imipramine, Flavoxate
- 요즘 약 : Oxybutinin, Tolterodine, Trospium chloride, Solifenacin succinate, Darifenacin
- 부작용 : 입마름, 심박수 증가, 변비, 시야흐림 등
- 입마름은 껌, 사탕, 과일 한 조각 등으로 완화

야간뇨(Nocturia), 야뇨증(Nocturnal enuresis)

Desmopressin (DDAVP)
- 아이들의 치료에 많이 사용되나 어른에게도 유용함
- Nasal spray or PO medication
- Hyponatremia 유발 가능하므로 주기적인 serum Na 측정이 필요

Imipramine (Tricyclic antidepressants)
- Anticholinergic or Antidepressant effect
- ADH hormone 조절
- 부작용 : 기립성 저혈압

---

⑤ 기구치료

a. 질내지지장치
- 운동에 의한 복압성 요실금의 예방에 효과적
- 종류 : 탐폰, 피임용 격막, 페사리

  b. 요도내 또는 요도외장치

   - 요도에 설치하는 일회용 무균 삽입장치

   - 합병증이 없는 복압성 요실금 환자에게 적합

  c. 패드나 특수 팬츠의 착용

(3) 수술적 치료

  ① 긴장성 요실금(stress incontinence)

복식 수술법

복식 Burch 수술법
  – 요도와 방광목의 과운동성(hypermotility)를 교정하기 위한 방법
  – 치골결합위 부위에 10 cm 가량 횡절개 후 방광주변공간과 질주변 근막을 노출한 뒤 요도방광접합부 (urethrovesical junction)의 2 cm로부터 전질벽을 2~3바늘 떠서 영구봉합사를 이용해 쿠퍼인대에 봉합
  – 치료 성공률의 감소 : 기간이 지남에 따라 감소, 수술 전 배뇨근 과민성, 수술 과거력, 비만, 폐경, 자궁절제술, 내인성 괄약근 기능부전
  – 혼합성 요실금의 경우는 배뇨근 과민성을 위한 비수술 치료를 먼저 시행
  – 수술 후 합병증 : 요로감염, 치료 실패, 새로운 배뇨근 과활동, 배뇨장애, 치골후방혈종, 탈장이나 직장류탈출(rectocele), 방광 천공
  – 수술 후 배뇨곤란 : 수술 7일 이내에 대부분 회복되나 요도폐쇄로 인한 유속 감소는 오래 지속
  – 탈장(enterocele)의 예방조치 : 자궁천골인대걸기(uterosacral ligament suspension), 증상이 있는 직장류의 교정, 골반강성형술(culdoplasty)
복강경 Burch 수술법
  – 장점 : 출혈과 통증이 적고 회복이 빠름
  – 단점 : 수술시간이 길고 합병증도 많으며, 고난도 술기, 비싼 비용

질식 수술법

전질벽 협축술(anterior vaginal repair or anterior colporrhaphy)
  – 전질벽을 중앙 절개하여 방광경부 근처 요도주위조직을 주름잡아 봉합하는 수술
  – 요실금 치료를 위한 단독수술로는 권장되지 않고, 복압성 요실금이 심하지 않은 방광류 환자에서 사용
견인바늘걸기술(needle suspension procedures)
  – 큰 근막절개를 하지 않아 이환율이 적고, 수술과 입원기간이 짧아 일상생활에 쉽게 복귀 가능
  – 시간이 지남에 따라 효과 감소가 커서 현재는 거의 사용되지 않음
전통적 치골질걸이술(pubovaginal sling operation)
  – 전질벽을 열고 치골뒤공간 박리 후 긴 띠를 방광경부에 설치하고 위로 당겨 복직근막에 고정하는 수술
  – 방광출구 폐쇄나 요저류를 예방하기 위해 장력이 너무 심하지 않게 하는 것이 중요
  – 요실금의 1차 수술이 실패했거나 내인성 괄약근 기능부전이 있는 환자에게 주로 시술
  – 띠 재료 : 자가 근막, 동종이식 근막, 이종이식 근막, 인조물질
  – 만성 합병증 : 배뇨장애, 절박뇨
중요도 걸이술(mid-urethral slings) : 복압성 요실금 수술의 표준치료
  무긴장성 질테이프술(tension-free vaginal tape, TVT)
   – 치골 바로 위 피부에 5 mm의 작은 절개 2개를 만들고 중요도 질벽에도 1~2 cm의 절개를 넣어 요도 주위를 박리한 후 40×1 cm 되는 좁은 prolene 망사(mesh) 테이프를 방광경부가 아닌 중요도 (midurethra) 아래에 긴장 없이 설치

– 요도받침과 같은 작용으로 요도의 이동을 제한하고 이식반흔으로 요도측면도 지지하게 하여 복압이 증가할 때 요도의 운동성을 감소시키고 요도를 비틀리게 하여 요자제 효과를 가져오게 한다
– 질벽에 mesh가 돌출되어 있을 경우 → 반드시 제거
  · Mesh 제거 후 estrogen cream을 바르며 경과 관찰(1st choice)
  · 깨끗한 상처 : 노출된 mesh의 부분절제 후 봉합
  · 심한 염증성 상처 : 최대한 박리 가능한 mesh의 전절제(total remove) 후 봉합
  · 환자에게 mesh 제거 후 요실금이 재발될 수 있음을 설명
경폐쇄공 테이프술(Transobturator Tape, TOT)
  – TVT의 합병증을 줄이기 위하여 개발된 수술방법
  – 치골 뒤 공간과 앞 복벽 대신 폐쇄공을 통한다는 것이 차이점
  – 요로 합병증과 치골뒤 혈종의 가능성이 적고, 대혈관손상과 심한 출혈, 방광 및 장 천공이 없음
미니슬링법(Mini-sling)
  – 질 내 절개를 통해 TVT나 TOT에 비하여 짧은 걸이를 이용하는 수술법
  – 양쪽의 치골 뒤 부위와 서혜부 근육을 찔러서 통과하지 않아 합병증이 감소
충전제 주입술(bulking procedures)
  – 요도 주위에 물질을 주입하여 요실금을 방지하는 시술
  – 충전제는 요도점막 밑에 역방향 또는 앞방향 형식으로, 요도주위 또는 요도를 경유하여 주입
  – 복압성 요실금의 치료에 수술 대체요법으로 좋음

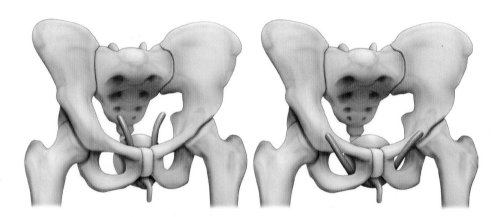

그림 17-11. 무긴장성 질테이프술(TVT)과 경폐쇄공 테이프술(TOT)

② 절박성 요실금(Urgency urinary incontinence)
  a. 행동요법에 실패하고 약물치료에 반응이 없는 경우 시행
  b. 수술법
    – 거미막밑마취(subarachnoid block), 천골신경부리절제술(sacral rhizotomy), 방광 탈신경
      (bladder denervation), 배뇨근절제술(detrusor myomectomy) 등
    – 방광확대 성형술(augmentation cystoplasty) : 소장 일부분으로 방광을 대체
  c. 보툴리늄톡신(botulinum toxin) : 아세틸콜린 신경전달물질의 방출을 억제
  d. 음부신경조절(pudendal nerve modulation) : 피부에 붙이는 패치로 엉치뼈 부위에 자극을

가하여 작용

(4) 골반장기탈출증이 있는 복압성 요실금의 치료

① 매우 흔하게 복압성 요실금과 방광류가 동반

② 골반장기탈출증의 교정법에 따른 요실금 수술

    a. 탈출을 복부로 교정할 경우 : 복식 Burch 수술법

    b. 탈출을 질로 교정할 경우 : 질걸이술(sling operation)

    c. 탈출을 동반한 경우: 치골질걸이술(pubovaginal sling)

    d. 잠복 복압성 요실금이 있는 심한 탈출 : 방광경부의 요도밑 주름술(plication)

(5) 혼합성 요실금의 치료

① 복압성 요실금과 절박성 요실금 중 증상이 심하고 괴로운 것부터 시작

② 절박성 요실금

    a. 항무스카린 치료가 1차 치료

    b. 이는 복압성 요실금에 의해 영향을 받지 않음

③ 항무스카린 치료에 반응이 없으면 복압성 요실금 수술을 먼저 시행 : 수술 후 절박성 요실금
이 지속되는 경우가 많아 장기간 약물치료나 행동치료를 병행

3 기타 요로계장애

1) 배뇨장애(Voiding dysfunction)

(1) 특성

① 골반바닥근육의 이완 또는 방광근육의 수축 이상으로 인한 배뇨장애

② 원인

배뇨장애의 원인

막힘(obstruction) : 방광목폐쇄술(obstructive bladder neck surgery) 후 호발
신경학적 질환(neurologic disease) : detrusor–sphincter 운동장애
약물(medications) : antihistamine, anticholinergic agents
감염(infection) : HSV, urinary tract infection (UTI)
심한 골반장기탈출증
과잉확장(overdistension)
심한 변비(severe constipation)
정신과적 원인(psychogenic factors)
Fowler's syndrome : 단독 증상으로 이유를 알 수 없는 요정체(urinary retention)

---

(2) 진단

① 신경학적 검사 : 회음부와 하지의 확인

② 척추 검사 : 신경학적 검사에서 이상이 있는 경우 시행

③ 요역동학 검사(urodynamic test) : 요관폐쇄 또는 방광근육의 수축이상 등을 확인

④ 방광경(cystoscopy) : 폐쇄병변을 확인

(3) 치료

① 깨끗하고 간헐적인 자가도뇨(self catheterization) : 주요 치료 방법

a. 요로감염의 예방효과 : 자주 완전히 방광을 비움 > 방광 내 이물질 유입 차단

b. 자가도뇨 후 소변에 세균이 있더라도 증상이 없다면 치료하지 않아도 됨

② Sacral nerve root neuromodulation : 비폐쇄성 요정체의 치료에 사용

③ α-blocker

④ 약한 진정제(mild sedative)

2) 간질성 방광염(Interstitial cystitis)

(1) 특성

① 요로감염 등 다른 명백한 원인 없이 방광충만과 연관된 치골 상부 통증이 나타나고, 주간 빈뇨, 야간뇨, 절박뇨 등을 흔하게 동반하는 질환

② 다른 명칭 : 방광통증증후군(bladder pain syndromes)

③ 빈도 : 여성(90%) > 남성(10%)

④ 원인 : 명확하지 않음(요로상피 기능장애, 염증성 혹은 자가면역질환으로 추정)

⑤ 증상

- 소변이 찰 때 심한 방광 통증을 호소, 배뇨 후 통증 감소

- 통증 : 치골 상부, 하복부, 회음부, 질, 하부 요추, 대퇴부

- 주간 빈뇨와 야간뇨, 절박뇨가 흔하게 동반

(2) 진단

① 소변검사, 소변배양검사

② 방광경(cystoscopy) : 혈뇨가 있는 경우 진단 및 치료 목적을 위해 시행

a. 방광 내 압력이 증가하면 혈관의 감소

b. 허너병변(Hunner lesion)이라는 궤양과 유사한 병변, 반점 출혈

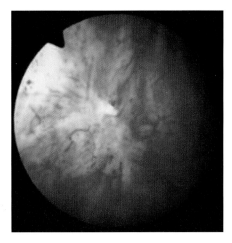

그림 17-12. 간질성 방광염(Interstitial cystitis)

③ 다른 질환의 배제 후 진단 가능

감별질환

– 요도 게실(urethral diverticulum)	– 요로 결석
– 외음부 질환(vulvar disease)	– Estrogen 소실로 인한 비뇨생식기 위축
– 자궁내막증(endometriosis)	– 성전파성질환(STD)
– 비누나 여성 청결제에 의한 화학적 자극	

(3) 치료

① 증상에 대한 치료(대증치료)

    a. 음식 조절(방광자극을 유발할 수 있는 알코올, 담배, 초콜릿, 커피, 매운 음식을 피함)

    b. 물리치료(바이오피드백, 연부조직 마사지 등)

    c. 빈뇨, 절박뇨 : 과민성 방광 치료와 동일

    d. 외음부 청결 교육

② 약물치료

    a. 요로계 진통제(urinary tract analgesics)

    b. Pentosan polysulfate (Elmiron®) : glycosaminoglycan layer를 대체하는 heparin 효과를 가진 경구용 제제

    c. TCA 항우울제, 항히스타민제, 스테로이드, 면역억제제

③ 기타 치료법

    a. Hydrodistention : 50% dimethyl sulfoxide 50 mL를 2주 간격 4회 각 20분 동안 주입

    b. Transcutaneous electrical nerve stimulation (TENS)

    c. Sacral neuromodulation

CHAPTER 18

골반장기탈출증(Pelvic organ prolapse)

1 서론

1) 해부학

(1) 골반바닥(Pelvic floor)의 구조

① 복막(peritoneum)

② 내골반근막(endopelvic fascia) 또는 결합조직(connective tissue)

③ 골반격막(pelvic diaphragm)

    a. Levator ani muscle : pubococcygeus, puborectalis, iliococcygeus

    b. Coccygeus muscle

④ 비뇨생식격막(urogenital diaphragm)

    a. Deep transverse perineal muscle

    b. Sphincter urethrae muscle

⑤ 회음부 근육(perineal muscle)

(2) 골반의 지지구조

① 골반바닥의 근육(muscle)과 결합조직(connective tissue)

② 질 벽의 근결합조직(fibromuscular tissue)

③ 내골반결합조직(endopelvic connective tissue)

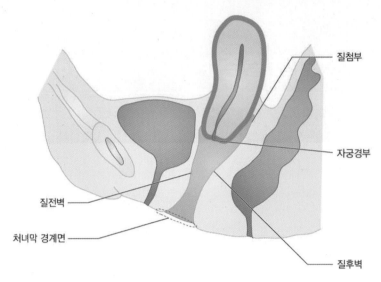

질첨부

자궁경부

질전벽

처녀막 경계면

질후벽

그림 18-1. 정상 골반바닥의 구조

2) 정의

(1) 전방 질벽탈출증(Anterior vaginal wall prolapse)

① 방광류(cystocele)

　　a. 질 전벽을 통해 방광이 이탈하는 것

　　b. Pubocervical musculoconnective tissue가 약해져 발생

② 요도 탈출(urethrocele) : Urogenital diaphragm의 열상에 의해 발생

③ 방광-요도 탈출(cysto-urethrocele)

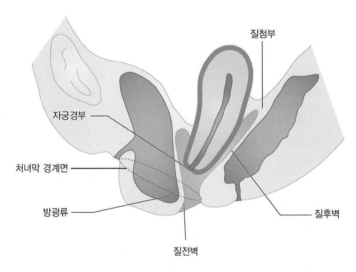

질첨부

자궁경부

처녀막 경계면

방광류

질후벽

질전벽

그림 18-2. 방광류(Cystocele)

(2) 후방 질벽탈출증(Posterior vaginal wall prolapse)

① 탈장(enterocele)

　　a. 복막과 소장이 질강을 통해 탈출하는 것

　　b. Uterosacral ligaments와 rectovaginal space 사이에 발생

　　c. 이전 자궁절제술 부위에서 발생 호발

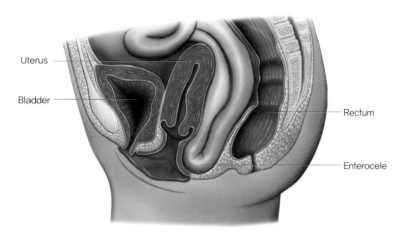

그림 18-3. 탈장(Enterocele)

② 직장류(rectocele)

　　a. 직장이 질 후벽을 통해 탈출되는 것

　　b. 직장 근육과 paravaginal fibromuscular connective tissue 약화로 발생

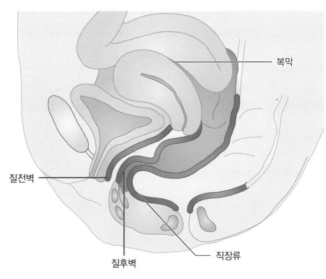

그림 18-4. 직장류(Rectocele)

(3) 자궁탈출증(Uterine prolapse) 또는 질원개탈출증(Vaginal vault prolapse)

　① 자궁탈출증(uterine prolapse)

　　a. 자궁 자체가 질 입구로 내려오는 경우

　　b. Cardinal ligament나 uterosacral ligament의 접착부인 질 첨단부의 지지가 약해져 발생

　② 완전 자궁질탈출증(procidentia) : 자궁과 질이 모두 탈출하는 것

　③ 질원개탈출증(vaginal vault prolapse) : 자궁절제술 후 질원개가 질강을 통해 탈출하는 것

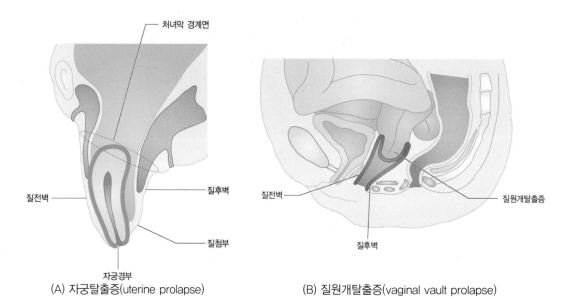

(A) 자궁탈출증(uterine prolapse)　　　　(B) 질원개탈출증(vaginal vault prolapse)

그림 18-5. 자궁탈출증(Uterine prolapse)과 질원개탈출증(Vaginal vault prolapse)

3) 발생기전

(1) 골반장기의 정상적인 위치

　① Levator ani muscle과 endopelvic fascia의 긴장성 수축에 의해서 비뇨생식격막(urogenital dia-phragm)의 폐쇄가 이루어져 골반 내 장기들이 정상적인 해부학적 위치에 유지

　② 항문거근(levator ani muscle)

　　a. 치골미골근(pubococcygeus muscle) : 대, 소변을 참을 수 있게 해주고, 복압 증가 시 수축작용을 일으켜 골반부의 복압 전달을 감소시켜 주는 역할

　　b. 장골미골근(iliococcygeus muscle)

　③ 내골반근막(endopelvic fascia)

　　a. 골반내 장기를 골반벽에 부착시켜 주는 결체조직물

　　b. 골반 내 장기의 정상적인 위치 유지와 유동성 제공

(2) 골반장기탈출증의 발생 원인

① 골반바닥의 지지층이 선천적 혹은 후천적으로 약해 있거나 손상을 받은 경우 발생

② 골반바닥 지지기능에 영향을 주는 요인

    a. 질식분만, 자궁절제술, 만성적 복압 상승 상황, 노화, 결체조직 이상 혹은 손상 등

    b. Levator ani muscle의 이상을 유발하게 되어 골반장기탈출증이 발생

③ 위험인자 : 질식분만(levator ani muscle의 외상 및 신경학적 손상 유발), 고령, 비만 등

2 평가

1) 증상

(1) 증상

① 질 부위 돌출감, 질에서 튀어나오는 만져지는 덩어리

② 하부요로증상 : 빈뇨, 절박뇨, 요폐색과 같은 배뇨장애, 심한 경우 무뇨증(anuria)

③ 질 부위 하중감, 이물감 및 불편감, 하부 요통

④ 배변 증상(변비, 설사, 잔변감, 변실금)

(2) 동반증상

① 많은 여성에서 복압성 요실금을 동반

② 잠재 요실금(occult stress urinary incontinence)

    a. 요실금 증상이 없는 골반장기탈출증 환자의 교정 후 요실금 발생하는 경우

    b. 골반장기탈출증에 의한 요도 압박에 의해 소변 자제가 유지되고 있었지만, 탈출증의 교정에 따른 해부학적 상황의 반전에 의해 발생

2) 신체검사

(1) 검사

① 기본 쇄석위(standard lithotomy position)에서 골반기저부에 대한 이학적 검사 시행

② 서 있을 때 증상이 악화되므로 직립자세에서 환자를 진찰

    a. 환자가 한쪽 발을 발 받침대에 올려놓고 선 채로 생식기부위를 노출시킨 후 내진을 시행하면 탈출증의 증상이 가장 악화되었을 때의 평가가 가능

    b. 이 자세에서 엄지와 검지를 이용하여 직장과 질 검사를 시행하면 더글라스와에 탈장 된 소장이 촉지 가능하므로 눈으로 관찰되지 않는 탈장을 쉽게 감지 가능

③ 요도의 과운동성 측정

④ 질경검사로 질의 전방과 후방의 결손을 확인

⑤ 필요 시 방광조영술, 질초음파, 배변조영술, 자기공명촬영(MRI) 시행

(2) 골반장기탈출증의 분류

① Pelvic Organ Prolapse Quantification System (POP-Q) 표준화체계

Points	Description	Range
Aa	외요도 입구에서 내측으로 3 cm에 위치하는 질 전벽의 기준점	처녀막을 기준으로 −3 ~ +3 cm
Ba	질 전벽 중 가장 많이 탈출되어 돌출된 부위	처녀막을 기준으로 −3 ~ +tvl
C	자궁경부나 질원개(vaginal vault)의 위치	± tvl
D	자궁절제술을 하지 않은 경우 후원개(post. vagina fornix)의 위치	± tvl or omitted
Ap	처녀막에서 내측으로 3 cm에 위치하는 질 후벽의 기준점	처녀막을 기준으로 −3 ~ +3 cm
Bp	질 후벽 중 가장 많이 탈출되어 돌출된 부위	처녀막을 기준으로 −3 ~ +tvl
gh	생식구멍(genital hiatus)의 길이로 외부 요도구 중간부위부터 처녀막의 후방 중심선(post. midline hymen) 까지의 길이	
pb	회음체(perineal body)의 길이로 생식구멍(genital hiatus)의 후방 가장자리부터 항문입구 중앙(mid-anal opening)까지 측정한 길이	
tvl	질 전체의 길이(total vaginal length)로 질 첨단부가 완전히 정상위치까지 복원되어 있을 때 질의 최대길이를 측정한 값	

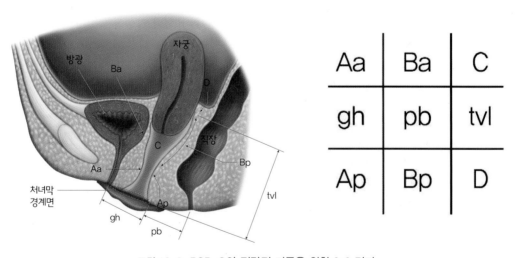

그림 18-6. POP-Q와 정량적 기록을 위한 3x3 격자

② 골반장기탈출증의 등급(Stage)

Stage	위치
Stage 0	탈출증이 없는 경우 Aa, Ap, Ba, Bp 모두 − 3 cm에 위치, C가 전체 질 길이와 (전체 질 길이 − 2 cm) 사이에 위치
Stage I	탈출증의 말단부가 처녀막의 1 cm 이상 상방에 위치하는 경우
Stage II	탈출증의 말단부가 처녀막의 상방 1 cm에서 하방 1 cm 사이에 위치하는 경우
Stage III	탈출증의 말단부가 처녀막의 하방 1 cm 이내이나 (전체 질 길이 − 2 cm)보다는 덜 탈출된 경우
Stage IV	질의 완전외번 탈출증의 말단부가 (전체 질길이 − 2 cm) 보다 더 탈출된 경우

3 치료

1) 비수술적 치료

(1) 적응증

① 중등도, 경도의 탈출증

② 향후 분만 계획이 있는 경우

③ 반드시 수술이 필요하지 않은 경우

④ 환자가 수술을 기피하는 경우

⑤ 수술이 불가능한 내과적 상태

(2) 대증요법

① 생활습관 개선 : 체중 감량, 복압 증가 상황 회피, 변비의 치료

② 물리치료요법

    a. 비교적 정도가 경한 경우에만 시도

    b. 탈출증의 진행 억제, 탈출부가 질 입구를 넘어서는 경우에는 그 효과가 미약

    c. Biofeedback과 행동치료는 배변 이상과 관련된 직장류 환자의 효과적인 일차치료

③ 대증요법의 목표 : 증상 완화와 악화 예방, 골반지지근육의 강화, 수술시기 연장

(3) 페서리(Pessary)

① 적응증

    a. 수술을 원치 않는 환자

    b. 다른 질환으로 수술을 할 수 없는 환자

    c. 출산 후 발생한 탈출증의 일시적인 경감을 필요로 하는 환자

② 종류

　　a. 지지형 페서리(support pessary) : Stage II, III에서 권장

　　b. 공간채움형 페서리(space filling pessary) : Stage IV에서 권장

③ 골반장기탈출증에 전반적으로 효과가 좋지만 후방 질벽탈출증에는 효과적이지 못함

④ 페서리의 삽입(fitting a pessary)

　　a. 방광을 막은 후 lithotomy 자세를 취함

　　b. 기구 삽입 후 일어서서 valsalva를 시행하고 pessary 위치 확인 및 배뇨 가능을 확인

　　c. 환자가 latex allergy가 있는지 확인하고, 2~3일마다 꺼내 씻을 수 있게 교육

⑤ 주의점

　　a. 각자에 꼭 맞는 페서리를 사용하는 것이 중요

　　b. 환자의 질은 에스트로겐화가 잘 되어 있어야 합병증이 적음

　　c. 폐경 후 여성은 호르몬 대체요법 또는 삽입 전 4~6주 정도 질내 에스트로겐 크림을 사용

⑥ 합병증 : 방광으로의 열상 및 만성 자극, 방광질누공 형성 등

⑦ 추적관찰

　　a. 삽입 후 1주 내에 그리고 4~6주에 방문하여 추적관찰 시행

　　b. 최소 6개월마다 정기적으로 진찰하는 것을 권장

2) 수술적 치료

(1) 수술의 목적과 적응증

① 수술의 목적 : 탈출증의 증상을 개선, 정상적인 해부학구조로 개선, 성기능 회복, 요실금이나 변실금 같은 동반질환으로 인한 증상개선

② 적응증 : 페사리 삽입술이 실패, 빠른 치료를 원하는 경우, 요실금과 변실금 같은 동반된 탈출증의 증상이 있는 경우

(2) 보조물(Adjunctive materials) 또는 이식물(Graft materials) 이용 수술

① 큰 결손부위의 결함을 보강하여 연결성을 회복시켜 교정하는 표준 치료법으로 대두

② 이상적인 이식물 : 항원 역할이 없고, 낮은 감염률, 적은 이식부위 약화, 저렴한 비용

③ 합병증 : 질벽에 보조적으로 이식물을 사용할 경우 높은 미란과 감염 발생

(3) 중구획 수술(Operations in the middle compartment)

① 질식 자궁절제술(vaginal hysterectomy)

　　a. 자궁탈출증에서 수술적 치료의 핵심

　　b. 동시에 다른 질수술(전후질벽협축술 또는 탈장복원술) 가능

　　c. 수술 시 질 첨단부의 탈출 예방을 위해 첨단부 현수(suspension)를 추가로 시행

② 천골가시인대 현수법(sacrospinous suspension)

   a. 질 첨단부를 천골가시인대(sacrospinous ligament)에 고정시켜주는 방법

   b. 적응증

     - 자궁절제술 후 질원개탈출증(vaginal vault prolapse)의 치료

     - 질식 자궁절제술의 보조 치료법

     - 자궁보존을 원하는 자궁탈출증 환자

   c. 주의점

     - 인대를 적절히 노출시키는데 상대적인 어려움

     - 고정부위를 향한 부자연스러운 측면 질 편향

     - 질 길이가 손상되었을 때 과도한 긴장 유발 가능성

     - 좌골신경(sciatic nerve) 또는 음부신경(pudendal nerve) 또는 혈관 손상 위험

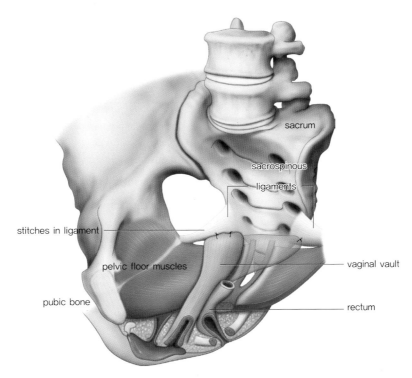

그림 18-7. Sacrospinous ligament fixation

③ 자궁천골인대 현수법(uterosacral ligament suspension)

   a. 자궁절제술 시 예방적으로 질 첨단부의 현수법으로서 사용

   b. 다른 질식 첨단부복원술과 비슷하거나 우수한 결과

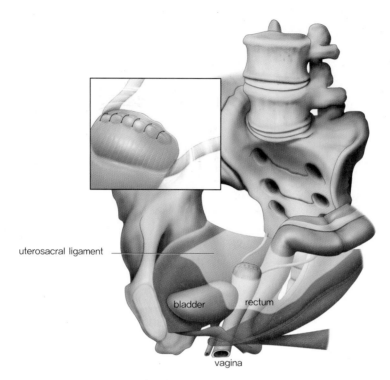

uterosacral ligament

bladder

rectum

vagina

그림 18-8. Uterosacral ligament suspension

④ 장골꼬리인대 현수법(iliococcygeal ligament suspension)
　　a. 질 첨단부 양측을 장골꼬리인대(iliococcygeal ligament)와 근막에 고정시키는 방법
　　b. 효과는 자궁천골인대 현수법(uterosacral ligament suspension)과 비슷

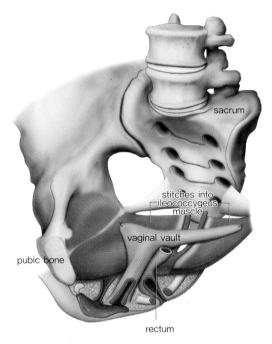

그림 18-9. Iliococcygeal ligament suspension

⑤ 천골질고정술(sacrocolpopexy)

    a. 적응증

      - 상대적으로 짧은 질의 탈출증

      - 질 원개 탈출증

      - 건강하고 성적으로 활발한 여성

    b. 수술 전 검사로 말단부 결함이나 긴장성 요실금 배제가 필요

    c. 합병증

      - 출혈 : Presacral venous plexus 또는 middle sacral artery 손상이 가장 심각한 합병증

      - 요관 손상(ureteral injury)

      - 이식물 미란(graft erosion)

    d. 이식물 미란(graft erosion)을 줄일 수 있는 방법들

      - 수술 전 estrogen 질 내 주입 및 질염 치료

      - Fibromuscular tissue에 small gauge monofilament suture 시행

      - 질 첨부의 부분절제

    e. 질벽에 mesh가 돌출되어 있을 경우 → 반드시 제거

      - Mesh 제거 후 estrogen cream을 바르며 경과 관찰(1st choice)

  - 깨끗한 상처 : 노출된 mesh의 부분절제 후 봉합

- 심한 염증성 상처 : 최대한 박리 가능한 mesh의 전절제(total remove) 후 봉합

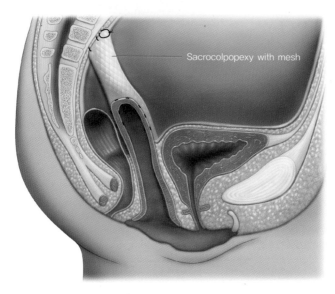

그림 18-10. Sacrocolpopexy

(4) 전구획 수술(Operations in the anterior compartment)

① 질전벽협축술(anterior vaginal colporrhaphy)

a. 전방질탈출(anterior vaginal prolapse)이나 방광류를 교정

b. 수술방법 : 질 전벽을 중앙절개 후 질점막을 박리 → 방광경부 근처와 요도주위의 섬유근 육층에 주름잡기술(plication) 시행 → 늘어난 질 전벽을 절개 후 봉합

c. 최근에는 재발을 줄이기 위하여 합성그물(synthetic mesh)을 사용

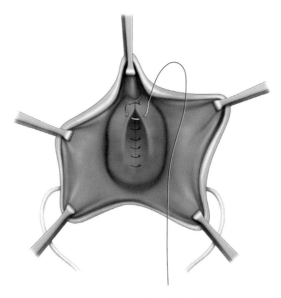

그림 18-11. Anterior vaginal colporrhaphy

② 질주위결손복원술(paravaginal defect repair)
    a. 전외측질고랑(anterior lateral vaginal sulcus)과 치골자궁경부근막(pubocervical fascia)을 골
       반근막건궁(arcus tendineus fasciae pelvis)에 다시 부착시켜 주는 방법
    b. 좋은 치유율을 보였으며, 재발률이 낮고, 배뇨장애, 출혈, 요로장애의 합병증은 적음

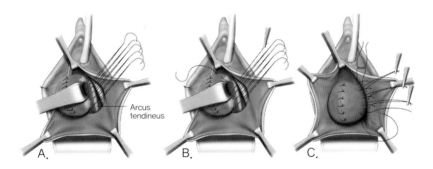

그림 18-12. Paravaginal defect repair

(5) 후구획 수술(Operations in the posterior compartment)
    ① 후질벽협축술(posterior colporrhaphy)
        a. 항문올림근(levator ani)을 다시 주름형성봉합(plication)하는 방법
        b. 후질벽탈출증에 매우 효과적
        c. 수술 후 성교통(dyspareunia)이 심한 단점

d. 부작용을 감소를 위해 중앙근막주름형성봉합(midline fascial plication)이나 특정장소봉합술(site-specific repairs)을 이용

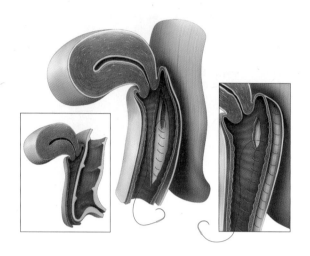

그림 18-13. Posterior colporrhaphy

② 회음부 성형술(perineorrhaphy)

　a. 회음근육(perineal muscle)의 분리(separation)가 있는 경우 시행

　b. 얕은회음근육(superficial perineal muscle)과 구해면체근육(bulbocavernous muscle)을 박리한 후 긴장(tension) 없이 중앙에서 다시 재접근봉합(reapproximation)

(6) 질폐쇄술(colpocleisis)

　① 질을 제거하고 봉합하는 방법

　② 성생활을 하지 않는 고령 여성에서 골반장기탈출증의 효과적인 수술적 치료법

　③ 심각한 이환율 증가 없이 탈출증의 증상을 완화

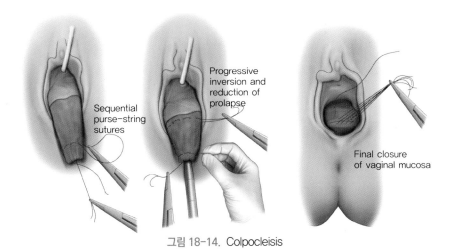

그림 18-14. Colpocleisis

1) 서론

(1) 정의

① 이차성징이 발현되고 생식 능력을 획득하는 시기

② 소아에서 성인으로 성숙해 가는 시기

③ 생물학적 성장과 생식능력을 갖게 되고 사회적, 정신적으로 성인이 되어가는 시기

(2) 사춘기 시작에 영향을 미치는 요소

인자	영향
유전적 요인	각 가계, 종족, 인종 간에 고유한 특성을 보임 추산되는 유전적 요인의 기여도는 50~80% 정도
체중과 체지방률	초경을 일으킬 수 있는 최소한의 지방치는 체중의 17% 규칙적인 배란성의 월경을 위한 지방치는 최소 22% 비만 여성 – 이른 초경 저체중 또는 운동선수 – 초경 지연, 이차성 무월경
생활환경	도시, 적도부근, 고도가 낮은 지역, 높은 부모 경제력 및 교육수준 – 이른 초경 시골, 적도에서 먼 지역, 고도가 높은 지역 – 초경 지연
환경호르몬	내분비교란 화학물질(endocrinedisrupting chemicals, EDC) 에스트로겐 및 안드로겐 등의 성호르몬과 유사한 구조
렙틴(leptin)	지방세포(adipose tissue)에서 분비된 호르몬 영양상태, 에너지 대사, 가임 능력에 영향을 주는 신경내분비적인 특성 체질량지수와 강한 연관성을 보이며 소아기 동안 증가 증가 시 사춘기 발달이 빨라지는 양상

인슐린유사성장인자-1(IGF-1)	사춘기 시작을 조절하는 데에 IGF-1이 관여 저농도의 에스트로겐은 성장호르몬, IGF-I을 촉진하는 작용 고농도의 에스트로겐은 성장호르몬, IGF-I을 감소시키는 작용
신경내분비 요인	시상하부의 정중융기(median eminence)의 신경세포와 성상세포(astrocyte)가 GnRH를 분비하는 신경세포를 조절하여 사춘기를 조절
칼슘섭취	섭취한 칼슘의 양이 많을수록 초경 연령이 낮아짐
심리적인 요인	만성적인 스트레스, 갈등 등의 정신적인 문제가 사춘기에 영향을 줄 수 있음

2) 여성의 사춘기 발달

(1) Tanner 발달단계

발달 단계	유방의 발달	음모의 발달
1단계	사춘기 전 단계 유두만 돌출	사춘기 전 단계 음모 없음
2단계	유방과 유두가 상승, 볼록해지고 유륜이 커짐	부드러운 직모가 대음순 내측경계에 약간 발생
3단계	유방과 유륜이 더 커지지만 윤곽에 차이 없음	더 짙어지고 곱슬곱슬해지며 많아짐 두덩이에도 발생
4단계	유륜과 유두가 유방 위로 이차 융기	거칠고 곱슬곱슬한 음모가 발달 아직 성인만큼 많지 않음

5단계	유두는 돌출되고 유륜이 퇴거 성숙한 유방모습 형성하여 성인 유형 완성	삼각형으로 분포 성인 유형 완성

(2) 키의 성장

① 성장 촉진(growth spurt)은 사춘기의 다른 징후가 나타나기 전에 시작(9~10세경 관찰)

② 여성과 남성의 성장 비교

	여성	남성
최고 성장속도 (peak growth velocity)	− Tanner 발달단계 2단계와 3단계 사이(유방의 발달이 시작된 이후) − 보통 초경 1년 전 11~12세경	− Tanner 발달단계 3단계와 4단계 사이 − 년 평균 9.5 cm 정도 성장 − 여성보다 약 2년 정도 늦음
성장 양상	− 최고 성장기를 지나 월경이 시작되 고 이후에는 성장이 감소 − 초경 후 키 성장은 대개 6 cm 정도	
가장 중요한 성장인자	남녀 모두에게 estrogen이 가장 중요 • Estrogen 증가 → Growth hormone, IGF−1 증가 • Estrogen의 직접적인 작용	

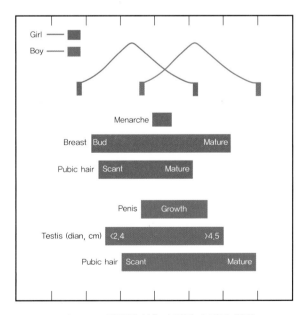

그림 19-1. 여성의 사춘기 발달과 평균 연령

(3) 사춘기 신체발달과 호르몬

시기	역할	증가 호르몬	연령
Adrenarche	부신피질의 기능항진 → 부신 안드로겐 생성 증가	Androgen	7~8세
Gonadrache	생식샘 기능의 시작 → GnRH 분비 증가 → LH, FSH pulsatile secretion	LH, FSH	10세
Thelarch	유방 발달의 시작	Estrogen	10세
Pubarche	음모, 액와모의 발달	Androgen	10.5세
Menarche	초경 → 월경의 시작	Estrogen	12.5세

① 부신사춘기(adrenarche, pubarche)
   a. 부신 안드로겐(androgen)의 생성이 증가하여 음모와 액모가 성장하는 시기
   b. 발생기전
      - 부신 피질의 내층인 망상대는 태생기 때 상대적으로 크기가 컸다가 출생 후 위축
      - 망상대 부위가 다시 자라게 되면서 분화되어, 부신 피질의 기능이 항진
      - DHEA, DHEAS, androstenedione (ADD)가 6~7세경부터 13~15세경까지 서서히 증가
② 성사춘기(gonadarche)
   a. 생식샘상의 억제작용 감소
      - 유아기부터 사춘기 전기까지 약 8년 동안 FSH, LH는 매우 낮은 농도로 유지
      - 초기 유년기 : Estrogen negative feedback이 더 중요한 역할, 이후에는 중추의 내인성 억
        제가 주로 작용
      - 사춘기 : GnRH에 대한 내인성 억제 감소와 estrogen negative feedback 예민성 감소
         → GnRH에 대한 뇌하수체 전엽의 반응성이 증가
         → 생식샘자극호르몬(gonadotropin)의 합성과 분비가 다시 활성화되고 FSH와 LH에 대
           한 난포의 반응성도 증가
         → 성사춘기(gonadarche)가 발생
   b. 호르몬 상호작용의 변화와 증폭
      - FSH와 LH는 10세 이전에 서서히 증가하기 시작하며 그 후에 에스트로겐이 증가
      - FSH : 처음에는 증가하나 사춘기 중기 이후에는 고원부(plateau) 형성
      - LH : 천천히 증가하여 사춘기 후기에는 성인 수준에 도달
      - LH의 파동진폭(pulse amplitude) 증가는 FSH 보다 높아 LH/FSH 비율이 증가
   c. 생식샘자극호르몬(gonadotropin)의 분비 증가에 따라 난소의 에스트로겐 분비도 증가

→ Estrogen positive feedback을 일으킬 정도로 증가

→ LH 급등(LH surge)에 의해 배란 시작

→ 사춘기가 점진적으로 진행되면서 estrone (E1)은 2배, estradiol (E2)은 10배 증가

d. 사춘기의 모든 호르몬 변화는 역연령(chronological age)보다 골연령(bone age)과 더 밀접한 상
관관계를 보임

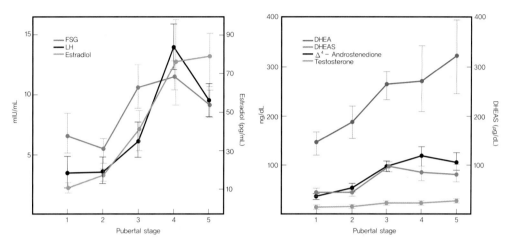

그림 19-2. 사춘기 동안 gonadotropin과 부신, 생식샘 steroid의 증가

(4) 사춘기 신체발달 순서

① 여성 : Accelerated growth → Breast budding → Pubic hair → Axillary hair → Peak growth ve-
locity → Menarche → Ovulation

② 남성 : Testis enlargement → Pubic hair → Penile growth → Accelerated growth

③ 사춘기 발달에는 평균 4.5년이 소요

2 사춘기 발달의 이상

1) 사춘기 발달이상의 정의

성조숙증(Precocious puberty)

사춘기 발달이 비정상적으로 일찍 시작되는 경우
- 진단 연령 : 7세 이전
- 흑인 여아 : 6세 이전
- 남아보다 여아에게 20배 더 흔하게 발생

중추성 또는 진성 성조숙증(central or true precocious puberty)
　- 시상하부의 GnRH 파동성 분비가 조기에 시작되어 시상하부-뇌하수체-난소 축이 활성화되어서 나타나는 것
말초성 또는 가성 성조숙증(peripheral precocious puberty or precocious pseudopuberty)
　- 시상하부의 GnRH 분비 없이 말초에서 성호르몬 또는 비뇌하수체성 생식샘자극호르몬 등이 분비되는 것
동성 성조숙증(isosexual precocity) : 동일 성으로 발달을 보이는 경우
이성 성조숙증(heterosexual precocity) : 반대 성으로 발달을 보이는 경우

사춘기 지연(Delayed puberty)

사춘기 평균 시작 연령에서 2배의 표준편차를 지나도록 이차성징이 나타나지 않는 상태
　- 13세까지 2차 성징이 발현되지 않는 경우
　- 16세까지 초경이 발현되지 않는 경우
　- 사춘기 발달이 시작된 후 5년이 지나도 초경이 없는 경우

비동시성 사춘기(Asynchronous pubertal development)

정상 패턴에서 벗어난 사춘기 발달을 보이는 경우

이성 사춘기(Heterosexual puberty)

정상적인 사춘기의 예상 연령에 발생하는 이성의 전형적인 발달을 보이는 경우

2) 성조숙증(Precocious puberty)

　(1) 중추성 또는 진성 성조숙증(Central or True precocious puberty)

　　① 특발성 성조숙증(idiopathic precocious puberty)

　　　a. 진성 성조숙증 중에서 영상학적 검사상 뇌 병변이 발견되지 않은 경우

　　　b. 특성

　　　　- 여아 성조숙증의 대부분(약 90%)을 차지

　　　　- 호발연령 : 6~8세 사이(더 어린 나이에도 발생)

　　　　- 성조숙의 진행 속도는 다양하고, 일반적으로 뇌 병변에 의한 경우보다는 느린 편

　　　c. 뇌의 기질적 병변이 없이 시상하부와 뇌하수체 기능의 조기 활성화 기전은 불명확

　　② 뇌의 기질적 병변에 의한 성조숙증

　　　a. 원인

　　　　- 선천성 기형 : 시상하부 과오종(hypothalamic hamartoma), 뇌수종

　　　　- 뇌종양 : 두개인두종(craniopharyngioma), 시신경아교종(optic glioma)

　　　　- 감염 : 뇌농양, 뇌수막염, 육아종(granuloma)

　　　　- 손상 : 두부 외상, 방사선 치료

　　　　- 전신질환 : 결절성 경화증(tuberous sclerosis), 신경섬유종증(neurofibromatosis)

　　　b. 특성

　　　　- 여아에서 드문 원인

　　　　- 특발성 성조숙증에 비해 발병 연령이 낮고 진행 속도가 빠른 편

　　③ 속발성 진성 성조숙증(secondary true precocious puberty)

a. 가성 성조숙증이 장기간 지속되는 경우 뼈 나이가 사춘기 수준에 이르면 시상하부-뇌하수체-난소 축이 활성화되어 이차적으로 진성 성조숙증이 발생하는 것

b. 주요 원인 : 선천성 부신증식증, 부신 종양, McCune Albright 증후군 등

(2) 말초성 또는 가성 성조숙증(Peripheral precocity or Precocious pseudopuberty)

① 난소 종양

　a. 원인

　　- 과립세포종(granulosa cell tumor) : 가장 흔한 원인

　　- 낭샘종(cystadenoma), 생식샘모세포종(gonadoblastoma), 기형종(teratoma), 배아세포종(germ cell tumor), 남성배세포종(arrhenoblastoma), 지질세포종(lipoid cell tumor), 난소암종(ovarian carcinoma)

　b. 종양에서 분비되는 호르몬은 에스트로겐, 안드로겐, hCG 등 다양하며 그에 따라 유방 발육, 음모 발생, 질 출혈, 남성화 등의 증상이 다양하게 발생

② 난소의 자율성 난포낭(Autonomous ovarian follicular cysts)

　a. 뇌하수체의 자극 없이 자율적으로 발생한 난포낭에서 난포호르몬을 분비

　b. 일시적인 유방 발육, 질 출혈 등이 발생

　c. Progesterone이 증가되어 있지 않아 진성 성조숙증에 의한 이차적 난포낭과 구별

③ McCune-Albright 증후군

　a. 신체 일부의 체세포 돌연변이에 의해 발생

　b. 증상

　　- 특징적인 3가지 증상 : 성조숙증, 골섬유형성이상(polyostotic fibrous dysplasia), 피부반점(café-au-lait spots)

　　- 갑상샘, 뇌하수체, 부신피질, 부갑상샘 등의 기능 항진

　c. 특성

　　- 주로 2세 미만의 어린 나이에 시작

　　- 증가된 여성호르몬에 의한 커진 자궁, 질 출혈, 난소의 자율성 난포낭

　d. 난소에서 자율적으로 호르몬을 분비하므로 estradiol (E2)은 상당히 높으나 LH는 매우 낮고 GnRH 자극검사 후에도 증가되지 않음

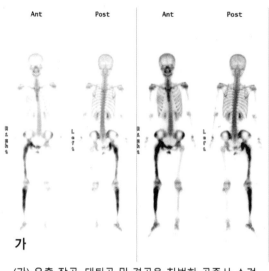

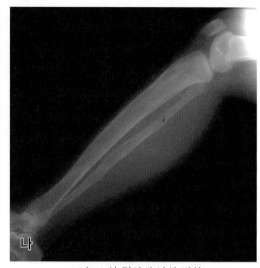

(가) 우측 장골, 대퇴골 및 경골을 침범한 골주사 소견　　(나) X-선 검사의 낭성 변화

그림 19-3. McCune—Albright 증후군

④ 부신 종양
　　a. 여아 성조숙증의 비교적 드문 원인
　　b. 부신 종양의 상당수는 남성호르몬 분비에 의한 이성 성조숙증을 유발
⑤ 갑상샘기능저하증(primary hypothyroidism)
　　a. 하시모토 갑상샘염 등과 같은 갑상샘 기능저하증이 장기간 치료되지 않을 경우 난소 낭종, 유방 발육, 질 출혈 등 성조숙증의 증상이 발생 가능
　　b. 다른 성조숙증과는 달리 골격계의 성숙은 지체, 프로락틴의 상승 동반 가능
　　c. 갑상샘호르몬을 투여하기 시작하면 성조숙증의 증상이 호전
⑥ 외부 호르몬 노출
　　a. 성호르몬이 함유된 제제를 먹거나 바르는 경우
　　b. 경구피임제, 에스트로겐 크림, 연고 등이 주요 원인

(3) 이성 성조숙증(Heterosexual precocity)
　① 어린 여아에서 다모증, 여드름, 음핵 비대 등의 남성화 증상이 나타나는 경우
　② 항상 말초성 성조숙증 형태로 발생
　③ 선천성 부신증식증(congenital adrenal hyperplasia, CAH)
　　a. 이성 성조숙증의 가장 흔한 원인
　　b. 검사
　　　- 아침 8시에 basal 17-OHP 측정

- Basal follicular phase 17-OHP <200 ng/dL : 정상
- Basal follicular phase 17-OHP가 200~800 ng/dL 사이 : ACTH 자극검사 시행
- Basal follicular phase 17-OHP >800 ng/dL : 선천성 부신증식증(CAH) 확진
- ACTH 자극검사
  - Synthetic ACTH 정맥 주사 후 1시간 뒤 17-OHP 측정
  - ≥1,000 ng/dL 시 부신증식증(adrenal hyperplasia) 확진

c. 3가지 효소의 결핍

21-hydroxylase deficiency

보통염색체 열성(autosomal recessive) 유전
Chromosome 6 short arm, CYP21A2 gene mutation
Progesterone에서 Deoxycorticosterone로의 경로와 17α-OHP에서 11-deoxycortisol로의 경로가 차단
선천성 부신증식증의 가장 흔한 형태
진단 : 17-OHP의 증가

11β-hydroxylase deficiency

보통염색체 열성(autosomal recessive) 유전
Chromosome 8 long arm gene mutation
Deoxycorticosterone에서 corticosterone로의 경로와 11-deoxycortisol에서 cortisol로의 경로가 차단
진단 : 17-OHP, 11-deoxycortisol, deoxycorticosterone의 증가

3β-hydroxysteroid dehydrogenase deficiency

보통염색체 열성(autosomal recessive) 유전
HSD3B2 gene mutation
Glucocorticoid, mineralocorticoids, androgens, estrogen 모두 감소
진단 : 17-OHP 정상, DHEA & DHEAS 증가

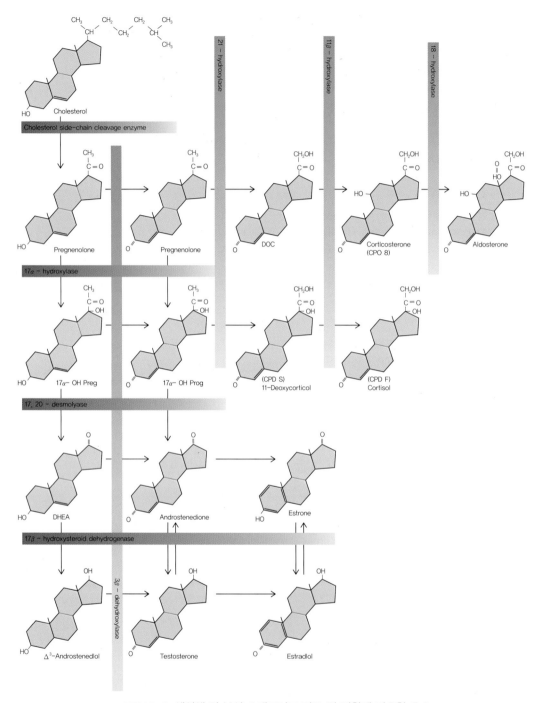

그림 19-4. 생식샘 및 부신 스테로이드 경로 및 전환에 필요한 효소

(4) 사춘기 발달 변이

① 유방 조기발육증(premature thelarche)

a. 다른 성조숙증의 진행 없이 한쪽 혹은 양쪽 유방이 발육되는 것

b. 대개 2세 미만에서 발생하며 4세 이후에는 드묾

c. 약간의 estrogen 증가가 관찰(뼈 성장, 자궁 증대 등은 드묾)

d. 정상의 변이로 별 다른 치료는 필요 없음

② 초경 조기발생증(isolated premature menarche)

a. 소아기(1~9세)에 성조숙증의 징후 없이 주기적인 질 출혈이 나타나는 것

b. 기전은 명확하지 않으며 대부분 자연 소실되나 매우 드문 현상

c. 반드시 종양, 감염, 이물질, 외상, 성학대 등 출혈을 초래하는 다른 질환의 감별 필요

③ 음모 조기발생증(premature pubarche)

a. 다른 이차성징 없이 음모만 조기에 나타나는 것

b. 동양인보다는 흑인에 흔함

c. 부신 겉질의 남성호르몬 분비 증가에 비례하며 대부분 서서히 진행

d. 별다른 치료가 필요치 않지만 일부는 사춘기에 다낭성난소증후군으로 발전

(5) 진단

기본 검사

문진
- 증상의 발현 시기, 진행 속도, 키 성장 추이 등을 관찰
- 출생 병력, 두부 외상, 감염, 호르몬제 노출, 가족력, 유전 병력 등을 확인

이학적 검사
- 키와 체중의 연령 별 백분율을 기록
- 유방 및 음모의 Tanner 등급을 구분
- 여드름, 피부 반점, 유즙 분비 등을 확인하고 갑상샘을 촉진
- 외음부 검사 : 여성호르몬 효과, 음핵 비대, 이물질, 감염, 종양 여부 등을 확인
- 시야 검사, 안저 검사 : 신경학적 이상 여부를 감별

질 성숙지수
- 질 상피의 세포도말검사를 통해 상피세포의 여성호르몬 효과를 확인

골연령(bone age)
- 손의 X-선 촬영 : 골격계의 호르몬 성숙 정도를 반영하므로 성조숙증 진단에 유용
- 기본 검진에서 여성호르몬 증가 소견이 관찰되지 않은 경우 3개월 후 재검진 시행

추가 검사

초음파 검사
- 자궁과 난소의 크기와 형태, 난소 및 부신의 종양 여부를 확인
- 사춘기 전 소아의 정상 자궁의 길이는 대략 3.0~3.5 cm 미만

기저 혈청 호르몬 검사
- LH, FSH, estradiol (E2), TSH, hCG, DHEAS, testosterone, 17-OHP 등

 – 성조숙증 의심
  • LH ≥0.3 IU/L (가장 중요)
  • Testosterone ≥25 ng/dL
  • Estradiol ≥10 pg/mL
  • 혈중 estradiol 농도가 매우 높은 경우(>100 pg/mL) : 난소낭 또는 종양을 의심
GnRH 자극 검사
 – GnRH를 투여한 후 뇌하수체의 생식샘자극호르몬을 측정하는 것
 – 진성 성조숙증과 유방 조기발육증, 가성 성조숙증 등을 감별하는 데 중요
 – 자연형 GnRH 60 μg/m2 (또는 2.5 μg/kg)를 정맥 주사 후 LH가 5 IU/L 이상이면 진성 성조숙증으로 진단
 – LH 반응이 FSH에 비해 더 우세하면 사춘기 반응
뇌의 진단 영상학적 검사
 – 진성 성조숙증으로 판단되는 경우 기질적인 뇌 병변을 감별

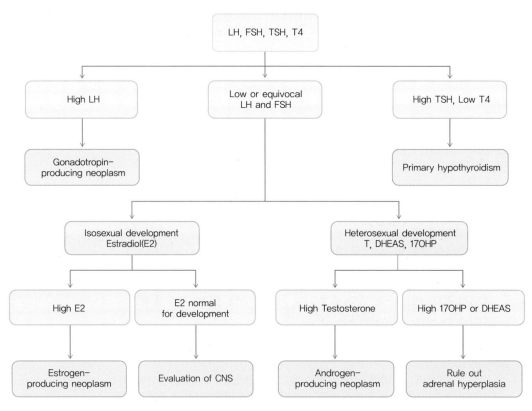

그림 19-5. 성조숙증의 진단

(6) 치료
  ① 치료의 목적
    a. 뇌종양, 난소 종양 등 심각한 질환의 진단과 치료

b. 정상 연령까지 성 발달 억제와 이미 발생한 이차성징의 해소

c. 최종 키 손실의 최소화

② 진성 성조숙증(true precocious puberty)의 치료

    a. 프로게스테론 제제

        - Medroxyprogesterone acetate (MPA), Cyproterone acetate

        - 뇌하수체 생식샘자극호르몬(gonadotropin)의 분비와 난소의 스테로이드 생성을 억제하여 이차성징을 완화

        - 뼈의 성장은 억제하지 못하므로 키의 결손을 막는 데는 효과가 적음

    b. GnRH 작용제

        - 진성 성조숙증 치료의 일차선택제제

        - 뇌하수체에 대한 지속적인 자극이 GnRH 수용체의 하향조절과 탈민감(desensitization)을 초래하여 역설적으로 생식샘자극호르몬(gonadotropin)의 분비를 극도로 억제

        - 특발성 성조숙증, 속발성 진성 성조숙증, 기질적 뇌 병변에 의한 성조숙증 등 다른 진성 성조숙증에도 치료 효과

        - 30~100 μg/kg(최대 300 μg/kg), 4주마다, 근육 또는 피하 주사

        - 20 kg 이상에서는 3.75 mg, 20 kg 미만에서는 1.875 mg 투여

        - 치료 종결 : 사춘기가 정상적으로 진행되어도 될 적절한 연령에 도달, 예측 신장이 치료를 중단해도 될 만큼 성장, 환자가 초경에 대한 준비가 되었을 때

③ 기질적 뇌 병변에 의한 성조숙증

    a. 성조숙증을 초래하는 뇌종양의 경우 수술적 제거가 이상적

    b. 수술적 제거가 여의치 않은 경우 화학요법이나 방사선치료 등을 고려

(7) 예후

① 특발성 진성 성조숙증 : 조기에 치료를 시작하고 치료 기간이 길수록, 치료 시작 시 역연령과 골연령이 어릴수록 가장 좋은 예후

② 다른 성조숙증 : 원인 질환의 악성 여부, 신경학적 결손 여부, 다른 질환의 동반 여부 등에 따라 달라짐

3) 사춘기 지연(Delayed puberty)

(1) 저생식샘자극호르몬 생식샘저하증(Hypogonadotropic hypogonadism)

① 원인

저생식샘자극호르몬 생식샘저하증(Hypogonadotropic hypogonadism)의 원인	
중추신경계	생리적/체질적 지연 만성 질환(크론병, 천식, 염증성 장질환, 만성 신부전 등) 신경성 식욕부진증 운동과 스트레스(육상선수, 발레리나) 종양(두개인두종, 배아종, 별아교세포종, 신경아교종 등) 유전자 돌연변이(KAL1, FGFR1, DAX1, PC1, GPR54) 유전적 질환(Kallmann 증후군, Laurence-Moon-Biedl 증후군, Prader-Willi 증후군)
갑상샘기능 이상	갑상샘기능저하증
부신기능 이상	쿠싱증후군

② 생리적/체질적 지연

    a. 가장 흔한 원인(10~30%를 차지)

    b. 신장이 작고 가족력이 있는 경우가 많음

    c. 대부분 늦지만 정상적으로 성장, 일부는 예상 신장의 하한선까지만 성장

③ 만성 질환(크론병, 천식, 염증성 장질환, 만성 신부전 등)

    a. 크론병, 염증성장질환

      - 영양 부족과 염증성 반응 시 분비되는 물질들(IL-6, IL-1) 때문

      - IL-6, IL-1는 스테로이드 합성 장애와 GnRH의 분비를 억제하여 사춘기 발달이 지연

    b. 만성 신부전 : 시상하부-뇌하수체 기능이상 등의 다양한 신경내분비 장애를 유발

    c. 천식 : 불량한 영양과 고용량 glucocorticoid 장기사용이 성장지연과 사춘기 지연 유발

④ 신경성 식욕부진증

    a. 만성 영양결핍과 연관되어 이차성징이 지연되거나 정지

    b. 질환이 회복되면 성장이 정상화

⑤ 운동과 스트레스(육상선수, 발레리나)

    a. 사춘기 발달지연 혹은 생리불순 및 무월경이 흔함

    b. 지나치게 낮은 지방과 대사 및 영양 손상(metabolic/nutritional insult)이 원인

⑥ 시상하부와 뇌하수체의 종양

    a. 생식샘자극호르몬(gonadotropin) 분비장애를 유발

    b. 두개인두종(craniopharyngioma) : 분비장애를 유발하는 가장 흔한 뇌종양

⑦ 유전자 돌연변이(mutation) : KAL1, FGFR1, DAX1, PC1, GPR54

⑧ 유전적 질환

    a. Kallmann 증후군

      - 특징적 증상 : 저생식샘증(hypogonadism), 후각장애(anosmia), 색맹

      - 다른 증상 : 구순열, 구개열, 소뇌성 운동실조(cerebellar ataxia), 신경성 난청 등

- 임상양상 : 성적 미숙, 유사환관증(eunuchoid habitus), 약간의 유방발달, 작은 난소
- 배란유도 치료 : 박동성으로 외인성 GnRH를 투약
- 임신을 원하지 않는 경우 치료 : Estrogen 및 progesterone 투여

b. Prader-Willi 증후군
- 상염색체 우성(autosomal dominant) 유전
- 특징적 증상 : 비만, 근육긴장저하(muscular hypotonia), 지능저하, 저신장, 짧은 손발
- LH 혹은 FSH subunit 유전자 이상은 사춘기 발달의 장애와 일차성 무월경을 유발

⑨ 고프로락틴혈증(hyperprolactinemia)

a. 고프로락틴혈증과 생식샘자극호르몬(gonadotropin) 저하가 연관

b. 유즙 분비는 유방발달이 완전히 이루어지지 않은 상태에서도 발생 가능

(2) 고생식샘자극호르몬 생식샘저하증(Hypergonadotropic hypogonadism)

① 원인

고생식샘자극호르몬 생식샘저하증(Hypergonadotropic hypogonadism)의 원인	
난소 이상	터너증후군(Turner syndrome) 순수 생식샘발생장애(pure gonadal dysgenesis) 항암치료, 방사선치료

② 터너증후군(Turner syndrome)

a. 핵형(karyotype)
- 45,X(가장 흔한 핵형, 60%)
- Mosaicism of X chromosome (45,X/46,XX, 45,X;46,XY)
- X-chromosome의 short arm (Xp) : 작은 키 등 Turner stigma를 나타내는 부분
- X-chromosome의 long arm (Xq) : 난소 기능 담당, 이상 시 무월경 유발
- Mosaicism에 의해 Y chromosome이 포함되어 있으면 생식샘에서 종양이 호발해서 gonadectomy를 시행

b. 증상
- 여성 외모(female appearance)
- 흔적 생식샘(streak gonad) : 원발성 무월경
- 성적 미숙 : 발육이 안 된 유방, 빈약한 액모 및 음모
- 작은 키, 신장질환, 심장질환, 자가면역질환, 당뇨, 갑상선질환 등
- 정상 지능 : Klinefelter syndrome과의 차이점

c. 치료
- 외인성 성장호르몬 치료 : 성장을 위해 사용

- 외인성 estrogen 치료 : 성장호르몬 치료 종료 후, 골연령 11~12세 이후 시작
- 치료 중 고혈압(d/t estrogen) 확인
- 정서적, 신체적 변화에 대한 상담

③ 순수 생식샘발생장애(pure gonadal dysgenesis)

   a. 핵형 : 46,XX, 46,XY(Swyer syndrome)

   b. 치료

     - 외인성 estrogen 치료 : 이차성징의 발현, 성숙 유지, 골다공증의 예방

     - 기증자의 난모세포(oocyte) 필요

(3) 정상 생식샘자극호르몬

  ① 원인

정상 생식샘자극호르몬	
해부학적 이상	뮐러관 기형(Müllerian anomaly), 질 중격, 폐쇄 처녀막 안드로겐 무감응증(Androgen insensitivity) 부적절한 양성되먹임(다낭성난소증후군 등)

  ② 완전 혹은 부분적인 이차성징의 발달이 있으며, 일차성 무월경을 주소로 내원

  ③ 산모의 DES ingestion에 의해 발생률이 증가

(4) 진단

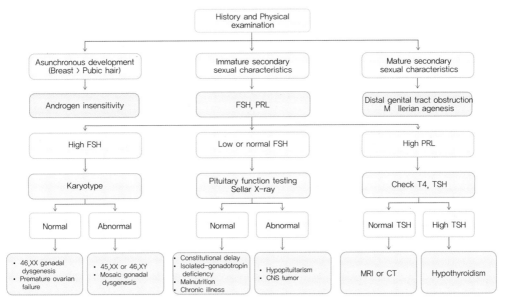

그림 19-6. 사춘기 지연의 진단

4) 기타 비정상적인 사춘기

(1) 비동시성 사춘기(Asynchronous puberty)

① 정상 발달 양상에서 벗어난 사춘기 발달을 보일 경우

② 가장 흔한 원인 : 안드로겐 무감응 증후군(androgen insensitivity syndrome)

(2) 이성 사춘기(Heterosexual puberty)

① 이차 성징이 반대성으로 발달하는 경우

② 가장 흔한 원인 : 다낭성 난소증후군(polycystic ovary syndrome, PCOS)

1) 정의

(1) 원발성 무월경(Primary amenorrhea)

① 이차성징의 발현이 없이 13세까지 초경이 없는 경우

② 이차성징의 발현은 있으나 15세까지 초경이 없는 경우

(2) 이차성 무월경(Secondary amenorrhea)

① 과거 월경이 있었던 여성에서 6개월 이상 월경이 없는 경우

② 과거 월경주기의 3배 이상의 기간 동안 월경이 없는 경우

2) 월경(Menstruation)

(1) 정상 월경

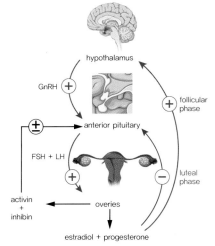

GnRH는 뇌하수체에서 FSH, LH 분비 자극
→ 난소에서 난포가 성장 & 배란
→ 난포에서 estrogen 분비
→ 배란 후 난포는 황체로 변하여 estrogen, progesterone 분비
→ 수정된 배아의 착상을 위한 자궁내막 증식 유도
→ 임신이 안되면 estrogen, progesterone 분비 감소
→ 증식되었던 자궁내막의 탈락(withdrawal bleeding)

그림 20-1. 시상하부-뇌하수체-난소 축

(2) 기능축에 이상이 생긴 경우

① 무월경 : H-P-O axis 기능이상을 초래하는 여러 원인에 의하여 나타나는 하나의 증상

② 발생 원인 : 전신적 내분비 질환 및 비내분비 질환, 월경 유출로의 구조적 이상

3) 진단

(1) 1단계

① 임신 가능성을 확인

② TSH, PRL 혈중 농도 측정, 프로게스테론 부하검사

　　a. 갑상샘기능저하증이 원인인 경우 치료가 간단하고 배란주기가 곧바로 회복

　　b. 프로게스테론 부하검사

　　　- 목적 : 내인성 에스트로겐 수준과 자궁내막부터 유출경로의 정상 여부 평가

　　　- 방법 : Progesterone 200 mg 1회 근주 or MPA 5~10 mg 12~14일간 매일 경구 투여

　　　- 결과 : 투여 후 2~7일 이내에 질 출혈이 있는 경우 무배란증에 의한 무월경으로 진단, 월경 유출경로가 정상이라고 판단

③ 유즙분비를 보이면 터키안(sella turcica)의 X-선 검사 추가(coned-down view, lateral view)

④ 뇌하수체 종양이 의심되면 CT, MRI 검사 시행

⑤ 지속적 무배란에 의한 에스트로겐의 자궁내막 자극 → 자궁내막조직 평가가 필요

(2) 2단계

① 프로게스테론 투여 후에도 질 출혈이 없는 경우

　　a. 비정상 월경 유출 경로

　　b. 에스트로겐에 의한 자궁내막의 증식이 일어나지 않은 경우

② 검사 방법

　　a. Conjugate estrogen 1.25 mg or Estradiol 2 mg 21일간 경구 투여

　　b. 이후 Progesterone 200 mg 1회 근주 or MPA 5~10 mg 12~14일간 매일 경구 투여

③ 결과

　　a. 소퇴성 출혈이 없는 경우 : 자궁 및 월경 유출 경로의 구조적 이상

　　b. 소퇴성 출혈이 있는 경우 : 적절한 에스트로겐의 자극만 있다면 정상적인 월경 가능

(3) 3단계

① 목적

　　a. 정상적인 난포를 형성할 수 있는 난소의 확인

　　b. 난소를 자극하는 생식샘자극호르몬(gonadotropin)의 양 확인

② 에스트로겐 결핍의 원인으로써 난포형성 이상과 중추신경계-뇌하수체 축의 이상을 구별

③ 혈중 생식샘자극호르몬의 농도를 평가하기 위해 혈중 FSH, LH의 농도를 측정

④ 2단계 검사 후 3단계 검사를 시행하기 위해서는 적어도 2주 이상의 간격이 필요

2 이차성징이 동반되지 않은 무월경

1) 원인

(1) 고생식샘자극호르몬 생식샘저하증(Hypergonadotropic hypogonadism)

① 분류

고생식샘자극호르몬 생식샘저하증(Hypergonadotropic hypogonadism)	

1.유전질환
 a. 생식샘발생장애(gonadal dysgenesis)
  – 이상핵형(abnormal karyotype)
   • 45,X (Turner 증후군)
   • X 염색체 구조 이상
   • 섞임증(mosaicism)
  – 정상핵형(normal karyotype)
   • 순생식샘발생장애(pure gonadal dysgenesis)
   • 46,XX
   • 46,XY (Swyer 증후군)
 b. 생식샘무형성(gonadal agenesis)
 	
2. 드문 생식샘자극호르몬 수용체의 돌연변이
 a. LH 수용체 돌연변이
 b. FSH 수용체 돌연변이
	3. 드문 효소결핍
	 a. 선천성 지질부신증식증
	 (congenital lipoid adrenal hyperplasia)
	 b. 17α–hydroxylase 결핍
	 c. 17,20–lyase 결핍
	 d. 방향화효소(aromatase) 결핍
	 e. Galactose–1 phosphate uridyl transferase
	  결핍
	
	4. 기타 원발성 난소부전
	 a. 원인불명 난소부전
	 b. 상해 및 감염, 항암치료, 방사선치료
	 c. 자가면역 난소부전
	 d. 갈락토오스혈증(galactosemia)

② 특성

　a. 원발성 생식샘부전에 의하여 생식샘 스테로이드 분비가 감소

　　→ 시상하부-뇌하수체 축에 대한 에스트로겐의 음성 되먹임의 감소

　　→ 생식샘자극호르몬인 LH, FSH의 혈중 농도가 증가

　b. 태생기를 포함하여 어느 나이에서도 발생 가능

　c. 가장 흔한 원인은 생식샘발생장애(gonadal dysgenesis)와 같은 유전적 이상

　　- XX 핵형에서 생식샘부전 : 난소부전(ovarian failure)

　　- XY 핵형에서 생식샘부전 : AMH, testosterone이 생산되지 않아 여성 생식기관 존재

③ 터너증후군(Turner syndrome)

　a. 핵형 : 45,X(가장 흔한 핵형, 약 60%)

　b. 생식샘부전과 원발성 무월경을 유발하는 가장 흔한 염색체 이상

c. 태생 18주 이후부터 난소의 난자가 급격히 소실되어 생후 수년 만에 완전히 소실

d. 정상 지능, 작은 신장, 발육이 안 된 유방, 빈약한 액모 및 음모, 원발성 무월경

e. 흔적 생식샘(streak gonads)으로 되어 있고 자궁과 난관은 미성숙하나 정상적

④ 순생식샘발생장애(pure gonadal dysgenesis)

a. 정상 염색체 : 46,XX or 46,XY

b. 특성

 - 외형적으로 여성의 형태, 성적 영아증(sexual infantilism)

 - 원발성 무월경, 정상 신장 : 터너증후군과의 차이

c. 스와이어증후군(Swyer syndrome)

스와이어증후군(Swyer syndrome)

원인
 - Yp11의 SRY(sex-determining region on Y chromosome) 돌연변이에 의해 발생
 - 고환 분화와 AMH 생성을 억제하는 SOX9, DAX1, WT-1, SF1 유전자의 돌연변이
염색체검사 : 46,XY(XY female)
임상소견
 - 내부 생식기 : 정상 구조이지만 미숙한 여성의 양상
 - 외부 생식기 : 어린 여성의 외형
 - 유방 : 발육 부전
혈액검사
 - AMH, testosterone : 생성 없음
 - Testosterone : 정상 여성 수치
 - Estrogen : 감소 → 성적인 발달이 부족
Y 염색체가 있는 흔적 생식샘에서 종양(malignancy) 호발
 - 발생 위험성이 증가하는 종양 : gonadoblastoma, dysgerminoma, yolk sac tumor
 - 진단 즉시 생식샘 제거

---

⑤ 생식샘무형성(gonadal agenesis)

a. 생식샘발생모체(gonadal blastema)와 인근 체강상피(coelomic epithelium)에 국한된 결손으로 발생

b. 특성 : 정상 염색체, 외형적으로 여성의 형태, 성적 영아증, 원발성 무월경

c. 생식샘은 없고, 자궁과 난관은 없거나 흔적으로 존재, 질은 대부분 정상

⑥ 선천성 지질부신증식증(congenital lipoid adrenal hyperplasia)

a. 상염색체 열성 질환(autosomal recessive trait)

b. Mitochondria 내부로 콜레스테롤의 이동을 촉진시키는 스테로이드 급성조절단백(StAR, steroidogenic acute regulatory protein) 유전자의 돌연변이 때문에 발생

c. 특성

46,XX	46,XY
외형상 여성 영아기에 나타나는 hyponatremia, hypokalemia, acidosis Mineralocorticoid와 glucocorticoid를 보충해 주면 성인까지 생존 가능	
– 난소에 콜레스테롤에서 유래된 지질의 축적으 로 난소낭종과 조기난소부전이 발생 – 간혹 사춘기에 이차성징 발현	– XY female – 원발성 무월경, 자궁이 없음 – 성적 영아증(sexual infantilism)

⑦ 17α-hydroxylase 결핍증

   a. 원인 : CYP17 (cytochrome P450 17α-hydroxylase/17,20 lyase) 유전자의 돌연변이

   b. 특성

46,XX	46,XY

혈액검사
  – Glucocorticoid와 성 호르몬의 생산이 감소
  – ACTH, FSH 증가
  – Mineralocorticoid 과도한 증가 : sodium 저류, potassium 손실, hypertension 발생
염색체검사 : 정상 46,XX or 46,XY
외형상 여성
성호르몬 생성이 안 되어 원발성 무월경, 이차성징의 결여
치료하지 않으면 생명을 위협하는 치명적인 질환	

– 자궁이 존재
– 원시난포(primordial follicles)가 있으나 효소 결핍
  → 성호르몬 생산이 없음
  → FSH, LH 증가
	– XY female
	– 자궁이 없음

   c. 진단검사

     - Progesterone ≥3 ng/mL, 17α-OHP ≤0.2 ng/mL, deoxycorticosterone 증가

     - ACTH 자극검사(확진) : ACTH 투여 후 progesterone 매우 증가, 17α-OHP 불변

⑧ 17-20 desmolase 결핍증

   a. 원인 : CYP17 유전자의 돌연변이

   b. 특성

     - Mineralocorticoid, glucocorticoid : 정상

     - 성호르몬 : 감소

     - 염색체검사 : 46,XY(XY female, 외형상 여성)

     - 자궁이 없고, 이차성징이 나타나지 않음

⑨ 방향화효소(aromatase) 결핍증

   a. 원인 : Androgen에서 estrogen의 변환이 안되어 남성화 발생(매우 드문 질환)

   b. 상염색체 열성 질환(autosomal recessive trait)

c. 특성

방향화효소(aromatase) 결핍증

임신 중 태아의 과도한 androgen은 태반을 통하여 모체로 이동 → 산모의 남성화 증상
태아의 소견
    – 출생 시 음핵비대증(clitoromegaly)
    – 음순음낭융합(posterior labioscrotal fusion, ambiguous genitalia)
사춘기 소견
    – 유방 발육부전, 원발성 무월경
    – 심한 남성화, 성장장애
    – 골성장지연 및 다낭성난소(multicystic ovary)
혈액검사
    – FSH, LH, testosterone, DHEAS : 증가
    – E2 : 측정 안됨

---

(2) 저생식샘자극호르몬 생식샘저하증(Hypogonadotropic hypogonadism)

① 분류

저생식샘자극호르몬 생식샘저하증(Hypogonadotropic hypogonadism)

---

1. 생리적 지연
2. Kallmann 증후군
3. 기타 원인에 의한 생식샘자극호르몬 결핍
a. 중추신경계 종양
b. 염증성 질환
4. 혈관 질환
5. 외상

---

② 생리적 지연

    a. Hypogonadotropic hypogonadism의 가장 흔한 원인

    b. 원인 : GnRH pulse generator의 재가동 지연

    c. GnRH의 농도

      - 연령에 비해서는 부족

      - 생리적 발달의 측면에서는 정상적

    d. 골연령은 지연, 대개 작은 신장(height)

③ Kallmann 증후군(Kallmann syndrome)

Kallmann 증후군(Kallmann syndrome)

후각상실증을 동반한 생식샘기능저하증(Hypogonadism with Anosmia)
- 시상하부 장애로 GnRH의 박동성 분비 부족 → 생식샘저하증(hypogonadism)
- 후각망울(olfactory bulb)의 완전 혹은 부분적 미형성 → 후각소실(anosmia)

Hypogonadotropic hypogonadism의 두 번째 흔한 원인
원인
- 후각뇌(Rhinenecephalon)에 이상
- 상염색체 우성 or 열성, X 염색체 연관(X-linked) 열성으로 유전

염색체검사 : 46,XX (정상 여성)
혈액검사
- Testosterone, Estrogen, Progesterone, FSH : 감소

임상소견
- 정상 신장
- 이차성징 발달 지연, 무월경
- 낮은 생식샘자극호르몬(gonadotropin)
- 후각소실(anosmia)
- 색맹(color blindness)

---

④ 기타 원인에 의한 생식샘자극호르몬 결핍

    a. 두개인두종(craniopharyngioma)

      - 원발성 무월경을 유발하는 가장 흔한 중추신경계 종양

      - Rathke pouch에서 발생

      - GnRH 생성이나 분비 또는 뇌하수체의 FSH, LH 분비를 방해

      - 대부분 다른 뇌하수체 호르몬들의 생성장애도 동반

    b. Prolactin 분비 뇌하수체샘종(pituitary adenoma) : 대개 이차성징 후 발생

(3) 유전질환(Genetic disorders)

    ① 분류

이차성징이 동반되지 않은 무월경을 유발하는 유전질환

---

1. 5α-환원효소결핍증(5α-reductase deficiency)
2. GnRH 수용체 돌연변이
3. 난포자극호르몬결핍증(FSH deficiency)

---

    ② 5α-환원효소결핍증(5α-reductase deficiency)

      a. 5α-reductase : Testosterone을 더 강력한 활성을 가진 dihydrotestosterone (DHT)으로 전환
        시키는 효소

b. 특성

5α-환원효소결핍증(5α-reductase deficiency)

상염색체 열성 질환(autosomal recessive trait)
염색체검사 : 46,XY
불완전한 남성 가성 반음양증
  - 성할당(sex assignment)은 여성
  - 외형적으로 여성이지만 고환(testis)에서 AMH가 분비되어 Müllerian 구조는 없음
  - Dihydrotestosterone (DHT)이 생성되지 못하기 때문에 외부 생식기가 남성으로 분화되지 못함
  - Testosterone은 생성되기 때문에 Wolffian duct에서 유래되는 남성 내부 생식기는 정상적으로 분화
사춘기에 이르러 남성형 모발, 근육, 목소리 등 남성화 양상 발현
검사소견
  - Testosterone : 증가(유방 발달을 억제 할 만큼 높음)
    → 정상적인 되먹임 기전을 유발
    → 생식샘자극호르몬(gonadotropin) 감소 : androgen insensitivity와의 차이점
  - Androgen insensitivity : 생식샘자극호르몬(gonadotropin)의 농도가 높고 유방이 발달
진단검사 : hCG stimulation test (hCG 투여 후 testosterone/DHT ratio 측정)

---

③ GnRH 수용체 돌연변이

  a. 돌연변이에 의해 GnRH의 수용체 결합이 감소하거나 이차전령(second-messenger) 신호 전달이 안 되는 경우

  b. 기능적 신호전달이 안 되면 FSH, LH 분비가 없고 난포 성장이 없음

④ 난포자극호르몬결핍증(FSH deficiency)

  a. Estrogen이 생산되지 않아 사춘기 지연 또는 원발성 무월경 발생

  b. 주요 증상 : 사춘기 지연, 저에스트로겐혈증에 의한 원발성 무월경

  c. 검사소견

    - FSH 감소, LH 증가 : 높은 LH/FSH ratio (다른 저에스트로겐혈증 환자와의 차이점)

    - Androgen 감소 : 난포막세포(theca cell)에서 androgen을 생산하기 위해서는 FSH에 의한 난포 발달이 선행되어야 하기 때문

(4) 기타 사상하부/뇌하수체 기능장애

① 기능성 생식샘자극호르몬결핍 유발 : 영양실조, 흡수장애, 체중 감소 또는 신경성 식욕부진, 스트레스, 과도한 운동, 만성 질환, 종양, 대마초의 사용 등

② 원발성 무월경의 드문 원인 : 갑상샘기능저하증, 다낭성난소증후군, 쿠싱증후군, 고프로락틴혈증, 중추 신경계의 침윤성 질환 등

2) 진단

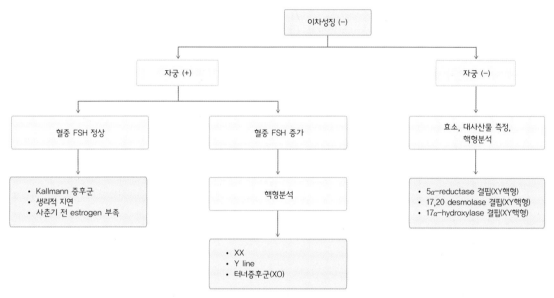

그림 20-2. 이차성징이 동반되지 않은 원발성 무월경의 진단 과정

(1) 초기 검사

① Estrogen, FSH, TSH, PRL 측정

FSH 증가	FSH 감소
고생식샘자극호르몬 생식샘저하증 (Hypergonadotropic hypogonadism) → 염색체검사 시행 → 터너증후군, X염색체 부분결손, 섞임증, 순생식 샘발생장애, 혼합생식샘발생장애(45,X/46,XY) 등 을 감별 → 염색체검사가 정상이면 17α-hydroxylase 결핍 증을 고려	저생식샘자극호르몬 생식샘저하증 (Hypogonadotropic hypogonadism) → 유즙 분비, 두통, 시야결손 등 증상이 있는 경우 → 두경부에 대한 CT, MRI를 시행 → 기질성 병변이 없으면 시상하부의 기능장애 유 발 원인을 확인(영양실조, 흡수장애, 체중 감소, 신경성 식욕부진, 과도한 운동, 심한 정신적 스트 레스 등)

② 방사선검사로 골연령을 평가

(2) 터너증후군

① 심장초음파 검사 : 3~5년마다 시행, 대동맥축착 등의 동반을 확인
② 갑상샘기능검사(TFT) : 갑상샘 기능이상을 확인
③ 고혈압, 청각 소실의 확인

(3) Y염색체 또는 Y염색체 구조물이 확인된 생식샘이형성증

① 증가하는 위험성

a. 생식샘모세포종(gonadoblastoma), 미분화세포종(dysgerminoma), 난황낭종양(yolk sac tumor) 등의 발생(약 25~30%)

b. 사춘기에 남성화 위험성

② 진단 즉시 생식샘 제거술(gonadectomy)을 실시

(4) 생리적 지연

① GnRH 분비부족과 감별이 어려움

② 배제 방법으로 진단 : 병력 청취 + 골연령 지연 + CT, MRI의 중추신경계 정상소견

3) 치료

(1) 고생식샘자극호르몬 생식샘저하증 치료

① 목적 : 이차성징의 발달 + 정상적인 골 발달 유도 + 골다공증 예방

② 치료방법

고생식샘자극호르몬 생식샘저하증(Hypergonadotropic hypogonadism)의 치료

하루에 결합형 에스트로겐(conjugated estrogens) 0.3~0.625 mg 또는 Estradiol (E2) 0.5~1 mg 투여
환자의 키가 작은 경우 성장판 조기폐쇄를 피하기 위해 고용량 호르몬 요법은 금기
환자는 키가 정상이면 고용량으로 시작하여 몇 개월 후 용량을 줄여 유지
자궁이 있는 환자는 자궁내막과증식을 예방하기 위해 Estrogen + Progesterone 병합요법 시행
 – Medroxyprogesterone acetate : 매일 2.5 mg 또는 매월 12~14일 동안 5~10 mg 경구 투여
 – Oral micronized progesterone : 매일 100 mg 또는 매월 12~14일 동안 매일 200 mg 경구 투여
 – 프로게스테론 질정 : 매일 50 mg 또는 매월 12~14일 동안 100 mg 투여
치료 유지
 – 상기 용량을 계속 사용하거나 필요하면 estrogen 용량을 2배 증가
 – 수년간 병합투여 후 환자 순응도 증가를 위해 투여가 간단한 저용량 경구피임제로 전환 가능

터너증후군(Turner syndrome)의 치료

5~20%에서는 자연적으로 이차성징이 발현
2~3.6%에서 자연적으로 혹은 Estrogen 치료 후에 임신 성공

17α-hydroxylase 결핍증

Estrogen + Progesterone + Corticosteroid 투여

---

(2) 저생식샘자극호르몬 생식샘저하증 치료

① 가능하면 일차적인 원인에 따라 치료 계획을 수립

② 근본적인 치료가 되지 않는 경우 호르몬 보충요법 시행

③ 치료방법

시상하부 근원의 저생식샘자극호르몬 생식샘저하증(Hypogonadotropic hypogonadism)의 치료

박동성 GnRH의 장기 투여
- 유치카테터와 주입펌프의 장기사용이 필요해 이용이 어려움

성적 성숙이 될 때까지 에스트로겐과 프로게스테론 주기요법(cyclic E-P therapy)으로 치료

치료 유지
- 성적 성숙(sexual maturity)이 이루어 질 때까지
- 성적 성숙이 된 후에도 무월경을 유발한 기저질환이 치료되기 전까지는 저에스트로겐 증상을 치료하기 위해 호르몬 대체요법 유지

Kallmann 증후군, 운동이나 스트레스에 의한 무월경, 신경성식욕부진과 체중감소 환자의 치료

호르몬 요법을 시행

저용량 경구피임제 투여 : 저에스트로겐 상태를 교정해 골다공증 예방과 피임효과

종양의 치료

두개인두종(Craniopharyngioma)
- 크기에 따른 제거술 : 나비굴경유접근법(transsphenoidal approach), 개두술
- 제한적인 종양제거와 함께 방사선치료 병합이 예후를 증진

종자세포종(Germinoma)
- 방사선치료에 매우 민감하여 수술은 거의 고려하지 않음

프로락틴샘종(Prolactinomas), 고프로락틴혈증(Hyperprolactinemia)
- 도파민작용제(dopamine agonist)에 잘 반응

사춘기의 생리적 지연

시간이 지나면 정상적으로 발달함을 환자에게 교육시키고 안심시킴

---

(3) 5α-reductase 결핍증, Y염색체나 Y염색체 구조물이 존재하는 경우의 치료

① 위험성

    a. 종양 발생 위험 : 생식샘모세포종(gonadoblastoma), 미분화세포종(dysgerminoma), 난황낭종양(yolk sac tumor)

    b. 사춘기 남성화

② 진단 즉시 생식샘 제거술(gonadectomy) 시행

(4) 배란 유도

① 생식샘자극호르몬(gonadotropin) 주사 : 성공적인 배란 유도 가능

② 박동성 GnRH 치료 : 뇌하수체 기능이 정상인 경우 시행 가능

③ Clomiphene citrate : 내인성 에스트로겐이 낮아 배란 유도에 비효과적

④ 난소 기능이 없는 환자는 난자 공여를 고려

3 이차성징이 동반되고 해부학적 이상이 있는 무월경

1) 원인

(1) 분류

이차성징이 동반되고 해부학적 이상이 있는 무월경

유출로와 뮐러관기형(Outflow and Müllerian anomalies)
   1. 처녀막막힘증(imperforate hymen)
   2. 가로질중격(transverse vaginal septum)
   3. 뮬러관무형성증(MRKH 증후군)
자궁내막 이상
   1. 자궁내막무형성
   2. 아셔만증후군(Asherman syndrome)
   3. 자궁체부 및 자궁경부 수술 후 유착(uterine synechiae)
   4. 감염에 의한 자궁내유착
안드로겐무감응(androgen insensitivity)
진성 반음양증(true hermaphroditism)

(2) 유출로와 뮐러관 기형(Outflow and Müllerian anomalies)

  ① 유출로 폐쇄

     a. 종류

       - 처녀막막힘증(imperforate hymen)

       - 가로질중격(transverse vaginal septum)

     b. 증상

       - 월경이 배출되지 않으면서 나타나는 주기적인 통증

       - 질혈종(hematocolpos), 자궁혈종(hematometra), 혈복강, 자궁내막증이 발생

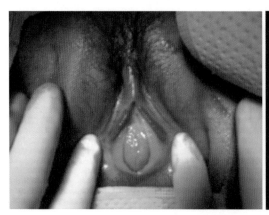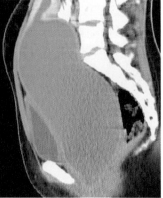

그림 20-3. 처녀막막힘증(Imperforate hymen)

② 단각자궁과 비통행성자궁뿔(unicornuate uterus with non-communicating horn)

  a. 단각자궁과 한쪽 뿔 구조만 형성된 경우

    - 한쪽 뮐러관의 이동 실패(잔여 뮐러관 조직 형성)

    - 뮐러관 기형(Müllerian duct abnormalities)의 10%

  b. 특성

    - 작은 자궁경부

    - 잘 발달되지 않은 반대쪽 질천장(vaginal fornix)

    - 질은 주 자궁과 연결

    - 신장기형 동반이 흔함(약 30%)

  c. 증상 : 초경 이후 심해지는 생리통과 주기적인 복통

  d. 진단 : 초음파, MRI, CT, IVP 등

  e. 치료 : 자궁성형술(uteroplasty)

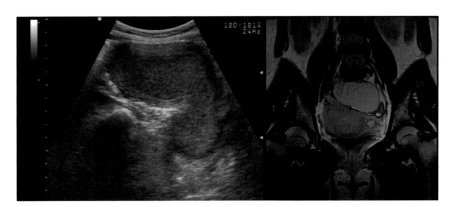

그림 20-4. 단각자궁과 흔적자궁뿔

③ Uterine didelphys with Obstructed HemiVagina and Ipsilateral Renal Agenesis (OHVIRA)

  a. 일측의 질폐쇄와 동측 신장의 무발생이 두자궁과 동반된 증후군

    - 두자궁(uterine didelphys) + 질 폐쇄 + 동측 신장무형성(ipsilateral renal agenesis)

    - 태생 3주경 유전적 이상이나 기형발생인자(teratogen)의 영향

      → 태생기의 중신관(mesonephric duct) 형성 불완전

      → 동측 신장의 무형성 + 요생식동(urogenital sinus)에서 중신관의 불완전 형성

      → 중신방관(paramesonephric duct)의 융합이 일어나지 않아 중복자궁 발생

  b. 임상소견

    - 초경 이후 심해지는 생리통과 주기적인 복통

    - 골반 종괴 혹은 질벽의 팽윤이 관찰

- 일측 신장 무형성

c. 진단 : 초음파, MRI, CT, IVP 등

d. 치료

- 질중격 절제술(excision of vaginal septum)

- 자궁경부 조직의 절제는 피함

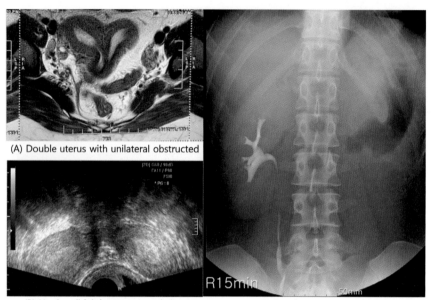

(A) Double uterus with unilateral obstructed

(B) Uterine didelphys on coronal view

(C) Renal agenesis on IVP

그림 20-5. OHVIRA 증후군의 MRI와 초음파

④ MRKH 증후군(Mayer-Rokitansky-Küster-Hauser syndrome)

MRKH 증후군(Mayer-Rokitansky-Küster-Hauser syndrome)

Müllerian duct(paramesonephric duct)의 무형성 또는 형성저하
  – 자궁과 난관이 없고, 질도 없거나 안쪽으로 형성이 저하
  – 난소 : 뮐러관 구조가 아니므로 정상적으로 존재하며 기능도 정상적
원발성 무월경의 두번째로 흔한 원인
염색체검사 : 46,XX (정상 여성)
임상소견
  – 유방의 발육과 음모의 발달은 정상 여성과 같으며 성장과 발달에 있어서도 정상적
  – 의심증상 : 정상 여성 외형 + 원발성 무월경 + 비정상 질 구조
동반 질환
  – 비뇨기계 이상
    • 약 1/3에서 동반(가장 흔한 동반 기형)
    • Renal agenesis, ectopic kidney, horseshoe kidney, double urinary collecting system

- 골격계 이상
  - 5~12%에서 동반
  - 척추 이상(가장 흔한 근골격계 이상), 무지증(aphalangia), 합지증(syndactyly)
- 청력 결함, 난청(deafness) : 이소골(auditory ossicle)의 결여로 발생
- 갈락토오스(galactose) 대사이상 : 가족력이 있는 경우 발생 가능성

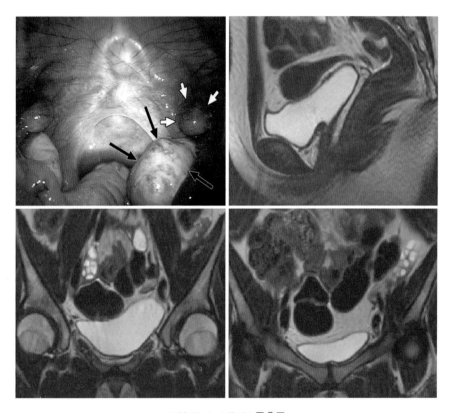

그림 20-6. MRKH 증후군

(3) 자궁내막 이상

① 자궁내막무형성

　a. 자궁내막의 선천적으로 결여로 발생하는 원발성 무월경(매우 드묾)

　b. 후천적인 원인으로 자궁내막이 손상되어 발생하는 이차성 무월경

② 자궁체부 및 자궁경부 수술 후 유착

　a. 제왕절개술, 자궁근종절제술, 자궁성형술과 같은 자궁체부의 수술 후 발생한 유착

　b. 원추생검술 또는 전기절제술을 받은 후 발생한 경부협착

③ 감염에 의한 자궁내유착

④ 아셔만증후군(Asherman syndrome)

　a. 자궁내막이나 경부의 손상으로 생성된 자궁내막유착에 의해 자궁강의 일부 또는 전부가

　　폐색되는 경우
　b. 위험인자 : 자궁내막소파술, 원추절제술, 골반내감염, IUD 관련 염증, 생식기결핵 등
　c. 증상 : 이차성 무월경 또는 과소월경, 월경통, 유산, 불임 등

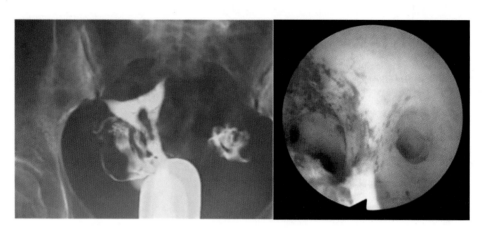

그림 20-7. 아셔만증후군(Asherman syndrome) 환자의 자궁내유착

(4) 안드로겐 무감응(Androgen insensitivity)

안드로겐 무감응(Androgen insensitivity)

유전자형이 남성(XY)이지만 안드로겐 수용체의 기능 결함에 의해 외부 생식기가 여성으로 발달
　– 염색체 : 46,XY
　– 안드로겐 수용체 유전자는 X염색체 장완 Xq11-12 위치에 존재
　– Y염색체는 정상
　– 난소는 존재하지 않으며, 고환이 복강 내에 또는 서혜부 탈장의 형태로 확인
　– X염색체 열성 유전(X-linked recessive inheritance)
　– 과거 명칭 : 고환여성화(testicular feminization)
빈도
　– 원발성 무월경에서 세번째로 흔한 질환(1st 생식샘발생장애, 2nd MRKH 증후군)
　– 남성 가성 반음양증 중에서 가장 많은 유형
임상소견
　– 자궁, 난관, 질 상부 : 미발생
　– 질 : 하부에서 맹관의 형태
　– 치모(pubic hair)와 액와모(axillary hair) : 없거나 희박
　– 유방 : 사춘기에는 testosterone이 estrogen으로 전환되어 충분히 발육
　– 고자 닮은 경향(eunuchoidal tendency) : 큰 키, 긴 팔, 큰 손발
검사소견
　– Testosterone : 정상 또는 약간 증가한 남성 수준의 농도
　– AMH : 분비와 기능 모두 정상

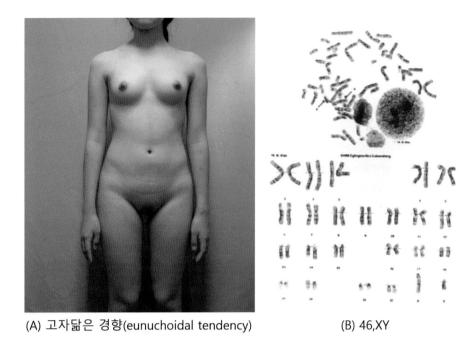

(A) 고자닮은 경향(eunuchoidal tendency)   (B) 46,XY

그림 20-8. 안드로겐 무감응(Androgen insensitivity)

(5) 진성 반음양증(True hermaphroditism)

① 매우 드물게 발생하는 질환이긴 하지만 무월경의 원인

② 남성과 여성의 성선조직이 모두 존재하며, XX, XY 및 섞임증 유전자형으로 발현

③ 진성 반음양증 환자의 약 2/3에서 월경이 발생

④ 외부생식기는 대개 모호한 형태로 나타나며, 유방의 발육은 잘 되어 있는 편

2) 진단

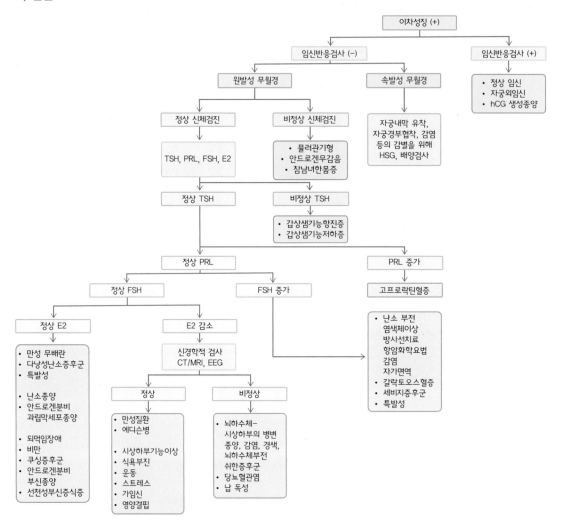

그림 20-9. 이차성징이 동반된 무월경의 진단 과정

(1) 선천성 뮐러관 기형의 진단

① 신체 진찰소견

② 초음파, MRI : 진찰이나 이학적 검사로 잘 알 수 없는 경우 시행

③ 정맥신우조영술(IVP) : 뮐러관기형 시 수반되는 골격 이상, 비뇨계 이상을 확인

(2) 자궁내막무형성의 진단

① 통상적인 진찰만으로는 진단 불가능

② 자궁내막 이상의 의심

a. 이차성징 발현이 정상인 원발성 무월경

b. 내분비검사 소견이 정상

c. Estrogen과 Progesterone의 투여에도 소퇴성 출혈이 없음

(3) 아셔만증후군(Asherman syndrome)의 진단

① 자궁난관조영술(HSG) : 자궁강 유착에 의한 다발성 충만결손(multiple filling defect)

② 자궁경(hysteroscopy) : HSG에 보이지 않는 경미한 유착도 확인 가능

③ 월경 분비물이나 자궁내막조직의 배양 검사

(4) MRKH syndrome, Androgen insensitivity, Swyer syndrome의 감별

	MRKH syndrome	Androgen insensitivity	Swyer syndrome
핵형	46,XX	46,XY	46,XY
유전	불명확	X염색체 열성 유전	Yp11의 SRY mutation
내부 생식기	자궁(−), 난소(+)	흔적 생식샘(streak gonad)	정상의 미숙한 여성 양상
외부 생식기	정상 여성	정상 여성	어린 여성
유방 발육	정상	정상	발육 부전
Pubic, axillary hair	정상 여성	없거나 희박	정상 여성
Testosterone	정상 여성 수치	정상 남성 수치 or 약간 증가	정상 여성 수치
Gonadotropin	FSH, LH 정상	FSH 정상, LH 정상 or 증가	FSH 증가
동반되는 기형	빈번	드묾	드묾
생식샘의 종양	정상 빈도	악성 종양 빈도 5%	종양 호발

3) 치료

(1) 처녀막막힘증의 치료

① 처녀막의 십자절개(cruciate incision)

② 주사기로 고인 혈액만을 제거하면 질축농(pyocolpos) 발생

(2) 가로질중격의 치료

① 질중격 절제술(excision of vaginal septum)

② 수술 후 질 유착 방지를 위해 질확장기(Frank dilator)를 사용

(3) 자궁경부가 없거나 발육이 저하된 경우의 치료

① 자궁이 정상적 기능을 하더라도 유출로 형성술은 성공이 어려워 대개 자궁제거술 시행

② 에스트로겐 분비의 이점과 대리모에 의한 체외수정 가능성을 생각해서 난소는 보존

(4) 질이 없거나 맹관을 형성한 경우

① 질확장기(Frank dilator)를 이용한 점진적인 질의 확장 시도

② 질 확장을 실패한 경우 : McIndoe operation(피부이식에 의한 인공 질 형성)

(5) 아셔만증후군(Asherman syndrome)의 치료

① 자궁경으로 유착을 제거(hysteroscopic resection)

② 수술 후 유착의 방지

a. 소아용 Foley catheter를 7~10일간 자궁 내부에 유치

b. 광범위 항생제 투여(broad spectrum antibiotics)

c. 재유착 방지를 위해 2개월간 고용량 estrogen-progesterone 치료

③ 예후

a. 치료 후 80%에서 임신 가능

b. 유산, 조산, 전치태반, 유착태반 등의 합병증이 증가

(6) 안드로겐 무감응(Androgen insensitivity)

① 사춘기 발육이 완전하게 된 후(약 16~18세)에 생식샘(gonad)을 제거

a. 고환의 악성 변성을 예방

b. Androgen 수용체에 대한 문제 → 종양 발생이 25세 이전에는 드물고, 발생빈도도 비교적 낮기 때문

c. 수술 후 호르몬 보충요법으로 estrogen을 투여

② XY 핵형 + 남성화가 나타나는 경우 : 즉시 제거

4 이차성징이 동반된 비해부학적 원인에 의한 무월경

1) 원인

(1) 분류

이차성징이 동반된 비해부학적 원인에 의한 무월경

1. 다낭성난소증후군(PCOS)
2. 고프로락틴혈증
3. 원발성 난소기능부전(조기 난소부전)
   1) 성염색체 질환(sex chromosome disorders)
   2) 유약엑스증후군(fragile X syndrome)
   3) 의인성 원인(iatrogenic cause)
      a. 방사선 치료
      b. 항암치료
      c. 수술로 인한 난소의 혈액공급 장애
      d. 감염
   4) 자가면역질환(autoimmune disorders)
   5) 갈락토오스혈증(galactosemia)
4. 뇌하수체와 시상하부의 병소
   1) 뇌하수체 및 시상하부
      a. 두개인두종(craniopharyngioma)
      b. 종자세포종(germinoma)
      c. 결절성육아종(tubercular granuloma)
      d. 사르코이드육아종(sarcoid granuloma)
      e. 기형종
   2) 뇌하수체
      a. 비기능성 샘종(nonfunctioning adenoma)
      b. 호르몬분비 샘종
         • 프로락틴샘종(prolactinoma)
         • 쿠싱병(Cushing's disease)
         • 말단비대증(acromegaly)
         • 원발성 갑상샘과다증
      c. 경색증(infarction)
      d. 림프구뇌하수체염(lymphocytic hypophysitis)
      e. 외과적 또는 방사선 절제
      f. 쉬한증후군(Sheehan's syndrome)
      g. 당뇨병성 혈관염(diabetic vasculitis)
5. 시상하부의 GnRH 분비 이상
   1) 에스트로겐 변이가 많은 경우
      a. 신경성 식욕부진(anorexia nervosa)
      b. 운동
      c. 스트레스
      d. 가임신
      e. 영양실조
      f. 만성질환, 당뇨, 신장질환, 호흡기질환, 만성 간염, 에디슨병(Addison's disease)
      g. 고프로락틴혈증(hyperprolactinemia)
      h. 갑상샘기능이상(thyroid dysfunction)
   2) 에스트로겐의 변이가 거의 없는 경우
      a. 비만
      b. 고안드로겐증(hyperandrogenism)
         • 다낭성난소증후군(PCOS)
         • 쿠싱증후군(Cushing's syndrome)
         • 선천성 부신증식증(CAH)
         • 안드로겐분비 부신종양
         • 안드로겐분비 난소종양
      c. 과립막세포암종
      d. 원인불명(idiopathic)

(2) 임신

① 이차성징의 발현이 있고 해부학적 이상이 없는 무월경의 가장 흔한 원인
② 가임 연령의 여성이 무월경 호소 시 반드시 확인

(3) 다낭성난소증후군(PCOS)

① 고안드로겐혈증, 배란장애, 다낭성 난소의 병적 상태

② 진단기준 : 다음 3가지 중에서 2가지 이상을 만족

　　a. 월경 이상(oligoovulation 또는 anovulation)

　　b. 임상적 ± 생화학적 고안드로겐혈증(hyperandrogenism)

　　c. 다낭성 난소(polycystic ovary)의 초음파 소견

③ 임상증상

　　a. 무월경, 불규칙한 질 출혈

　　b. 비만(obesity) : 흔히 나타나지만 20% 정도에서는 비만이 나타나지 않음

　　c. 인슐린 저항성(insulin resistance)

　　d. 불임, 자궁내막증식증, 자궁내막암, 당뇨병, 심혈관 질환의 위험이 증가

(4) 고프로락틴혈증(Hyperprolactinemia)

① Prolactin 증가는 GnRH 분비를 촉진시켜 월경 이상을 초래

② 원인

　　a. 임신, 뇌하수체선종, 도파민 이동장애를 초래하는 중추신경계질환

　　b. 도파민 분비를 방해하는 약물(항우울제, 고혈압제, 진통제, 위궤양 치료제 등)

③ TSH와 prolactin이 동시에 증가되어 있는 경우 : 갑상샘기능저하증을 먼저 치료

(5) 원발성 난소기능부전(Primary ovarian insufficiency, POI)

① 선천적으로 난소에 보관된 난자가 적거나 난포의 퇴화가 가속되어 나타나는 난소부전

　　a. 40세 이전의 여성에서 4개월 이상의 무월경과 폐경 수준의 FSH 수치

　　b. 과거 명칭 : 조기폐경(premature menopause), 조기 난소부전(premature ovarian failure)

② 증상 : 안면홍조, 야간 발한, 정서불안 등

③ 원인 : 대부분 불명확

이차성징이 발달된 후 나타나는 난소기능부전의 원인

성염색체와 단일 유전자질환
　　- 터너증후군, XO 또는 XY 섞임증 환자, Xq21-28 부위의 결손, 47,XXX, Perrault 증후군
유약엑스 보인자(Fragile X carrier)
　　- Xq27.3에 위치하고 있는 FMR1 유전자의 예비돌연변이(premutation carriers)로 발생
　　　　• 보인자 : CGG triplet 반복이 60~200개 사이
　　　　• 비정상 FMR1 mRNA 발현에 의해 난소기능부전이 발생
　　　　• 아들에게 유약엑스증후군(Fragile X syndrome)이 발생
　　- 13~26%에서 원발성 난소기능부전 발현

- 완전 돌연변이(Fragile X syndrome)
  - CGG triplet 반복이 200개 이상
  - FMR1 유전자가 완전히 불활성화 되어 원발성 난소기능부전이 발생하지 않음

의인성 원인
- 난포가 일찍 소실되어 난소기능부전이 발생
- 방사선치료, 화학요법(특히 cyclophosphamide 같은 alkylating agents), 난소 수술, 감염 등
- 흡연 : 많이 할수록 폐경 연령이 빨라지고 난소의 예비력 감소

감염
- 볼거리(mumps), 난관난소농양

자가면역질환
- 난소기능부전 환자에서 자가항체 종류 및 빈도가 다양 확인
- 갑상샘질환(가장 흔함), 중증근육무력증, ITP, 류마티스관절염, 백반증, 자가면역용혈빈혈

갈락토오스혈증
- Galactose-1-phosphate uridyl transferase의 기능 결함
- 상염색체 열성 질환(autosomal recessive trait)
- 갈락토오스 대사물이 축적되어 난포에 독성을 나타내 난포를 조기에 파괴

(6) 뇌하수체와 시상하부의 병변

① 시상하부의 종양

a. 시상하부나 뇌하수체에 생긴 종양, 육아종, 낭종 등이 호르몬의 적절한 분비를 방해

b. 두개인두종(craniopharyngioma)

- 가장 흔한 종양

- 안장위(suprasellar) 부위에 위치하며 흔히 두통과 시각변화를 야기

② 뇌하수체의 병소

a. 뇌하수체 분비샘이 대부분 파괴된 후 임상적인 증상이 나타나 뇌하수체저하증은 드묾

b. 원인

- 종양, 경색증, 림프구뇌하수체염, 육아종 질환, 수술적 또는 방사선적 파괴 등

- Sheehan 증후군 : 산후 심한 저혈압에 의한 뇌하수체의 괴사로 인하여 발생

c. FSH, LH 이외에도 ACTH, TSH 분비도 감소되므로 갑상선과 부신의 기능 확인도 필요

(7) 시상하부의 GnRH 분비 이상

① 신경성 식욕부진(anorexia nervosa)

a. 진단기준 : 정상보다 15% 이상 낮게 체중 유지를 고집 + 비만해지는 것에 대한 강렬한 공포 + 자신의 신체상에 대한 변형된 지각 + 무월경

b. 검사소견

신경성 식욕부진(anorexia nervosa)의 호르몬 변화

- FSH, LH : 아동기처럼 24시간 동안 계속 낮거나 또는 사춘기 초기처럼 수면 중에 FSH 박동이 증가
- Cortisol : 증가(ACTH가 정상이지만 hypercortisolism 상태)
- CRH 투여에도 ACTH 반응이 거의 없음
- T3 감소, reverse T3 증가
- TSH, T4 : 정상

---

② 체중 감소와 식이요법

　　a. 무월경 유발 체중변화

　　　　- 정상 이하의 체중 or 1년에 10% 체중감소

　　　　- 체중변화 없는 식이요법만으로도 발생 가능

　　b. 체중 회복 시 월경도 회복

③ 운동

　　a. 특징적 증상 : 무월경, 골다공증, 식사장애

　　b. 검사

　　　　- Hypogonadotropic hypogonadism : FSH 박동빈도 감소로 GnRH 박동빈도 감소 확인

　　　　- Estrogen, bone densitometry (DEXA), leptin 확인

　　c. 월경을 위한 체지방량

　　　　- 월경이 개시되기 위해서는 최소한 17%의 체지방이 필요

　　　　- 월경이 유지되기 위해서는 약 22%의 체지방이 필요

　　d. 렙틴(leptin)

　　　　- 지방세포(adipocyte)에서 분비되는 에너지 항상성에 관여하는 호르몬

　　　　- 시상하부와 뼈에 수용체가 있으며, 월경 기능과 골밀도에 관여

　　　　- 운동, 식욕질환, 원인 불명으로 leptin이 감소하면 무월경이 초래

④ 스트레스로 인한 장애

a. 시상하부 GnRH 분비의 조절 이상에 의해 무월경 유발

b. 스트레스로 인한 endogenous opioid 과다 분비, CRH 상승 → GnRH 분비를 방해

⑤ 비만

　　a. 대부분 월경 주기가 정상이지만, 비만이 심할수록 월경장애의 빈도가 증가

　　b. 빈도 : 무배란이 동반된 불규칙한 자궁출혈 > 무월경

　　c. Estrogen 과다 자궁내막암의 위험성 증가

　　　　- 지방세포에서 extraglandular aromatization가 일어나 androgen이 estrogen으로 전환

　　　　- SHBG 농도가 낮아 estrogen으로 변환될 수 있는 free androgen 비율이 증가

⑥ 기타 호르몬의 기능장애

　　a. 말초 호르몬 농도의 변동에 의한 되먹임으로 시상하부 신경조절물질의 분비 조절

- Thyroid hormone, corticosteroid, androgen, estrogen의 과다 or 부족 : 월경장애
- Growth hormone, TSH, ACTH, prolactin의 과다분비 : 무월경

b. 질환에 의한 기능장애
- Growth hormone 과다 분비
- 쿠싱증후군(Cushing's syndrome) : 부신피질에서 glucocorticoid가 과잉분비 되는 질환
  • ACTH의 과도한 분비
  • 부신에서 glucocorticoid 과다 생산
  • 치료를 위해 오랫동안 glucocorticoid 복용한 경우

2) 진단

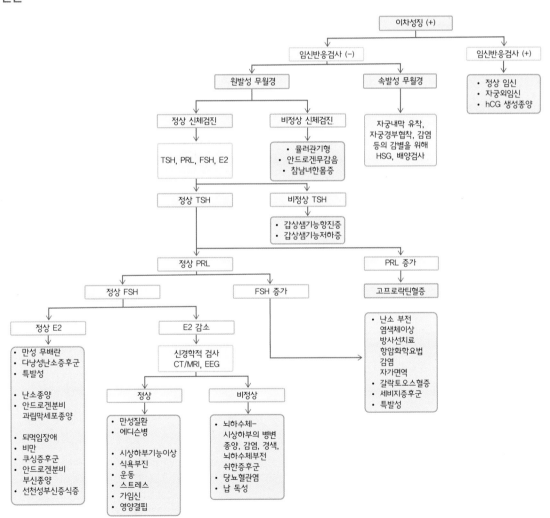

그림 20-9. 이차성징이 동반된 무월경의 진단 과정

(1) 에스트로겐 상태 평가

① 호르몬 부하검사

프로게스테론 부하검사(Progesterone challenge test)

내인성 에스트로겐 상태를 평가하고 월경 유출로가 적격함을 확인하기 위한 검사
양성(positive) : 출혈이 2~7일 이내에 있는 경우
- 의의
  - 내인성 estrogen에 대하여 자궁내막이 충분히 반응
  - 월경 유출로의 기능은 정상
- 무월경의 원인 : 무배란(anovulation)
음성(negative) : 출혈이 없는 경우 → Estrogen/Progesterone challenge test 시행
- 임신 확인을 안 했다면 임신 여부를 확인
- 월경 유출로의 이상
- 내인성 estrogen 결핍 : 자궁내막의 준비 부족
- 내인성 estrogen 정상 : 자궁내막의 탈락막화
  - Androgen 수치가 증가한 경우
  - 특정 부신효소의 결핍으로 progesterone 또는 androgen 수치가 증가한 경우

에스트로겐과 프로게스테론 병합 부하검사(Estrogen/Progesterone challenge test)

양성(positive) : 출혈이 있는 경우 → 내인성 estrogen 결핍
- Hypergonadotrophic hypogonadism : 난소의 난포 결함
  - 터너증후군(Turner syndrome)
  - 난소기능부전(ovarian insufficiency)
  - 효소결핍(enzyme defects)
- Hypogonadotrophic hypogonadism : Hypothalamus-Pituitary dysfunction
- 감별 위한 FSH & LH 확인
음성(negative) : 출혈이 없는 경우 → 자궁내막 및 월경 유출로 이상
- 월경 유출로 폐쇄(outflow obstruction)
- 자궁 내막의 파괴(Asherman syndrome)
- 무자궁(absent of uterus)

② 부하검사 가이드라인

Progesterone challenge test		
Medroxyprogesterone acetate (Provera)	10 mg orally once per day	7 to 10 days
Norethindrone (Aygestin)	5 mg orally once per day	7 to 10 days
Progesterone	200 mg parenterally once per day	Single dose
Progesterone micronized	400 mg orally once per day	7 to 10 days
Progesterone micronized gel (4 or 8%)	Intravaginally every other day	6 applications
Estrogen/Progesterone challenge test		
Conjugated equine estrogen (Premarin)	1.25 mg orally once per day	21 days
or		

Estradiol (Estrace)	2 mg orally once per day	21 days
followed by		
Progestational agent	As noted above	As noted above

③ 다른 평가 방법

    a. 질 건조증. 안면 홍조 : 에스트로겐 저하증 의심

    b. 질 분비물 검사 : 현미경으로 확인하여 표층세포(superficial cell)를 확인

    c. 혈중 estradiol(E2) 농도 : 40 pg/mL 이상이면 적당

(2) 갑상샘자극호르몬(TSH)

① 갑상샘기능항진증 또는 갑상샘기능저하증을 평가

② TSH 수치 이상이 발견되면 갑상샘질환에 대한 평가를 추가

(3) 유즙분비호르몬(Prolactin)

① 고프로락틴혈증(hyperprolactinemia) : 무월경의 흔한 원인

② TSH와 prolactin의 함께 증가 : 반드시 갑상샘기능저하증을 먼저 치료

③ PRL 수치의 지속적 상승 : Brain MRI 확인

(4) 난포자극호르몬(FSH)

① 생식샘자극호르몬(gonadotropin)의 과소 여부에 따른 무월경의 분류에 반드시 필요

② 적어도 2회의 검사에서 FSH 수치가 25~40 mIU/mL보다 높은 경우

    a. 고생식샘자극호르몬 무월경으로 진단 → 난소의 원인(난소 난포의 결여)

    b. 폐경, 거세, 난소기능부전

③ 원발성 난소기능부전

    a. 유약엑스증후군 예비돌연변이(FMR1 premutation) 유무와 핵형(karyotype) 확인

    b. 21-hydroxylase에 대한 항체 검사를 시행

④ 다낭성난소증후군

    a. 대사증후군 및 제2형 당뇨에 대한 선별검사

    b. 경구당부하검사, 공복 시 지질검사 시행

⑤ 30세 미만의 고생식샘자극호르몬 무월경 환자

    a. Y세포계(Y cell line) 여부를 알기 위해 염색체 검사

    b. 염색체 핵형이 정상인 경우 : Y-specific probe를 이용한 FISH 시행

(5) 항뮐러리안호르몬(Anti-Müllerian hormone, AMH)

　① Granulosa cell에서 분비

　② 원발성 난소기능부전에서 감소하고 다낭성난소증후군(PCOS)에서 증가 소견

(6) 뇌하수체와 시상하부의 영상(필요한 경우)

　① Low estrogen + Low FSH → 뇌하수체와 시상하부 병변을 고려

　　a. 뇌파검사(EEG)를 포함한 신경학적 검사 : 병소의 위치를 가늠

　　b. MRI, CT : 종양의 확인을 위한 검사

　　c. 해부학적 병소 제외 후에는 신경성 식욕부진, 영양실조, 비만, 운동, 스트레스 등 확인

　② 특유한 임상소견을 보이면 호르몬 변형 확인

　　a. 남성형 다모증(hirsutism) : Androgen 농도 확인

　　b. 말단비대증(acromegaly) : IGF-1 농도 측정

　　c. 쿠싱증후군 : 24시간 소변 cortisol 농도, 1 mg 야간 덱사메타손 억제검사

3) 치료

(1) 일반적 치료법

비해부학적 원인에 의한 무월경 치료

- 갑상샘 이상 : 갑상샘호르몬, 방사성요오드, 항갑상샘약제 등을 적절히 투여
- 고프로락틴혈증 : 원인 약물을 중단, 도파민작용제(bromocriptine, cabergoline), 큰 뇌하수체 종양은 수술
- 원발성 난소기능부전 : 폐경 증상을 완화 및 골다공증 예방을 위한 호르몬요법
- Y 세포계(Y cell line)가 있는 경우 : 생식샘절제술(gonadectomy)
- 프로락틴샘종 이외의 중추신경계통 종양 : 외과적 절제, 방사선치료

시상하부 기능장애에 의한 무월경 치료

- 호르몬 분비 난소 종양 : 수술적 제거
- 비만, 영양실조, 만성질환, 쿠싱증후군, 말단비대증 : 각 원인에 대하여 치료
- 상상 임신, 스트레스로 인한 무월경 : 정신요법
- 운동으로 인한 무월경 : 활동의 완화, 적절한 체중 증가로 회복 가능
- 신경성 식욕부진 : 다면적 접근이 필요, 심하면 입원 치료
- 만성 무배란, 다낭성난소증후군 : 다모증, 불임, 무월경 등에 대한 치료
- 경증의 선천성 부신증식증(CAH)에 의한 만성 무월경 : Glucocorticoid(취침 시 덱사메타손 0.5 mg) 투여

---

(2) 원발성 난소기능부전의 치료

　① 호르몬요법 : 폐경증상 완화 + 골다공증 예방

　② 50세 이후의 폐경 여성보다 고용량의 호르몬 치료가 필요

　③ 이차성 무월경에서 estrogen 치료 수개월 후 난소기능이 다시 회생하는 경우도 존재

(3) 자궁내막 보호

① 무배란 환자

a. Estrogen 단독 환경에 노출 : 자궁내막증식증, 자궁내막암 위험성 증가

b. Progestogen의 주기적 투여 : 정기적 월경 유발

- 임신 계획 (-) : MPA 10 mg 매달 10일간 투여(가성 반음양증 유발 가능성)

- 임신 계획 (+) : 프로게스테론 질정 50~100 mg, micronized progesterone 200 mg

② Estrogen 저하증 환자

a. Estrogen + Progesterone 투여

b. 주기적 월경과 골다공증 예방

(4) 남성형 다모증의 치료

① 유출로와 뮐러관기형(Outflow and Müllerian anomalies)

② 치료

남성형 다모증(Hirsutism)의 치료

피임약(oral contraceptives)
 – 난소의 androgen 생산 감소, 혈중 SHBG 증가 → Free androgen 감소
항안드로겐(antiandrogen)
  – Spironolactone
   • Androgen 생산을 낮추고 androgen receptor에서 androgen과 경쟁
   • 불규칙한 출혈과 임신 예방을 위하여 피임약을 같이 투여
  – Flutamide
   • Prostatic cancer 치료에 사용
   • Spironolactone과 유사한 효과(부작용은 더 적음)
  – Cyproterone acetate
   • 강력한 progestin, 항안드로겐 효과
   • 혈중 androgen과 LH를 감소
  – Finasteride (5α-reductase inhibitor)
   • 양성 전립선 비대와 남성형 탈모 치료에 사용
   • 다모증(hirsutism) 치료에 효과적
GnRH agonist
 – 난소의 스테로이드 생산을 억제
 – Estrogen-progestin add-back therapy를 하면 장기간 투여 가능하고 골다공증 발생 예방
Eflornithine hydrochloride
 – 얼굴과 턱에 사용하는 topical cream
 – 하루 2회 4~8주 정도 사용

---

(5) 배란유도

① 배란 유도제와 난소암(ovarian cancer)의 관계

a. 불임 환자에서 난소암 발생 2.5배 증가(배란 유도제와는 관계가 없음)

b. 임신과 피임약 복용 : 난소암 발생 위험이 감소

② 배란 유도제의 종류

무월경 여성의 배란유도제

Clomiphene citrate
- 경구 투여가 가능, 값이 싸고, 안전하고, 효과적
- 특성
  - 비스테로이드성 triphenylethylene 유도체
  - Estrogen 작용제와 길항제의 성질을 모두 보유한 selective estrogen receptor modulator(SERM)
  - 시상하부-뇌하수체 축에서 estrogen agonist로 작용
  - 시상하부의 에스트로겐 수용체에 결합
    - → 수용체 차단 효과
    - → 정상적인 난소-시상하부 에스트로겐 되먹임 기전을 약화
    - → GnRH의 파동성 분비 진폭(amplitude)을 증가시켜 FSH 분비를 촉진
- 효과
  - PCOS 환자에서 효과적(LH/FSH ratio가 증가되어 있기 때문) : 80%에서 배란, 40%에서 임신
  - 생식샘기능저하증에서는 효과 없음(poor estrogen supply state)
- 부작용 : 안면홍조, 시야 이상(clomiphene 중단의 적응증), 다태 임신
- 금기증 : 임신, 간질환, 난소 낭종의 존재
- 투여 : 월경 3~5일째부터 하루 50 mg씩 5일간 경구투여
  - 최대 하루 100 mg 투여하며 그 이상은 무효
  - 표준 치료에 반응하지 않는 경우 기간을 연장하거나 glucocorticoid를 추가
  - PCOS 환자의 배란에 있어서 metformin 보다 우수
  - Clomiphene + metformin 동시 투여 : 효과 향상
Gonadotropin(FSH 단독 or FSH, LH 병합) + hCG
Pulsatile GnRH

---

③ 조기 난소부전

a. 어느 약제로도 임신을 증진시키지 못함

b. 난자 공여에 의해 임신 가능

1) 안드로겐(Androgen)

(1) 정의

① 안드로겐(androgen)

    a. 남성화 작용을 갖는 호르몬을 통칭하는 용어

    b. 체모, 특히 성모(sexual hair)의 성장에 있어 가장 중요한 역할을 하는 인자

② 임상증상

    a. 다모증(hirsutism) : 가장 흔한 증상

    b. 여드름(acne), 지루(seborrhea), 안드로겐형 대머리(androgenic alopecia)

③ 원인

    a. 다낭성난소증후군(PCOS) : 가임기 여성에서 가장 흔한 원인

    b. 비전형 선천성 부신과증식증(nonclassic congenital adrenal hyperplasia, NCAH), 고안드 로겐 인슐린 저항성 흑색가시세포(hyperandrogenic insulin-resistant acanthosis nigricans, HAIRAN) 증후군, 안드로겐분비 신생물(androgen-secreting neoplasm, ASNs) 등

③ 합성의 주요 내분비기관

    a. 난소 : LH의 영향으로 합성

    b. 부신피질 : ACTH의 영향으로 생성

(2) 여성에서의 주요 안드로겐

안드로겐 (androgen)	혈중 농도 (ng/mL)	상대적 활성도	특성
Dehydroepiandrosterone sulphate (DHEAS)	1,600	5	안드로겐 전구물로서 안드로겐 활성을 갖기 위해서는 testosterone 으로의 전환이 필요
Dehydroepiandrosterone (DHEA)	4.2		
Androstenedione (A)	1.4	10	
Testosterone (T)	0.4	100	
Dihydrotestosterone (DHT)	0.1	300	

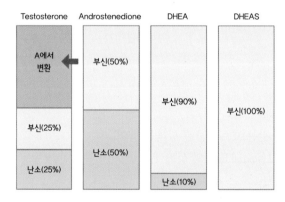

그림 21-1. 가임기 여성에서의 안드로겐 합성 장소 분포도

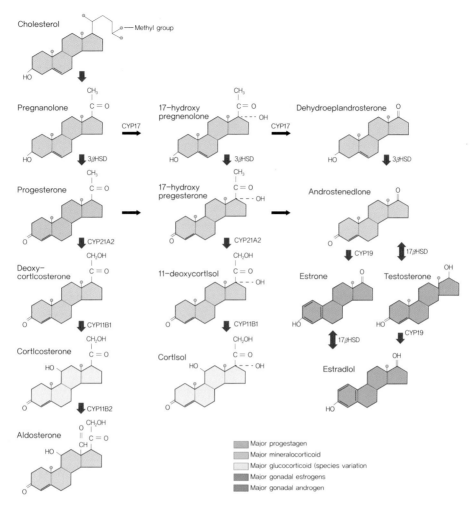

그림 21-2. 주요 스테로이드의 합성 경로

(3) 테스토스테론(Testosterone)

① 여성에서 혈중 테스토스테론(testosterone)

    a. 생성 : 50%는 androstenedione가 말초에서 전환, 50%는 난소와 부신에서 절반씩 분비

    b. 분포

       - 비활성화 : SHBG와 결합(66~78%), albumin과 결합(20~32%)

       - 활성화 : Free testosterone (1~2%)

② Free testosterone과 SHBG의 농도

    a. Free androgen index = (Total testosterone/SHBG) x 100

    b. 상호 역관계

SHBG 수치가 증가하는 경우	SHBG 수치가 감소하는 경우
– 고농도 에스트로겐 상태(임신, 황체기, 에스 트로겐 투여, 경구피임제) – 갑상샘호르몬 증가 – 간경화	– 안드로겐질환(PCOS, 부신증식, 종양, 쿠싱증후군) – 안드로겐약물(danazol, glucocorticoids, GH 등) – 고인슐린혈증 – 비만

③ Dehydrotestosterone (DHT)

    a. Testosterone은 5α-reductase에 의해 DHT로 바뀌어 목표 장기에 작용

    b. DHT는 androgen 수용체에 대한 결합력이 testosterone보다 높은 반면 해리 속도는 늦기 때문에 더 강한 활성

2) 다모증(Hirsutism)

(1) 병인론

① 여성에서 남성형의 체모가 나타나는 것

    a. 겨드랑이와 치모가 가장 민감하게 반영

    b. 중앙부, 얼굴, 가슴 털 : 주로 남성에서만 나타나는 부위는 많은 상승 이후 발생

② 고안드로겐혈증의 가장 흔한 임상증상

③ 빈도 : 생식가능 연령층 여성의 10% 정도에서 관찰

④ 원인

원인	발생분율(%)	특성
다낭성난소증후군	70%	고안드로겐혈증(임상적, 생화학적), 배란장애, 다낭성 난소
특발성 고안드로겐증	15%	고안드로겐혈증(임상적, 생화학적), 정상 난소 주기, 정상 난소
특발성 다모증	10%	정상 안드로겐, 정상 난소, 정상 난소 주기를 보이는 다모증 발병기전 : 안드로겐수용체 활성 or 5α-reductase 활성 증가
고안드로겐 인슐린 저항성 흑색가시세포증후군 (HAIRAN)	3%	PCOS의 범주에 속하면서 심한 인슐린 저항성과 흑색가시세포증을 보이는 경우
선천성 부신증식증	3%	유전질환으로 인한 21- or 11β-hydroxylase 결핍
안드로겐 분비 종양	0.3%	드물지만 치명적인 질환의 가능성이 있으므로 남성화가 급격하고 심하게 진행될 경우 반드시 감별진단이 필요
외부 요인	불명확	복용 약물의 확인
기타	드묾	고프로락틴혈증, 말단비대증, 쿠싱병, 임신성 고안드로겐증 등

⑤ 호르몬에 따른 모발의 성장 변화

Testosterone	Estrogen	Progesterone
– 성장촉진 – 케라틴 원주 두께 증가, 색소침착 – 두피 이외 부위의 matrix cell mitosis 증가	– 안드로겐에 반대되는 역할 – 체모의 성장시작과 성장속도 감소 – 가늘고 색소침착 없는 체모형성 – 체모의 느린 성장과 연관	– 체모에 영향은 매우 적음

(2) 진단검사

① 임상분석

    a. 다모증이 시작된 연령과 진행속도, 그리고 다른 증상이나 징후가 동반되는지를 확인

      - 암성 병변이나 쿠싱증후군 등으로 인한 다모증은 진행 속도가 매우 빠름

      - 25세 이후 발생, 수개월~1년 이내의 빠른 남성화 : 안드로겐분비 종양 감별이 필요

    b. 털과다증(hypertrichosis)

      - 안드로겐 비의존성 체모 증가 상태

      - 원인

        · 상염색체 우성 유전질환(autosomal dominant trait)

        · 대사 질환 : 신경성 식욕부진, 갑상샘기능항진증, porphyria cutanea tarda

        · 약물 : phenytoin, minoxidil, cyclosporine, acetazolamide, corticosteroids 등

    c. 남성화(virilization)

      - 목소리 굵어짐, 남성형 탈모, 유방 수축, 근육비대, 여성형 신체구조의 소실(상부비만, 허리와 엉덩이 비율감소), 음핵비대 등의 특징이 나타나는 것

      - 원인 : 부신이나 난소의 종양, 단백 동화스테로이드 약물, 테스토스테론 약물 복용

    d. 다모증이 없다고 해서 고안드로겐증을 배제할 수 있는 것은 아님

② 혈액검사

    a. Total testosterone, Free testosterone

      - 유리 테스토스테론의 측정이 가장 중요

      - Total testosterone ≥200 ng/dL : 즉시 부신 또는 난소 종양 유무 확인

    b. DHEAS

    c. 17-OH progesterone

      - Basal follicular phase 17-OHP <200 ng/dL : 정상

      - Basal follicular phase 17-OHP 200~800 ng/dL 사이 : ACTH 자극검사 시행

      - Basal follicular phase 17-OHP >800 ng/dL : 선천성 부식증식증(CAH) 확진

    d. FSH, LH, prolactin, TSH : 생리가 없거나 비정상적인 기간일 경우 추가

③ 고인슐린혈증, 고안드로겐증을 유발하는 다른 질환들, 고프로락틴혈증, 안드로겐 분비종양,

선천성 부신과증식증 등 다른 질환에 대한 감별진단

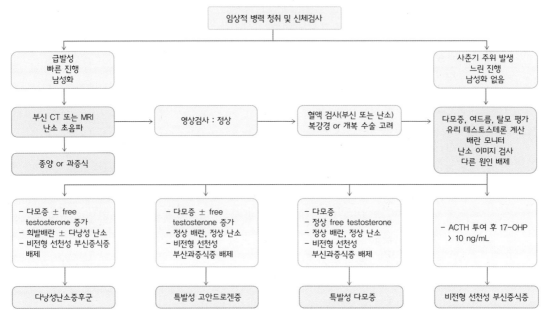

그림 21-3. 다모증 원인의 진단 알고리즘

(3) 치료

① 생활습관교정

    a. 과체중 또는 비만인 경우 생활습관교정을 통한 체중감소가 우선적으로 권장

    b. 다낭성난소증후군 환자에서 효과적

    c. 다모증에 대한 효과는 뚜렷하지 않음

② 미용적 제모술

    a. 의학적 치료법에 보충적으로 사용

    b. 다모증이 경미하거나 국소적인 경우 효과적

③ 약물 치료 : 당장의 임신 계획이 없는 여성에서만 제한적으로 사용

다모증(Hirsutism)의 치료제

---

1. Topical eflornithine

    13.9% eflornithine 크림(Vaniqa®)

      – 모발 성장에 대한 국소적 치료제로 경미한 다모증에서만 단독 요법으로 사용

      – L-ornithine decarboxylase 효소의 비가역적 억제제

      – 모낭 내부에서 세포 성장과 분화에 필수적인 polyamine의 합성을 억제

2. 호르몬억제제

경구피임제(oral contraceptive pill)
- 뇌하수체에서의 생식샘자극호르몬(gonadotropin)의 분비 억제
  - LH를 억제하여 부신 및 난소의 androgen 합성 억제
  - Estrogen 성분이 SHBG 합성을 증가시켜 Free testosterone 농도 감소
- 항안드로겐성 프로게스틴(progestins with antiandrogenic property)이 포함된 경구피임제
  - Progestin이 모낭에서의 androgen 수용체에 경쟁적으로 결합
  - 5α-reductase 활성을 억제
- 안드로겐 활성이 낮은 3세대 progestin이 함유된 복합 경구피임제를 권장

Medroxyprogesterone acetate (MPA)
- 다모증 치료에 효과적(95%에서 털의 성장 감소)
- 기전 : hypothalamic-pituitary axis effect
  - GnRH 생산을 감소시켜 gonadotropin (FSH, LH) 생산 감소
  - 난소에서 estrogen과 testosterone 생산 감소
- SHBG가 감소함에도 불구하고 혈중 total and free androgen이 감소
- 부작용 : 무월경, 골밀도 감소, 우울, 수분 저류, 두통, 간기능 이상, 체중 증가

생식샘자극호르몬분비호르몬 장기 작용제(long-acting GnRH agonist) : leuprolide acetate
- 시상하부-뇌하수체-난소 축에 대한 억제로 난소에서의 androgen 합성을 억제
- 혈관운동성 증상, 골밀도 감소 등의 위험성이 있어 에스트로겐 보충치료(add-back therapy) 시행
- 기존의 치료에 반응하지 않는 심한 고안드로겐증성 다모증 환자에서 2차적 치료법으로 제한

부신피질호르몬(glucocorticoids) : dexamethasone
- glucocorticoids를 투여함으로써 부신에서의 androgen 합성을 억제하여 다모증을 치료
- 효과는 경구피임제나 항안드로겐제에 비해 낮음
- 다모증 환자에서 2차적 치료법으로 제한

3. 스테로이드합성효소억제제

Ketoconazole
- Steroid 합성의 여러 단계에서 효소억제제로 작용하여 부신 및 난소의 androgen 합성을 억제
- 부신에서의 부신피질호르몬 합성을 억제하여 부신성 위기(adrenal crisis) 유발 가능
- 장기 사용은 금지, 쿠싱증후군의 최종 치료 시작 전 임시적으로 사용하는 데에 국한

4. 5α-reductase 억제제

Finasteride
- 5α-reductase 억제제로 남성의 탈모증 치료제, 여성의 다모증에도 효과적
- 태아 기형 유발 가능성으로 가임기 여성은 사용 금기

5. 항안드로겐

Spironolactone
- Aldosterone antagonist & 이뇨제(diuretics)
- Androgen 수용체 결합을 두고 androgen과 경쟁 → androgen 합성에 대한 억제적 작용

Cyproterone acetate
- 강력한 progestin & antiandrogen
- LH 감소를 통한 testosterone과 androstenedione 농도 감소
- 말초에서 androgen 활성을 억제

Flutamide
- 비스테로이드성 항안드로겐(nonsteroidal antiandrogens)
- Spironolactone과 유사한 정도의 효과

6. 인슐린 반응개선제

Metformin

3) 다낭성난소증후군(Polycystic ovary syndrome, PCOS)

(1) 병인론

① 무배란이나 희발 배란이 있는 여성에서 다낭성 난소의 초음파 소견이나 고안드로겐혈증이 있고, 이를 유발할 만한 다른 질환이 없는 경우

② 난소에서 안드로겐이 과도하게 생성되는 원인

a. 시상하부-뇌하수체 부위에서의 기능이상

- LH/FSH ratio 증가(LH : 증가, FSH : 감소)

- LH : 난소에서의 androgen 생성을 자극

- FSH : 방향화효소의 활성을 증가시켜 estrogen 생성을 자극

→ Androgen 합성 우세 상황을 유발

b. 인슐린 분비 및 작용 이상

- 혈중 유리 인슐린이 증가하면 IGF-1 수용체에 결합

→ IGF-1은 LH에 대한 난포막세포의 반응성을 증가

→ 난소에서 androgen 생성 증가

- 증가된 인슐린이 간에서 SHBG와 IGFBP-1 생성을 억제

→ IGFBP-1의 감소 : 혈중 유리 IGF-1 증가, 난소 내 IGF-1, IGF-2 활동성 증가

→ 증가된 혈중 IGF-1 또한 간에서 SHBG 생성을 억제

→ 감소된 SHBG로 인해 유리 testosterone과 유리 estradiol 증가

c. 비만 및 에너지 대사 이상

- PCOS 환자의 약 30~75%에서 비만이 동반

- 내장비만 : 고안드로겐혈증, 인슐린 저항성, 내당능장애, 이상지질혈증과 관련

d. 유전적 소인

- PCOS는 가족 내 발생 경향 증가

- 뚜렷한 멘델의 유전법칙을 보이지 않아 유전학적인 이해가 어려움

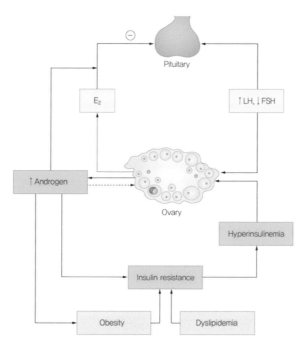

그림 21-4. 다낭성난소증후군 발생의 병인론

(2) 진단기준

① Androgen Excess-PCOS Society Criteria (2006)

다낭성난소증후군의 진단기준

1. **고안드로겐혈증(hyperandrogenism)**
   - 임상적 그리고/혹은 생화학적으로 확인
   - 임상적 고안드로겐혈증
     - 증상 : 다모증, 여드름, 탈모증(나이든 여성)
     - 다모증 : 미국 PCOS 70%, 일본 PCOS 10~20%(모낭의 안드로겐에 대한 유전적 감수성 차이)
     - 여드름, 탈모증은 희발배란 여성이 아니라면 고안드로겐혈증의 지표로서의 가치는 낮음
   - 생화학적 고안드로겐혈증
     - 혈중 총 테스토스테론, SHBG을 측정 후 유리 안드로겐 지수를 계산
     - 다른 임상적 징후가 있는 여성에서 고안드로겐혈증의 진단기준이 만족되지 않는다는 점만으로 PCOS의 진단을 배제하면 안됨
2. **난소의 기능이상(ovarian dysfunction)**
   - 희발배란(oligo-ovulation) 또는 무배란(anovulation) ± 다낭성 난소(polycystic ovary)
   - 월경불순
     - 희발월경(oligomenorrhea) : 1년에 8회 미만의 월경 또는 35일보다 긴 주기
     - 무월경(amenorrhea) : 임신이 아니면서 3개월 이상 생리가 없는 경우
   - 다낭성 난소
     - 난소에 2~9 mm 크기의 난포가 12개 이상

- (그리고/혹은) 우성 난포가 없으면서 난소의 부피가 10 mL를 초과
- 하나의 난소에서만 관찰되어도 진단을 충족
- 질식 초음파를 이용하여 확인
  - 다낭성 난소가 있는 여성이 배란장애나 고안드로겐혈증이 없다면 PCOS로 진단하지 않음

- 위의 2가지 기준을 모두 만족해야 진단가능

② Rotterdam Criteria (2003)

다낭성난소증후군의 진단기준

1. 만성적인 월경 이상(oligo-ovulation 또는 anovulation)
  - 월경장애(희발월경에서 무월경까지 발생)
  - 만성 무배란증은 기능성 자궁출혈(dysfunctional uterine bleeding), 자궁내막증식증 등을 유발
2. 고안드로겐혈증(hyperandrogenism)
  - 임상적 그리고/혹은 생화학적으로 확인
  - 증상 : 남성형 다모증(hirsutism), 남성형 탈모증, 여드름 등
3. 다낭성 난소(polycystic ovary)
  - 난소에 2~9 mm 크기의 난포가 12개 이상
  - (그리고/혹은) 우성 난포가 없으면서 난소의 부피가 10 mL를 초과
  - 하나의 난소에서만 관찰되어도 진단을 충족
  - 질식 초음파를 이용하여 확인

- 위의 3가지 중 2가지 이상을 만족하는 경우 진단가능

(3) 임상증상

  ① 고안드로겐혈증

　　a. 다모증, 여드름, 남성형탈모

　　b. 10대부터 여드름, 다모증이 나타나 평생 지속되는 경향

　　c. 고안드로겐혈증과 관련된 간헐적인 무배란

  ② 월경장애

　　a. 무월경(amenorrhea), 희발월경(oligomenorrhea)

　　b. 사춘기부터 월경 이상이 나타나고 성인이 되어서도 발생 가능

  ③ 비만 : PCOS 환자의 50% 이상

  ④ 인슐린 저항성(insulin resistance), 고인슐린혈증(hyperinsulinemia)

　　a. 가장 흔한 원인 : 비만(obesity)

　　b. PCOS에서 인슐린 저항성이 고안드로겐혈증의 결과가 아닌 이유

　　　- 인슐린 저항성은 고안드로겐혈증의 소견은 아니지만 PCOS에서는 발생

　　　- 비만한 PCOS 환자에서는 30~45%에서 당불내성(glucose intolerance) 또는 당뇨가 발생
　　　　하지만 배란을 하는 고안드로겐혈증은 정상적인 인슐린 농도와 당내성을 나타냄

　　　- PCOS는 long-acting GnRH agonist 투여에도 인슐린 농도와 당내성에 영향이 없음

- 인슐린 저항성과 고안드로겐혈증이 동반된 난포막과다형성(hyperthecosis)에서 난소절 제술을 하더라도 androgen 수치는 감소하지만 인슐린 저항성은 불변

c. 고안드로겐 인슐린저항성 흑색가시세포증후군(HAIRAN syndrome)

- 심한 인슐린 저항성(severe insulin resistance) 상태

- Hyperandrogenism (HA) : testosterone >150 ng/dL

- Insulin resistance (IR)

  • Fasting insulin >25 µIU/mL

  • Maximum serum insulin response >300 µIU/mL

- Acanthosis nigricans (AN)

  • 외음부, 겨드랑이, 목, 가슴 아래, 허벅지 안쪽의 두꺼워지고 착색된 거친 피부변화

  • 말초조직의 인슐린 저항성을 반영

  • 특징적 소견 : hyperkeratosis, papillomatosis

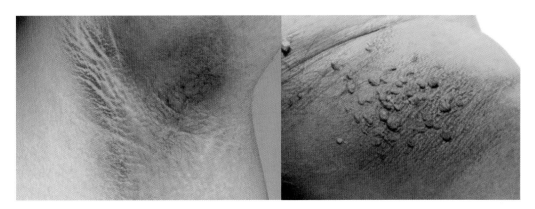

그림 21-5. 고안드로겐 인슐린 저항성 흑색가시세포증후군(HAIRAN syndrome)

⑤ 비정상적인 lipoprotein 수치

　　a. HDL-cholesterol : 감소(가장 특징적 소견)

　　b. LDL-cholesterol, 중성지질(triglyceride) : 증가

⑥ 다낭성 난소(polycystic ovary)

　　a. PCOS가 아닌 여성의 5~10%에서 다낭성 난소가 관찰되지만 이들에서는 생식능력에 지장이 없음

　　b. 초음파는 질식 초음파를 이용

　　c. 삼차원 초음파, 도플러 초음파, MRI 등을 사용하는 방법은 아직 연구 단계

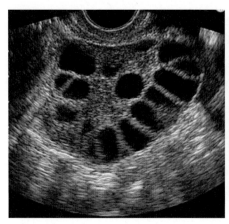
(A) 다수의 난포

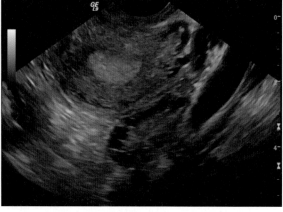
(B) 두꺼워진 자궁내막

그림 21-6. 다낭성 난소의 초음파

(4) 호르몬검사

다낭성난소증후군의 호르몬검사			
FSH	Normal or Decreased	Testosterone	Normal or Increased 〈200 ng/dL
LH	Normal or Increased	Prolactin	Normal or Increased 〈500 ng/mL
LH/FSH	Normal or Increased 〉2~3	Estrogen	Increased
DHEAS	Normal or Increased 〈700 μg/dL	SHBG	Decreased

(5) 감별진단

질환	검사	특성
안드로겐 분비 종양	Total testosterone (± free testosterone)	급속 진행양상의 경우 의심 Total testosterone 〉200 ng/dL : 종양에 대한 추가 검사
선천성 부신과증식증	아침 17-OHP 측정	부신에서의 부분적 효소작용장애로 cortisol 합성 장애로 발생하는 질환으로 보상성 ACTH 상승을 동반 17-OHP 〉200 ng/dL : ACTH 자극검사 시행
쿠싱증후군	24시간 소변 cortisol 농도 덱사메타손 억제검사	급속히 발생하는 월경양상의 변화, 후발성 다모증 Cortisol 과다 증상(혈압, 혈당 상승, 골다공증 등)
고프로락틴혈증	Prolactin	유루증 동반 가능 불규칙 월경을 보이는 모든 여성에서 감별 진단 필요
갑상샘항진증 or 저하증	Thyroid function test	불규칙 월경을 보이는 모든 여성에서 감별 진단 필요

시상하부성 무월경	LH, FSH, estradiol 감소	무월경과 경도의 다모증이 발현 과도한 운동, 스트레스, 식이장애 등의 병력

(6) 장기적 건강 위험인자

① 내당능장애(impaired glucose tolerance) 및 당뇨 발생 증가

    a. PCOS 여성에서 정상 당내성에서 당불내성(glucose intolerance)으로의 전환이 가속화

    b. PCOS 여성의 제2형 당뇨 발생의 위험성 증가

② 대사증후군(metabolic syndrome)

    a. 대사증후군의 진단기준

위험인자	기준치
허리 둘레	⟩88 cm(⟩35 inch) in USA ⟩80 cm(⟩32 inch) in Asian women
중성지질(Triglyceride)	≥150 mg/dL
고밀도지단백 콜레스테롤(HDL cholesterol)	⟨50 mg/dL
혈압	수축기 ≥130 mmHg or 이완기 ≥85 mmHg
공복 혈당	≥100 mg/dL 또는 기존에 진단된 당뇨

    – 5가지 위험인자 중 3개 이상이면 진단

    b. PCOS 환자의 초기 평가항목으로 75 g 경구 당부하검사, 혈압, 허리 둘레, 금식 후 혈중 지질검사를 시행하고 2년마다 재평가를 권고

    c. 내당능장애를 보인 경우 매년 검사를 권고

③ 심혈관계 질환

    a. 일반 여성의 심혈관질환에 중요한 위험인자 : 나이, 흡연력, 당뇨, 고혈압, 비만, LDL-C 상승, HDL-C의 감소

    b. PCOS 여성은 심혈관질환의 위험인자가 더 많아 질환 발생의 위험도가 증가

④ 악성 암

    a. 만성 무배란 → low progesterone + unopposed estrogen

    b. 자궁내막암 : 위험도 증가

      - 대부분 1기, 완치율이 90% 이상

      - 고위험 : 출혈, 체중 증가, 나이가 많은 경우

      - 자궁내막의 과증식을 억제하기 위해 최소한 3개월에 한 번은 월경을 유도

      - 예방법 : 규칙적인 배란 유도, 지속적 or 주기적 프로게스테론 투여

    c. 난소암 : 2~3배 증가

    d. 유방암 : 위험도 증가

⑤ 우울증 및 기분조절 장애

(7) 치료

① 생활습관 교정

  a. 식이 조절과 규칙적 운동의 병행

  b. 체중감량

    - PCOS에서의 1차 치료법

    - 체중이 감소 → insulin, SHBG, androgen 감소 → 배란 회복

    - 5% 정도의 체중 감량 : 다모증, 여드름 등이 호전, 월경주기와 배란의 회복을 기대

  c. 운동 : 인슐린 저항성이 감소하여 증상 개선

② 불규칙한 월경주기의 교정

  a. 복합 경구피임제

    - 불규칙한 생리주기를 보이는 PCOS 여성에서 가장 흔히 사용되는 1차 선택약제

    - 작용기전 및 효과 : 규칙적인 월경 회복, 고안드로겐혈증 개선, 피임 효과

  b. Progesterone

    - MPA 10 mg or Micronized progesterone 400 mg, 10~14일간 투여

    - 자궁내막의 소퇴를 유도

    - 난소의 안드로겐 생성 감소는 불가능

    - 부작용 : 무월경, 골밀도 감소, 우울, 수분 저류, 두통, 간기능 이상, 체중 증가

③ 다모증 및 고안드로겐혈증의 치료

치료 원리	치료제
호르몬억제제	경구피임제, GnRH agonist, Glucocorticoids
스테로이드합성효소억제제	Ketoconazole
5α-reductase 억제제	Finasteride
항안드로겐	Spironolactone, Cyproterone acetate, Flutamide

④ 무배란과 불임의 치료

무배란과 불임의 치료

클로미펜(clomiphene citrate)
  - 배란유도의 1차 치료제
  - 선택적 에스트로겐 수용체 조절제(selective estrogen-receptor modulator, SERM)
    → Estrogen과의 형태적 유사성으로 인해 시상하부의 estrogen 수용체에 결합
    → 시상하부는 혈중 estrogen 농도의 저하 상태로 인식
    → GnRH의 박동성 분비 증가
    → 뇌하수체 전엽의 FSH 분비 촉진

→ 배란을 위한 난포 성장을 유발
- 투여 방법
  • 월경주기 제2∼5일째 시작, 5일간 투여, 하루 약 50∼150 mg
  • 첫 주기 권장 용량은 50 mg
  • 150 mg/d로 올려도 배란이 되지 않을 때에는 다른 치료법을 고려

메트포민(metformin)
- 인슐린 반응개선제(insulin sensitizer)로 제2형 당뇨의 치료제
- 인슐린 저항성을 감소시킴으로써 혈중 인슐린과 안드로겐 농도를 감소시키고 배란율을 개선
- 배란유도를 위해 단독으로 또는 clomiphene 치료의 전처치제 또는 병합치료제로 널리 사용
- 최근 연구에서는 clomiphene 단독치료와 metformin/clomiphene 병합치료의 효과가 차이가 없었음

저용량 생식샘자극호르몬 치료(Low dose gonadotropin therapy)
- 저용량으로 시작하여 초음파 및 혈중 estradiol치의 측정을 병행하며 세심하게 진행
- Chronic low dose step-up protocol
  • 한 개 난포의 배란을 목표로 시행
  • Recombinant follicle stimulating hormone (rFSH), 37.5∼75 IU, 14일간 투여
    → hCG 투여기준에 도달하지 못하면 난포 성장이 유도되는 시점까지 1주 단위로 37.5 IU씩 증량
    → 난포 발달(최소 하나의 난포가 10 mm 이상 성장)이 유도되는 용량으로 hCG 투여기준에 도달할 때까지 유지
    → 우성난포의 직경이 18 mm 이상 도달했을 때 hCG를 투여(14 mm 이상 난포가 3개 이상 관찰될 경우 다태아 임신 가능성이 높아지므로 hCG를 투여하지 않음)

복강경 난소천공술(Laparoscopic ovarian drilling, LOD)
- 난소에 40 W bipolar 또는 unipolar cautery를 이용하여 4∼10 mm 깊이로 4초간, 3∼6개의 구멍을 형성
- CC 치료가 실패한 경우 최후에 고려

체외수정(IVF-ET)
- 가장 마지막으로 고려해야 할 치료법
- 다른 불임인자가 동반되었거나 다른 배란유도법으로 임신 시도에 실패한 경우 흔히 적용

---

⑤ 인슐린 대사 개선 및 대사질환 예방

　a. Biguanide

　　- 대표약제 : 메트포민(metformin)

　　- 당뇨로의 진행이 약 30% 감소

　　- 간에서의 glucose 생성 감소, 말초조직에서의 glucose uptake 증가

　　- 적응증 : 내당능장애, 심한 인슐린 저항성(당뇨, 흑색가시세포증 등)이 동반된 PCOS

　　- 부작용

　　　• 위장관 증상 : 오심, 구토, 설사, 부유감, 장 내 가스저류

　　　• Lactic acidosis의 위험 : 혈중 creatinine이 증가한 경우 투여 금지

　b. Statin

　　- 콜레스테롤 합성의 속도조절단계인 HMG-CoA 환원효소억제제

　　- PCOS의 지질수치 개선, 전신염증반응의 개선, 혈관내피기능 향상, testosterone 감소

4) 쿠싱증후군(Cushing's syndrome)

(1) 병인론

① Glucocorticoid의 만성적 상승에 의한 임상적 상태(hypercortisolism)

② 부신피질(adrenal cortex)에서 분비되는 호르몬

    a. Glucocorticoid

    b. Mineralocorticoid

    c. Sex steroid(androgen, estrogen precursor)

③ 원인

    a. 의인성 스테로이드(iatrogenic steroid) 투여 : 가장 흔한 원인

    b. 뇌하수체의 ACTH 분비 선종 : 비의인성 중 가장 흔한 원인

(2) 진단 및 치료

① 증상

    a. 고안드로겐혈증 : 월경불순, 무월경, 다모증, 여드름 등

    b. 지방 조직의 얼굴, 목, 몸통 및 복부로의 재분포에 의한 달덩이얼굴(moon face), 경추뒤 지방덩이(buffalo hump), 빗장위오목 지방덩이(supraclavicular fat pads)

    c. 얼굴 다혈색(facial plethora), 쉽게 멍듦(easy bruisability), 상처 회복 지연 및 잦은 피부 감염, 자색선조(purple striae)

② 치료

    a. 부신 종양 : 수술적 제거

    b. 방사선 치료 : high voltage external pituitary radiation

    c. 약물 치료

      - Mitotane : medical adrenalectomy during or after pituitary radiation

      - Adrenal enzyme inhibitor : aminoglutethimide, metyrapone, trilostane, etomidate

      - Ketoconazole

5) 선천성 부신증식증(Congenital adrenal hyperplasia, CAH)

(1) 병인론

① Cortisol의 합성에 필요한 여러 효소들이 어느 한 단계라도 이상이 생긴 경우 발생

② 효소 결핍으로 cortisol 합성 감소

    → ACTH의 분비 증가

    → 부신피질(adrenal cortex)의 과다증식

    → 문제 효소의 전구물질이 혈액 내 배출 or 다른 대사경로로 고안드로겐혈증 유발

③ 상염색체 열성 유전(autosomal recessive trait)

④ 가장 흔한 효소 결핍 : 21-수산화효소(21-hydroxylase)

(2) 21-수산화효소(21-hydroxylase) 결핍

① 6번 염색체 단완에 위치한 21-hydroxylase 유전자(CYP21) 결함에 의해 유발

② 전형 선천성 부신과증식증

    a. Hydrocortison 결핍 → ACTH 분비 증가, 부신의 과다 비대

    b. 선천성 부신증식증의 90%를 차지

    c. 증상

       - 신생아에서 모호한 생식기를 유발하는 가장 흔한 질환

       - 음핵 비대, 소음순 주름의 결합, 요도 남성화 증상 등

③ 비전형 선천성 부신과증식증

    a. 21-hydroxylase의 부분결핍으로 발생

    b. 산부인과적으로 중요한 질환

    c. 모든 고안드로겐증 여성에서의 스크리닝은 비권장

    d. 증상

       - 유아 후기나 사춘기 초기에 조기 사춘기로 발현

       - 성인기에 다낭성난소증후군과 같은 다모증, 월경불순, 여드름 등의 증상

    e. 진단

비전형적 형태 선천성 부신과증식증의 진단

아침에 가장 높은 농도를 보이는 17-OH 프로게스테론을 측정

- ≤200 ng/dL : 선천성 부신과증식증을 배제 가능
- ≥800 ng/dL : 21-hydroxylase 결핍 진단
- ≥200 ng/dl : ACTH 자극검사가 필요
  - → 합성 ACTH 0.25 mg, 정맥 투여
  - → 1시간 후 혈장 내 17-OHP 측정
  - → ≥1,500 ng/dL : 비전형 선천성 부신과증식증으로 진단

④ 염분손실형(salt losing form) 선천성 부신과증식증

    a. 효소의 결핍이 좀 더 심한 형태

    b. 콜티졸과 알도스테론이 모두 결핍

    c. 증상 : 생후 수 주 내 나타나는 심한 염분손실로 인한 오심, 구토, 체액손실, 혈관허탈

(3) 기타 효소 결핍

① 11β-hydroxylase 결핍 : 여아의 남성화 가능

② 3β-hydroxysteroid dehydrogenase 결핍 : 심하지 않은 남성화 증상

6) 안드로겐 분비 종양

(1) Androgen을 분비하는 난소 종양

Androgen을 분비하는 난소 종양

생식샘 기질세포 종양(Sex cord–stromal tumor)
- 과립세포종(Granulosa cell tumor)
  - 성인(특히 폐경 후) 호발
  - 어린이에서 조숙증을 유발하는 가장 흔한 기능성 종양
- 난포막종(Thecoma)
  - 노년층에서 호발
  - 11%에서 고안드로겐증 유발
  - 대부분 양성, 일측성 단순 난소절제술로 치료
- 경화성기질종양(Sclerosing stromal tumor)
  - 30세 이전에 호발
  - 양성 종양
- Sertoli–Leidig 세포종(Sertoli–Leidig cell tumor)
  - 생식가능연령층에서 남성화를 유발하는 가장 흔한 종양(1/3에서 남성화 유발)
  - 80%가 stage IA에서 발견되며 이 경우 일측 자궁부속기절제로 치료
- 순수 Sertoli 세포종(Pure sertoli cell tumor)
  - 일측성이 많음
  - 1기의 폐경 전 여성에서는 일측 자궁 부속기 절제로 치료
- 음양모세포종(Gynandroblastoma)
  - 양성 종양
  - 단측 자궁부속기 혹은 난소 절제
- 윤상세관을 갖는 생식샘 종양(Sex cord tumors with annular tubule, SCTAT)
  - Peutz–Jeghers syndrome과 동반되어 발생 가능
  - 동반 시에는 양측성에 양성 종양
  - 비동반 시에는 대개 일측성에 1/4은 악성

스테로이드 분비성 종양(Steroid cell tumor)
- 황체종(Luteoma) : 12%에서 남성화와 다모증 동반
- Leydig 세포종(Leydig cell tumor) : 3/4에서 남성화와 다모증 동반
- 비특이적 스테로이드 분비성 종양 : 1/2에서 남성화와 다모증 동반

비스테로이드 분비성 종양(Non–steroid cell tumor)
- 대개 호르몬을 분비하지 않으며 아주 드물게 호르몬을 분비

---

(2) 안드로겐 분비 종양의 특징

① 대부분 심한 다모증, 남성화 유발

② 매우 빠른 진행 속도

7) 난소 난포막과다형성(Ovarian hyperthecosis)

(1) 병인론

① 난소 내 여러 부위에 황체화된 난포막세포의 군집(nest)이 존재하는 증식 질환

② 난포막 세포 증식의 정도

    a. 경미한 정도에서 광범위한 정도까지 다양

    b. 심한 경우 섬유아세포의 광범위 증식과 동반되어 난소가 매우 단단하게 확장

③ 난소의 안드로겐(testosterone, DHT, androstenedione) : 남성 수준까지 상승

(2) 증상 및 치료

① 증상

    a. 심한 다모증, 남성화 발생

    b. 인슐린 저항성 : 90% 정도에서 발생

    c. 흑색가시세포증(acanthosis nigricans) 발생 가능

② 치료

    a. 약물 치료 : GnRH agonist(효과적), 경구피임제(대부분 비효과적)

    b. 양측 난소절제술 : 폐경 이후 여성에서 시행

8) 임신 중 남성화

(1) 임신 중 황체종(Luteoma of pregnancy)

① 임신 중의 호르몬 자극에 의해 생기는 것으로 추정되는 매우 드문 양성 종양

    a. 혈중 테스토스테론의 상승

    b. 산모 및 여자 태아 남성화 유발 가능

② 증상

    a. 임신 제2삼분기에 양측성 난소 낭종으로 발견

    b. 대개 무증상으로 우연히 발견

③ 치료

    a. 임신 종결 이후에는 저절로 소실

    b. 수술적 치료 : 악성 종양과의 감별이 안 되는 경우, 종양의 합병증 발생한 경우

(2) 다른 원인

① Krukenberg tumor

② Brenner tumor

③ 점액낭샘종(mucinous cystic tumor)

④ 장액낭샘종(serous cystadenoma)

⑤ 내배엽동종양(endodermal sinus tumor)

⑥ 기형종(dermoid cyst)

1 고안드로겐혈증(Hyperandrogenism)

1) 프로락틴(Prolactin)

(1) 서론

① 기능

   a. 젖 분비

   b. 생식샘 기능에 관여하는 뇌하수체 호르몬들(FSH, LH)의 분비를 조절

   c. 성적인 각성과 극치감에 관여

② 특성

   a. 프로락틴 : 태반락토겐(placental lactogen)과 구조적으로 40%의 상동성

   b. 프로락틴 수용체 : 성장호르몬 수용체와 구조적으로 30%의 상동성

   c. 프로락틴 유전자 : 뇌하수체뿐만 아니라 자궁(탈락막, 자궁근층), T-림프구, 뇌, 피부, 유방, 난소의 난포세포에서도 발견

③ 분비

   a. 프로락틴분비세포(lactotroph cells)는 뇌하수체 전엽에 있으며 기능의 15~25%를 차지

   b. 나이에 따른 세포수의 변화가 없음

   c. 임신과 수유는 세포들을 커지게 하고, 분만 후 수개월 내에 정상으로 회복

(2) 분비조절

① 뇌하수체 전엽에서 박동성 분비(pulsatile secretion)

② 정상 수치

   a. 남성 : 2 ~ 18 ng/mL

   b. 비임신 여성 : <15~20 ng/mL

   c. 임신 여성 : 10~200 ng/mL

   d. 임신을 제외한 생리적인 원인 : <50 ng/mL

③ 프로락틴의 조절

프로락틴(Prolactin)의 조절	
억제	Dopamine, γ-Aminobutyric acid, Histidyl-proline diketopiperazine, Pyroglutamic acid, Somatostatin
자극	β-Endorphin, 17β-Estradiol, Enkephalins, Gonadotropin-releasing hormone, Histamine, Serotonin, Substance P, Thyrotropin-releasing hormone, Vasoactive intestinal peptide, Angiotensin II, Vasopressin, Oxytocin, Pituitary adenylate cyclase activating protein

(3) 임신 중 프로락틴의 변화

① 임신 중 프로락틴의 분비

    a. 태아와 산모의 뇌하수체와 자궁

    b. 양수의 탈락막(decidua)

② 임신 중 농도 변화

    a. Estrogen에 의해 시상하부의 프로락틴 억제인자를 억제하여 뇌하수체의 프로락틴 분비를 자극

    b. 정상 농도(20~25 ng/mL) → 임신 8주부터 증가 → 후기에는 200~400 ng/mL로 증가

③ 양수 내 프로락틴의 변화

    a. 임신 10주까지 산모의 혈청 농도와 함께 증가 → 임신 15~20주 1,000 ng/mL → 임신 후기 450 ng/mL으로 감소

    b. 임신 중 도파민작용제의 영향을 받지 않음

④ 분만 후 농도 변화

    a. 임신 중에는 고농도 estrogen과 progestin에 의해 젖 분비가 억제

    b. 분만 후에는 이러한 호르몬들이 감소하면서 젖 분비 시작

      - 모유수유를 하지 않을 경우 : 분만 후 약 1주일 후에 비임신 농도로 감소

      - 모유수유를 하는 경우 : 점진적 감소, 산후 2~3개월부터 수유 중 40~50 ng/mL 유지

    c. 젖 분비에 의한 고프로락틴혈증은 난소와 시상하부에 작용하여 무배란과 무월경을 유발하여 자연적인 피임 가능

2) 고프로락틴혈증(Hyperprolactinemia)

(1) 병인론

① 시상하부-뇌하수체 축에 발생하는 흔한 질환

② 빈도

    a. 남성보다 여성에서 흔히 발생

    b. 성인의 0.4%, 생식관련질환 여성의 9~17%에서 발생

③ 원인

생리적인 원인

임신, 상상 임신, 수유, 가슴 자극, 운동, 수면, 정신적 혹은 육체적인 스트레스

약 40%는 원인불명(idiopathic)

    - 추적 검사에서 1/3은 자연히 정상으로 회복, 약 10~15%는 2~6년 내에 미세샘종으로 진행

식사, 마취, 성교, 흉벽의 주요 수술이나 장애(화상, 헤르페스, 흉부 충격), 신생아, 비수유 중 산후 1~7일

병적인 원인

시상하부–뇌하수체 줄기(hypothalamic–pituitary stalk)의 차단
- 뇌하수체 종양이 안장(sella tunica) 위로 확대되는 경우 시상하부에서 뇌하수체로의 도파민 분비가 방해되어 줄기효과(stalk effect), 즉 프로락틴 분비 억제작용이 사라짐
- 거미막낭종, 머리인두종, 낭성 신경아교종, 낭미충증, 기형종, 표피상낭종, 솔방울샘종양, 대뇌 거짓종양, 수막종, 안장위 수술, 빈안장증후군, 라트케열낭종(Rathke's cleft cyst), 방사선 조사, 뇌하수체 줄기 외상

뇌하수체의 과다분비
- 뇌하수체의 프로락틴 분비 샘종(뇌하수체샘종)
  - 뇌하수체 기능성 샘종 중에 가장 흔하고, 대부분 20~30대의 여성에서 호발
  - 대부분 1 cm 이하의 미세샘종
  - 남자와 폐경 후 여성에서 종양의 확장에 의한 두통, 시야장애, 유루증, 생식샘장애 발생 가능
- 뇌하수체샘종(미세샘종, 거대샘종), 전이종양(특히 폐, 유방), 결핵, 사르코이드증, 조직구증, 애디슨병 등

전신질환에 의한 증가
- 만성신부전, 간경변, 갑상샘기능저하증, 다낭성난포증후군, 난소 기형종, 자궁근종
- 외부 생성 : 콩팥세포암종, 기관지 육종

약물에 의한 원인

도파민이 감소 or 도파민의 프로락틴 분비 억제작용이 상쇄되는 경우 발생
- 도파민수용체 길항제 : Chlorpromazine, haloperidol, domperidone, metoclopramide, sulpiride
- 항고혈압제 : methyldopa, reserpine, verapamil
- 기타 : estrogen, opiates, cimetidine

---

(2) 미세샘종(Microadenoma)

① 원인

  a. 단세포군(monoclonal)으로 유전적 돌연변이가 일어나면서 줄기세포의 성장억제가 해방되어 앞뇌하수체의 호르몬 생산과 분비 및 세포 증식이 발생

  b. 뇌하수체 문맥계의 도파민 농도 감소와 혈관 내에 종양이 존재

② 빈도

  a. 부검 시 사람에서 약 20%에서 발견

  b. 고프로락틴혈증의 1/3 이상에서 미세샘종과 일치하는 영상검사 소견이 발견

④ 예후

  a. 일반적으로 좋은 예후, 치료하지 않은 약 6%에서 거대샘종으로 진행

  b. 무월경, 불임, 젖분비 과다의 증상이 있으면 치료 시행

  c. 장기간의 두통, 시야장애, 안구 근육마비를 호소하는 경우 시야검사 시행

⑤ 치료

  a. 기대요법

    - 임신을 원하지 않는 경우

    - Microadenoma 또는 hyperprolactinemia without microadenoma가 있지만 정상 생리를 하

는 경우

b. 약물치료

- Bromocriptine

· 강력한 dopamine agonist

· 반 알(1.25 mg)을 취침 전 일주일간 복용, 이후 아침, 저녁 반 알을 두 번 복용

· 2~3년 후에 bromocriptine 치료를 중지(샘종의 출혈괴사와 기능중지 때문)

· 담도(biliary tract) 배설 : 간질환이 있는 경우 사용 주의

· 부작용 : 오심, 구토, 두통, 저혈압, 현기증, 피로, 어지러움, 비충혈, 변비

· MRI : 새로운 증상 발생 또는 프로락틴 정상화 후 6~12개월

- Cabergoline

· 뇌하수체의 dopamine D2 수용체에 특이적으로 작용

· 반감기가 매우 길며 일주일에 한번 경구 투여

· Prolactin 농도를 낮추며 종양 크기를 감소시키는데 bromocriptine보다 효과적이며 부작용도 더 적음

(3) 거대샘종(Macroadenoma)

① 1 cm 이상의 크기

② 증상 : 심한 두통, 시야 장애, 경련, 인격장애, 뇌신경마비, 요붕증(diabetes insipidus)

③ 치료

a. 약물치료

- Bromocriptine

· 가장 좋은 초기 및 장기 치료법

· 장기간 치료가 필요(약 중단 후 60%에서 다시 크기 증가)

· 6개월마다 MRI를 찍어보거나(매우 안정화되면 수년 동안 1년마다) 증상을 재평가

- Cabergoline

b. 수술치료

- 적응증

· 약물치료에 반응이 없는 경우

· 지속적인 시야장애가 있는 경우

- 수술 후 재발이 매우 흔함

- 수술 후 부작용 : Third nerve palsy

c. 방사선 요법

- 일반적으로 약물치료와 수술치료에 반응하지 않는 경우에 사용

- 효과는 느려서 prolactin 농도가 정상으로 되는데 10년 이상이 걸림

(4) 임신 중 뇌하수체선종(pituitary adenoma)

① 산모 부검의 약 10%에서 미세샘종(microadenoma)이 발견되지만 대부분 무증상

② 임신 중에 자라는 경우는 매우 드물고, 분만 후 수유 가능

③ 미세샘종(microadenoma)

　　a. 임신 중 성장하여 치료가 필요한 경우는 약 1%

　　b. 도파민작용제(dopamine agonist)

　　　- 임신이 확인되면 임신 초기에 중지

　　　- 임신 중에 사용이 기형 발생, 유산, 다태임신을 증가시키지 않음

④ 거대샘종(macroadenoma)

　　a. 약 10%에서 임신 중에 종양이 성장

　　b. 임신 전에 약물치료와 영상검사를 시행

　　c. 임신 중에는 주의 깊게 관찰하여 증상이 있는 경우 도파민작용제를 사용

　　　- 임신 중에는 2개월마다 검사

　　　- 증상이 있거나 거대샘종의 과거력력이 있는 경우 주기적인 시야검사와 MRI 시행

　　d. 도파민 작용제 사용에도 불구하고 시야결손이 있는 경우에는 수술을 고려

3 갑상샘 분비이상(Thyroid disorders)

1) 갑상샘기능항진증(Hyperthyroidism)

(1) 발생 기전

① Thyroid hormone의 증가로 SHBG의 증가

② Androgen & estrogen 제거율 감소

③ Testosterone의 증가 : Estradiol (E2) 증가

④ ADD의 증가 : Estrone (E1) 증가

(2) 결과

① 부적절한 되먹임으로 LH 증가, FSH 정상인 만성 무배란성 주기 발생

② 체중 감소, 생리 불규칙, 무월경 유발

③ 임신에 대한 영향

　　a. 자연 유산(spontaneous abortion) 위험성 증가

　　b. Fetal neonatal hyperthyroidism 유발

2) 갑상샘기능저하증(Hypothyroidism)

(1) 발생 기전

① SHBG의 감소

② Testosterone 대사 제거율 증가

③ ADD는 정상

④ Estriol (E3) 형성 경로로 변화

(2) 결과

① Estriol (E3)은 estradiol (E2)보다 약하게 feedback system에 작용하고 부적절한 되먹임으로 월경 장애 발생

② 황체기 결함(luteal phase defects) 유발

③ 무월경 or 무배란 유발 가능

④ 배란장애에 의한 임신율 감소

⑤ 고프로락틴혈증(hyperprolactinemia) 유발 가능

4) 산후 갑상샘염

(1) 임상소견과 진단

① 산후 6주~6개월 내 일과성으로 갑상샘기능항진으로 시작 후 갑상샘기능저하로 진행

② 위험인자

a. 제1형 당뇨병 환자 : 발생률이 3배 증가

b. 이전 산후갑상샘염 과거력 : 70%에서 재발

③ 원인 : 갑상샘 자가면역항체가 있는 상태에서 산후에 면역체계가 재가동되기 때문

(2) 치료

① 갑상샘기능저하기에 발견되는 경우(대부분의 환자)

a. 증상이 있을 경우 6~12개월 동안 티록신(thyroxin, T4) 투여

b. 영구적인 갑상샘기능저하증 발생을 고려해서 치료가 끝난 후 정기적 TSH 검사 시행

② 갑상샘기능항진기에도 진단되는 경우

a. 치료가 꼭 필요하지는 않음

b. 증상을 경감시키기 위해서 propranolol 투여

1) 서론

(1) 정의

① 불임(infertility)

　　a. 피임을 하지 않고 정상적으로 성생활을 하면서 1년 내에 임신이 되지 않는 경우

　　b. 임신이 불가능한 상태(sterility)를 의미하지는 않고 보통 난임(subfertility)의 상태

② 수정능(fecundability) : 정상적인 남녀가 한 월경 주기에 임신할 가능성(약 20% 정도)

③ 가임능(fecundity) : 한 월경 주기에서 임신이 분만으로 이어지는 가능성

(2) 빈도

① 불임의 발생률에는 변화가 없지만 원발성 불임 비율은 증가

② 인종, 민족 간의 발생률은 차이가 없음

③ 정상적인 성생활을 하는 남녀에서 10~15%

④ 최근의 임신과 출산 감소 추세 원인 : 여성의 사회적 성장, 만혼과 잦은 이혼, 피임법의 발달과 가족계획, 임신 계획을 미루거나, 소가족 제도 등

⑤ 보조생식술을 시행 받은 환자의 연령분포 : 30~39세 사이가 82.1%로 대부분을 차지

(3) 불임의 주요 원인

불임의 상대적 유병률(%)	
남성 요인	17~28
남성과 여성 모두의 요인	8~39
여성 요인	33~40

원인불명	8~28
여성 불임의 원인에 따른 유병률(%)	
배란장애	21~36
난관 또는 복막 요인	16~28
기타 원인	9~12

2) 남성의 내분비 생리

(1) 내분비 생리의 역할

① 시상하부 및 뇌하수체

  a. 시상하부는 CNS, 고환 등에서 전달되는 자극에 의해 GnRH를 합성해 박동성 분비

    → GnRH는 시상하부에서 문맥을 통하여 이동

    → 뇌하수체 전엽에서 LH, FSH를 율동적으로 분비

    → 각각 고환의 사이질세포인 Leydig cell과 Sertoli cell에 작용

  b. LH의 자극으로 Leydig cell은 남성호르몬인 testosterone 분비

  c. FSH의 자극으로 Sertoli cell은 inhibin 분비

    → Inhibin과 여러 성호르몬은 시상하부-뇌하수체에 feedback 작용으로 FSH 분비 조절

  d. 혈청 FSH치는 생식상피의 상태와 활동성을 나타내는 지표

    → 생식상피의 활동 저조 시 inhibin 분비도 저조하게 되어 혈청 FSH치는 증가

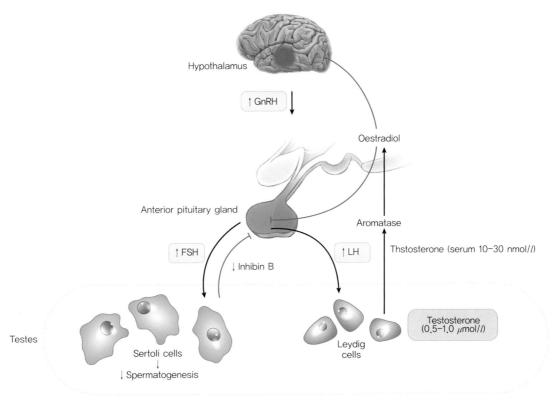

그림 22-1. 시상하부-뇌하수체-고환 축

② 고환의 Leydig cell

　　a. 고환의 간질에 위치

　　b. 뇌하수체 전엽에서 박동성 분비되는 LH에 의해 testosterone 분비

　　c. Testosterone

　　　- 시간에 따라 분비가 달라져 이른 아침에 최고치, 저녁에는 최저치

　　　- 말초조직에서 dihydrotestosterone (DHT)과 estradiol (E2)로 전환

　　　　→ 남성생식기의 분화, 성숙, 이차성징의 발현 및 GnRH 분비조절 등에 관여

(2) 생식기 생리의 역할

　① 정자의 생성(spermatogenesis)

　　a. 생식세포(germ cell)

　　　- 세정관(seminiferous tubule)의 바닥막으로부터 세정관 내강을 향하여 정자세포(sperma-tid)의 분열 순서대로 정렬

　　　- 정조세포에서 성숙정자가 되는 과정에는 약 75일이 소요

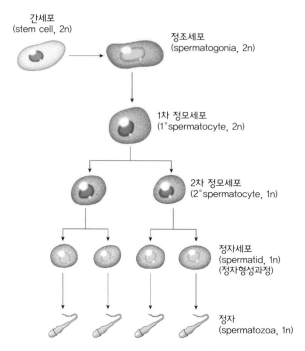

간세포
(stem cell, 2n)

정조세포
(spermatogonia, 2n)

1차 정모세포
(1°spermatocyte, 2n)

2차 정모세포
(2°spermatocyte, 1n)

정자세포
(spermatid, 1n)
(정자형성과정)

정자
(spermatozoa, 1n)

그림 22-2. 정자형성과정(Spermatogenesis)

b. Sertoli cell

  - 세정관의 바닥막에 붙어 있어서 세정관의 내강을 유지
  - Sertoli cell 사이는 접합점을 형성하여 혈액고환장벽(blood-testis barrier)을 구성
    · 세정관 내부를 면역인식기전으로부터 보호
    · 분열 중인 미숙한 정모세포들을 외부 이물질로 인식하고 손상되는 것을 차단
  - 역할
    · 생식세포에 영양공급
    · 정자형성과정 중 손상된 세포에 대한 포식작용(phagocytosis)
    · 정자형성과정에 필요한 FSH와 세정관 내 남성호르몬의 저장
    · 남성호르몬-결합단백(androgen-binding protein)과 inhibin의 생산
    · 일부 스테로이드 호르몬의 대사를 통한 특정 남성호르몬과 여성호르몬의 생산
② 정자의 경로
  a. 고환(testis)
    - 정자를 생산하는 부위
    - 체온보다 1~2℃ 정도 낮게 유지
    - 산소와 영양을 소모하는 대사작용이 가장 활발한 장기 중 하나
    - 고환의 85% 정도는 생식세포가 만들어지는 세정관으로 구성

- 막 생성된 정자는 미숙상태(운동성이 없고, 스스로 난자와 결합 불가능)

b. 부고환(epididymis)

- 하나의 길고 가는 관으로 구성(약 5~6 mm)
- 고환에서 이동한 미숙정자는 부고환에서 성숙되어 난자와의 결합능력을 획득
- 사정 시 배출되는 정자를 저장하는 역할, 필요한 경우 정자를 분해, 흡수

c. 정관(ductus deferens)

- 부고환 꼬리가 연결되는 곳으로 약 30~35 cm 길이의 근육성 관으로 구성
- 위치와 기능에 따른 구분 : 부고환부분, 음낭부분, 서혜부분, 골반부분, 정관팽대부
- 사정 과정 중 정자는 정관 근육층의 강력한 꿈틀운동으로 이동

d. 사정관(ejaculatory duct)

- 전립선기저부(prostate base)에서 정관팽대부와 정낭이 만나서 형성되는 짧은 관
- 근육층을 가지고 있어 사정 중에는 정관, 부속 생식샘들과 함께 수축하여 정자의 배출을 돕고, 평상시 소변의 역류 방지

e. 요도(urethra)

- 정자는 마지막으로 요도를 지나 배출
- 요도샘에서 나오는 분비물은 요도를 지나는 정액과 섞임

③ 부속성샘(accessory gland)

a. 전립선(prostate)

- 정액의 20~30%는 전립선에서 생성
- 전립선액
  · 유백색, 약산성(pH 6.5)
  · Polyamine, 구연산, acid phosphatase, 각종 단백분해효소, 아연, 마그네슘 함유
- 전립선에서는 DHT가 주된 호르몬으로 작용하여 전립선세포의 성장과 분화에 관여

b. 정낭(seminal vesicle)

- 낭포모양으로 전립선 뒤 위쪽에 위치, 정액의 60%를 차지하는 정낭고형물 생산
- 정낭고형물은 정액의 사정 중 주로 후반부에 배출
- 사정 직후에는 유백색의 묽은 청포묵 형상, 20~30분 내에 완전 액화

c. 구부요도샘(bulbourethral gland)

- 정액의 약 5% 정도를 차지하는 구부요도샘에서 분비되는 점액을 생성
- 쿠퍼액(Cowper's fluid, pre-ejaculatory fluid)
  · 성적 흥분과 음경 발기 시 정액의 본격적인 사정에 앞서 구부요도샘에서 요도로 배출되는 맑고 투명한 점조성 분비물
  · 요도에서의 윤활작용과 항균작용, 소변으로 인한 요도의 산도를 중화

d. 요도샘(urethral gland)

- 아주 작은 분비샘으로 음경요도를 따라 위치
- 요도샘 분비물은 주로 질 내 삽입을 위한 윤활 역할

(3) 연령과 남성 생식기관의 기능

① 연령의 증가가 남성에 대한 영향은 여성보다 적음

남성의 연령 증가에 따른 영향	
감소	정액의 질, 정상 형태의 정자 수, 정자의 이동성, 혈중 testosterone
변화 없음	정자의 농도

② 정액의 질과 가임력에 안좋은 영향을 미치는 인자 : 생식샘독소, 카페인, 알코올, 흡연

3) 남성 불임의 진단

(1) 병력청취

① 문진을 통하여 생식능력과 관계된 여러 병력을 확인

남성	여성
피임을 하지 않은 상태에서의 불임기간 전·현 배우자 포함한 이전 임신 및 유산 유발 경력 불임에 관한 과거 검사의 유무와 그 진단 결과	나이와 임신 및 출산 경력의 유무 생리 상황 불임에 대한 과거의 부인과적 검사와 그 진단 결과

② 부부간 성 생활력 : 남편의 발기력과 성욕, 성관계 횟수와 습관, 가임기간에 대한 지식과 성관계의 시기, 윤활제 사용 여부와 그 종류
③ 출생 후 성인이 되기까지의 성장력
④ 과거 수술력, 최근 병력
⑤ 직업과 기호품 조사 : 흡연, 알코올, 고온에 지속적이거나 반복적 노출 등

(2) 신체검진

① 생식력 검사를 위한 신체검사는 전신을 대상으로 시행
② 검진 사항
    a. 키, 전체적인 골격, 상·하지의 비율 및 상·하체의 균형, 근육의 발육 상태, 체지방의 분포상태, 체모(수염, 음모)의 발육상태와 분포 모양, 정중결손 여부, 색맹, 시력, 유방, 후각
    b. 음경, 음낭, 고환, 부고환, 정관, 정삭의 혈관 상태 확인
    c. 직장수지검사를 통한 전립선과 정낭의 확인
③ 선천성 정관형성부전증(congenital absence of vas deferens, CAVD)
    a. 선천적으로 정관 일부 혹은 전부가 없는 경우

b. 전체 남성 불임 환자의 1.4~2%에서 발견

c. 정액량이 적고 산성을 나타내며 무정자증 발생

④ 정계정맥류(varicocele)

    a. 정삭(spermatic cord)의 정맥총이 확장된 상태

    b. 가장 일반적이고 흔한 정액 이상을 동반한 해부학적 이상

    c. 남성 불임의 원인 중 수술적 치료가 가능한 질환

    d. 약 90%가 좌측에서 발견, 10%는 양측에서 발견

    e. 등급 분류

등급	상태
Grade 1	Valsalva 시에만 만져지는 경우
Grade 2	서 있는 상태에서 만져지는 경우
Grade 3	서 있을 때 만져질 뿐 아니라 음낭피부를 통하여 보이는 경우

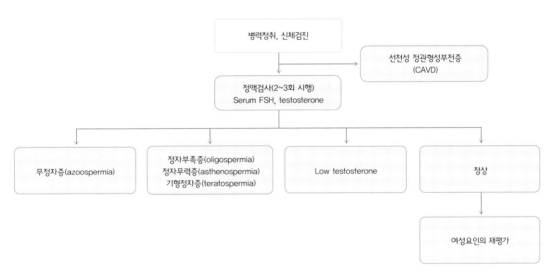

그림 22-3. 남성 불임의 진단

4) 불임 남성의 평가

(1) 정액검사(Semen analysis)

① 정액 채취방법

    a. 3일에서 7일간(최소 48시간 이후) 금욕기간을 거친 후 자위행위로 채취

    b. 정액이 유실되지 않도록 입구가 넓은 용기를 사용하여 사정

    c. 채취된 정액은 체온 상태를 유지하여 1시간 이내에 검사실로 보내 검사를 시행

    d. 비정상 시 1주 이상 3주 미만의 간격을 두고, 최소 2회 이상 검사를 시행

② 정상 정액검사 소견

정상 정액검사 소견	
용적(volume)	≥1.5 mL
산도(pH)	7.2 ~ 8.0
정자 농도(sperm concentration)	≥15x10^6/mL
총 정자수(total sperm number)	≥39x10^6/ejaculation
운동성(motility)	≥32%
정상 형태(normal forms)	≥4% (by strict criteria)
생존율(viability)	≥58%
백혈구(white blood cells)	<1x10^6/mL
Immunobead or mixed antiglobulin	<50%
총 운동성 정자수(total motile count)	Ejaculate volume x Sperm Concentration x %Motility

(2) 비정상 정액의 평가 및 치료

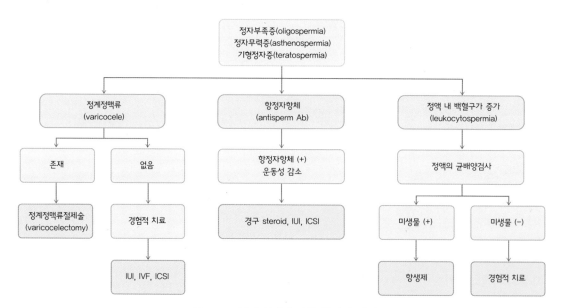

그림 22-4. 정자 상태에 따른 환자의 처치

(3) 무정자증(Azoospermia)의 평가

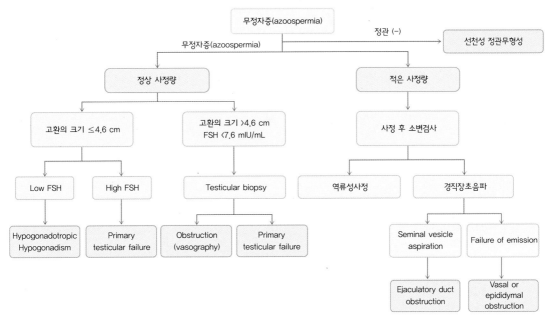

그림 22-5. 무정자증의 평가

(4) 저성선증(Hypogonadism)

① Testosterone 확인 : 낮다면 이른 아침 재검 시행

② Free testosterone, FSH, LH, prolactin 등을 검사

③ 저생식샘자극호르몬 생식샘저하증(Hypogonadotropic hypogonadism)

    a. FSH, LH : 모두 감소

    b. 다른 뇌하수체 호르몬의 결핍, GnRH 분비의 장애 동반 가능

    c. 치료 : hCG 또는 hMG 병용요법

④ 뇌하수체 종양이 의심되는 경우 : ACTH, TSH, GH, MRI 등 시행

(5) 이상이 없는 경우

① 잘못된 성행위, 면역학적 요인, 여성적 요인을 시사

② 여성에 대한 검사에서 이상이 없거나 적절한 치료 후에도 임신에 이르지 못하는 경우에는 정자기능에 대한 자세한 검사가 필요

5) 남성 불임의 치료

(1) 일반적 치료

① 환경적요소에서 고환독성물질의 접촉을 차단

② 알코올, 흡연, 고환에 독성이 있는 각종 약물, 습관적 사우나를 피함

③ 불임증이 내분비질환, 간질환 등 전신적 질환과 관련 시 원인 치료를 우선적 시행

(2) 약물 치료

특이적 치료(Specific treatment)

내분비 장애
- 내과적 병인에 의한 남성 불임은 전체 불임의 원인 중 소수
- 원인에 대한 치료법이므로 비교적 높은 치료 성공률

농정액증(pyospermia)
- 정액 내에 백혈구의 수 증가는 남성생식기의 염증이나 감염을 의미
- 진단기준 : 정액에서 백혈구 농도가 1×10^6/mL 이상
- 치료 : 배양검사상 균이 동정되면 감수성이 있는 항균제를 사용

항정자항체(antisperm antibody)
- 모든 남성에서 생식력을 억제하지는 않지만, 불임 남성에 존재할 경우 정자의 운동성, 수정능 장애를 유발하는 직접적 원인
- 치료
  - 면역억제제(corticosteroid, cyclosporin)
  - 6개월 후에도 정액지표 호전이나 임신이 되지 않으면 치료를 중단하고 정자세척 후 IUI 혹은 ICSI 고려

역행성 사정(retrograde ejaculation)
- 방광경부의 폐쇄부전(ductal dysfunction)으로 인해 후부요도에서 방광으로 정액이 역류되는 상태
- 원인 : 후복막강 내 림프절제술, 방광경부 수술, 당뇨, 다발성경화증, 척수손상, 항정신성 약물, 알파차단제
- 확진 : 사정 후 요 현미경검사상 정자가 관찰
- 치료 : α-adrenergic agonist, 정자 채취 후 IUI or ART

경험적 치료(Empirical therapy)

Clomiphene citrate
- 불임 치료에 가장 흔히 사용되는 약제
- 주로 강력한 항에스트로겐으로 작용하지만, 과량에서는 에스트로겐 효과
- 남성에서 소량 존재하는 에스트로겐에 의한 정자형성 억제작용을 차단

Tamoxifen
- 항에스트로겐으로 clomiphene citrate와 유사한 작용기전

Testolactone (aromatase inhibitor)
- 테스토스테론이 에스트로겐으로 전환되는 것을 억제

Pentoxifylline
- c-AMP의 분해를 저지하여 정자의 운동성과 호흡대사를 증가시킬 뿐만 아니라 사정을 자극

Antioxidants
- 정자의 운동성, 난자와의 결합능 및 수정능을 감소시키는 사정액 내 활성산소를 제거

Carnitine
- 세포내 에너지 대사, 세포막의 안정성 나아가 세포의 생존에 필수적 역할을 하는 carnitine 투여

(3) 수술적 치료

① 정계정맥류절제술(varicocelectomy)

   a. 정계정맥류에 의한 남성불임의 1차 치료

   b. 다른 치료법과의 임신율 비교

     - 수술적 치료를 하지 않고 기다릴 경우 : 약 16%

     - 체외수정 : 약 35%

     - 정계정맥류절제술 : 60~70%에서 정액소견의 호전, 30~50%의 임신 성공률

② 인공수정(intrauterine insemination, IUI)

   a. 처리된 정자를 여성의 생식기에 넣어주는 시술

   b. 원인불명의 불임과 남성 불임에 사용

   c. 총 운동성 정자수(total motile sperm count, TMC)

     - 5.0×10^6/mL 이상 : 최적의 임신률(>8.2% per cycle)을 기대할 수 있음

     - 1.6×10^6/mL : 임신이 가능한 최소한의 운동성 정자수

     - 0.5×10^6/mL 미만 : IUI 성공률이 매우 낮아져 IVF, ICSI를 고려

   d. 최대 3회의 IUI 실패 시 ICSI를 고려

   e. ICSI : 남성 불임에서 임신율이 가장 좋은 방법

③ 수술적 교정이 가능한 폐쇄성 무정자증의 수술적 치료

   a. 정관정관문합술(vasovasostomy)

     - 피임을 목적으로 정관절제술을 시행했던 환자가 정로의 복원을 원하는 경우 시행

   b. 부고환 정관문합술(epdidymovasostomy)

     - 부고환 막힘에 의한 정자감소증이나 무정자증에서 시행

   c. 사정관막힘(obstruction of ejaculatory duct) 교정술

     - 확장된 사정관이나 정낭에서 정낭액 흡입술 후 정자가 확인되면 시행

④ 수술적 교정이 불가능한 폐쇄성 무정자증의 수술적 치료

   a. 미세수술적 부고환 정자흡입술(microsurgical epididymal sperm aspiration, MESA)

     - 미세 수술기구를 이용해 부고환의 serosa에 구멍을 내고 주사기로 정자를 흡인

     - 적응증 : 선천성 양측 정관형성부전증(CBAVD), 실패한 부고환문합술, 수술적 교정이 불가능한 폐쇄성 무정자증

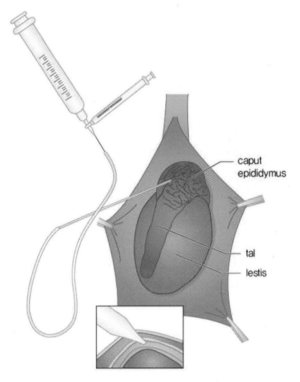

그림 22-6. 미세수술적 부고환 정자흡입술(MESA)

b. 경피적 부고환 정자흡입술(percutaneous epididymal sperm aspiration, PESA)
  - 21~23 gauge 바늘을 이용하여 부고환에서 정자를 흡입
  - 단점 : 흡입할 수 있는 정자가 소량, 정확한 진단없이 시행 시 부고환의 폐쇄 유발

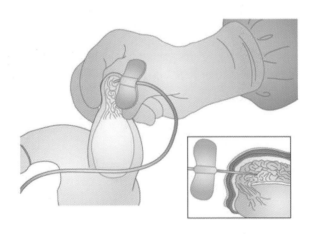

그림 22-7. 경피적 부고환 정자흡입술(PESA)

c. 고환조직 정자채취술(testicular sperm extraction, TESE)

- 부고환에서 MESA 등을 통해 정자를 얻고자 할 때 부고환의 흉터나 부고환 정자가 ICSI
  에 부적합한 경우 정자를 얻기 위해 시행
- 고환조직검사의 open biopsy와 유사

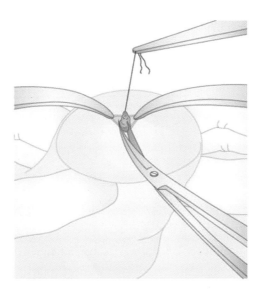

그림 22-8. 고환조직 정자채취술(TESE)

d. 고환조직 정자흡입술(testicular sperm aspiration, TESA)

- 고환을 잡고 21~23 gauge 바늘이 부착된 10~20 mL 주사기를 Franzen syringe holder에 고
  정하여 음압을 주면서 수차례 흡입
- 단점 : 정자의 냉동보관이 제한되어 매 ICSI 시에 반복적으로 시행

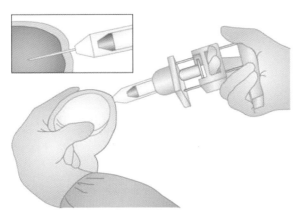

그림 22-9. 고환조직 정자흡입술(TESA)

⑤ 비폐쇄성 무정자증의 수술적 치료

    a. 다중적 고환조직 정자채취술(multiple TESE)

      - 음낭 및 초막을 약 4 cm 절개하여 고환을 노출한 후 백막을 여러 군데 절개하여 다중적으로 고환조직을 채취

    b. 미세수술적 고환조직 정자채취술(microsurgical TESE)

      - 현미경을 이용하여 각각의 세정관에서 정자형성이 왕성한 관을 확인

      - 정자 포함 가능성이 높은 하얀색 또는 불투명색의 확장된 세정관에서 채취가 가능

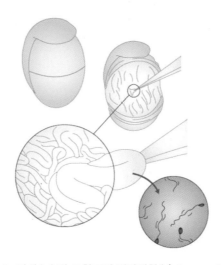

그림 22-10. 미세수술적 고환조직 정자채취술(microsurgical TESE)

2 여성 불임(Female infertility)

1) 여성의 연령과 생식능력

(1) 연령과 생식능력 감소의 기전

① 나이에 따른 임신력

여성	남성
- Peak fertility : 20~25세 - 생식능력의 감소는 30대 초반에 시작 - 30대 후반, 40대 초반에 급격히 감소 - 난소의 기능 감소가 가장 명확 - 난자의 양과 질 모두 감소	- Peak fertility : 35세 - 45세 이후 감소 - 80대에도 임신이 가능 - 어느 연령대에도 임신 가능

② 미국 산부인과학회의 권고사항

　　a. 임신을 원하는 여성은 연령과 생식능력에 대한 이해와 교육이 필수적

　　b. 35세 이상의 여성은 임신 시도 6개월 정도에서 평가 시행

　　c. 40세 이상은 즉시 평가와 치료 시행

③ 난자의 핵형

정상 핵형 난자	이수성 난자
− 여성의 나이가 약 20~35세까지는 감소 − 35세가 넘어가면서 급격히 감소하여 가임력도 감소	− 35세까지는 약 10% 내외로 일정하게 유지 − 40세에는 30%, 43세에는 50%, 45세 이후에는 실질적으로 거의 100%에 육박

(2) 연령과 보조생식술

① 여성의 연령 : 보조생식술 성공 가능성에 영향을 주는 가장 중요한 인자

② 연령이 증가할수록 임신초기 자연 유산 증가

　　a. 유산율 : 35세 이하에서 ≤20%, 40세에서 약 30%, 44세 이후 약 ≥60%

　　b. 진단 안된 임신의 유산율까지 고려하면 40세 이상의 여성에서 유산율은 50~75%

(3) 난소예비력(Ovarian reserve)

① 난소에 남아 있는 난자의 개수 및 질과 이로 인한 생식력을 의미

　　a. 성장 난포의 개수와 난자의 질 및 생식 능력을 추정

　　b. 보편적이고 비교적 높은 신뢰성

　　c. 적응증

난소예비력(ovarian reserve) 검사의 적응증	
− 35세 이상 − 설명되지 않는 불임(나이에 상관없이) − 조기 폐경의 가족력	− 이전 난소 수술력 − 흡연 − Gonadotropin 자극에 저조한 반응을 보이는 경우

② Anti-Müllerian hormone (AMH)

　　a. 여성 태아는 임신 36주경부터 난소의 과립막세포(granulosa cell)에서 생성 분비되기 시작하여 폐경 직전까지 분비 → 난포의 잔존량을 반영

　　b. 여성의 연령에 따른 생식능력의 감소를 반영하는 가장 우수한 지표

　　c. 난소예비력 검사 방법으로서의 장점

　　　- 성선자극호르몬의 영향을 받지 않음

　　　- 월경주기에 따른 변화가 적고, 이른 시기부터 변화가 시작

　　d. IVF 시 과잉반응(>3.5 ng/mL) 또는 저반응(<1 ng/mL)을 예측 가능

③ 동난포개수(antral follicle count, AFC)

    a. 원시난포(primordial follicle)의 개수를 반영

    b. 양쪽 난소의 2~10 mm 난포의 숫자를 측정

    c. 4개 이하면 IVF의 저반응 및 주기 취소율이 증가

    d. 단점 : 숙련도나 초음파의 질에 따라 측정값의 변동이 발생

④ 기저 FSH, estradiol 검사

    a. 월경 3일째 FSH 검사(day 3 FSH)

      - 나이 증가에 따라 난포기 초기 FSH가 상승(일측 난소 절제 후에도 증가)

        · 35~39세 : 5.74 IU/L

        · 45~59세 : 14.34 IU/L

        · 40대에 20 IU/L 이상은 폐경을 예견

      - 젊은 여성에서는 비정상 수치가 나올 가능성이 적어 대개 35세 이상에서 검사

      - 수치가 높을수록 난소예비력이 부족해 배란유도에 잘 반응하지 않을 것이라 예측

        · >10~20 mIU/mL : 난소기능의 감소 시사

        · >25 mIU/mL : 임신율 매우 낮음

    b. 월경 3일째 estradiol 검사(day 3 E2)

      - 월경 3일째 estradiol 농도는 난포의 숫자보다는 난포의 성장을 반영

      - 수치가 높을수록(약 60~80 pg/mL 이상) 낮은 임신력을 예상

    c. 단점

      - 월경주기 내 or 월경주기 마다 변동 발생 가능

      - 기관에 따라 결과에 변이가 많음

⑤ 클로미펜 부하검사(clomiphene citrate challenge test, CCCT)

    a. 배란유도의 예후를 가장 잘 반영하는 검사

    b. 생리주기 5~9일에 clomiphene 100 mg 투여 후 day 3 FSH와 day 10 FSH를 비교

    c. 난소기능저하 시 clomiphene 투여 후 FSH가 많이 상승(Day 10 FSH >26 IU/mL)

⑥ Inhibin B

    a. 과립막세포(granulosa cell)에서 분비되며 FSH를 억제

    b. 측정치가 낮을수록 난포의 수나 질이 떨어질 것이라고 추측

⑦ GnRH agonist stimulation test (GAST)

    a. GnRH의 initial flare-up effect에 의한 혈중 E2의 농도 변화를 측정

    b. Day 2 E2 측정하고 GnRH agonist 1 mg 피하주사 후 day 3 E2를 측정

      - E2 차이 ≥105 : 정상

      - E2 차이 <105 : 난소반응 저하 예상

2) 여성 불임의 평가

(1) 불임 평가의 원칙

① 불임의 원인에 대한 평가는 일반적으로 1년 이상의 임신 실패 시 시행

② 조기에 평가와 치료가 필요한 경우

    a. 남성 불임이 의심

    b. 불규칙한 월경주기

    c. 자궁내막증이나 골반 내 감염의 과거력

    d. 여성의 나이가 35세 이상

(2) 불임의 검사

① 병력 청취 및 이학적 검사

② 선별검사(screening test)

불임 시 선별검사

- 혈색소(Hb), 혈액형(ABO, Rhesus type), antibody screen
- PAP smear
- 풍진항체
- 매독검사(rapid plasma reagin, RPR)
- 클라미디, 임질(nucleic acid based test)
- B형 간염(Hepatitis B surface antigen, HBsAg)
- HIV 검사

---

③ 생리 주기에 따른 불임 검사

생리 주기에 따른 불임 검사

- 처음 방문 시 : Prolactin, TSH
- MCD 3 : Basal FSH, LH, E2, androgen
- MCD 6~12 : HSG(생리가 끝난 직후)
- MCD 10~14 : Postcoital test, cervical mucus test (ovulation 직전)
- MCD 21 : Midluteal progesterone
- MCD 24~26 : Endometrial biopsy
- 모든 검사가 끝난 후 필요 시 진단적 복강경(diagnostic laparoscopy) 시행

*MCD : menstrual cycle day

---

3) 여성 불임의 원인

(1) 난소요인(배란장애)

① 배란장애의 특성

    a. 여성 불임의 21~36% 차지

b. 배란장애는 불임의 원인 or 영향을 미치는 하나의 인자

c. 불임의 원인들 중 치료 효과가 가장 좋아 누적 임신율이 가장 높음

② 월경력

   a. 월경력 하나만 가지고도 무배란을 진단 가능

   b. 정상적으로 배란이 되는 여성

     - 규칙적이고 생리일 예상이 가능, 일정한 양과 기간 동안의 생리

     - 월경 주기는 21~35일이고 평균 27~29일

   c. 월경 자체가 배란을 의미하지는 않음

③ 기초체온검사법(basal body temperature, BBT)

   a. 매일 아침 잠에서 깨서 일어나기 전 or 3~4시간 수면 후 활동 전 기초체온을 측정

   b. Progesterone의 체온 상승 효과를 이용

     - 배란이 되는 여성 : 이분성 양상(biphasic pattern)

     - 기초체온은 배란이 되기 하루 전이나 배란되는 날 최저로 낮게 측정

     - 배란 후 4일 뒤에 체온이 상승(황체기에 약 0.5~1.0°F 정도 상승)

   c. 가장 임신이 잘되는 시기 : 체온이 상승하기 직전부터 그 뒤로 7일 동안

   d. 장점과 단점

장점	단점
- 측정이 쉽고, 비용이 적게 들며, 비침습적 방법 - 긴 난포기, 짧은 황체기 등을 확인 가능	- 배란 시점을 미리 알 수 없음 - 위음성이 많고, 흡연, 불규칙 수면 시 부정확 - 규칙적 월경에도 이분성이 없을 수 있음

     - 측정이 쉽고, 비용이 적게 들며, 비침습적 방법

     - 긴 난포기, 짧은 황체기 등을 확인 가능 - 배란 시점을 미리 알 수 없음

     - 위음성이 많고, 흡연, 불규칙 수면 시 부정확

     - 규칙적 월경에도 이분성이 없을 수 있음

④ 황체기 중기 progesterone 측정(midluteal progesterone level)

   a. 배란의 유무를 가장 간단하고 객관적으로 볼 수 있는 검사(배란의 예측은 불가능)

   b. 난포기에 ≤1 ng/mL → LH surge 시 약간 상승(1~2 ng/mL) → 배란 후 7~8일 지나 최대치에 도달 → 생리가 시작되기 전까지 완만히 감소

   c. 28일 주기인 경우 LH surge 약 7일 후(생리 예정일 7일전)인 월경 21~23일에 측정

   d. 일반적으로 3 ng/mL 이상이 측정되면 배란이 되었음을 확인 가능

⑤ 소변 LH 검사

   a. LH surge 동안 소변에서 LH가 상승하므로 검사기구(LH kit)를 이용해 확인

     - 혈중 LH peak 후 2시간이면 소변에서 LH가 검출

- 35~50 mIU/mL 이상이면 확인 가능

  b. 배란 여부와 배란 예측에 흔히 사용

  c. 배란 예정일 2~3일 전부터 매일 측정

   - 하루에 한 번만 측정해도 올바르게 하면 대부분 배란을 확인 가능

   - 양성 : 약 24시간 후(정확히 표현하면 향후 48시간 이내) 배란을 예측

  d. 가장 임신이 잘 되는 시기 : LH surge가 검출된 당일부터 2일간

  e. 월경이 불규칙한 경우 사용이 어려움

⑥ 질 초음파(transvaginal ultrasound)

  a. 초음파 소견

배란의 초음파 소견	배란 직전 난포의 소견
- 난포의 직경 감소 - Cul-de-sac에 고여 있는 액체	- 자연 주기에서는 17~19 mm - Clomiphene을 투여한 경우 : 19~25 mm

  b. LH kit와 같이 검사하는 경우 초음파 상 난포 직경이 14 mm 일 때부터 LH 검사 시작

  c. 황체화된 비파열성 난포(luteinized unruptured follicle)

   - LH surge가 일어난 후에도 낭종으로 남는 경우

   - 약 10% 여성에서 발생

⑦ 자궁내막조직검사와 황체기 결함(luteal phase deficiency)

  a. 황체기 결함의 발생기전

   - 배란 후 황체(corpus luteum)의 부적절한 progesterone 생산

   - 부적절한 GnRH 박동성 분비로 인한 LH surge 이상

   - Progesterone에 대한 자궁내막의 부적절한 반응

  b. Progesterone의 반응을 볼 수 있는 조직인 자궁내막을 검사하여 배란 여부를 확인

   - 배란이 된 후에 조직검사를 시행하여 배란된 후 얼마나 경과했는지 확인

   - 조직검사상 예측되는 날짜와 실제 배란이 일어난 날짜를 비교하여 2일 간격 내로 일치하면 정상

  c. 더 이상 불임 및 반복유산에 대한 검사방법으로 사용되지 않음

   - 환자의 불편감, 비싼 비용

   - 다른 방법에 비해 더 많은 정보를 확인할 수 없음

(2) 난관요인

 ① 난관요인의 특성

  a. 여성 불임의 16~28% 차지

  b. 난관에 이상 있으면 해부학적으로 난자와 정자의 결합을 방해

   - 근위부 폐쇄 : 정자의 이동을 방해

- 원위부 폐쇄 : 난자의 포획을 방해
- 난관 점막의 염증 손상 : 정자나 배아의 이동을 방해

　c. 유발 원인

- 골반염 : 자궁외임신과 난관 이상의 가장 큰 원인
- 자궁외임신, 자궁내막증, 난관 수술, 염증성 장질환, 수술 후 손상 등

② 자궁난관조영술(hysterosalpingography, HSG)

　a. 생리가 끝난 후 2~5일(월경주기 7~12일)에 시행 : 감염이 적고 자궁 내 혈전이 적음

　b. 검사 방법

- 예방적 항생제 : Doxycycline 100 gm, 하루 2회, 촬영 하루 전부터 3~5일간 투여
- 자궁 내에 관을 거치한 후 조영제를 주입하면서 투시검사(fluoroscopy) 시행
- 3회의 촬영으로 자궁내부, 난관 구조, 난관 통기성을 관찰

　c. 금기증 : 현재 또는 의심되는 골반염이 있는 경우

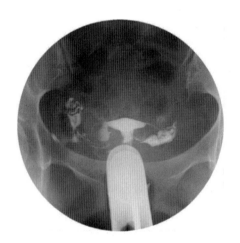

그림 22-11. 정상 자궁난관조영술(hysterosalpingography)

③ 복강경(laparoscopy)

　a. 난관요인을 평가하는 가장 확실한 방법

　b. 난관통색소법(chromotubation)

- 푸른색의 희석된 시약을 cannula를 통해 자궁 내로 주입하여 난관 통기성을 확인
- Indigo carmine을 methylene blue보다 더 선호

　c. 장점 : 진단과 동시에 치료도 가능

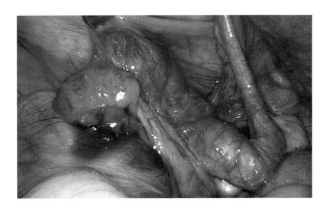

그림 22-12. 난관통색소법(Chromotubation)

④ 초음파 자궁조영술(sonohysterography)
  a. 더글라스와에 생리식염수가 축적되는 것을 관찰함으로써 난관통기성을 확인
  b. 자궁강의 병변을 확인하는 데 있어서 자궁난관조영술(HSG)보다 더 민감한 방법
  c. 단점 : 어느 난관이 이상이 있는지 어떠한 해부학적 이상이 있는지 확인 불가능
⑤ 자궁난관조영 초음파검사(hysterosalpingo contrast sonography)
  a. 초음파로 구별 가능한 고에코의 조영제를 이용하여 난관의 상태를 평가하는 방법
  b. 별도의 시설이 필요 없고, 방사선 노출이 없으며, 시간과 비용 면에서 유리
⑥ 클라미디아(Chlamydia) 항체 검사
  a. 난관의 이상을 발견하는 데 있어 자궁난관조영술(HSG)과 비슷한 정확성
  b. 세밀한 검사의 시작 전 확인하여 양성이라면 난관 이상에 대한 중점적 평가를 시행

(3) 자궁요인
  ① 자궁요인의 특성
    a. 배란장애나 남성요인에 비해 그다지 흔하지는 않은 원인
    b. 자궁의 해부학적 이상 : 자궁의 선천성기형, 자궁근종, 자궁내유착, 자궁내용종
    c. 자궁 기능의 이상 : 만성 자궁내막염
  ② 자궁난관조영술(hysterosalpingography, HSG)
    a. 자궁강의 크기와 모양 및 난관 이상을 진단할 수 있는 방법
    b. 검사 시 air bubbles, mucous, debris 등 때문에 자궁경에 비해 위양성이 더 많음
  ③ 질 초음파와 초음파 자궁조영술(sonohysterography)
    a. 자궁과 난소, 난관의 이상을 평가
    b. 자궁근층과 내막층 사이의 정상적인 경계를 명확하게 관찰 가능
    c. 자궁내유착의 진단은 어려움

④ 자궁경(hysteroscopy)

    a. 자궁강의 이상을 진단하면서 동시에 치료할 수 있는 방법

    b. 진단적 자궁경은 마취 없이 외래에서 시행 가능

    c. 검사 시기 : 초기 임신 가능성을 배제하기 위하여 난포기에 시행

(4) 자궁경부요인

① 자궁경부 점액(cervical mucus)

    a. 기능

      - 사정액 중 혈장을 제외한 정자만 통과시키고 비정상적인 정자를 차단

      - 정자에 영양을 공급하며 보관소 역할

    b. 생리주기에 따른 호르몬의 변화로 정자의 통과를 돕거나 방해

      - Estrogen : 점액의 양이 많아지고 맑아지며 액화되어 정자가 쉽게 통과

      - Progesterone : 점액의 형성을 막고 불투명하며 끈적이게 되어 정자의 통과를 차단

② 성교후검사

    a. 배란되기 직전에 성교 후 2~12시간 이내에 점액을 채취하여 검사를 시행

    b. 육안적으로 점액의 특성을 판단하고 현미경적으로 생존한 정자의 수와 운동성을 판단

    c. 48시간 동안 금욕 후 검사 당일 아침 또는 전날 밤 늦은 저녁에 관계 후 검사 시행

    d. 더 이상 여성 불임증의 통상적인 검사방법으로 추천되지 않음

(5) 원인불명 불임

① 남성요인, 배란요인, 자궁 및 난관의 확인이 이루어진 후 진단

② 여성의 나이와 밀접한 관련 : 35세 이상의 경우 2배의 위험성

3 배란유도(Ovulation induction)

1) 배란유도 전 평가

(1) 무배란(Anovulation)의 분류

제1군 : 시상하부-뇌하수체 기능 부전(hypothalamic-pituitary failure)

- 무배란 환자들의 약 5~10%가 해당
- 저생식샘자극호르몬 생식샘저하증(Hypogonadotropic hypogonadism)
- FSH, Estrogen 모두 저하된 형태
- 원인 : 신경성 식욕부진(anorexia nervosa), Kallmann syndrome, Sheehan's syndrome, isolated GnRH deficiency, 과다한 스트레스, 지나친 운동

제2군 : 시상하부-뇌하수체 기능 이상(hypothalamic-pituitary dysfunction)

- 무배란 환자들의 약 70~85%가 해당
- 다낭성난소증후군(PCOS)이 대부분을 차지
- 정상생식샘자극호르몬 무배란(normogonadotropic anovulation)
  - FSH, Estrogen 모두 정상범위 ± 고안드로겐증(hyperandrogenism)

제3군 : 난소기능부전(ovarian insufficiency)

- 무배란 환자들의 약 10~25%가 해당
- FSH 증가, Estrogen 저하
- 원인 : 원발성 난소기능부전(POI)

고프로락틴 무배란(hyperprolactinemic anovulation)

- FSH, Estrogen의 분비를 억제하여 무배란 유발
- 원인 : 신경이완약물(neuroleptic drug), 원발성 갑상샘기능저하증(primary hypothyroidism)

(2) 배란장애 이외의 다른 불임 원인인자의 평가

① 정액검사(semen analysis) : 배란유도 전 최소 한 번은 반드시 시행

② 자궁난관조영술(HSG)

　a. 비교적 간단한 방법의 배란유도를 계획하는 경우엔 검사 연기 가능

　b. 배란유도 전 적응증

　　- 자궁, 난관인자 의심 : 골반염, 자궁외임신, 골반내수술, 만성 골반통, 심한 월경통

　　- 36세 이상의 무배란 여성

　　- 생식샘자극호르몬(gonadotropin)을 사용하는 배란유도를 계획하고 있는 경우

2) 무배란 제1군(시상하부-뇌하수체 기능 부전)의 배란유도

(1) 박동성 GnRH(Pulsatile GnRH)

① 시상하부기능부전 환자들을 위한 효과적 배란유도법

② 정맥 경로로의 투여가 피하경로보다 우수

③ 장점과 단점

장점	단점
- Gonadotropin 및 steroid hormone의 분비양상과 가장 유사한 상태를 유도 - 난소과자극증후군(OHSS) 및 다태아 임신의 위험성이 5% 내외로 적음	- 뇌하수체기능부전 환자에게는 사용할 수 없음

④ 투여 방법

박동성 GnRH 투여 방법

– 난소 과자극을 줄이기 위해 낮은 용량(3~4 μg/bolus)으로 시작
– 배란시기의 예측 : 질 초음파 + 소변 LH kit
– 초음파상 정상적인 난포 발달 및 배란의 소견
  • 평균 직경이 12 mm 이상인 우성난포가 관찰 → 이후 난포성장속도 2~3 mm/day, 두터워지는 자궁내막
  • 배란 : 난포의 크기가 급격히 줄거나 완전소실된 상태 + 더글라스와에 고인 액체
  • 황체 : 우성난포가 있던 위치에 과립상의 저에코성(hypoechogenic) 구조
  • 배란 2~3일 후에는 자궁내막의 에코(echogenicity)가 진해지면서 두께가 증가
– 황체기 progesterone 생성을 유지하기 위해 배란 후에도 박동성 GnRH를 지속적으로 투여
– 황체기 보강
  • urinary hCG 2,000~2,500 IU, 근육주사, 1일 1회, 3~4일 간격
  • Progesterone 매일 근육주사, 경구투여, 질내투여

(2) 생식샘자극호르몬(Gonadotropins)

  ① 보조생식술을 위한 과배란유도를 위해 사용되는 대표적 배란유도제

  ② 적응증

    a. 저생식샘자극호르몬 생식샘저하증 환자

    b. 무배란 제2군 중 clomiphene, aromatase inhibitor에도 배란이나 임신에 실패한 환자

  ③ 합병증 : 난소과자극증후군(OHSS), 다태임신

  ④ hMG (human menopausal gonadotropins)

    a. 폐경기 여성의 소변에서 추출

    b. FSH, LH를 75 IU씩 동일하게 함유

    c. 저생식샘자극호르몬 생식샘저하증에서의 첫번째 선택 약제

  ⑤ 투여 방법

    a. 저용량으로 즉 하루 37.5~150 IU부터 투여하기 시작

    b. 난소 반응은 혈중 estradiol 측정과 초음파 검사를 통해 감시

    c. 평균 직경 12 mm 이상인 우성난포가 확인되면, 배란이 확인될 때까지 매일 혹은 이틀에 한 번씩 초음파 검사를 시행

    d. 내인성 LH surge가 어려운 무배란 제1군에서는 우성 난포의 직경이 18~20 mm에 도달 시 urinary hCG 5,000~10,000 IU 근주하여 난자의 성숙과 배란을 유도

3) 무배란 제2군(시상하부-뇌하수체 기능 이상)의 배란유도

  (1) 체중 감량

    ① 비만한 다낭성난소증후군 환자에서는 가장 우선적인 치료법

② 체중 감량의 효과

→ 혈중 인슐린 및 안드로겐(주로 testosterone) 농도 감소

→ 정상적인 월경 및 배란 회복 유도

③ 기존 체중의 5~7%만 감량해도 심혈관계 혈역동학적 기능 및 난소기능 개선 효과

(2) 인슐린감작제(Insulin sensitizing drugs, ISDs)

① 다낭성난소증후군의 원인을 개선시키기 위한 대표적인 치료제(인슐린의 반응성을 개선)

② PCOS 환자들 중 인슐린 저항성이 있는 것으로 판단되는 환자들

→ 임신의 희망 여부에 관계없이 장기 합병증 예방을 위해 일차 치료제로 사용

③ Metformin

  a. 주요작용

    - 간에서의 당신생합성을 억제하고 말초에서의 당 흡수를 증가

    - 인슐린반응성을 증가시키고 인슐린 매개 당소비를 촉진

  b. 배란유도제 사용 시 보조제 : 하루 1,000~2,000 mg 정도 투여

    - 다낭성난소증후군 환자에서 배란기능을 향상

    - 난소과자극증후군(OHSS)이나 다태아 임신과 같은 합병증 예방에 도움

④ Thiazolidinedione

  a. 유리형 testosterone과 공복 인슐린 농도를 감소

  b. 용량을 증가시킬수록 배란율 증가

  c. 간독성, 태아성숙지연 유발가능성 때문에 사용 금지

⑤ N-acetyl-cysteine (NAC)

  a. PCOS 환자의 인슐린 반응성을 개선

  b. Clomiphene에 대한 배란 유도율과 임신율을 향상

  c. 체외수정시술 시 과배란유도에 대한 난소의 반응 향상

(3) 배란유도제

① 생활습관의 개선, 인슐린감작제와 같은 일차치료 이후 시행

② Clomiphene citrate (CC)

  a. 비스테로이드성 triphenylethylene 유도체

    - 약한 합성 estrogen으로 estrogen agonist와 antagonist의 성질을 모두 보유

    - 선택적 에스트로겐수용체 조율제(selective estrogen receptor modulator, SERM)로 작용

  b. 시상하부-뇌하수체 축에서 에스트로겐 길항제(estrogen antagonist)로 작용

    → 시상하부의 estrogen 수용체에 결합하여 오랫동안 수용체 차단효과

    → 혈중 estrogen 농도를 실제 농도보다 낮은 것으로 감지

→ 시상하부에서 estrogen negative-feedback 감소

→ GnRH의 파동성 분비 진폭(amplitude) 증가

→ FSH 분비 촉진

c. 무배란 제2군에 해당되는 환자들에게 배란유도 효과가 우수(제1, 3군은 효과 없음)

d. 투여 방법

박동성 GnRH 투여 방법

- 월경주기 제2~5일에 시작하여 대부분 5일간 투여
- 하루 투여용량 : 50~150 mg (하루 50 mg부터 시작)
- LH의 급상승 : 마지막 투여 5~12일 후(특히 7~8일 후)에 발생
- Clomiphene 투여 후 난포 성장 및 발달에도 배란이 되지 않은 경우
    → 최대 난포의 평균 직경이 20 mm에 도달했을 때 hCG를 투여
    → hCG 투여 후 34~46시간째에 배란
- Clomiphene에 대한 난소반응도를 개선 방안
    • 비만 여성에서는 체중감량과 같은 생활습관의 개선
    • 인슐린감작제 전처치 or 병합투여
    • Glucocorticoids 병합투여
        → prednisone (5~10 mg/day), methyl-prednisolone (4~8 mg/day), dexamethasone (0.25~0.5 mg/day)
        → 월경 시작 약 2주일 전부터 난포가 충분히 성장한 시점까지 투여
- Clomiphene 치료는 6주기 미만으로 시행
    → 배란유도가 되었음에도 3~4주기까지도 임신에 실패한 경우, 다른 불임 원인인자를 조사

- 황체기 기능장애가 의심되는 경우
    • Clomiphene 투여 용량을 증량
    • Clomiphene 마지막 투여일 또는 그 다음날 hMG or FSH 75~150 IU, 1~2회 추가 투여
    • 난포기 말에 hCG를 주사
    • 황체기에 progesterone 제제나 hCG 반복 투여

---

③ 방향화효소 억제제(aromatase inhibitor)

a. 제3세대 방향화효소 억제제 : letrozole, anastrozole

b. 방향화효소에 의해 androgen이 estrogen으로 전환을 차단

→ Estrogen 생성을 강력히 억제

→ 말초 estrogen 농도를 감소시켜 estrogens negative estrogenic feedback 저하

→ 시상하부에서의 GnRH 분비와 뇌하수체에서의 난포자극호르몬 생성분비를 촉진

→ 난소에서 난포성장을 유도

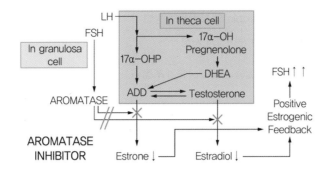

그림 22-13. 방향화효소 억제제(aromatase inhibitor)의 작용기전

c. PCOS로 인한 배란장애에서 clomiphene을 대체하여 일차적으로 사용 가능

- Clomiphene의 자궁내막에 대한 항에스트로겐 작용이 없음

- 평균 자궁내막 두께 : clomiphene 투여 시 0.5 cm, letrozole 투여 시 0.8 cm

d. 투여 방법

방향화효소 억제제(aromatase inhibitor)의 배란유도 방법

- 월경주기 제2~5일에 시작하여 대부분 5일간 투여
- 하루 투여용량 : letrozole 2.5~5.0 mg/day, anastrozole 1.0~2.0 mg/day
- 평균 반감기는 약 45시간(30~60시간), 주로 간을 통해 배설

---

④ 생식샘자극호르몬(gonadotropin)

  a. 외인성 생식샘자극호르몬(exogenous gonadotropin)

- hMG (human menopausal gonadotropins)

    - uFSH (urinary follicle stimulating hormone)

    - HP-FSH (highly purified FSH)

    - rhFSH (recombinant human FSH)

  b. 적응증

    - Clomiphene이나 aromatase inhibitor로 치료받았음에도 배란유도에 실패한 경우

    - 배란이 성공적으로 유도되었음에도 임신에 실패한 경우

  c. 투여 방법

생식샘자극호르몬(gonadotropin)의 배란유도 방법

- 월경주기 제2~3일째부터 투여하기 시작
- 하루 투여용량 : 37.5~75 IU
- 난소반응 감시 : 초음파, 혈중 estradiol (E2) 측정
- 초음파 검사
  - 투여시작 후 4~6일째부터 시작
  - 평균 직경 12 mm 이상인 우성난포가 확인되면 배란이 확인까지 매일 혹은 이틀에 한 번씩 시행
- 우성난포의 평균 직경이 17~18 mm 도달
  - → urinary hCG 5,000~10,000 IU 근육주사 or rhCG 125~250 µg 피하주사
  - → 난자의 성숙과 배란을 유도

생식샘자극호르몬(gonadotropin) 투여 방법

- 단계적 용량감소법(step-down regimen)
  - 고용량 투여 후 난소의 반응도에 따라 점차 용량을 감소시켜 나가는 방법
  - 정상 월경주기를 가진 환자에서의 배란유도 또는 과배란유도 시에 가장 흔히 사용
  - 초기 투여용량은 하루 150 IU
  - 배란유도 제5일째부터 초음파 및 혈중 E2 측정을 통한 난포성장감시를 시작
  - 평균 직경이 12 mm가 넘는 우성난포가 출현하면 용량을 줄이기 시작
- 단계적 용량증가법(step-up regimen)
  - 적은 용량 투여 후 난소의 반응도에 따라 점차 용량을 증가해 나가는 방법
  - 다낭성난소증후군 환자에서는 권장되는 방법
  - 하루 32.5~75 IU, 6~10일간 투여
  - 직경이 11~12 mm에 도달한 난포가 없다면 하루 투여량을 12.5~25 IU씩 증량, 5~7일간 투여
  - 난포 직경 17~18 mm 도달 시 urinary hCG 5,000~10,000 IU 근육주사 or rhCG 125~250 µg 피하주사
  - 난포 직경 14~15 mm 도달 시 유사한 크기의 난포가 15개 이상 관찰되면 투여 중단, 매일 초음파

생식샘자극호르몬분비호르몬 유사체(GnRH analog)를 함께 사용하는 배란유도법

- GnRH agonist 장기투여법(long protocol)
  - GnRH agonist를 먼저 투여하여 뇌하수체 탈감작 유발 후 gonadotropin을 투여하는 방법
    - → PCOS에서 상승되어 있는 기저 LH 농도 저하, 조기 황체화(premature luteinization)를 방지
    - → 난포성장의 일치성 및 난자의 성숙도를 향상(우성난포 선택을 억제하여 고른 난포의 성장 유발)
    - → 난자의 수정률 및 임신율 향상
  - PCOS에서 뇌하수체 탈감작(GnRH 수용체의 하향조절)을 유도하기까지의 시간이 정상 배란주기를 가진 여성에서보다 다소 길 수 있음 : 평균 15일
  - GnRH agonist 15일 이상 투여에도 뇌하수체 탈감작에 도달하지 않는다면 난소낭종, 임신을 확인

- GnRH antagonist를 사용한 과배란유도
  - 최대 난포의 평균 직경이 13~14 mm에 도달하면 GnRH antagonist를 투여하기 시작
  - 경구피임제 전처치 후 초기 및 후기 난포기에 GnRH antagonist를 투여하는 방법

난소과자극증후군(OHSS)의 발생빈도 및 정도를 줄이기 위한 시도

- 해당 시술주기에서의 임신 포기 및 난자채취 후 수정란의 동결보존
- hCG 대신 GnRH agonist를 투여한 난포성숙 및 배란유도
- hCG를 투여하기 전에 1~8일간 gonadotropin 투여중단
- 배란유도 시작 시점부터 somatostatin 유사체(octreotide)를 gonadotropin과 병합투여
- 배란유도 전부터 배란유도 과정까지 metformin 투여
- 방향화효소 억제제(aromatase inhibitor)와 gonadotropin 병합투여

4) 배란장애 제3군(난소기능부전)의 배란유도

  (1) 난자 공여

    ① 배란유도의 성공률이 매우 낮음

    ② 난자 공여를 통한 임신을 추천

  (2) 고용량 생식샘자극호르몬(gonadotropin)

    ① 환자가 자신의 난자로 임신을 강력히 원하는 경우에 시행

    ② 1~2주기 정도만 시도

5) 도파민 작용제(Dopamine agonist)를 사용한 배란 유도

  (1) 도파민 작용제

    ① 도파민수용체에 결합하여 도파민의 작용을 모방

    ② Bromocriptine

      a. 2.5 mg 경구투여 시 프로락틴 억제 작용이 12시간 정도 지속

      b. 경구 투여 시, 1~3시간 후면 혈중 최고 농도에 도달

      c. 14시간 후에는 혈장 내에 남아있는 양은 매우 미미한 정도

    ③ Cabergoline

      a. 장시간 지속형 도파민 작용제

      b. 1회 투여로 7일간 prolactin 분비가 효과적으로 차단

  (2) 도파민 작용제의 적응증

    ① 도파민 작용제에 의한 배란 효과가 가장 효과적인 경우

      a. 고프로락틴혈증에 의한 무배란

      b. 고프로락틴혈증의 증거 없이 유즙 분비가 있는 경우

    ② 고프로락틴혈증을 보이는 PCOS에서 도파민 작용제 병합투여를 고려

    ③ 배란유도 전 도파민 작용제 전처치 시 OHSS, 다태임신 등의 부작용 감소

  (3) 도파민 작용제의 투여 방법

    ① 최소 용량에서 시작하여 서서히 증량

      → 혈중 prolactin 수치가 정상으로 회복되는 용량에서 유지

    ② Bromocriptine

      a. 투약 시작 시 하루 반 알(1.25 mg)씩 복용, 이후 하루 2회 투여

      b. 2~3일 간격으로 1.25 mg씩 증량

      c. 최대 10 mg까지 투여

③ Cabergoline

    a. 투여 시작 시 0.25 mg 일주일에 1~2회 복용

    b. 4주 후에 prolactin 수치 확인 후 일주일에 2~3회 투여로 증량을 고려

    c. 일주일에 0.5~1.0 mg의 용량으로 효과적

(4) 도파민 작용제의 치료 효과

    ① 유즙분비 : 치료 시작 후 6주 이내에 감소 시작, 치료 후 12주 정도면 완전 소실

    ② Cabergoline의 상대적 효과

        a. 고프로락틴 혈증의 치료 효과, 정상 배란의 회복 효과가 우수

        b. 치료에 대한 순응도도 대개는 일주일에 두 번 복용으로 효과적

(5) 도파민 작용제의 부작용

    ① Bromocriptine이 D1, D2 도파민 수용체 모두를 자극 → 아드레날린성 부작용을 경험

    ② 투여 2주 이내에 발생

    ③ 주요 부작용

        a. 어지럼증, 오심, 구토, 비강직(nasal stiffness), 기립성 저혈압 등

        b. Cabergoline, Quinagolide

          - Bromocriptine에 비해 적은 부작용

          - D2에 특이적으로 작용하고 상대적으로 D1 수용체에 대한 작용이 미약하기 때문

4 불임의 수술적 치료

1) 난관요인으로 인한 불임의 수술적 치료

(1) 난관폐쇄(Tubal occlusion)

난관폐쇄 부위	수술적 치료법
근위부 난관폐쇄	자궁난관조영술(HSG) 또는 자궁경(hysteroscopy) 시 도관삽입(catheterization)
원위부 난관폐쇄	채부유착박리(fimbriolysis), 채부성형술(fimbrioplasty), 신난관개구술 (neosalpingostomy)
근위부와 원위부 폐쇄	체외수정

(2) 난관불임술의 복원(Sterilization reversal)

    ① 미세수술적 난관재문합술(microsurgical tubal reanastomosis)

        a. 성공 예후 인자

- 35세 이하
- 협부-협부 또는 팽대부-팽대부 문합(문합 부위의 큰 차이가 없어야 좋음)
- 복원된 난관 길이 4 cm 이상
- 덜 파괴적인 방법(링, 클립)으로 수술한 경우
b. 임신율은 전반적으로 양호(약 55~81%)
c. 수술 12~18개월 후 임신 안되면 IVF 시도
② 장점 : 자연임신이 가능, 다태아의 위험이 적음
③ 단점 : 수술에 의한 손상, 자궁외임신의 위험성 증가, 이후에는 다시 피임이 필요

(3) 난관수종(Hydrosalpinx)
① 난관의 끝 부분이 막혀서 난관 내 물이 고인 상태
② 난관수종 내 액체가 배아의 발달과 착상을 방해
a. 체외수정 전 난관절제술을 먼저 시행 시 체외수정 임신율과 출생률이 유의하게 증가
b. 복강경하 난관폐쇄술 시행 후 체외수정을 해도 임신율 향상 가능
③ 난관수종을 흡인하거나 난관기능을 회복하는 수술의 효과는 보다 연구가 필요

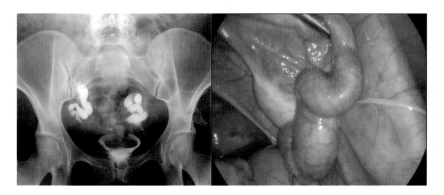

그림 22-14. 난관수종(Hydrosalpinx)

2) 자궁요인으로 인한 불임의 수술적 치료
(1) 선천성 자궁기형(Uterine anomaly)
① 임신초기의 자연유산 발생 빈도, 조기분만 등이 증가
② 중격자궁(septate uterus)
a. 수술로 임신율의 향상을 기대 가능한 유일한 자궁기형
b. 자궁경을 이용한 중격제거술 시행(hysteroscopic septectomy)
c. 적응증 : 35세 이상, 불임 기간이 길었던 환자, 다른 수술적 치료가 필요한 환자, 체외수정
으로 인한 다태아 임신과 유산의 위험성이 높은 경우

③ 자궁 내 diethylstilbestrol (DES) 노출

    a. 선천적인 자궁기형(e.g. T자형 자궁)이 발생할 확률이 증가

    b. 조산이나 자궁경부무력증 등의 산과적 합병증이 증가

(2) 자궁근종(Leiomyoma)

① 불임을 초래하는 기전

    a. 자궁수축력(uterine contractility)의 변화

    b. 생식세포 이식부전

    c. 자궁내막기능장애(endometrial dysfunction)

② Intramural myoma, submucosal myoma : 착상률, 출생률 감소와 연관성

③ 자궁근종절제술(myomectomy)

    a. 자궁내강의 변형을 일으키는 intramural, submucosal myoma 절제는 적절한 불임 치료

    b. 내강의 변형이 없는 intramural myoma의 경우 유용성에 대한 논란

(3) 자궁내유착(Intrauterine adhesion)

① 자궁내막 기저층의 손상으로 발생

② 다른 이름 : 아셔만증후군(Asherman syndrome)

③ 자궁경을 이용한 유착박리(adhesiolysis)

④ 수술 후 유착의 방지

    a. 소아용 Foley catheter를 7~10일간 자궁 내부에 유치

    b. 광범위 항생제 투여(broad spectrum antibiotics)

    c. 재유착 방지를 위해 2개월간 고용량 estrogen-progesterone 치료

(4) 자궁내막용종(Endometrial polyp)

① 초음파 소견

    a. 두터운 자궁내막(thick endometrium)

    b. 유경성 또는 고착된 양상(pedunculated or sessile pattern)

    c. 영양혈관(feeder blood vessels)

② 불임을 초래하는 기전 : 자궁내막의 수용성장애(disordered endometrial receptivity)

③ 자궁내막용종절제술 : 인공수정 전 시행 시 임신율 증가

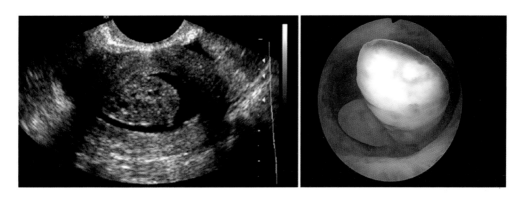

그림 22-15. 자궁내막용종(Endometrial polyp)

CHAPTER 23

보조생식술(Assisted reproductive technology)

1 보조생식술에서 과배란유도(controlled ovarian stimulation, COS)

1) 서론

(1) 정의

① 보조생식술(assisted reproductive technologies, ART) : 체외에서 난자를 직접 조작하는 모든 기술을 총칭

② 배란유도(ovulation induction) : 무배란(anovulation) 또는 희발배란(oligo-ovulation)에서 약제를 사용하여 정상 배란을 유도하는 것

③ 과배란유도(controlled ovarian hyperstimulation, COH) : 배란유무에 상관없이 다수의 배란을 유도하거나 성숙된 난자를 획득하기 위한 약물적 사용

(2) 보조생식술의 종류

① 체외수정(in vitro fertilization-embryo transfer, IVF-ET)

② 세포질내 정자주입(intracytoplasmic sperm injection, ICSI)

③ 생식세포난관이식(gamete intrafallopian transfer, GIFT)

④ 접합자난관이식(zygote intrafallopian transfer, ZIFT)

⑤ 보조부화술(assisted hatching)

⑥ 배아동결보존(cryopreservation)

⑦ 착상 전 유전진단(preimplantation genetic diagnosis, PGD)

2) 과배란유도 시 난소반응의 예측인자

(1) 환자의 연령

① 체외수정의 성공률을 떨어뜨리는 가장 중요한 인자

a. 기능성 난소예비력(functional ovarian reserve) 감소 → 과배란유도에 대한 반응도 저하

b. 적은 난자와 배아 수, 난자 질의 저하 → 배아 착상률의 감소로

② 여성의 생식능력

a. 20~24세에 최고점을 이루고 이후 감소

b. 40세 이후에는 95% 감소

③ 나이가 증가함에 따라 자연유산의 빈도 증가

④ 연령만으로는 과배란유도 시 난소의 반응을 정확하게 예측할 수는 없음

(2) 난소예비력(Ovarian reserve)

① 기저 FSH 검사

a. 월경 3일째 FSH 검사(day 3 FSH) 시행

b. 기저 혈중 FSH 농도 ≥10~20 IU/L

- 난소 기능의 감소를 시사

- 과배란유도에 대한 저반응(poor response)을 예측

c. 고반응(high response) 예측에는 이용 불가능

② 기저 estradiol 검사

a. 월경 3일째 estradiol 검사(day 3 E2) 시행

b. 난소예비력 진단에 있어 큰 의미는 없지만 기저 FSH 농도 해석에 추가적인 도움 역할

c. 기저 FSH 정상 + E2 ≥60~80 pg/mL : 과배란유도에 대한 저반응을 예측

③ Anti-Müllerian hormone(AMH)

a. 난소의 과립막세포(granulosa cell)에서 생성 분비 → 난포의 잔존량을 반영

b. 혈중 농도가 gonadotropin의 영향을 받지 않음

c. 낮은 AMH는 저반응 및 적은 난자 채취, 낮은 배아 질, 낮은 임신율과 연관

④ 동난포개수(antral follicle count, AFC)

a. 초기 난포기에 2~10 mm 크기의 동난포의 수를 골반 초음파로 측정

b. 여성의 난소에 남아 있는 원시난포(primordial follicle)의 숫자에 비례

c. AFC ≤4개 : 저반응과 높은 임신 실패를 예측

3) 과배란유도 방법

(1) 생식샘자극호르몬(Gonadotropin)

① 연령, 난소예비력 검사, 이전 주기에서의 반응에 따라 개별화

② 초기 투여용량

a. hMG or 고순도 uFSH or 재조합 FSH (rFSH) 150~300 IU로 시작, 매일 투여

b. 지속성 재조합 FSH (long acting rFSH)

- 한 번 투여로 1주일간 지속적으로 다수의 난포성장을 유도
- 상품명 : Corifollitropin-α (Elonva®)
- 60 kg 이하의 여성은 100 μg 한 번 투여, 60 kg 초과 여성은 150 μg 한 번 투여
- 1주 후 난소반응을 관찰하여 성숙난포에 미도달 시 rFSH를 추가적으로 매일 투여

(2) 과배란유도 시 반응의 관찰

① 난소의 난포와 혈청 E2

    a. Gonadotropin 투여 시작 3~5일 후 처음 반응을 관찰

    b. 이후에도 1~3일 간격으로 반응을 관찰하며 용량을 조절

    c. 최소 2개 이상이 평균 직경 17~18 mm에 다다를 때까지 gonadotropin을 사용

    d. 혈청 E2는 전체적인 난포들의 크기와 성숙도를 반영(hCG 투여 시 E2가 난포 당 70~140 pg/mL)

    e. 대부분의 여성들은 이때까지 7~12일 정도 소요

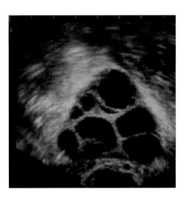

그림 23-1. 과배란유도 시의 난소

② 자궁내막의 두께와 모양

    a. 임신 성공률이 높은 경우 : hCG 투여일에 자궁내막 두께 ≥8 mm, 세 층의 형태

    b. 임신 성공률이 낮은 경우 : hCG 투여일에 자궁내막 두께 ≤6~7 mm, 균질한 에코

    c. 자궁내막의 두께나 모양으로 과배란유도 방법을 변경하거나 주기를 취소하면 안 됨

③ 마지막 단계의 난포 발달 자극

    a. 충분한 난포 성숙이 확인되면 마지막 단계의 난포 발달을 자극하기 위해 urinary hCG (uhCG) 5,000~10,000 IU or 재조합 hCG (rhCG) 250 μg 투여

    b. 불량한 예후인자 : hCG 투약 날 혈청 progesterone ≥0.9~1.5 ng/mL

    c. 저반응군에서 난포성숙을 위한 hCG 투여 연기는 추천되지 않음

(3) 뇌하수체 억제법에 따른 분류

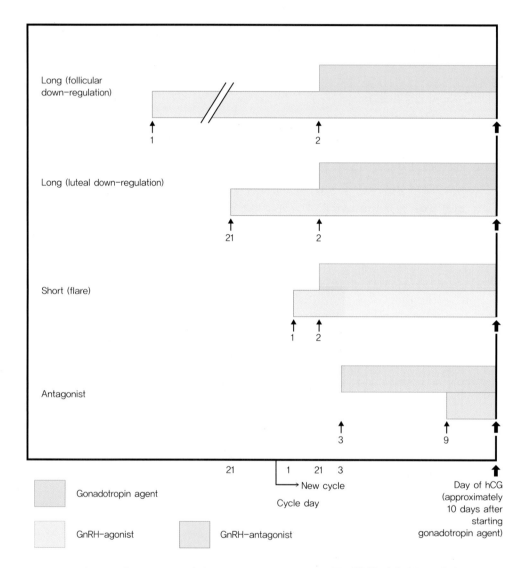

그림 23-2. Gonadotropin과 GnRH agonist or antagonist를 이용한 과배란유도 방법

① GnRH agonist 장기투여법(long protocol)
  a. 내인성 gonadotropin의 분비를 억제하여 외인성 gonadotropin을 투여해도 LH의 조기 급증을 막을 수 있는 방법
    - GnRH agonist 사용 초기에는 gonadotropin 분비를 촉진
    - 이후 GnRH 수용체의 탈감작으로 down-regulation을 통한 gonadotropin 분비 억제
  b. 체외수정의 표준적인 방법

c. 장점과 단점

- 장점 : 난포가 더 크고 성숙해질 때까지 과배란유도 가능, 잦은 LH 측정 불필요

- 단점 : Gonadotropin에 대한 반응을 약화시켜 사용량과 기간의 증가 가능성

d. 투여 방법

GnRH agonist 장기투여법(Long protocol)

GnRH agonist
- 배란 1주일 후(월경주기 21일)인 황체기 중기부터 투여
  · 내인성 gonadotropin이 최저점 → 저장된 뇌하수체 gonadotropin이 급성으로 분비되는 flare 효과로 인한 새로운 난포들의 발달 자극이 최소화
  · 종류 : leuprolide, triptorelin 등
  · 불규칙 월경주기의 경우 경구피임제 사용(피임제 중단 1주 전 GnRH agonist 투여)
- GnRH agonist 1 mg을 황체기 중기부터 10일간 or 월경 시작일까지 사용
  → 이후 hCG 투여일까지 0.5 mg으로 감량해서 사용

Gonadotropin
- 뇌하수체 억제를 확인한 후 투여
  · 혈청 E2 〈30~40 pg/mL, 난포 〈10 mm
- Gonadotropin의 초기 용량은 개인에 따른 개별화
  · 종류 : uFSH, rFSH, hMG
  · 통상적인 시작 용량 : 하루 150~300 IU
  · 단계적 감량(step-down) : 고용량 투여 후 난소의 반응도에 따라 점차 용량을 감소시켜 나가는 방법(단계적 증량보다 선호)

---

② GnRH agonist 단기투여법(short protocol)

a. 투여 초기 내인성 gonadotropin이 상승하는 agonist의 반응과 장기적으로 뇌하수체가 억제되는 것을 모두 이용하기 위한 방법

b. 투여 방법

GnRH agonist 단기투여법(Short protocol)

GnRH agonist
- GnRH agonist (leuprolide acetate) 1 mg을 월경주기 2~4일까지 투여하고 이후 0.5 mg으로 감량
Gonadotropin
- Gonadotropin 225~450 IU을 월경주기 2~3일에 시작

---

c. 2000년 메타분석에서 장기투여법의 임신율이 더 우수하다고 발표

③ GnRH antagonist 투여법

a. 용량에 비례하여 GnRH 수용체를 차단

b. 장점과 단점

- 장점

· Flare 효과가 없어 난소낭종, 난소과자극증후군의 위험성이 적음

· 내인성 LH의 조기 분비를 막는 효과가 즉각적이어서 estrogen 결핍증상이 없음
- 단점
· 소량으로 매일 투여하기 때문에 엄격한 환자 순응도가 필요
c. 투여 방법

GnRH antagonist 투여법

Gonadotropin
- Gonadotropin을 월경주기 3일에 투여
- 월경 시작 시기를 조절할 수 있는 경구피임제 전처치 병용 가능
  · Gonadotropin 시작 5일 전까지 경구피임제 복용 시 난포 크기가 좀 더 균일화(synchronization)
GnRH antagonist
- Gonadotropin 시작 5~6일 후 or 우성난포 직경이 13~14 mm일 때 시작하여 hCG 투약일까지 투여
- GnRH antagonist 0.25 mg/day 피하 주사(조기 LH surge를 막기 위한 최소 용법)
- 종류 : ganirelix, cetrorelix

---

4) 저반응군의 과배란유도

(1) 저반응군의 정의

유럽불임학회의 저반응군 정의(2011)

---
1. 다음 세 가지 중 최소 두 가지 기준을 만족할 때
   - 고연령(40세 이상) 또는 저반응에 대한 위험인자*
   - 이전 저반응 과거력(통상적인 과배란유도로 3개 이하의 난자가 나온 경우)
   - 비정상적 난소예비력 검사(AFC<5~7개 or AMH<0.5~1.1 ng/mL)
2. 이전 최대용량의 과배란유도에도 저반응을 2회 이상 경험한 경우

---

(2) 고용량의 생식샘자극호르몬

① Gonadotropin 고용량 투여로 더 높은 난포반응을 유도
② 저반응이 예측되는 환자에게는 최소한 300 IU 이상의 gonadotropin을 투여
③ 저반응군에서 450 IU 이상은 추가이득이 없음

(3) 자연주기법

① 아무 약제를 사용하지 않는 자연 배란주기를 시도해보는 것은 비용 면에서 좋은 방법
② 자연주기에서 높은 주기취소율 : 조기 LH surge로 인한 조기 배란 때문
③ 변형 자연주기법 : 난포기 후기에 GnRH antagonist로 배란을 막고 hCG로 배란을 유도

5) 과배란유도의 합병증

(1) 다태임신

① 미국에서 보조생식술로 태어난 아이의 47%가 다태아

② 다태임신으로 산모와 신생아의 이환율, 사망률 증가와 개인적, 사회적 비용의 증가

    a. 32%가 2,500 g 미만의 저체중아

    b. 33.4%가 37주 미만의 조산아

(2) 난소과자극증후군(Ovarian hyperstimulation syndrome, OHSS)

① 과배란유도를 위하여 외부에서 주입된 gonadotropin에 의해 발생되는 의인성 합병증

Early type OHSS	Late type OHSS
− hCG 투여 3~7일 후 증상 발현 − 외부에서 투여된 hCG에 의한 발생	− hCG 투여 12~17일 후 증상 발현 − 임신에 의해 분비되는 hCG에 의한 발생 − 다태임신에서 더 심한 증상

② 발생 원인 및 기전

    a. 발생 원인

      - hCG에 의해 granulosa cell과 혈장 내 VEGF 증가

      - 여러 inflammatory cytokine 증가

    b. 발생 기전

      - 자극된 난소에 의해 protein-rich fluid 분비 증가

      - 난포액 내에 renin 및 prorenin 증가

      - Angiotensin에 의해 혈관투과성 증가

      → 혈관내액이 제3공간(third space)으로 이동, 축적

③ 증상 및 위험인자

증상	위험인자
→ hCG 투여 7~12일 후 증상이 발현 난소 증대(ovarian enlargement) 과도한 스테로이드 생성 복수, 흉수, 호흡부전 혈액농축(hemoconcentration) 과응고(hypercoagulability) 난소 염전(torsion) 또는 파열(rupture) 심한 전해질 장애 메스꺼움, 구토, 설사 발작 신부전	젊은 연령 저체중 다낭성난소증후군(PCOS) 고용량의 gonadotropin 난소과자극증후군(OHSS)의 과거력 높은 AMH 수치 높은 E2 수치 많은 동난포(AFC) 많은 성숙난포 황체기 보강을 위한 hCG 투여

④ 난소과자극증후군의 분류

중증도	Grade	난소의 크기	증상
Mild	Grade 1	⟨5 cm	복부팽만, 복부통증
	Grade 2	5~10 cm	Grade 1 증상 + 오심, 구토, 설사
Moderate	Grade 3	⟩10 cm	Grade 2 증상 + 복수의 초음파 소견
Severe	Grade 4	⟩12 cm	Grade 3 증상 + 복수, 흉수, 호흡곤란의 임상증상
	Grade 5		Grade 4 증상 + 혈청 부피의 변화, 혈액농축으로 인한 혈액점도 증가, 응고의 변화, 관류 및 신장기능 감소

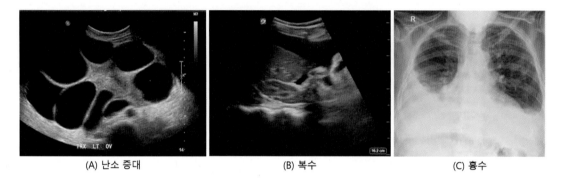

(A) 난소 증대   (B) 복수   (C) 흉수

그림 23-3. 난소과자극증후군의 소견들

⑤ 치료
　　a. 경증이나 중등도의 난소과자극증후군
　　　- 특별한 치료의 필요성은 없음
　　　- 임신이 되지 않으면 대부분의 증상은 배란 후 10~12일이 지나면 서서히 사라짐
　　b. 중증 난소과자극증후군
　　　- 입원하여 안정, 수분공급 및 전해질 교정 같은 대증적 요법 시행
　　　　· 수액치료(fluid therapy)
　　　　· 혈액용적 확장제 : albumin, dextran
　　　　· Heparin : 혈전색전증의 증거가 있을 때
　　　　· Dopamine : 신혈류 증가를 위해
　　　- 난소가 부서지기 쉬우므로 골반 내진(pelvic exam)은 금기
　　　- 복수천자(paracentesis)의 적응증
　　　　· 증상의 개선이 필요할 때
　　　　· 요감소(oliguria)

· Creatinine 상승, creatinine clearance 감소

· 저혈압과 동반된 다량의 복수

· 내과적 치료로 호전이 안되는 혈액 점도(blood viscosity) 증가

- 시험적 개복술(exploratory laparotomy) : 출혈, 꼬임 의심 시

⑥ 예방

    a. 체외수정 시 성선호르몬 투여중단(coasting) : gonadotropin 투여를 중지하고 1~3일까지 hCG 투여를 늦추는 방법

    b. 낮은 용량의 hCG로 최종 성숙을 유도

    c. GnRH agonist or recombinant LH로 최종 성숙을 유도

2 체외수정(In vitro fertilization, IVF)

1) 서론

(1) 체외수정(IVF)의 적응증

    ① 난관요인 : 난관폐쇄나 난관절제술의 과거력

    ② 남성요인

    ③ 자궁내막증

    ④ 자궁경부 점액의 이상 및 면역학적 원인

    ⑤ 원인불명의 불임

(2) 체외수정(IVF)의 과정

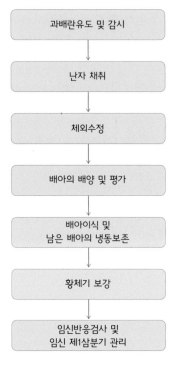

그림 23-4. 체외수정(IVF)의 과정

2) 과배란유도(Controlled ovarian stimulation, COS)

    (1) 서론

        ① 인공적으로 호르몬을 주사하여 다수의 난포를 성숙시켜 많은 수의 난자를 얻는 방법

        ② 과배란유도법의 도입으로 IVF를 통한 임신율 증가

    (2) 과배란유도 감시

        ① 목적

            a. 생식샘자극호르몬의 용량이 적당했는지를 알기 위해

            b. OHSS의 예방을 위해

            c. hCG를 투여하는 적정시점을 결정하기 위해

        ② 검사 방법 : 초음파, 혈청 estradiol 검사

            a. 초음파를 사용하여 난포의 크기 및 수를 측정하여 hCG 투여시점을 결정

            b. 혈청 estradiol을 측정하여 초기 생식샘자극호르몬 투여용량에 대한 평가

3) 난자 채취

(1) 난자 채취의 시점

① 초음파 및 E2 소견

　　a. 지름 17~18 mm 이상인 난포가 최소 2개 이상, 14~16 mm 난포가 몇 개 존재

　　b. 적절한 혈중 estradiol 농도(14 mm 이상 난포당 약 150~300 pg/mL)

② hCG 투여 후 약 36~38시간 후에 시행

(2) 난자 채취의 과정

① 골반내진자세(lithotomy position)로 눕히고 정맥 마취를 실시

② 포비돈으로 소독을 한 다음에는 반드시 무균 생리 식염수로 질세척 시행

③ 초음파로 난소의 위치를 확인한 후 가장 큰 난포를 향해 바늘을 삽입

④ 진공흡입법(vacuum system)으로 120 mmHg 미만의 압력 사용하여 채취

(3) 난자 재취의 합병증

① 채취부위의 질 출혈 : 출혈 부위를 직접 압박하는 것만으로 지혈 되는 경우가 대부분

② 자궁, 난소, 혈관 손상으로 인한 복강 내 출혈

③ 시술 후 감염

　　a. 드문 합병증

　　b. 난소의 자궁내막종이나 과거 난관염의 병력이 있는 경우 발생 위험 증가

　　c. 난자 채취 1~6주 후 난소나 난관 주위의 농양 발생

4) 체외수정(in vitro fertilization, IVF)

(1) 채취한 난자의 확인

① 획득한 난자는 즉시 현미경으로 관찰

② 난자의 세포질, 난구세포의 형태, 핵과 극체의 유무에 따라 등급을 설정

③ 제1극체를 방출한 난자

　　a. 성숙이 완료된 상태의 난자로 수정이 가능한 단계의 난자

　　b. 이 시기에 수정을 유도

(2) 채취한 정자의 처치

① 정액은 난자 채취 전후에 채취

② 운동성과 형태가 좋은 정자를 얻기 위한 처리 시행

　　a. 정상 정자의 형태(morphology)에 따른 IVF 임신 가능성

　　　- >14% : 정상 임신율

- 4~14% : 중간 임신율

- <4% : 낮은 임신율

b. 정자의 형태는 IVF 시 임신 가능성의 평가 지표

③ 분리된 정자는 수정능을 얻기 위해 30분에서 4시간 동안 고농도의 단백질이 첨가된 배지에서 배양

④ 미성숙 난자가 없고 난자등급이 우수한 경우 4~6시간 후에 정자주입 또는 미세조작기를 이용한 수정을 시행

⑤ 수정을 하기 위한 정자의 수는 난자 한 개당 100,000개가 되도록 농도를 조정

⑥ IVF 방법으로는 수정률이 낮아 미세수정을 고려하는 경우

    a. 희소정자증(oligozoospermia)

    b. 무력정자증(asthenozoospermia)

    c. 기형정자증(teratozoospermia)

    d. 희소무력정자증(oligoasthenozoospermia)

5) 배아의 배양 및 평가

(1) 배아의 평가

① ICSI 15~20시간 후 시행

② 정상적인 수정 : 난자 중앙에 2개의 전핵과 제2극체가 관찰

    a. 전핵(pronucleus) : 정자가 난자에 들어가 융합하기 전의 정핵과 난핵

    b. 제2극체 : 난모세포가 감수 분열을 통해 생성하는 세포 중의 하나로, 똑같은 반수세포이지만 난자에 비해 그 크기가 매우 작은 세포

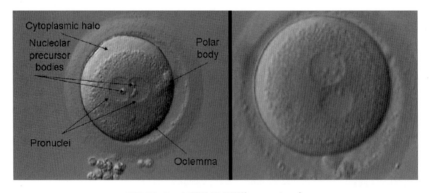

그림 23-5. 수정란의 전핵(pronucleus)

③ 비정상적인 수정(전핵의 수가 1개이거나 3개 이상)이 일어난 수정란도 정상 수정란과 같은 난할 과정을 거치고 20시간 이후에는 전핵이 사라지므로, 이 시기에 전핵의 개수를 관찰하여

정상 수정란을 확인하는 것이 매우 중요

(2) 배아의 이식

① 배아의 질적 평가 : 임신율 예측에 매우 중요

② 정상적 수정이 확인된 배아는 새로운 배양액으로 옮겨서 24~48시간 더 배양하여 4~8세포기 의 배아를 이식

③ 배아이식 전 질적 평가

　　a. 배양 24~30시간에 배아의 발달 속도, 형태학적인 할구의 개수, 균등성, 할구 세편의 유무 등 확인

　　b. 시험관에서 배양되는 배아의 발달 속도

2세포기	4세포기	8세포기
26~28시간	43~45시간	67~69시간

6) 배아이식(Embryo transfer, ET)

(1) 배아이식 시기와 수

① 배아의 상태(embryo morphology)

　　a. 이식할 배아 선택의 지침

　　b. 주로 수정 후 배양 2일째와 3일째 4~8세포기 배아 단계에서 시행

　　c. 최근에는 포배기까지 배양하여 5~6일째에도 수행

② 미국생식의학회(ASRM)의 산모 나이에 따른 이식 배아수 지침

예후	〈35세	35~37세	38~40세	41~42세
Cleavage 배아				
양호한 조건	1~2	2	3	5
양호하지 않은 조건	1	3	4	5
Blastocyst 배아				
양호한 조건	1	2	2	3
양호하지 않은 조건	2	2	3	3

(2) 좋은 배아의 기준

① 첫날 초기 분할이 일어나고 2일째에 4 세포기, 3일째에 8 세포기

② Embryo fragmentation이 10% 이내

③ Blastomere의 크기가 일정

④ Multinucleation(전핵이 2개보다 많은 것)이 없어야 함

(3) 배아이식 시 주의점

① 이식 시 다량의 자궁경부점액

a. 자궁내막 세균 감염의 원인이 될 수 있으므로 제거

b. 카테터에 묻으면 배아 손상을 초래하거나 주입 후 카테터 내 배아 잔존 가능성 증가

② 이식 후 카테터 끝에 묻어 있는 혈액

a. 자궁경부점막이나 자궁내막이 부분적으로 손상되었음을 의미

b. 임신율이 감소

③ 자궁수축 유발을 방지하기 위해 자궁경부를 tenaculum으로 잡는 것 피함

④ 이식 후 카테터에 배아가 있는지 현미경으로 면밀히 확인

7) 미성숙 난자를 이용한 체외성숙(in vitro maturation, IVM)

(1) 정의

① 미성숙 난자를 채취하고 체외에서 성숙, 수정, 이식하는 방법

② 이용하는 미성숙 난자

a. 폐기되는 난소 조직에서 얻은 미성숙 난자를 이용

b. 다낭성난소증후군에서 배란유도 없이 미성숙 난자

(2) 장점과 단점

① 장점

a. 시술이 간단하고 초음파를 이용한 배란 추적 및 호르몬검사 빈도의 감소

b. 배란유도제 투여 비용이 절감되고 다양한 약제 부작용이 없음

② 단점

a. 미성숙 난자 채취의 어려움

b. 배란유도를 통한 시험관 시술에 비해 저조한 성숙률, 수정률, 발생률

c. 자궁내막과의 불일치에 의한 저조한 임신율

8) 황체기 보강(Luteal support)

(1) 과배란유도 시 황체기의 차이점

① 많은 황체 형성으로 estrogen, progesterone이 황체기 초반에 다량 형성

a. 앞당겨지는 착상 가능 시기

b. 고반응군에서 배아이식 시 자궁수축을 유발하여 임신율 감소

② 짧은 황체기

a. 짧은 난소의 스테로이드 생성기간

b. 난자 채취 후 estrogen, progesterone이 자연주기보다 더 일찍, 급격하게 감소

(2) 황체기 보강법

① 난자 채취 후 1주일간은 충분한 양의 스테로이드가 생성되어 있어 외부 공급 불필요

② 난자 공여와 같은 프로그램에서는 외부 공급 스테로이드에 전적으로 의존하므로 progester-one 투여가 필수적

③ 거의 모든 불임 전문병원에서 난자 채취 후 바로 황체기 보강을 시작

④ 황체기 보강의 3가지 방법

    a. Progesterone in oil 50 mg, 근육주사, 1회/day

    b. Crinone gel 8%, 질 내 투여, 1회/day

    c. Utrogestan 200 mg 질 내 투여, 3회/day

⑤ 난자공여에 의한 체외수정 및 배아이식 시

    a. Estrogen : 공여자(donor)에게 배란유도제를 투여하기 몇 달 전이나 바로 직전부터 수용자 (recipient)에게 투여

    b. Progesterone : 공여자에게 hCG 투여하는 시점부터 난자 채취 날 중 선택하여 투여

9) 임신의 확인

(1) 임신반응검사

① 난자 채취 후 14일에 혈청 β-hCG를 검사

    a. 외부에서 근주한 hCG가 투여 후 14일까지 나타날 수 있음

    b. 정상 임신 시 β-hCG ≥200 mIU/mL, 하루 약 40% 증가

② 연속적으로 혈청 β-hCG로 임신을 확인

③ 임신 제 5~6주에 초음파로 자궁 내 임신을 확인

④ 자궁외임신과 다태임신을 조기 발견하는 것이 매우 중요

(2) 임신 성공률 및 출산율

① IVF 후 임신 성공률 : 환자의 나이가 중요

    a. 난자 채취 주기당 30.1%, 배아이식 주기당 34.1%

    b. 연령대별 난자 채취 주기당 임상적 임신율 : 25세 미만이 7.9%, 25~29세가 11.5%, 30~34세가 20.0%, 35~39세가 22.3%, 40세 이후는 13.2%

② IVF 후 출산율 : 난자 채취 주기당 25.4%, 배아 이식 주기당 28.8%

3 미세조작술(Micromanipulation)

1) 난자세포질내 정자주입술(Intracytoplasmic sperm injection, ICSI)

(1) 서론

① 정자 한 개를 난자 내에 직접 찔러 주입하는 시술

② 투명대와 난자막이라는 장벽을 극복할 수 있어 정자 특성과 상관없는 높은 수정률

(2) ICSI의 적응증

ICSI의 적응증

– 남성 불임(male infertility)
  • 정자 수가 적은 경우(총 정자수 ≤5x10^6/ejaculation)
  • 운동성이 낮은 경우(총 운동성 정자수 ≤1x10^6)
  • 형태학적 이상을 보이는 경우(정상형태 정자의 비율 〈4%)
  • 무정자증(azoospermia) 환자에서 정자를 고환이나 부고환에서 채취한 경우
– 이전 고식적 시술주기에서 특별한 원인 없이 수정률이 낮았던 경우
– 동결 보존된 정자를 이용하여 체외수정을 하는 경우
– 척수손상 환자, 사정장애(ejaculatory disturbance)가 있는 환자, 역방향사정(retrograde ejaculation) 환자
– 남성이 HIV 양성자인 경우(정액 내 바이러스가 난자에 노출되는 것을 막기 위해)
– 채취된 난자 수가 적은 경우
– 동결보존된 난자나 체외성숙된 난자를 이용하여 체외수정을 하는 경우
– 난자가 형태학적으로 비정상적인 경우
– 유전자 진단을 위한 제1극체 생검, 할구 생검이 필요한 경우

(3) ICSI의 방법

① 현미경 200~400배의 시야로 관찰

② 정상적인 운동성과 형태를 지닌 정자 한 개를 선택하여 주입피펫으로 꼬리부터 흡인

③ 집게피펫에 음압을 가해서 난자를 움직이지 않도록 고정

④ 제1극체가 12시나 6시 방향에 있도록 조정

⑤ 주입피펫이 난자의 3시 방향에서 투명대를 통과

⑥ 정자 한 개를 난자의 세포질 안으로 주입

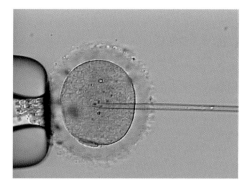

그림 23-6. 난자세포질내 정자주입술(ICSI)

(4) ICSI의 예후

① 수정률

　a. 전체적인 수정률 : 70~80% 정도

　b. 신선정자 대 동결정자의 비교에서 수정률과 임신율은 비슷

　c. 수술적 정자채취군에서 수정률은 신선 정자보다 낮으나 임신율은 비슷

② 기형아 발생률

　a. 고식적 수정법과 비슷

　b. 자연 임신에 비해서는 선천성 기형아율이 증가

　c. 남성불임으로 ICSI 후 임신 된 경우 양수천자를 통한 태아핵형분석을 권고

　　→ ICSI 시술법 자체보다는 다분히 불임부부인 부모의 조건에 의한 영향

2) 배아의 보조부화술(Assisted hatching, AH)

(1) 서론

① 수정 후 배아는 투명대반응(zona reaction)을 개시

　a. 투명대가 경화되는 생리학적 과정

　b. 역할

　　- 다정자 수정(polyspermy)을 예방

　　- 배아의 정상적인 발달을 위한 보호 작용

② 부화(hatching) 현상

　a. 수정 후 5일경 배반포(blastocyst)로 발달하며 내인성 및 외인성 용해소에 의해 투명대가 얇아지고 녹으며 할구세포들이 투명대 밖으로 나오게 되는 현상

　b. 체외수정의 25~30%에서만 부화 과정이 발생

　c. 투명대가 두껍거나 경화되면 부화 과정이 저해되어 배아 착상률이 저하

　d. 여성 나이가 많으면 투명대가 두껍거나 경화되는 현상 발생(보조부화술의 일차 적응증)

(2) 보조부화술의 방법

① 투명대부분절개술(partial zona dissection, PZD) : 피펫을 이용하여 기계적으로 투명대를 절개해주는 방법

② 투명대천공술(zona drilling) : 효소(acid Tyrode, pronase)나 레이저를 이용하여 투명대에 구멍을 형성

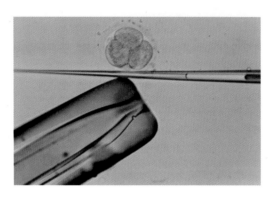

그림 23-6. 난자세포질내 정자주입술(ICSI)

(3) 보조부화술의 예후

① 임신율은 유의하게 증가시키나 그 정도는 크지 않음(교차비 1.13)

② 생존아 출생률과 유산율은 비슷

③ 다태임신이 증가

3) 착상전유전진단(Preimplantation genetic diagnosis, PGD)

(1) 극체생검(Polar body biopsy)

① 난자에서 극체를 추출하여 수적, 구조적 염색체 이상 등을 유전진단하는 방법

② 단점

a. 제1극체나 제2극체에 대한 정보만을 제공하므로 단지 모계의 유전적 또는 염색체 구성에 대한 간접적인 진단만이 가능

b. 수정 시 염색체에서 교차 또는 재조합 등의 현상이 일어날 경우 위음성 발생 가능

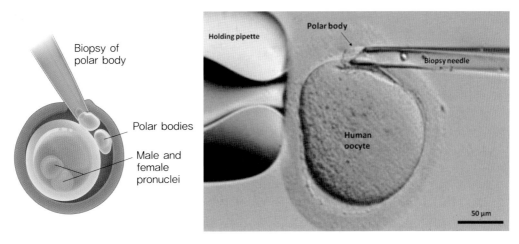

그림 23-8. 극체생검(Polar body biopsy)

(2) 할구세포생검(Blastomere biopsy)

① 6~8세포기 배아에서 할구세포 1~2개를 생검하여 유전진단하는 방법

② 8세포기 이전 할구세포 1~2개를 제거하여도 배아 성장 및 발달에는 지장이 없음

③ 부계와 모계로부터 받은 유전적 또는 염색체 구성에 대한 진단이 가능

④ 종류 : 할구흡인법(blastomere aspiration), 할구짜내기법(blow-out)

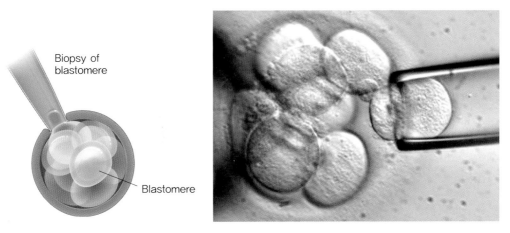

그림 23-9. 할구세포생검 중 할구흡인법(blastomere aspiration)

(3) 영양외배엽생검(Trophectoderm biopsy)

① 체외수정 후 5~6일이 지난 배반포에서 태반으로 성장 예정인 영양외배엽 조직의 일부를 생검하여 유전진단하는 방법

② 10~30세포 정도의 영양막세포(trophoblast cell)를 채취해 많은 양의 DNA 획득 가능

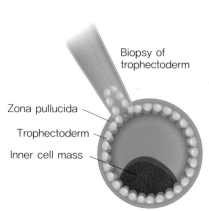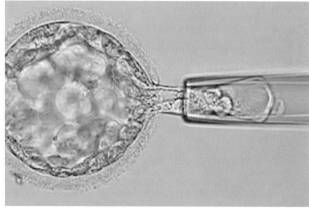

그림 23-10. 영양외배엽생검(Trophectoderm biopsy)

(4) 염색체 검사

　① 염색체 검사 방법

　　a. 핵형분석(karyotyping)

　　b. 형광직접보합법(fluorescent in situ hybridization, FISH)

　　　→ 염색체의 수적 또는 구조적 이상을 확인

　② 단일 유전자질환의 진단 : 중합효소연쇄반응(polymerase chain reaction, PCR)

　③ 유전자검사 자체의 오류나 섞임증(mosaicism) 등으로 인한 진단 오류 가능성이 내재

　④ 착상전유전진단 후 임신 : 융모막검사, 양수검사 등으로 태아의 유전질환을 확인

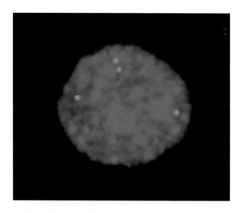

그림 23-11. 형광직접보합법(fluorescent in situ hybridization, FISH)

4 동결보존(Cryopreservation)

1) 냉동생물학(Cryobiology)

(1) 동결보호제(Cryoprotectant)

① 동결보존 시 세포손상을 줄이기 위해 동결보호제(cryoprotective agent, CPA)가 필요

    a. 세포 내 단백질의 안정화

    b. 얼음생성 감소

    c. 세포 외 전해질의 영향을 조절

② 동결보호제의 종류와 특성

투과성(penetrating cryoprotectant)	비투과성(non-penetrating cryoprotectant)
저분자 물질로 구성 생리식염수에 쉽게 용해 세포 내로 쉽게 투과 낮은 세포 독성	고분자 물질로 구성 세포 내로 비투과 동결 시 세포 내 수분의 탈수가 용이 해동 시 삼투압변화에 의한 세포질의 팽윤 방지

(2) 동결보존-해동 과정

① 완만동결법(slow freezing)

    a. 적은 용량의 동결보존액을 서서히 냉각하고 식빙(seeding)후 저속(-0.3℃/분)으로 -30~-80℃까지 냉각하는 방법

    b. 동결 과정이 완만하게 진행되면 세포 안에 작은 빙결이 약간 형성되어도 세포 손상을 일으키지 않음

② 유리화동결법(vitrification)

    a. 동결보존하려는 세포나 조직을 고농도의 동결보호제에 짧은 시간동안 노출시켜 탈수를 유발한 후 급속 냉동하는 방법

    b. 경제적이고 동결 과정이 간단하며 시간이 적게 걸려 한랭손상(cryo-injury)을 최소화

③ 해동 방법

    a. 급속 해동(rapid thawing) : 상온이나 37℃ 물에 담가 흔들며 녹이는 방법

    b. 완만 해동(slow thawing) : -100℃로 조정된 동결기에 넣어 서서히 해동하는 방법

④ 완만동결 급속해동(slow freezing-rapid thawing)이 많이 이용

2) 배아(Embryo)의 동결보존

(1) 배아 동결보존의 장점

① 신선배아이식 개수를 줄여 다태임신 발생이 감소

② 다음 주기에 과배란유도와 난자 채취 과정 없이 배아이식이 가능

③ 한 번의 난자 채취로 인한 누적 임신율이 증가

(2) 배아 동결보존의 적응증

① 배아이식 후 배아가 남은 경우
② 환자의 상태가 배아이식에 부적합할 경우
③ 자연주기나 인공주기에서 해동배아를 이식이 더 높은 임신율을 기대할 수 있을 경우
④ 난자 공여자와 수여자 간의 일치(synchronization)가 어려울 경우
⑤ 착상전유전자검사/스크리닝(preimplantation genetic diagnosis/screening)이 필요한 경우

(3) 임상결과

① 배아의 해동 후 생존율 : 약 60~80 %
② 배아를 여러 개 동결한 경우의 누적임신율 : 60% 이상
③ 배아의 동결보존-해동 후 이식하여 태어난 아기의 주산기 합병증과 사망률
    a. 신선배아이식을 통해 태어난 아기에 비해 낮음
    b. 단태아 간 비교할 경우 자연임신을 한 경우와 비슷

(4) 안정성

① 배아의 보존가능 기간 : 생명윤리법에 따라 5년까지의 보관
② 배아의 장기간 보관 시 문제점
    a. 전리방사선(ionizing radiation)에 의한 세포손상
    b. 세포 내 유리기(free radical) 형성에 의한 세포손상
    c. 보관 탱크 내에서 바이러스나 세균 등에 의한 오염 가능성
    d. 보관 용기내 액체 질소의 소실

3) 난자(Ovum)의 동결보존

(1) 난자 동결보존의 장점과 단점

① 장점
    a. 난소기능 소실의 염려가 있는 환자에서 가임력 보존이 가능
    b. 결혼이나 출산이 늦어지는 미혼 여성에서 추후 임신의 기회를 제공
    c. 인간 배아의 동결보존이 가지는 법적, 윤리적 문제에서 좀 더 자유로움
    d. 난자 은행의 설립이 가능
② 단점
    a. 낮은 생존율, 수정률, 임신율
    b. 염색체 수적 이상의 빈도 증가

- 과립막 조기 방출과 투명대의 구조적 손상이나 경화 현상에 의한 다정자침입증
- 방추사(spindle) 손상에 의한 염색체의 비분리 현상(nondisjunction)

(2) 임상결과
① 최근 유리화동결, 동결보호제의 개발 및 세포질내정자주입술 등을 이용해 결과가 향상
② 유리화동결-해동 후 난자 생존율 92.5%, 임신율 43.7%

(3) 안정성
① 난자의 동결보존 기간에 관한 데이터는 거의 없음
② 장기간의 추적관찰연구가 필요

4) 난소조직의 동결보존
(1) 난소조직 동결법
① 난소피질조직 동결
   a. 대부분의 원시난포(primordial follicle)가 난소피질에 존재하므로 적은 난소피질조직만으로도 많은 수의 난자를 냉동보존 가능
   b. 복강경을 이용하여 조직을 채취
   c. 표준동결법은 완만동결법, 최근 유리화동결법도 많이 사용
② 전체 난소조직 동결
   a. 치료 이후에 완전난소부전이 예상되는 여성의 경우 시행
   b. 복강경이나 개복술로 대부분의 혈관줄기(vascular pedicle)와 함께 난소를 제거
   c. 동결법으로는 완만동결법과 유리화동결법 두 가지 방법 모두 사용
③ 동결보존된 난소조직의 자가이식(autograft)
   a. 면역학적 거부반응 없이 난소조직 내의 난자를 성숙시킬 수 있는 이상적인 방법
   b. 난소조직을 이식하는 위치
      - 같은자리이식(orthotopic transplantation)
      - 다른자리이식(heterotopic transplantation) : 전완이나 복벽과 같이 골반 외 위치

(2) 임상결과
① 난소조직이식 후 전체 임신율 : 약 11~30%
② 같은자리이식 후 30명의 출산이 보고

(3) 안전성
① 냉동난소조직 이식의 위험성

a. 악성세포의 재착상
b. 백혈병(leukemia)이 재착상 위험성이 가장 높음
② 조직채취, 이식방법, 동결보존술에 대한 연구 등이 필요

1 폐경 및 폐경 이행기

1) 서론

(1) 정의

① 폐경 : 난포 기능의 소실로 인한 월경의 영구적인 중지

  a. 자연 폐경

    - 병리적, 생리적 원인 없이 자연적으로 지난 1년 동안 무월경 상태가 지속된 경우

    - 대부분의 폐경이 노화현상으로 초래되는 자연 폐경, 대개 50세 전후에 발생

  b. 유도 폐경

    - 외인성 또는 의인성으로 초래된 폐경

    - 원인 : 수술적 폐경(가장 흔함), 화학요법이나 방사선치료에 의한 난소기능상실

② 원발성 난소기능부전(primary ovarian insufficiency)

  a. 선천적으로 난소에 보관된 난자가 적거나 난포의 퇴화가 가속되어 나타나는 난소부전

  b. 40세 이전의 여성에서 4개월 이상의 무월경과 폐경 수준의 FSH 수치

  c. 원인 : 독성, 염색체 이상, 자가 면역질환, 원인불명 등

③ 폐경 이행기(menopausal transition)

  a. 폐경 증상 전, 약 40세 전후로 난소기능 쇠퇴가 시작되어 폐경으로 접근해 가는 시기

  b. 호르몬 변화가 가장 극적으로 일어나는 시기

  c. FSH 증가와 월경주기 변화로 시작, 월경 중단으로 마무리

  d. 폐경은 12개월 이상의 무월경 이후에 후향적으로 진단

④ 주폐경기(perimenopause)

  a. 난소기능이 떨어져 월경주기의 규칙성이 사라지고 FSH 수치가 증가하기 시작하는 시기에서 마지막 월경을 하는 시기

  b. 폐경 직전과 직후의 시기(보통 45~55세 사이, 평균연령 47.5세, 평균 4년 정도 지속)

　　　c. 특징적 증상 : 불규칙한 생리주기, 짧은 황체기
　⑤ 갱년기(climacteric)
　　　a. 가임기에서 비가임기로의 이행 기간
　　　b. 이행기, 폐경기, 폐경 이후의 시기를 포괄하는 개념

(2) 생식노화단계의 분류

단계	-5	-4	-3	-2	-1	+1	+2
용어	가임기			폐경 이행기		폐경 후기	
	초기	정상	후기	초기	후기	초기	후기
				주폐경기(perimenopause)			
기간	다양			다양		1년	4년 / 사망까지
월경주기	다양 규칙적	규칙적		다양 정상과 차이 ≥7일	월경 skip ≥2회 무월경 ≥60일	무월경 12개월	없음
FSH	정상			상승			

(3) 평균 폐경 연령
　① 일반적인 폐경 연령 : 51세(한국 여성 : 49.7세)
　② 폐경 연령에 영향을 주는 요인
　　　a. 폐경 연령은 유전적으로 결정
　　　b. 인종, 사회경제적요인, 초경 연령, 과거 배란 횟수와는 무관
　　　c. 자궁절제술 시 폐경이 빨라짐

2) 호르몬의 변화

(1) 주폐경기(Perimenopause)의 호르몬 변화
　① 난포의 과립막세포(granulosa cell) 폐쇄로 estrogen, inhibin 생성 감소, FSH 증가
　② 난포의 고갈로 난소가 뇌하수체의 생식샘자극호르몬인 FSH, LH에 무반응
　③ FSH는 증가하지만 난소의 음성되먹임(negative feedback)은 없음
　④ 난소 반응이 감소해 호르몬 분비가 줄어 난포 성숙이 되지 않으며 배란이 감소

(2) 폐경(Menopause)의 호르몬 변화

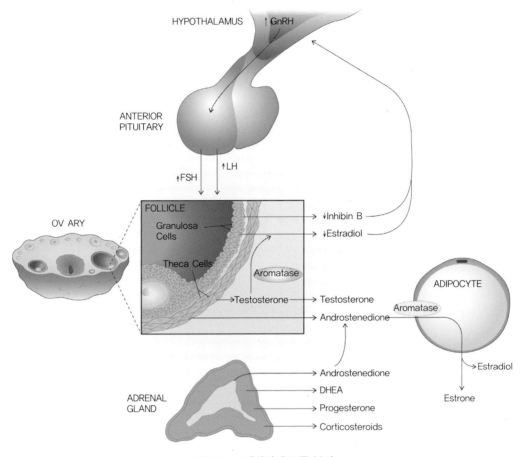

그림 24-1. 폐경기 호르몬 분비

① FSH

    a. Inhibin 감소로 FSH 증가(가장 먼저 나타나는 변화)

    b. 폐경 전보다 10~20배 증가, 폐경 후 1~3년까지 정점을 이룬 후 서서히 감소

② LH

    a. Inhibin의 음성되먹임(negative feedback)에 영향을 받지 않아 FSH 보다 늦게 상승

    b. 난포 성장이 완전히 끝날 때까지는 정상으로 유지

    c. 폐경 전보다 폐경 후 2~3배 상승

③ Estrogen

    a. 폐경 시 나타나는 결과들에 일차적으로 연관되는 호르몬

    b. 폐경 후 낮은 농도지만 일정하게 유지 : ADD, testosterone이 estrogen으로 전환

    c. E1 (estrone)

      - 폐경 이후의 주된 estrogen (E2의 2~4배)

      - 폐경이 가까워 오면 난소에서의 estrogen 생성은 감소

      - 말초조직에서 androstenedione (ADD)으로부터 estrone (E1)으로 변환이 증가

      - Androgen은 estrogen의 전구체로써 폐경 후 난소와 부신에서 계속 생성

      - Aromatase는 androgen을 estrogen으로 전환, 폐경 후 주로 지방조직에 존재

      - Estrogen 수치는 지방조직 양에 따라 다양(비만한 경우 마른 사람에 비해 상대적으로 estrogen이 높은 상태)

    d. E2 (estradiol)

      - 폐경 후 모든 E2는 E1에서 비롯된 것

      - Testosterone의 0.1%만이 E2로 전환

④ Progesterone

    a. 이행기에는 progesterone 생성이 감소

    b. Progesterone 결핍

      - 폐경으로 나타나는 임상 결과들과는 관련이 없음

      - 지속적인 내인성 estrogen 생성 또는 길항작용 없는 estrogen 치료와 관련하여 자궁내막 증식증, 자궁내막암의 위험도가 증가

⑤ Androgen

    a. 폐경 전 여성에 비해 감소, 폐경 후 수년이 지나면 대부분 부신에서 생성

    b. Androstenedione (ADD) : 폐경 전보다 50% 이상 생산 감소

    c. DHEA, DHEAS

      - 대부분 부신에서 생성

      - 나이가 들수록 급격히 감소

    d. Testosterone

      - 난소에서는 폐경 후 첫 1년 동안에는 폐경 전보다 더 많은 testosterone을 분비

      - 전체 농도는 폐경 전보다 약 25% 정도 감소(ADD의 말초전환 감소)

⑥ Anti-Müllerian hormone (AMH)

    a. Preantral 및 small antral follicle의 과립막세포(granulosa cell)에서 분비

    b. 폐경기에 난소예비력(ovarian reserve)이 감소함에 따라 AMH는 감소

    c. 폐경 후에는 검출되지 않을 정도로 감소

    d. 월경주기에 관계없이 검사 가능

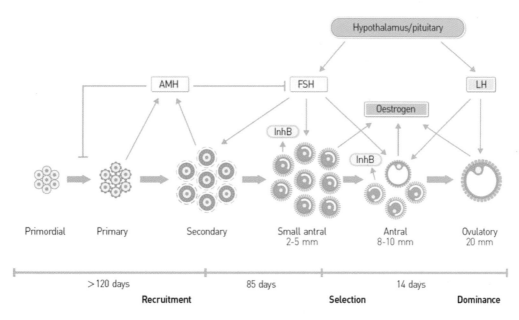

그림 24-2. Anti-Müllerian hormone(AMH)

⑦ 폐경기 호르몬의 변화

호르몬	수치 변화	영향
Inhibin	감소	FSH 증가 유발
FSH	증가	10~20배 증가
LH	증가	2~3배 증가
Estrogen	감소	말초조직에서 androstenedione이 E1으로 변환 감소로 인한 무배란 유발
Progesterone	감소	감소로 인한 무배란 유발
Testosterone (난소)	수년간 유지 후 감소	
Testosterone (부신)	감소	
Androstenedione (난소)	수년간 유지 후 감소	
Androstenedione (부신)	수년간 유지 후 감소	
DHEA (부신)	감소	
DHEAS (부신)	유지	부신기능의 척도

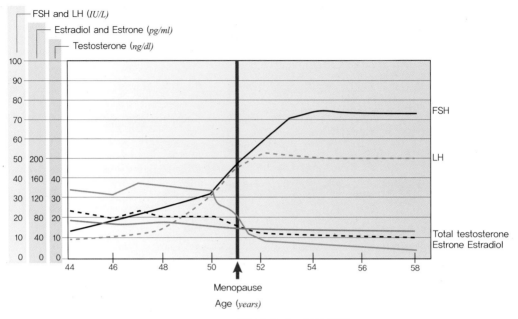

그림 24-3. 폐경 전 후 호르몬의 변화

2 폐경 후 에스트로겐 결핍에 의한 문제들

1) 혈관운동증상(Vasomotor symptoms)
   (1) 특성
   ① 주폐경기(perimenopause) 여성의 약 75%에서 발생
   ② 폐경 후 1~2년 정도 지속되지만, 드물게는 10년 이상 지속되는 경우도 존재

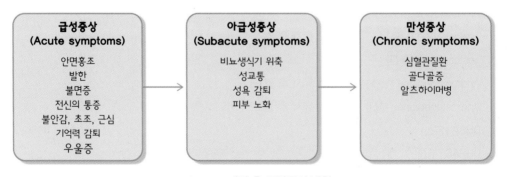

그림 24-4. 폐경 후 증상들의 발현

(2) 안면홍조(Hot flash)

① 말초혈관이 갑자기 확장되었다가 수축되는 자율신경의 부조화 때문에 발생

② 증상

    a. 머리, 목, 가슴 등에 갑작스럽게 발생하는 피부의 적색변화

    b. 심한 발열감을 동반하고 때때로 발한작용으로 끝남

    c. 수초에서 수분간 이어지며 1시간을 넘기는 경우는 드묾

    d. 불면증을 초래하기도 하고, 스트레스 상황에서 더 심해지는 경향

    e. 온도가 낮아지면 홍조가 덜 나타나고, 강도나 기간이 짧아지는 양상

③ 에스트로겐의 감소

    → 중추신경계의 dopamine 감소, norepinephrine 증가

    → GnRH 증가로 시상하부 체온조절 중추의 자극

    → 시상하부의 체온조절 set point나 neutral zone이 감소

    → 생리적 반응으로 안면홍조 발생

(3) 혈관운동증상의 치료

호르몬치료

Estrogen
- 가장 효과적인 치료법
- Progestin 병합 : 자궁적출을 하지 않은 경우 저용량 estrogen을 사용하더라도 progestin 병합이 필요
- 표준용량 : Conjugated estrogens(Premarin®) 0.625 mg + Medroxyprogesterone acetate (Provera®) 2.5 mg
- 저용량(표준용량 만큼 효과적) : Conjugated estrogens 0.3 mg + Medroxyprogesterone acetate 1.5 mg
- 약물 중단 시 수개월에 걸쳐 천천히 감량(갑자기 끊을 경우 증상 재발 가능성 증가)

경구피임제
- 고용량의 호르몬을 투여하는 방법
- 월경을 하는 건강한 주폐경기 여성에서 사용

Progesterone
- Estrogen을 투여할 수 없는 경우 사용
- Medroxyprogesterone acetate (Provera®) : 20 mg/day
- Megestrol acetate (Megace®) : 20 mg, 2회/day

비호르몬성 약물치료

Gabapentin : 간질치료제, 안면홍조의 빈도나 증상을 약화
Clonidine (α2-adrenergic agonist) : 혈압강하제, 안면홍조에 효과적
SSRI (paroxetine, venlafaxine) : FDA에서 비호르몬제제로는 처음으로 안면홍조 치료제로 승인

비처방 물질

Bellergal, Isoflavone, 대두단백(soy protein), 승마(Black cohosh, Cimicifuga racemosa), Vit. E
→ 증상 완화에 대한 효과가 확실하지 않음

생활방식의 변화

체중감소, 건강한 몸무게 유지, 금연, 호흡조절

2) 정신적 영향

(1) 특성

① 불안감, 우울증 등의 여러 가지 정신적인 문제들에 당면

    → 폐경 자체가 여성의 정신건강에 해로운 영향을 미치는지에 대한 정론은 없는 상태

② 폐경은 우울증의 위험도를 증가시키지 않음

③ 피로감, 신경예민, 건망증, 불면증, 관절통, 근육통, 현기증, 심계항진 등은 대부분 일상생활에서 일어나는 변화 때문인 경우가 많음

(2) 치료

① 폐경 이행기 자체가 우울증의 원인이 되는 것은 아니지만, 불안정한 심리상태는 호르몬 투여를 통해 어느정도 개선

② Estrogen 투여

    a. 직접적인 항우울작용은 없지만 안면홍조 같은 증상을 개선하여 우울 증상이 호전

    b. 고령의 우울증 여성 : SSRI (paroxetine) 추가 투여

3) 골다공증(Osteoporosis)

(1) 특성

① 여성호르몬 결핍으로 골흡수가 증가되어 급격한 골소실이 발생

    a. 폐경 후 estrogen 결핍으로 골 교체속도 증가, 골흡수와 형성 사이의 불균형 증가

    b. 폐경 1년전부터 골소실은 급격히 증가하여 그 후 3년 동안 지속

    c. 척추골의 골량 감소가 흔함

② 주요 원인

    a. 청장년기에 낮게 형성된 최대 골량

    b. 폐경 및 노화로 인한 빠른 골소실

③ 위험인자

교정 불가능	교정 가능	내과적 문제
나이	Calcium/Vit. D 부족	갑상샘기능항진증
백인 또는 아시아인	흡연	부갑상샘기능항진증
조기폐경	저체중	만성 신장질환
골절의 과거력	과도한 음주	제1형 당뇨
부모의 대퇴골골절 과거력	운동 부족	쿠싱증후군
		류마티스관절염
		장기간 스테로이드 사용

(2) 진단

① 골 강도 : 골량(bone mass) + 골질(bone quality)

② 골밀도(bone mineral density, BMD)

    a. 골다공증 진단에 가장 유용한 방법

    b. 이중에너지 방사선흡수법(dual energy x-ray absorptiometry, DXA or DEXA)

     - WHO의 골다공증 진단기준을 적용할 수 있는 방법

     - T-score와 Z-score

T-score	Z-score
– 같은 성별, 인종의 성인 평균 골밀도와 측정된 골밀도 차이를 비교한 값 – T-score ≥-1.0 : 정상 골밀도 – -2.5< T-score <-1.0 : 골감소증(osteopenia) – T-score ≤-2.5 : 골다공증(osteoporosis) – T-score ≤-2.5 + 하나 이상의 골절 : 심한 골다공증	– 같은 연령대의 평균 골밀도와 비교한 값으로 주로 이차성 원인 감별을 위해 사용 – Z-score ≤-2.0 : 연령 기대치 이하

③ 골형성 및 골재흡수 표지자

골형성 표지자(Bone formation marker)	골재흡수 표지자(Bone resorption marker)
– 조골세포(osteoblast)를 반영 – Osteocalcin – Bone specific alkaline phosphatase(BAP)	– 파골세포(osteoclast)를 반영 – Urine calcium – Hydroxyproline – Type I collagen linked N-telopeptide (NTx) – Type I collagen C-telopeptide (CTx, ICTP) – Urine deoxypyridinoline (DPD)

(3) 예방과 치료

① 예방

    a. Calcium : 70 mg/day(한국), 1,200 mg/day(미국)

    b. Vit. D : 800~1,000 IU/day

    c. 폐경 이후 estrogen 요법

    d. 운동, 금연

② 약물 치료

    a. 호르몬치료

     - Estrogen or Estrogen + Progestin

     - 대퇴골, 척추, 전체 골절의 감소

- 추가적인 효과 : 혈관운동증상 및 비뇨생식기 위축의 치료
- 잠재적 위험성 : 유방암, 담낭질환, 정맥혈전색전증, 관상동맥질환, 뇌졸중 등
- 부작용 : 질 출혈, 유방통

b. Tibolone
- 골교체율을 감소시키며 골밀도를 증가
- 표준 용량인 2.5 mg/day 투여 시 요추, 대퇴골 골절의 감소

c. Bisphosphonate
- 뼈의 칼슘 친화력은 높이고 골흡수를 억제하는 작용
- 파골세포(osteoclast)의 세포자멸사 증가
- 종류 : Alendronate, Risedronate, Ibandronate, Zoledronate
- 부작용 : 위장장애, 식도궤양, 턱뼈괴사, 비정형 대퇴골골절
  → 치아 임플란트 시 휴약 후 시행

d. 선택적 에스트로겐수용체조절제(SERM)
- 뼈에서는 estrogen agonist, 자궁내막과 유방에서는 estrogen antagonist
- 종류 : Raloxifene, Bazedoxifene, TSEC (tissue selective estrogen complex)
- 추가적인 효과 : 유방암 감소
- 잠재적 위험 : 정맥 혈전색전증
- 부작용 : 혈관운동증상(vasomotor symptoms), 다리경련
- 유방암으로 aromatase inhibitor를 사용 중인 경우 SERM 투여 시 상충작용 발생

e. 부갑상샘호르몬(parathyroid hormone)
- 골형성을 촉진시키는 약제
- 종류 : Teriparatide(20 µg, 피하주사)
- 적응증 : 심한 골다공증, 골흡수억제제에 대한 반응 불량, bisphosphonate 금기
- 부작용 : 오심, 두통, 다리경련, 고칼슘혈증 등

f. 기타 약제
- Strontium ranelate : 골흡수를 억제하면서 뼈의 칼슘 흡수를 촉진
- Denosumab
  · 파골세포(osteoclast)에 작용해 골의 재흡수를 억제하여 골밀도를 증가
  · Bisphosphonate와 비교해 뼈 관련 합병증의 발생 지연효과, 적은 신독성
  · 부작용 : 턱뼈괴사

3 폐경 후 호르몬요법

1) 서론

(1) 목적

① 폐경 후 여성호르몬의 감소로 인한 증상 및 육체적 영향의 경감

② 주된 방법 : Estrogen 투여

③ Estrogen 단독 투여로 인한 자궁내막증식을 억제하기 위해 progesterone 병합 투여

④ 자궁이 없는 여성에서 progestin 병합요법이 필요한 경우

    a. Endometrial cancer stage I, low grade adenocarcinoma

    b. 과거력 : endometriosis, endometroid tumor

    c. 골다공증(osteoporosis)의 위험성이 높을 때

    d. Triglyceride (TG)가 상승했을 때

(2) 호르몬치료의 효과

① Estrogen 치료와 Estrogen+Progesterone 치료의 비교

	Estrogen therapy	Estrogen + Progesterone therapy
증가	뇌졸중(발생률 증가, 사망률 감소) 정맥혈전증 폐색전증	뇌졸중, 알츠하이머병, 치매 유방암, 난소암 정맥혈전증, 관상동맥질환
변화 없음	유방암(증가하더라도 미약한 증가, 장기간 복용 시 유의한 증가) 관상동맥질환	말초동맥질환 예방 인지장애 예방 심혈관질환 예방
감소	고관절 골절	고관절 골절, 직장/대장암

② 호르몬의 지질에 대한 영향

	LDL	HDL	Cholesterol	Triglyceride
Estrogen	감소	증가	감소	증가
Progestin, Androgen	증가	감소		감소
Tamoxifen	감소		감소	
Raloxifene	감소		감소	

③ Estrogen 투여 경로에 따른 적응증 및 장·단점

	경구(Oral)	피부(Transdermal)	질(Vaginal)

적응증		– 당뇨, 고혈압, 간질환
		– 경구투여로 효과가 없을 때
		– 경구투여 후 고중성지질혈증
		  (hypertriglyceridemia) 발생
		– 경구투여가 어려운 경우
			– 경구투여 금기증인 경우 질
			  위축증의 조절 위해
			– 경구투여가 불가능한 경우

장점	– 투여가 간편	– 파탄성 출혈(breakthrough
		  bleeding)이 드묾
		– 전신적 부작용이 없음
		– Renin의 변화가 없음
		– 폐경증상 조절에 효과적
			– 간을 거치지 않고 표적 장
			  기에 도달
			– 흡수량 조절 가능
			– 전신순환농도 증가(E2에서
			  E1으로의 전환 감소)

단점	– 표적장기 도달 전 간 배설
	– Renin substrate, binding
	  globulin 증가
	– E2/E1 ratio 증가
	– 지질에 대한 영향이 많음
		– 합병증의 개선이 어려움
		– 지질의 변화가 빠르지 않음
		– 약한 심혈관질환 예방효과
		– 비싼 가격
		– 피부 자극 증상
			– 경구투여 시 얻을 수 있는
			  장점을 얻을 수 없음
			– 약한 효과

(3) 부작용 및 금기증

① 부작용

폐경 후 호르몬요법의 부작용

질 출혈(vaginal bleeding)
 – 폐경 후 출혈이 있으면 반드시 자궁내막 조직검사를 시행
 – 가장 흔한 원인 : 자궁내막위축(endometrial atrophy)
 – 부정 출혈 : 자궁내막증식증, 악성의 증상일 가능성
유방통(breast tenderness)
 – Estrogen과 progesterone의 유방조직 자극에 의해 발생
 – Fibrocystic breast change 증가
 – 용량, 투여 방법, 제제를 바꾸어 투여
  • 경구용 natural micronized progesterone
  • Cyclic progestins 1년에 3~4회 투여
  • Progestin–containing IUD or vaginal progesterone cream
기분변화(mood change)
 – Progestin에 의해 발생
 – 생리전증후군(premenstrual syndrome)과 비슷한 변화 유발
 – 불안, 과민성, 우울 등을 유발
 – 치료
  • Oral natural micronized progesterone
  • Cyclic progestins only 3 to 4 times per year
  • Progestin–containing IUD or vaginal progesterone cream
체중 증가(weight gain)
수분 저류(water retention)

② 금기증

절대적 금기증	상대적 금기증
− Estrogen 의존성 종양 : 유방암, 자궁내막암 − Estrogen 대사 관련 질환 : 활동성 간 또는 담낭질환 − 진단되지 않은 비정상 생식기 출혈 − 관상동맥질환, 뇌혈관질환, 혈전색전증	− 심장질환 − 편두통 − 간, 담도 질환의 과거력 − 자궁내막암의 과거력 − 혈전색전증의 과거력

③ 호르몬치료 전 자궁내막 조직검사를 시행해야 하는 경우

    a. 만성적인 estrogen 노출

    b. 길항작용 없는 estrogen 노출(unopposed estrogen exposure)

    c. Estrogen/Progesterone 병합요법에서 progesterone 투여 후 10일 이전의 출혈

2) 비뇨생식기의 위축

(1) 특성

① 질의 결체조직, 지방조직, 수분 등이 손실되어 얇아진 질벽 → 질건조증

② 시간이 지남에 따라 질이 짧아지고 탄력성이 감소 → 성교통

③ 질의 산성도 소실 → 질염, 요도염, 방광염

④ 배뇨장애, 절박뇨, 빈뇨, 재발성 요로감염 호발

(2) 치료

① 전신적 estrogen : 질건조증, 성교통, 요증상에 효과적

② 국소 estrogen

    a. 질을 통한 소량의 투여로 전신흡수를 피하면서 비뇨생식기 위축을 효과적으로 치료

    b. 폐경 여성의 질건조증, 성교통, 빈뇨, 절박뇨 호전, 재발성 요로감염 감소

    c. 투여 방법

      - 저용량 estrogen 질크림, 1주일 1~3회 투여

      - 저용량 estradiol 질좌제, 1주일 2회 투여

      - 링 형태의 estrogen, 질에 3개월간 삽입, 매일 일정량 방출

    d. 투여 후 질의 산도가 약산성이면 에스트로겐 효과를 확인

    e. 저용량 estrogen 투여 1년까지는 자궁내막을 자극하지 않으나, 장기간 사용에 대한 안정성은 아직 확립되지 않음

③ 질위축증으로 인한 성교통 : 수용성 윤활제를 사용

3) 호르몬요법의 영향

(1) 심혈관질환

① 여성에서 심혈관질환은 가장 중요한 사망원인

② 위험인자

  a. 교정 불가능한 위험인자 : 연령, 가족력

  b. 교정 가능한 위험인자 : 흡연, 비만, 운동 부족

  c. 의학적 요인 : 당뇨병, 고혈압, 고지혈증

③ 효과

  a. 관상동맥질환의 예방(60세 이상 고령, BMI ≥29 kg/m^2 비만인 경우 효과가 없음)

  b. 뇌졸중의 발생률은 증가, 사망률은 감소

  c. 정맥혈전증의 위험성 증가

  d. Estrogen에 의한 심장보호 효과 : 혈중 지질변화 + 혈관에 대한 직접 작용

   - HDL 증가, LDL 감소

   - 혈관세포의 α, β 수용체를 통해 동맥 확장, 동맥경화 억제, 염증반응에 관여

(2) 알츠하이머병(Alzheimer's disease)

① 치매의 가장 흔한 원인, 여성에서 남성보다 1.5~3배 더 많이 발생

② 폐경 호르몬 치료는 치매의 위험 감소

③ 알츠하이머병의 예방 혹은 치료만을 위한 호르몬치료는 비권장

(3) 유방암

① 유방암의 위험인자

  a. 가족력, 유전자 변이, 식이, 내분비요인

  b. 내인성 에스트로겐에 대한 장기간 노출

② Estrogen 단독요법보다 Estrogen+Progesterone 병합요법이 위험성 더욱 증가

  a. Estrogen 단독요법 : 유방암의 위험성이 증가하지 않거나, 증가하더라도 매우 미약한 증가를 보이는 반면, 장기간 복합 요법 시에는 유의한 증가

  b. Estrogen+Progesterone 병합요법 : 유방밀도의 증가로 진단이 지연된 결과

③ 호르몬요법 시 유방암의 위험성이 증가하더라도 그 정도는 폐경 후 비만, 알코올, 규칙적 운동이나 수유를 하지 않았을 때 증가하는 위험성을 상회하지는 않음

④ 폐경 증상을 가진 유방암 생존자에서 호르몬 사용의 안전성은 미확립

⑤ Tamoxifen과 Raloxifene의 영향

	Tamoxifen	Raloxifene
자궁내막	작용제(agonist)로 작용 증가하는 위험성 　- Endocervical & endometrial polyp 　- Endometrial hyperplasia 　- Endometrial cancer	길항제(antagonist)로 작용 자궁내막의 두께 증가 없음 자궁내막암의 위험성은 차이 없음
유방	길항제(antagonist)로 작용 유방암의 위험성 감소	길항제(antagonist)로 작용 유방암의 위험성 감소
심혈관계	Cholesterol, LDL 감소 정맥혈전증 증가	Total cholesterol, LDL 감소 HDL, TG 증가 없음
뼈		폐경 후 여성에서 사용 시 BMD 증가 폐경 전 여성에서 사용 시 BMD 감소

(4) 자궁내막암

　① Estrogen 단독요법 시 자궁내막증식증과 내막암의 위험성이 유의하게 증가

　　a. 사용량과 기간에 비례하여 2~10배 증가

　　b. 투여를 중단하더라도 10년까지 그 위험성은 지속

　　c. 저용량 estrogen이더라도 장기간 노출 시 비정상적 자궁내막 성장을 유발

　　d. 호르몬요법 시에는 Estrogen + Progesterone 병합요법을 권고

　② 자궁내막암

　　a. 자궁내막암 진단 또는 의심되는 경우 : 금기증

　　b. 1기와 2기 자궁내막암 과거력 : 호르몬요법 사용 가능

　③ 고위험 종양이 있는 경우

　　a. Estrogen과 progesterone 수용체 음성 : 호르몬 투여 가능

　　b. Estrogen과 progesterone 수용체 양성 : 5년간 호르몬 투여 금지

(5) 난소암

　① 일부 연구에서 난소암의 위험성이 증가(더 많은 연구가 필요)

　② 난소암 치료 후 호르몬요법이 재발의 위험성을 증가시키지 않음

(6) 대장암

　① 직장/대장암의 위험성

　　a. Estrogen 단독요법 : 위험성 동일

　　b. Estrogen + Progesterone 병합요법 : 위험성이 감소

　② 영향

　　a. Estrogen에 의한 담즙산 감소로 담즙산에 의한 대장암의 촉진은 감소

b. 점막세포 성장의 직접적 억제, 점막분비에 대한 유익한 효과

③ 직장/대장암의 예방만을 목적으로 호르몬요법의 사용은 비권장

4 폐경 후 성기능장애

1) 서론

(1) 특성

① 호르몬 결핍에 의한 증상

a. Estrogen 결핍 : 질 분비물 감소, 성교통

b. Testosterone 결핍 : 성욕 저하

② 빈도 : 약 30~50%

③ 위험인자 : 고혈압, 고지혈증, 당뇨, 흡연, 약물, 음주습관 등

(2) 증상

① 질 분비물 감소 : 폐경 2년 전부터 시작, 이 시기부터 성욕과 성교의 횟수가 감소

② 폐경 후 1~2년 동안 성교통이 흔하며, 성적흥분이 감소하고, 절정감을 느끼지 못하여 중간에 성관계가 중단되기도 함

③ 폐경보다는 여성의 나이가 성교의 횟수나 만족도에 더 큰 영향

2) 폐경 후 성기능장애의 치료

(1) 교육 및 생활양식의 교정

① 환자와 성 상배우자를 대상으로 성반응 및 성생리에 대한 교육

② 생활양식의 교정

a. 식생활 개선, 충분한 수면

b. 운동

- 걷기, 댄스, 스트레칭 : 유연성 증진, 근육과 결합조직 향상, 관절통 감소

- 근육운동 : 골소실 방지, 근력과 평형성 증진, 신체 활동력 향상

- 유산소운동 : 심혈관 기능 향상, 골소실 방지

③ 불안, 우울증 치료 : SSRI(bupropion, nefazodone)

④ 클리토리스 자극 물리기구 : 음핵과 질, 골반의 혈류가 증가, 성적 만족감 향상

(2) 비뇨생식기 위축의 치료

① 질 윤활제

② Estrogen 치료

    a. 질 분비물과 혈류의 증가

    b. 폐경 후 전신적 estrogen 치료는 성호르몬결합단백(sex hormone binding globulin)을 증가 시켜 유리 testosterone을 감소시키며 이로 인해 성욕저하 유발

    c. 위축성 질염, 질건조증 시 estrogen 크림, 질정 등으로 치료

(3) Testosterone 투여

① Testosterone 수치가 낮고 특별한 이유가 없는 폐경 여성의 성기능 장애에 사용

② 질 평활근 이완을 유도, 감각신경 수용체의 기능유지에 관여 → 외성기 감각의 개선

③ 양측 난소절제술후 성기능 장애가 발생한 여성

    a. Testosterone 수치 약 50% 감소

    b. Estrogen + Testosterone 치료 시 성욕, 성환상, 성흥분 등이 향상

④ 부작용 : 체중 증가, 음핵비대, 다모증, 여드름, 목소리 변화, 간기능과 지질 대사의 변화

⑤ Sildenafil citrate(Viagra®) : 여성에서는 효과 없음

1) 서론

(1) 정의

① 수술 후 재발 : 최소한 6개월 이상 종양이 없다가 다시 새로운 병소가 발생

② 방사선치료 후 재발 : 치료 후 골반 또는 원발성 병소의 재성장(regrowth)

③ 방사선치료 후 지속 : 암의 지속 존재 or 방사선 종료 후 3개월 내 새로운 종양 확인

④ 새로운 암 : 일차치료 후 최소 10년 뒤 암이 발생

⑤ 성장분율(growth fraction) : 종괴 내에서 세포분열이 활발한 세포의 비율

(2) 암의 성장

① 정상적인 세포주기를 따르지 않고 세포분열과 세포사멸 간의 불균형으로 정상보다 빠르게 지속적으로 성장

② Gompertzian 성장(Gompertzian growth)

    a. 암세포의 특징적인 성장 양상

    b. 암의 크기가 증가할수록 암의 부피가 두 배가 되는데 필요한 시간이 증가

    c. 종양의 성장에 영향을 주는 요인

성장분율과 생성시간에 영향	성장분율에만 영향
− 세포독성 항암화학요법(cytotoxic chemotherapy) − X−ray − 면역요법(immunologic therapy)	− 산소 분압 및 혈액 공급의 변화 − 호르몬

③ 배가시간(doubling time)

    a. 암의 크기가 2배가 되는데 필요한 시간

b. 전이암은 원발암보다 빠른 배가시간을 보임

(3) 암의 세포주기

단계	특성
M	세포 분열기(mitotic phase) 활발하게 분열하는 암세포는 항암제에 민감
G1	세포분열후기(Postmitotic phase) 단백질 합성 세포활성과 단백질, RNA 합성이 계속되는 가변적 단계로 가장 시간 변동이 큰 주기
S	DNA 합성기(DNA synthetic phase) 새로운 DNA 복제가 일어나는 단계 거의 대부분의 암에서 12~31시간으로 비슷
G2	DNA 합성후기(postsynthetic phase) RNA 합성 이배체(diploid) 염색체를 가지고 정상세포 DNA 함량의 두 배인 기간
G0	휴지기(resting phase) 세포가 분열하지 않는 시기(항암제에 둔감)

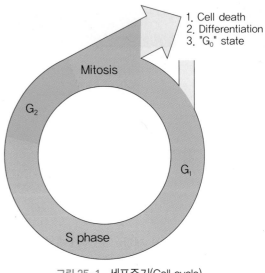

그림 25-1. 세포주기(Cell cycle)

2) 항암화학요법의 원칙

(1) 작용기전

① DNA 자체나 DNA 합성에 장애 or 세포 내 효소에 영향을 주어 단백질 합성에 장애

    a. 항암효과와 정상조직의 독성 사이에서 좁은 치료범위

    b. 모든 항암제는 암세포뿐 아니라 정상조직에도 어느 정도의 손상 유발

② 세포주기 특이 항암제와 비특이 항암제

	Cell cycle specific drug	Cell cycle nonspecific drug
종류	Adriamycin, 5-FU, MTX, Hydroxyurea	Cisplatin, Actinomycin D, Cytoxan
특성	세포주기 중 일정한 부분을 목표로 하며 다른 주기의 세포는 영향을 받지 않는 것 주로 S-phase가 길거나, 성장분율이 크거나 증 식능이 높은 암에 더욱 효과적	세포주기에 영향을 받지 않음 증식력에 비교적 적게 영향을 받음

③ 세포주기에 따른 작용 항암제

세포주기	작용 항암제
G1	Actinomycin D

Early S	Hydroxyurea, Cytosine arabinoside, 5-fluorouracil, Methotrexate
Late S	Doxorubicin
G2	Bleomycin, Etoposide, Teniposide, Carboplatin, Cisplatin, Topotecan
M	Paclitaxel, Vincristine, Vinblastine

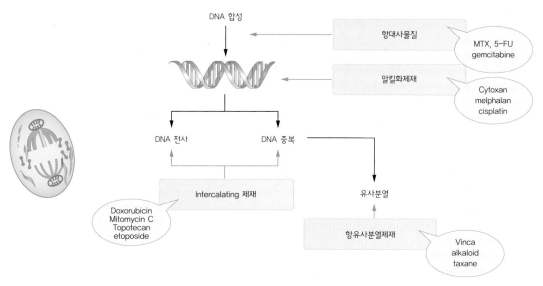

그림 25-2. 항암제의 작용기전

(2) 항암제의 투여

① 투여량 : 최대효과를 얻기 위해 약제는 체표면적(m²)당 약의 용량(mg)으로 사용

② 투여경로 : 구강, 근육내, 정맥내, 동맥내, 복강내 경로

③ 약리학적 작용에 영향을 주는 요소 : 투여방법, 약의 흡수, 이동, 분포, 생물학적 변화, 비활성화, 분비, 다른 약물과의 상호작용

④ 약제에 관해를 보인 후 재발

  a. 항암제 흡수에 저항

  b. 억제효소에 대한 특이성의 변화를 일으켜 내성 발생

  c. 사용하려는 약제가 다른 심각한 독성을 유발

(3) 복합 항암화학요법(Combination chemotherapy)

① 이론적 근거

  a. 다른 기전으로 작용하는 약을 병합하여 약제 내성(drug resistance)의 발생을 감소

  b. 한 약제를 적은 용량으로 사용하여 독성의 발생 감소

c. 병합효과(synergic effect)를 가진 약제를 섞어 항암효과 상승작용을 기대
② 병용 항암화학요법의 원칙

　a. 단일제제(single agent)로서도 작용

　b. 서로 다른 작용기전

　c. 서로 다른 독성을 보유

　d. 서로 병합효과를 보유

　e. 간헐적 일정(intermittent schedule)을 이용해야 함

(4) 보조 항암화학요법(Adjuvant chemotherapy)

① 수술 후 보조적으로 실시하는 항암화학요법

② 암의 완치 및 재발의 가능성이 높은 경우 시행

③ 항암제의 종양사멸은 일정한 세포수 사멸이 아닌 일정한 분율(fraction) 사멸이라 간헐적 항암화학요법이 필요

④ 10^1~10^4 cells는 임상적 검출이 안되기 때문에 의심될 때에는 보조 항암화학요법이 필요

(5) 선행 항암화합요법(Neoadjuvant chemotherapy)

① 정의 : 보조 항암화학요법을 수술 전 또는 방사선 조사 전 사용

② 장점과 단점

장점	단점
– 혈류량 감소 전 투여하여 항암제 투과성 및 투여 효과의 증진 – 종양의 축소, 방사선 감수성 증가 – 수술 가능군으로의 전환 – 미세침윤암, 임파선의 암세포 등을 치료	– 방사선 치료까지의 시간의 지연 – 치료의 연장 – 항암제 치료에 대한 독성 – 항암제 저항세포의 발현 가능성

(6) 치료 효과

① 항암제의 임상시험

　a. Phase I

　　- Clinical pharmacology

　　- 독성을 결정하는 것으로 용량에 따른 독성과 일정 등을 결정

　b. Phase II

　　- Clinical investigation

　　- Phase I에서 결정된 용량과 일정을 이용하여 특정 암에 적용

　c. Phase III

- Clinical trial
- 무작위 연구를 통해 치료 효과를 비교

  d. Phase IV
  - Post-marketing investigation
  - 장기간의 안정성 및 부작용 평가
② 고형암 반응평가 기준법(RECIST, 2014)

항암제의 치료반응

완전 관해 Complete Response(CR)	모든 표적 병변의 소실 모든 병리학적 림프절(표적 or 비표적)은 짧은 지름이 10 mm 미만으로 감소
부분 관해 Partial Response(PR)	표적 병변의 지름의 합이 기준선의 합보다 최소 30% 감소
무변화 질환 Stable Disease(SD)	PR 기준을 충족할 만큼 충분히 축소되지도, PD 기준을 충족할 만큼 충분히 증가하지도 않은 경우
진행성 질환 Progressive Disease(PD)	표적 병변의 지름의 합이 연구상 최소 지름의 합보다 20%이상 증가 20%의 상대적 증가에 더불어 지름의 합이 5 mm 이상 증가 하나 이상의 새로운 병변의 출현도 진행으로 간주

2 항암제

1) 항암제의 종류

(1) 알킬화제제(Alkylating agent)

① DNA와 화학적으로 반응하여 효과를 나타내는 것

  a. Guanine의 N-7 위치나 다른 DNA의 중요한 곳에 결합하여 정확한 base pairing과 crosslink 를 막아 DNA 손상을 유발해 DNA, RNA, protein 합성을 억제
  b. 불안정한 알킬기를 형성하여 핵산, 단백질, 아미노산과 반응하여 세포독성이 발생

② 종류 및 독성

Alkylating agent	
Cyclophosphamide (Cytoxan)	Myelosuppression, cystitis ± bladder fibrosis, alopecia, hepatitis, amenorrhea, Gonadal dysfunction(amenorrhea, azoospermia)
Chlorambucil (Leukeran)	Myelosuppression, nausea, dermatitis, hepatotoxicity
Melphalan (Alkeran, L-PAM)	Myelosuppression, nausea and vomiting (rare), second malignancies
Triethylenethiophosphoramide	Myelosuppression, nausea and vomiting, headaches, fever (rare)

Ifosphamide (Ifex)	Myelosuppression, bladder toxicity, CNS dysfunction, renal toxicity
Alkylating–like Agents	
Cisplatin	Nephrotoxicity, tinnitus and hearing loss, nausea and vomiting, myelosuppression, peripheral neuropathy
Carboplatin	Less neuropathy, ototoxicity, nephrotoxicity than cisplatin more hematopoietic toxicity, especially thrombocytopenia than cisplatin
Dacarbazine (DTIC)	Myelosuppression, nausea and vomiting, flu–like syndrome, hepatotoxicity

(2) 항종양 항생제(Antitumor antibiotics)

① DNA 손상을 주어 RNA 합성을 억제

　　a. DNA 이중나선구조 사이에 삽입되어 DNA 단일구조를 분리시키고 DNA 복구를 방해

　　b. DNA, RNA, protein에 치명적인 자유 라디칼을 형성

　　c. 세포주기와는 관련이 없음

② Anthracycline : DNA와 효소의 복합체를 형성함으로써 topoisomerase 효소의 기능을 억제하여 DNA 보상, 복제, 전사 등을 방해

③ Topoisomerase 억제제 : topotecan, teniposide, irinotecan, mitoxantrone, camptothecin 등

④ 종류 및 독성

Antitumor antibiotics	
Actinomycin D (dactinomycin)	Nausea and vomiting, skin necrosis, mucosal ulceration, myelosuppression
Bleomycin (Blenoxane)	Fever, dermatologic reactions, pulmonary toxicity, anaphylactic reactions
Doxorubicin (Adriamycin)	Myelosuppression, alopecia, cardiotoxicity, local vesicant, nausea and vomiting, mucosal ulcerations
Liposomal doxorubicin (Doxil)	Palmar – plantar erythrodysesthesia, myelosuppression, stomatitis
Topoisomerase 1 Inhibitors	
Topetecan (Hycamtin)	Myelosuppression
Irinotecan (Camptosar)	Myelosuppression, diarrhea

(3) 항대사물질(Antimetabolite)

① 세포 내 효소와 반응해 정상적인 세포활성 기능을 파괴하여 DNA 합성을 방해

　　a. 세포주기의 합성기에 특이적인 약제

　　b. 복합 항암화학요법에 사용

② 종류 및 독성

Antimetabolites	
5-Fluorouracil (fluorouracil, 5-FU)	Myelosuppression, nausea and vomiting, anorexia, alopecia
Methotrexate (MTX, amethopterin)	Mucosal ulceration, myelosuppression, hepatotoxicity, allergic pneumonitis, meningeal irritation
Gemcitabine (Gemzar)	Myelosuppression, fever

(4) 식물성 알칼로이드(Plant alkaloid)

① 세포 내의 미세관 단백질인 tubulin과 결합하여 미세관의 조합을 방해하고 방추체를 파괴하여 세포분열을 중지시키거나 미세관 기능의 장애를 초래하여 세포사망을 유발

② 종류 및 독성

Plant alkaloids	
Vincristine (Oncovin)	Neurotoxicity, myelosuppression, cranial nerve palsy, gastrointestinal toxicity
Vinblastine (Velban)	Myelosuppression, alopecia, nausea and vomiting, neurotoxicity
Epipodophyllotoxin (etoposide)	Myelosuppression, alopecia
Paclitaxel (Taxol)	Myelosuppression, alopecia, allergic reactions, cardiac arrhythmias
Vinorelbine (Navelbine)	Myelosuppression, constipation, peripheral neuropathy
Docetaxel (Taxotere)	Myelosuppression, alopecia, hypersensitivity reactions, peripheral edema

2) 독성(Toxicity)

(1) 혈액학적 독성(Hematologic toxicity)

① 과립구감소증(granulocytopenia)

  a. Absolute granulocyte count(ANC)에 따른 분류

   - >1,000/mm^3 : 낮은 감염 위험

   - <1,000/mm^3 : 7~10일 이상 지속 시 높은 감염 위험

   - <500/mm^3 : 5일 이상 지속 시 치명적 감염 위험

  b. 열성 호중구감소증(febrile neutropenia)

   - ANC <500/mm^3 5일 이상 지속 시 발생 위험성 증가

   - 38.5℃ 이상의 발열

   - 격리실 입원, 4시간마다 체온 측정 및 감염의 증거가 있는지 자주 확인

   - 경험적 광범위 항생제 : 열이 있는 경우 신속한 사용이 매우 중요

   - 항생제 사용 후 48~72시간이 지나도 효과 없으면 amphotericin 투여

   - 조혈성장인자(hematopoietic growth factors) : 호중구감소증의 기간 감소

- Granulocyte stimulating factor(GCSF) : 호중구감소 기간을 단축시킬 수는 있지만 혈소판에는 작용이 거의 없어 치료적 GCSF 투여는 비권장

② 혈소판감소증(thrombocytopenia)

　a. 과립구감소증(granulocytopenia)보다 4~5일 뒤에 나타나고, 백혈구가 회복된 후 회복

　b. 혈소판 수혈이 필요한 경우

　　- ≤20,000/mm³ : 자연발생 출혈 가능성이 높으므로 투여

　　- ≤50,000/mm³ + 증상(출혈, 활동성 위궤양, 수술 전 or 중)

　c. 골수억제를 유발하는 약물 : mitomycin C, nitrosourea

(2) 위장관계 독성(Gastrointestinal toxicity)

① 항암제치료에서 심각한 독성이 자주 나타나는 부위

② 점막염이 흔히 발생

　a. 상부 위장관의 점막염 : 식도염이 주로 발생

　b. 하부 위장관의 점막염으로 설사 및 장천공, 출혈, 괴사성 장염 등 발생

③ 구역(nausea), 구토(vomiting)

　a. Chemoreceptor trigger zone에 작용하는 신경전달물질 : Serotonin

　b. 급성 발생(acute onset)

　　- 항암제 투여 후 몇 분에서 몇 시간 이내에 발생하여 24시간 이내에 가라앉는 구토

　　- 대개 5~6시간 정도 후가 최대

　b. 지연 발생(delayed onset)

　　- 24시간 이후 발생하는 오심과 구토

　　- 대개 48~72시간 정도에 가장 심하고, 6~7일까지도 지속

　　- Cisplatin, carboplatin, cyclophosphamide, doxorubicin 등의 투여 후에 잘 발생

　c. 예상 발생(anticipatory onset)

　　- 한 번의 항암치료 후 다음 치료를 받기 전 발생

　　- 과거의 항암제에 대한 부정적인 경험에 의해 발생

　　- 주로 젊은 환자에서 발생 : 더 적극적인 항암치료를 받기 때문

(3) 신 독성(Nephrotoxicity)

① 항암제가 주로 대사되어 분비되는 비뇨기계의 손상이 발생

　a. Cisplatin : 신세뇨관 손상

　b. Methotrexate : 핍뇨성신부전

　c. Nitrosourea : 만성 간질성신염, 만성 신부전

　d. Mitomycin C : 미세혈관병증 용혈성빈혈, 급성 신부전

     e. Cytoxan : 만성 출혈성방광염

  ② 치료

     a. 약제의 중단

     b. 사구체여과율이 증가하도록 혈장량을 증가

     c. 과칼륨혈증이나 저마그네슘혈증을 교정

     d. 단기간의 혈액투석이나 복막투석을 고려

(4) 간 독성(Hepatotoxicity)

① 간효소 수치인 transaminase, alkaline phosphatase, bilirubin 등이 증가

② 6-mercaptopurine, 6-thioguanine : 담즙정체성 황달

③ 간경화, 약물유발성 간염이 발생한 경우 그 약제를 중단하고 일반적인 치료를 시행

(5) 심 독성(Cardiotoxicity)

① Doxorubicin(Adriamycin®), Daunorubicin(Daunomycin) : 심한 심근 독성

② Paclitaxel : 급성 부정맥, 대개 치료 후 수일 내에 사라짐

③ Busulfan : 심내막 섬유화

④ Mitomycin C : 심근섬유화

⑤ 5-fluorouracil : 협심증

⑥ 조기 발견이 매우 중요, 좌심실의 기능 감소 시 약제를 중단

(6) 호흡기계 독성(Pulmonary toxicity)

① Bleomycin, Nitrosourea, Alkylating agent : 폐섬유화와 동반된 간질성 폐렴

② 치료 : 약제의 중단과 지지요법

(7) 피부 과민반응(Dermatologic reactions)

① Doxorubicin, Actinomycin D

     a. 피부 괴사 : 약제 누출에 의해 발생, 국소 홍반에서 만성 궤양성 괴사까지 다양

     b. 치료 : 즉시 정맥선 제거, 스테로이드 국소주입, 손상부위 거상, 냉찜질 or 온찜질, 필요 시
        괴사조직제거 및 피부이식

② Anthracycline 항암제, Vinca alkaloid, Paclitaxel, Cytoxan

     a. 탈모 : 가장 흔한 부작용

     b. 항암제를 중단하면 10일에서 수주일 내에 머리가 나기 시작

(8) 과민반응(Hypersensitivity reactions)

　① Cytoxan, Adriamycin, Cisplatin, Melphalan, Methotrexate, Bleomycin : 고열, anaphylaxis

　② Paclitaxel : 과민반응

　③ 예방법 : Dexamethasone + Diphenhydramine + Cimetidine 투여

　④ 치료

　　a. 증상 발생 시 일시중단

　　b. Diphenhydramine, Hydrocortisone 투여

　　c. 모든 증상이 완전히 소실 30분 후 다시 주입 시작

(9) 기타 부작용

　① 이차성 악성종양(second malignancy) : Alkylating agent, Nitrosourea

　② 생식샘기능저하(gonadal dysfunction)

　　a. 알킬화제제(Alkylating agent) : Cyclophosphamide

　　b. 무월경(amenorrhea), 무정자증(azoospermia) 유발

　　c. FSH, LH 상승, E2 감소

　③ 복합 항암화학요법 : 급성 백혈병, 고형암 발생

(10) 독성에 따른 유발 약물의 정리

독성(Toxicity)	유발 약물
Hepatic toxicity	Methotrexate, 6-mercatopurine, Cytosine, Arabinoside, Mithramycin, L-asparaginase
Pulmonary toxicity	Bleomycin, Alkylating agent(cyclophosphamide), Nitrosoureas
Cardiac toxicity	Adriamycin, Taxol(paclitaxel), Daunomycin
Nephrotoxicity	Cisplatin, Methotrexate, Nitrosourea, Cytoxan, Mitomycin-C
Bladder toxicity	Ifosfamide, Cytoxan
Neurotoxicity	Vinca alkaloids, Cisplatin, 5-FU, Taxol(paclitaxel), HMM
Second malignancy	Alkylating agent(melphalan), Procarbazine, Nitrosourea
Gonadal dysfunction	Alkylating agent(cyclophosphamide)
Hypersensitivity	Taxol(paclitaxel), Bleomycin

CHAPTER 26

자궁내막증식증 및 자궁암(Endometrial hyperplasia and Uterine cancer)

1 자궁내막증식증(Endometrial hyperplasia)

1) 서론

(1) 정의

① 자궁내막의 샘(gland)과 기질(stroma)의 비정상적인 증식

　a. 기질에 대한 샘의 비율이 증가되면서 불규칙한 모양과 크기를 갖는 샘들의 증식

　b. 비정형세포(cellular atypia) 동반 가능

② 과도한 생리적 변화에서 상피내암까지 다양

　a. 자궁내막암에 선행하거나 동시에 발병 가능

　b. 비정형세포가 없으면 양성질환으로 간주

(2) 원인 및 위험인자

① 원인

　a. 황체호르몬(progesterone)의 길항작용 없이 난포호르몬(estrogen)의 지속적인 자궁내막 자극

　b. 가임기 여성

　　- 무배란 주기 때 황체 미형성 → 지속적인 estrogen 자극

　　- 난소에는 황체가 없고, 하나 혹은 여러 개의 난포가 관찰

　c. 폐경 여성

　　- 말초조직(특히 지방조직)에서의 estrone(E1) 전환

　　- 비만, 당뇨, 고혈압, 간질환으로 androstenedione 대사에 변화가 있을 경우

　　- 지속적인 외부의 estrogen

② 위험인자

Androstenedione 대사의 변화	Estrogen 분비 질환
비만 당뇨병 고혈압 간질환	과립막세포종(granulosa cell tumor) 난포막세포종(thecoma) 부신피질증식증(adrenocortical hyperplasia) 다낭성난소(polycystic ovary)
호르몬 대체요법	기타
젊은 여성에서 양측 난소를 절제한 경우 난소발육부전(ovarian agenesis) 원발성 난소기능부전(primary ovarian insufficiency) 갱년기증후군 여성 타목시펜(tamoxifen) 사용	만성 무배란증 늦은 폐경(55세 이후의 폐경) 미분만부

(3) 분류

① 자궁내막증식증의 분류

자궁내막증식증의 분류(WHO)	암 발생률
Hyperplasia (typical)	
Simple hyperplasia without atypia	1%
Complex hyperplasia without atypia (adenomatous without atypia)	3%
Atypical hyperplasia	
Simple atypical hyperplasia	8%
Complex atypical hyperplasia (adenomatous with atypia)	29%

② 비정형이 없는 자궁내막증식증(hyperplasia without atypia)

    a. 자궁내막이 황체호르몬의 길항작용 없이 에스트로겐으로만 자극되는 경우 나타나는 과도한 증식성 반응

    b. 자궁내막의 샘과 기질이 광범위하면서도 균형 있게 증가

③ 비정형 자궁내막증식증(atypical hyperplasia)

    a. 비정형(atypical) 세포

      - 샘 상피세포(glandular lining)가 비정형적인 세포모양을 형성

      - 핵의 모양이 주로 둥글고, 두드러지는 핵소체(nucleoli), 불규칙한 핵막, 짙은 염색질, 염색질 주변부위가 비어 보이는 양상(parachromatin clearing), 커진 상피세포들의 세포질에 대한 핵의 비가 증가

      - 자궁내막증식증이 암종으로 이행하는 데 가장 중요한 예후인자

b. 25~43% 정도에서 자궁절제술 시 well differentiated endometrial cancer 발견

④ 자궁내막증식증의 형태와 특징

단순 자궁내막증식증(simple hyperplasia without atypia)

- 샘의 증식이 있지만 복잡성이나 밀집도가 적고 샘들 사이에 풍부한 기질 존재
- 샘들은 주로 관 모양을 이루고, 낭(cystic) 또는 각(angular)을 이루기도 함
- 샘 상피세포(glandular lining)는 규칙적이고 비정형성이 없는 길쭉한 핵들을 가진 세포들로 거짓중층(pseudostratified) 구성

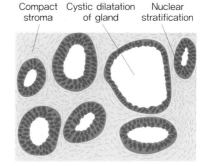

Compact stroma Cystic dilatation of gland Nuclear stratification

복합 자궁내막증식증(complex hyperplasia without atypia)

- 광범위하게 보이는 샘들의 복잡한 구조적 변화
- 복잡한 모양의 샘들이 증가하여 등을 맞대는 모양
- 샘들은 다양한 크기를 보이고 샘들 사이에 기질이 적어 대부분 기질에 대한 샘의 비율이 증가
- 관 내강(lumen)과 기질내로의 불규칙한 상피돌출(epithelial budding)
- 상피는 거짓중층을 이루고 있지만 핵은 일정한 형태로 길쭉하고 극성을 보임

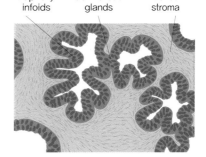

Papillary infoids Back to back glands Dense stroma

단순 비정형자궁내막증식증(simple atypical hyperplasia)

- 단순 자궁내막증식증의 구조를 띠면서 샘 상피가 비정형적인 세포의 모습
- 매우 드문 형태

복합 비정형자궁내막증식증(complex atypical hyperplasia)

- 샘들의 복잡성이 증가하고 불규칙적으로 성장
- 비정형의 세포모양
- 샘들이 팽창하고 밀집되면서 샘들 사이의 기질이 감소하여 있으나 선암종(adenocarcinoma)에서와는 달리 어느 정도의 기질이 잔존

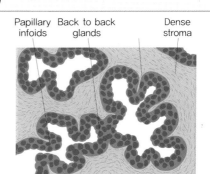

Papillary infoids Back to back glands Dense stroma

2) 증상 및 진단

(1) 증상

증상	빈도 (%)
불규칙자궁출혈(metrorrhagia)	42.1%
월경과다증(hypermenorrhea)	16.8%
불규칙과다월경(menometrorrhagia)	14.0%
폐경 후 출혈(postmenopausal bleeding)	8.4%
복통	3.7%
월경통	1.9%
복부 종괴	7.5%
질 분비물	2.8%
기타	2.8%

(2) 진단

① 초음파검사

　a. 폐경 후 여성에서 자궁내막증식증이나 자궁내막암을 선별하기 위한 검사

　b. 폐경 후 출혈이 있는 경우 Pipell 자궁내막 생검이나 소파술과 같은 추가적인 검사의 필요 여부를 결정에 도움

　c. 초음파 시행시기

　　- 정상적으로 자궁내막이 가장 얇을 때

　　- 폐경 전

　　　· 월경주기 5~10일째인 초기 증식기(early proliferative phase)에 검사를 시행

　　　· 자궁내막 두께 <6 mm : 자궁내막증식증 배제 가능

　　　· 증식기(secretory phase)의 상한선 ≥16 mm

　　- 폐경 후 : 언제든 시행 가능

　　- 호르몬대체요법(HRT) 중 : Progesterone withdrawal bleeding 직후

d. 자궁내막 조직검사가 필요한 경우

시기	자궁내막 두께
Premenopausal	
Asymptomatic	16 mm
Abnormal bleeding	16 mm
Postmenopausal	
Asymptomatic	8~11 mm
Abnormal bleeding	5 mm
Tamoxifen use	
Asymptomatic	9 mm
Abnormal bleeding	5 mm

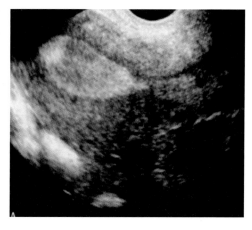

그림 26-1. 자궁내막증식증

e. 초음파 소견

- 전반적으로 고르게 두꺼워진 균질한 에코성의 자궁내막, 드물게 부분적으로 고에코성 자궁내막 두께 증가가 관찰
- 비대칭적/부분적인 내막두께의 증가는 자궁내막암을 의심할 만한 소견

② Pipelle 자궁내막 조직검사(endometrial biopsy)

a. Pipelle을 이용하여 자궁내막 검체를 채취

b. 비교적 저렴하면서 효율적인 검사방법

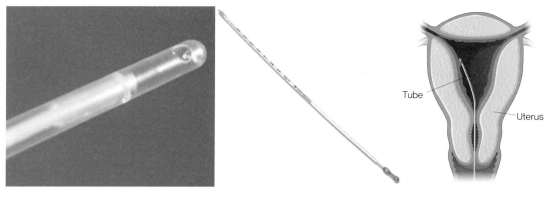

그림 26-2. Pipelle

③ 자궁경(hysteroscopy), 자궁경부 개대 및 소파술(dilatation and curettage)

a. 자궁내막 조직검사로 충분한 조직을 얻지 못한 경우, 자궁경부 협착이 있는 경우 시행

b. 자궁내막증식증, 비정형증식증이 나온 경우 : 더 많은 조직을 얻기 위한 D&C 시행

④ 초음파 자궁조영술(sonohysterography)

    a. 용종이나 점막하근종 등과 같은 자궁내 병변의 확인

    b. Pipelle 자궁내막 조직검사의 자궁내 양성질환 진단 민감도가 낮음을 보완

(3) 감별진단

자궁내막증식증의 감별진단
월경주기에 따른 정상적인 내막 증식
목이 없는(sessile) 자궁내막 용종
점막하근종
자궁내혈종
자궁외임신을 포함한 임신 상태
만성 자궁내막염
분화성이 좋은 샘 암종(well-differentiated adenocarcinoma)

3) 치료

(1) 고려사항

① 환자의 나이

    a. 가임기 여성 : 대부분의 경우 보존적치료 시행

    b. 폐경기 이후의 여성(특히 선종성 혹은 비정형 선종성증식증) : TAH with BSO

② 조직학적 양상 : 비정형이 있으면 자궁내막암 가능성 증가함을 고려

(2) Progestin 치료

① 자궁내막증식증의 치료는 증상의 완화와 자궁내막암으로의 진행을 막는 것이 목표

    a. 비정형성이 없는 자궁내막증식증의 치료에 가장 널리 이용

    b. 비정형성이 있는 자궁내막증식증에서도 가임력을 보존해야 하는 경우에는 약물치료를 시도(현재 자궁내막암이 없는지 철저히 검사해야 하며 추후에도 계속 추적관찰)

② 투여방법 : 치료 용량과 기간은 다양해서 확립된 방법이 있지는 않음

    a. Endometrial hyperplasia without atypia

       - 경구 progesterone 제재 사용(약 3개월간 복용)

       - Medroxyprogesterone acetate 10~20 mg/day for 14 days per month

       - Continuous progestin therapy (e.g. megestrol acetate 20~160 mg/day)

    b. Endometrial hyperplasia with atypia

       - Continuous progestin therapy

       - Megestrol acetate 160~320 mg/day

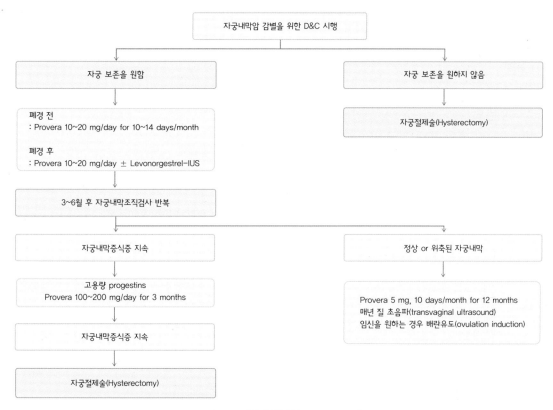

그림 26-3. 자궁내막증의 Progestin 치료

(3) 자궁내막소파술(Dilatation and curettage)
　① 비정형세포를 포함하지 않는 단순 또는 복합 자궁내막증식증의 경우 시행
　② 자궁내막소파술 3~6개월 후 반복 시행
　③ 복합 비정형자궁내막증식증 환자에서 향후 임신을 원하는 경우에는 자궁내막소파술을 시
　　행한 후 장기 progestin 치료와 배란 유도를 위한 치료를 지속적으로 시행
　④ D&C로 비정형(atypical) 자궁내막증식증을 진단해도 자궁내막암을 배제할 수 없음

(4) 자궁절제술(Hysterectomy)
　① 자녀계획이 없는 경우 최선의 방법
　② 적응증
　　a. 더 이상 자녀계획이 없는 경우
　　b. 비정형이 없더라도 약물치료에 실패한 경우

2 자궁내막암(Endometrial cancer)

1) 서론

(1) 특성

① 빈도

a. 대개 50~60대, 평균 60세, 50세 이상에서 75% 발견

b. 폐경 여성에서 일차적으로 나타나며, 나이가 많아질수록 그 악성도도 증가

② 병인의 종류

에스트로겐 의존성 종양(Estrogen-dependent)	에스트로겐 비의존성 종양(Estrogen-independent)
– Type I endometrial carcinoma – PTEN tumor suppressive gene 돌연변이와 연관 – 가장 많은 형태(약 75~85%) – 젊은 여성 및 길항작용이 없는 내인성 또는 외인성 에스트로겐에 노출된 과거력이 있는 폐경기 전후의 여성에서 발생 – 자궁내막증식증에서 시작하여 악성 종양으로 발전 – 에스트로겐 비의존성 종양보다 분화 및 예후 양호	– Type II endometrial carcinoma – p53 돌연변이와 연관 – 자궁내막에 대한 에스트로겐 자극이 없었던 여성에서 발생 – 나이가 많은 여성, 폐경기 이후 여성, 마른 여성과 아프리카계 미국여성, 아시아계 여성에서 호발 – 위축성 자궁내막의 배경에서 발생된 것으로 생각 – 에스트로겐 의존성 종양보다 분화도 및 예후 불량

③ 자궁내막암이 자궁경부로 확장되는 방법

a. 연속적인 표면을 통한 전파(contiguous surface spread)

b. 조직 심층면의 침범(invasion of deep tissue planes)

c. 림프 파종(lymphatic dissemination)

(2) 증상

① 질 출혈, 질 분비물 증가 : 환자의 90%에서 발생

→ 폐경기 출혈의 일반적 원인들과 감별진단 필요

a. 폐경 후 출혈(postmenopausal bleeding)의 원인

폐경 후 출혈의 원인	Percentage
Exogenous estrogens	30 %
Atrophic endometritis/vaginitis	30 %
Endometrial cancer	15 %
Endometrial or cervical polyps	10 %
Endometrial hyperplasia	5 %
Miscellaneous (e.g., cervical cancer, uterine sarcoma, urethral caruncle, trauma)	10 %

b. 폐경 후 자궁출혈(postmenopausal uterine bleeding)의 원인

폐경 후 자궁출혈의 원인	Percentage
Endometrial atrophy	60~80 %
Estrogen replacement therapy	15~25 %
Endometrial polyps	2~12 %
Endometrial hyperplasia	5~10 %
Endometrial cancer	10 %

    c. 질 분비물의 변화 : 옅은 분비물 → 혈성 분비물
  ② 다른 증상
    a. 자궁내막암으로 인한 자궁비대
    b. 자궁 밖으로 전이가 있는 경우 : 골반 압통, 둔통
    c. 다른 장기에 전이된 경우 : 하복통, 압통, 혈뇨, 빈뇨, 변비, 직장출혈, 뒤무지근함, 요통
    d. 복강 내 전이가 있는 경우 : 복부팽창, 조기 포만 및 장폐쇄 등
    e. 무증상 : 환자의 약 5% 미만

(3) 위험인자와 보호인자
  ① 위험인자의 상대적 위험도

Characteristic	Relative Risk	Characteristic	Relative Risk
미분만부(nulliparity)	2~3	당뇨(Diabetes mellitus)	2.8
늦은 폐경(late menopause)	2.4	길항작용 없는 estrogen 치료	4~8
비만(obesity)	1.5~2.5	Tamoxifen	2~3
9~22 kg 과체중	3	Atypical endometrial hyperplasia	8~29
〉22 kg 과체중	10	Lynch II syndrome	20

  ② 위험인자의 공통점 : 길항없이 에스트로겐에 의한 지속적인 노출과 자궁내막 자극
  ③ 보호인자 : 경구피임제, 흡연

2) 진단
(1) 선별검사
  ① 선별검사 불필요
    a. 평균 위험 및 위험 증가 여성
    b. Tamoxifen 치료, 비만, 당뇨, 고혈압, 미분만부, 불임, 무배란 등이 있는 환자

② 선별검사 필요 : 고위험군

　　a. HNPCC 관련 유전적 돌연변이, Lynch II syndrome 확인

　　　　- 가족에서 돌연변이가 확인되어 본인도 보인자(carrier)일 가능성이 있는 경우

　　　　- 유전자검사 결과는 없지만 autosomal dominant 소인이 확인된 경우

　　b. Progestin 길항없이 에스트로겐에 지속적으로 노출된 폐경 여성

　　c. 다낭성난소증후군 같이 무배란 주기가 있는 폐경 전 여성

③ 선별검사 방법

　　a. 35세 이상에서 1년 마다 자궁내막 조직검사 시행

　　b. HNPCC 관련 유전적 돌연변이, Lynch II syndrome 확인된 경우

　　　　- 질 초음파, 자궁내막 조직검사, CA-125

　　　　- 유방촬영술(mammography), 대장내시경(colonoscopy)

④ 자궁내막암을 감별진단 해야 하는 경우

　　a. 폐경 후 출혈이 있는 경우

　　b. 고름자궁(pyometra)이 있는 폐경 후 여성

　　c. 자궁경부세포진검사(Pap smear)에서 자궁내막 세포(endometrial cell)가 있는 무증상 폐경 후 여성(특히 비정형인 경우)

　　d. 월경간 출혈이 있거나 점점 출혈이 심해지는 주폐경기(perimenopause) 여성

　　e. 무배란 과거력이 있고 비정상 자궁출혈을 보이는 폐경 전 여성

(2) 진단검사

① 외래에서의 자궁내막 흡인생검(endometrial aspiration biopsy)

　　a. 부정자궁 출혈이나 자궁내막병변이 의심되는 환자를 평가하는 첫 단계

　　b. 정확도는 소파술이나 자궁절제술과 비교하면 90~98% 정도

② 구획소파술(fractional curettage) : 자궁내막암의 파급 정도와 자궁경부의 침범 여부 확인

③ 질 초음파(transvaginal ultrasound)

　　a. 부정출혈을 평가하기 위한 자궁내막생검과 추가검사를 필요로 하는 환자를 선택하기 위한 보조적 검사방법으로 유용

　　b. 추가적인 검사가 필요한 소견

　　　　- 폐경 후 여성에서 자궁내막의 두께 ≥5 mm

　　　　- 자궁내막의 용종 양상 종괴

　　　　- 자궁강 내 액체

④ 자궁경(hysteroscopy)과 자궁소파술(D&C)의 적응증

　　a. 자궁경부 협착증

　　b. 환자의 비협조로 흡인 생검에 의한 충분한 평가가 불가능한 경우

c. 자궁내막생검에서 음성이었던 환자에서 부정자궁 출혈이 재발된 경우

d. 부정 출혈을 충분히 설명할 정도의 피검물 채취가 어려운 경우

⑤ 자궁경부세포진검사 : 위음성률이 높아 자궁내막암에는 좋은 선별검사법이 아님

3) 치료 전 평가 및 병기설정

(1) 치료 전 평가

① 신체검사 및 골반진찰 : 복부종괴, 림프절, 자궁경부 및 자궁주위조직 침윤 확인

② 흉부 방사선검사 : 폐 전이 감별 및 심폐상태를 확인

③ 심전도(electrocardiography)

④ 혈액검사, 소변검사, 혈청화학검사

⑤ 병기설정을 위한 기초검사 : 방광경검사, 대장경검사, 정맥신우조영술(IVP)

⑥ Ultrasonography, MRI : 복부 및 자궁근층 침윤 평가에 유용

⑦ 전산화단층촬영(CT), 자기공명영상(MRI), 양전자방출단층촬영(PET-CT)

⑧ CA-125

a. 질환의 진행 정도 및 치료에 대한 반응도를 간접적으로 확인

b. 수술 전 CA-125 측정 : 추후 치료 과정에서 치료 반응성 평가

⑨ 순서 : 질 초음파 → 자궁내막조직검사/자궁내막소파술 → MRI/CT + CA125 → PET-CT

(2) 임상적 병기설정(Clinical staging)

① 건강상태가 좋지 않거나 암전이 정도가 수술을 못하는 경우에만 시행

② 기술의 발달로 대부분의 환자가 수술이 가능

③ 수술의 적응증이 되지 않는 경우는 매우 적음

(3) 수술적 병기설정(Surgical staging)

① 자궁내막암의 FIGO stage(2018, FIGO staging system)

Stage	Description
I	자궁에 국한된 종양
IA	자궁근층 1/2 미만을 침범한 경우
IB	자궁근층 1/2 이상을 침범한 경우
II	자궁경부 기질(cervical stroma)을 침범하였지만 자궁 밖으로 확장되지는 않은 경우
III	종양의 국소적 또는 지역적 확산
IIIA	자궁의 장막(serosa) 또는 자궁부속기(adnexa)를 침범한 경우
IIIB	질(vagina) 또는 자궁주위조직(parametrium)을 침범한 경우

IIIC	골반 또는 대동맥주변 림프절(pelvic or para-aortic lymph node)에 전이된 경우
IIIC1	Positive pelvic lymph nodes
IIIC2	Positive para-aortic lymph nodes ± Positive pelvic lymph nodes
IV	방광(bladder) 또는 장점막(bowel mucosa) 또는 원격전이(distant metastasis)
IVA	방광(bladder) 또는 장점막(bowel mucosa)에 침범한 경우
IVB	복강 내 또는 서혜부 림프절(inguinal nodes) 전이를 포함하는 원격전이(distant metastasis)

- Endocervical glandular involvement는 Stage I으로 간주
- Positive cytology는 병기를 바꾸지 않고 별도로 보고

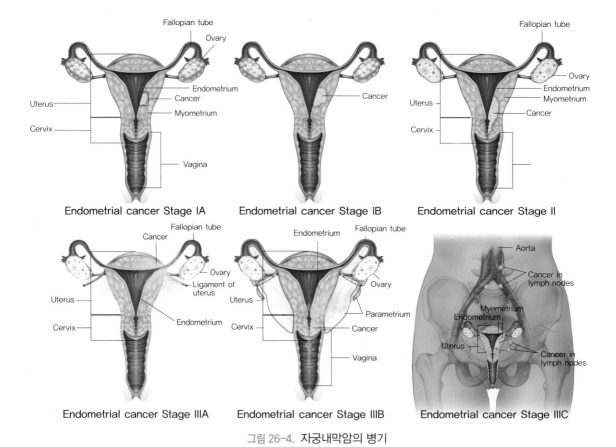

그림 26-4. 자궁내막암의 병기

② 자궁내막암의 분화도

Grade	종양의 solid growth pattern (%)	분화도(Differentiation)
G1	〈5%	잘 분화된 상태(well differentiated)
G2	6~50%	중등도 분화 상태(moderately differentiated)
G3	〉50%	분화가 좋지 않은 상태(poorly differentiated)

4) 병리조직학적 형태 및 예후인자

(1) 병리조직학적 형태

① 환자의 치료 결과를 예측하는 가장 중요한 예후인자 중 하나

② 조직분화도는 가장 예민한 예후인자, 분화도가 나쁠수록 생존율 감소, 높은 재발률

③ 자궁내막암의 분류

Classification of Endometrial carcinomas

Endometrioid adenocarcinoma
   Variants
   Villoglandular or papillary
   Secretory
   With squamous differentiation
Mucinous carcinoma
Papillary serous carcinoma
Clear cell carcinoma
Squamous carcinoma
Undifferentiated carcinoma
Mixed carcinoma

---

④ 선암(adenocarcinoma)

   a. 가장 흔한 조직유형(자궁내막암의 약 60~65%를 차지)

   b. 대부분 비정형자궁내막증식증(atypical endometrial hyperplasia) 과정을 거친 후 발생

⑤ 선자세포종(adenoacanthoma)

   a. 선암의 한 변형으로써 양성 편평상피화생(benign squamous metaplasia)된 부분을 포함하고 있는 경우

   b. 잘 분화되어 있는 경향

   c. 예후는 선암(adenocarcinoma)과 유사

⑥ 선편평암종(adenosquamous carcinoma)

   a. 선암의 변형으로써 편평상피의 구성부분이 악성

   b. 고령에서 발견되는 경향, 발견 시 상당히 진행된 상태에서 발견되며 분화가 좋지 않음

⑦ 유두상선암(papillary adenocarcinoma)

   a. 선암의 약 1~10%를 차지

   b. Ovary, tubal serous carcinoma와 유사

   c. 고령, 저에스트로겐 여성(hypoestrogenic women)에서 호발

   d. 좋지 않은 예후(자궁내막암 사망의 50% 정도를 차지)

⑧ 투명세포암(clear cell carcinoma)

   a. 자궁내막암의 약 5% 이하

   b. 선암조직 내에 크고 투명한 상피세포가 섞여 있는 특징적 양상

c. 고령에서 호발

d. 자궁내막암 중 가장 나쁜 예후

(2) 예후인자

예후인자(Prognostic factors)	
수술적 병기(surgical stage)	림프-혈관공간 침윤(lymph-vascular space invasion)
나이(age)	종양의 크기(tumor size)
조직학적 형태(histologic type)	복강 세포검사(peritoneal cytology)
조직학적 분화도(histologic grade)	호르몬 수용체 여부(hormone receptor status)
핵 분화도(nuclear grade)	유전적, 분자적 표지자(genetic and molecular markers)
자궁근층 침윤(myometrial invasion)	치료방법(surgery vs radiation)

① 수술적 병기(surgical stage) : 예후에 영향을 주는 가장 중요한 인자

② 연령(age) : 어릴수록 좋은 예후

③ 조직학적 형태(histologic type)

　　a. 비자궁내막양(non-endometrioid) 형태에서 재발 및 전이 확률 증가

　　b. 예후가 좋은 순서 : Adenocarcinoma > Adenosquamous carcinoma > Undifferentiated carcinoma > Papillary serous carcinoma > Clear cell carcinoma

④ 조직학적 분화도(histologic grade)

　　a. 가장 예민한 예후인자

　　b. 분화도가 나쁠수록 생존률 감소, 재발률 증가

⑤ 자궁근층 침윤(myometrial invasion) : 침윤 깊이가 깊을수록 자궁 외 전이와 재발 증가

⑥ 종양의 크기(tumor size)

　　a. 림프절 침범 및 생존율에 영향

　　b. 종양의 크기가 클수록(기준 약 ≥2 cm) 생존율 감소

⑦ 복강 세포검사(peritoneal cytology) : 양성일 경우 안 좋은 예후

⑧ 림프-혈관공간 침윤(lymph-vascular space invasion, LVSI)

　　a. 자궁내막암의 재발 및 생존율의 독립적인 위험인자(independent risk factor)

　　b. 림프 파종(lymphatic dissemination)과 림프 재발(lymphatic recurrence)의 예측인자

⑨ 림프절 전이(lymph node metastasis)

　　a. 조기 자궁내막암의 예후에 가장 중요한 예후인자

　　b. 림프절 전이가 있을 때 재발할 확률 증가(약 6배 이상)

　　c. Para-aortic lymph node : 양성 여부가 예후에 매우 중요

⑩ 호르몬 수용체 여부(hormone receptor status)

　　a. Estrogen receptor, Progesterone receptor : one or both receptor가 있을 시 좋은 예후

b. Progesterone receptor : estrogen receptor 보다 강력한 예측인자로 많을수록 좋은 예후

⑪ 유전적, 분자적 표지자(genetic and molecular markers)

    a. Mutations of K-ras : 안 좋은 예후인자

    b. e-cadherin의 발현 감소 : 진행된 병기와 연관

    c. HER-2/neu의 과발현

      - Endometrial adenocarcinomas의 10~15%에서 발견

      - Metastatic disease에서 흔히 발견

      - Progression-free survival 감소

    d. p53의 변화

      - 자궁내막암의 20%에서 발견

      - Papillary serous cell type, advanced stage, poor prognosis와 연관

    e. MIB-1(Ki-) : 자궁 외 전이와 생존율 감소와 연관

    f. PTEN : Tumor-suppressor gene으로 mutations, deletion 시 안 좋은 예후

5) 자궁내막암의 치료 - Stage I, II

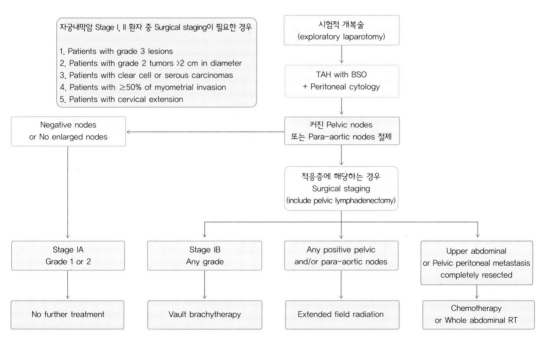

그림 26-5. 자궁내막암 Stage I, II의 처치

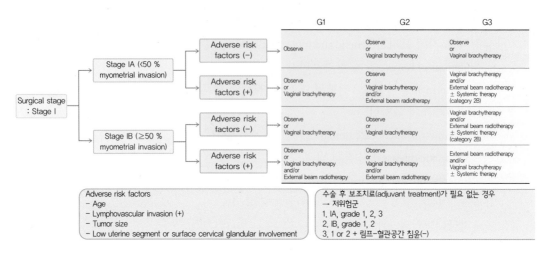

그림 26-6. NCCN guideline (2018)

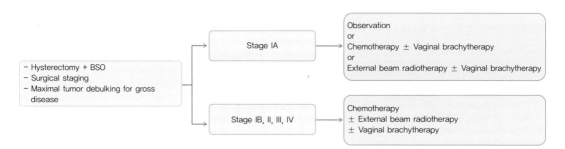

그림 26-7. Serous Ca, Clear cell Ca, Carcinosarcoma의 치료

(1) 수술(Surgery)

① 자궁 및 양측 부속기절제술(hysterectomy with BSO) + 복강 세포검사(peritoneal cytology)

　　a. 수술적 병기(surgical stage) 설정 시행

　　　- Modified(Type II) radical hysterectomy

　　　- Bilateral salpingo-oophorectomy

　　　- Peritoneal washings for cytologic study

　　　- Pelvic lymphadenectomy to the midcommon iliac area

　　　- Resection of grossly enlarged para-aortic nodes

　　　- Omental biopsy

　　　- Biopsy of any suspicious peritoneal nodules

　　b. 수술 후 자궁 절개로 얻을 수 있는 정보

　　　- Myometrial invasion depth

- Isthmus-cervix extension

- Tumor size

- Adnexal involvement

- Extrauterine disease

    c. 자궁부속기는 현미경적인 전이 장소일 수 있기 때문에 절제

    d. 질의 광범위절제는 필요하지 않음

② 충수 및 대망절제술을 함께 시행하는 경우(복강 내 전이가 흔한 경우)

    a. 조직학적 분류상 비자궁내막양암(non-endometrioid cancer)

    b. Papillary serous carcinoma, Mixed Müllerian tumor, Clear cell carcinoma

③ 골반과 대동맥주변 림프절(pelvic and para-aortic lymph node) 절제술의 적응증

    a. 조직분화도 G2, G3

    b. 암의 직경이 2 cm 이상일 때 골반림프절 암 전이가 있을 경우

    c. Adenosquamous carcinoma, Clear cell carcinoma, Papillary adenocarcinoma

    d. 자궁근층 침윤(myometrial invasion) ≥50%

    e. 자궁외조직의 침범

    → 조직학적 소견, 자궁근층 침윤 깊이 : 림프절 전이의 위험인자 중 가장 중요

    → 자궁내막암 Stage I, II 환자도 Surgical staging이 필요

(2) 수술 후 보조요법

① 경과관찰 : 수술 후 보조치료(adjuvant treatment)가 필요 없는 경우 → 저위험군

    a. Stage IA, grade 1, 2, 3

    b. Stage IB, grade 1, 2

    c. a or b + 림프-혈관공간 침윤(-)

② 방사선치료(radiation therapy)

    a. 자궁내막암은 방사선 치료에 효과적으로 반응, 현미경적 잔류암 제거를 위해 시행

    b. 질강 내 방사선치료(vaginal vault radiation)

      - 국소적으로 국한되어 있는 자궁내막암 치료에 효과적

      - 폐경 여성에 있어서 질강의 협착 및 성교통 등을 유발 가능

    c. 외부 골반 방사선치료(external pelvic radiation)

      - 골반 재발의 위험을 상당히 감소시키는 효과

      - 외과적 병기결정을 시행치 않은 고위험 환자들, 자궁경부 침범, 골반 림프절 전이가 있는 경우, 자궁 외 전이가 있는 경우, 림프절 전이의 가능성이 높은 환자군에서 시행

    d. 확대 골반 방사선치료(extended field irradiation)

      - 대동맥 주위 림프절 전이, 다수의 골반 림프절 전이, 자궁 부속기 전이, G3일 경우 자궁

근층 침범에 상관없이 시행할 것을 권고

    e. 전 복부 방사선치료(whole-abdomen radiation)

      - 주로 말기 자궁내막암(stage III, IV) 환자, papillary serous carcinoma에서 사용

      - 수술 후 광범위하게 병변이 남아있는 경우에는 시행하지 않음

      - 신장에 조사되지 않도록 주의

③ 항암화학요법(chemotherapy)

    a. 진행된 자궁내막암에서의 표준 치료 : Carboplatin + Paclitaxel

    b. 보조 항암화학요법으로의 효용성에는 연구가 미흡

④ Progestin 치료

    a. 적응증 : 아이를 낳고자 하는 젊은 여성과 내과적 질환으로 수술이 불가능한 환자에게서 임상병기가 조기면서 분화도가 좋고 프로게스테론 수용체가 있는 경우

    b. 약물 : medroxyprogesterone acetate, megestrol acetate

6) 자궁내막암의 치료 – Stage III, IV

(1) Stage III

① Hysterectomy with BSO

② 육안적으로 보이는 모든 병변을 제거, 외과적 병기설정

③ 보조치료(adjuvant therapy), 외부 골반 방사선치료(external pelvic radiation) 시행

(2) Stage IV

① 수술, 방사선치료, 호르몬치료, 항암화학치료 병행

② 완화치료(palliative treatment)

7) 치료 후 추적관찰 및 재발

(1) 치료 후 추적관찰

① 과거력, 신체검진 : 가장 효과적인 방법

② 치료 후 2년간은 3개월마다, 이후 3년간은 6개월마다, 이후 매년 추적검사 시행

③ 자궁내막암 환자의 75~80%가 정기적인 진찰을 통해 재발을 확인

④ 방문 시마다 주요 림프절 촉지 및 복부, 골반 진찰을 시행

⑤ 자궁경부세포진검사(Pap smear) : 매번 방문 시마다 시행

⑥ 흉부 X-ray 검사 : 무증상 환자의 1/2은 흉부 X-ray 검사에서 재발을 확인

⑦ CA-125

    a. 재발한 자궁내막암에서 증가된 혈중 수치를 보일 수 있으므로 정기적 검사를 시행

    b. 국소적으로 재발한 경우에는 정상 수치를 보일 수 있음

(2) 자궁내막암의 재발

① 재발

    a. 초기 자궁내막암으로 치료받은 환자의 약 1/4이 재발

    b. 재발 환자의 1/2 이상이 2년 이내, 3/4이 3년 이내 재발

    c. 재발 부위 : vaginal wall (33%), pelvis (20%), lung (17%), lymph node (2%)

② 증상

    a. 비정상 질 출혈 : 가장 흔한 증상

    b. 무증상 : 약 32%

    c. 기타 부위에 재발하거나 전이된 경우 : 골반통, 객혈(폐 전이) 등

③ 예후

    a. 질 부위 국한된 경우 : 예후가 가장 좋음

    b. 처음 진단 시 분화도가 좋았던 경우, 초기 치료 3년 이후에 재발한 경우가 예후 양호

(3) 재발성 자궁내막암의 치료

① 수술(surgery)

    a. 절제 가능한 원발성 단일 전이 : 수술 후 항암화학요법 시행

    b. 질에 국한되어 재발된 2 cm 이상의 결절 : 수술 후 방사선치료 시행

② 방사선치료(radiation therapy)

    a. 재발 병변이 단일하거나 국소적인 환자 중, 수술적 절제가 불가능한 경우 시행

    b. 이전에 방사선치료를 받지 않았으며 골반부나 질에 재발한 환자에게 가장 적절 : 외부 골
      반 방사선치료(external pelvic radiation)와 근접 조사치료(brachytherapy) 시행

③ 항암화학요법(chemotherapy)

    a. 재발성 전이성 자궁내막암의 표준 화학요법 : Carboplatin + Paclitaxel

    b. 다른 병합요법 : Doxorubicin + Cisplatin, Paclitaxel + Cisplatin

    c. 이전 항암화학요법에서 독성이 있는 경우의 단일요법 : Temsirolimus, bevacizumab

④ 호르몬치료(hormone therapy)

    a. 무증상의 재발성 자궁내막암, 특히 낮은 등급의 호르몬수용체 양성 종양이 있는 경우 적
      절한 치료법

    b. Progestin therapy

      - 분화도가 좋은 경우, progesterone receptor 양성인 경우 시행

      - Medroxyprogesterone acetate (Provera®) 200 mg/day, 지속 투여

    c. Selective estrogen-receptor modulator (SERM)

      - 고용량의 progestin 치료에 상대적 금기가 있는 경우 시행

· 이전 또는 현재의 혈전색전증

· 중증 심장질환

· Progestin 치료를 환자가 수용하지 못할 경우

- 자궁의 estrogen receptor에 대한 estradiol (E2) 결합을 억제하여 estrogen에 의한 증식 차단 및 progesterone receptor 증가

- 이전에 Progestin에 반응한 환자에게서 효과 발생

- Tamoxifen 20 mg/day, 하루 1~2회, 지속 투여

d. Aromatase inhibitors

- 말초조직에서 androstenedione의 estrogen 전환을 차단

- 재발성 및 전이성 자궁내막암에서 반응률은 약 10%에 불과했지만 환자 대부분이 high grade, hormone receptor 음성

3 자궁육종(Uterine sarcoma)

1) 특성 및 분류

(1) 특성

① 비교적 드문 부인과 질환, 자궁에 발생하는 악성 종양의 약 2~6%를 차지

② 다른 암종에 비하여 더 공격적인 경과를 보이고 치료에 반응하지 않는 경우가 많음

③ 자궁육종 중 가장 흔한 세가지 종류

　　a. 자궁내막 간질성 종양(Endometrial stromal tumors, ESS)

　　b. 자궁평활근육종(Leiomyosrcoma, LMS)

　　c. 악성 혼합 뮐러종양(Malignant mixed Müllerian tumors, MMMT)

④ 자궁경부암이나 양성 질환으로 골반에 방사선치료를 받은 후 증가하는 경향

(2) 병리학적 특성에 따른 구분

자궁육종(Uterine sarcoma)의 분류

1. 진성 비상피성 종양(Pure nonepithelial tumors)

　1) 동질성(Homologous)

　　(1) 자궁내막 간질성 종양(Endometrial stromal tumors)

　　　① 저등급 간질성 육종(Low-grade stromal sarcoma)

　　　② 고등급 혹은 미분화된 자궁내막 간질성 육종(High-grade or undifferentiated stromal sarcoma)

　　(2) 평활근 종양(Smooth muscle tumors)

　　　① 자궁평활근육종(Leiomyosarcoma)

　　　② 자궁근종의 변종(Leiomyoma variants)

---

a. 세포성자궁근종(Cellular leiomyoma)

b. 평활근모세포종(Leiomyoblastoma, epithelioid leiomyoma)

③ 양성 전이성 종양(Benign metastasizing tumors)

a. 정맥내평활근종증(Intravenous leiomyomatosis)

b. 양성 전이성 평활근육종(Benign metastasizing leiomyoma)

c. 범발성 복막근종증(Disseminated peritoneal leiomyomatosis)

2) 이질성(Heterologous)

(1) 횡문근육종(Rhabdomyosarcoma)

(2) 연골육종(Chondrosarcoma)

(3) 골육종(Osteosarcoma)

(4) 지방육종(Liposarcoma)

2. 혼합성 상피성–비상피성 종양(Mixed epithelial – nonepithelial tumors)

1) 악성 혼합뮐러종양(Malignant mixed Müllerian tumor)

(1) 동질성(Homologous, carcinosarcoma)

(2) 이질성(Heterologous)

2) 선육종(Adenosarcoma)

(3) 자궁육종의 FIGO stage (Leiomyosarcomas and Endometrial stromal sarcomas)

Stage	Definition
I	자궁에 국한된 종양
IA	<5 cm
IB	≥5 cm
II	종양이 자궁을 넘어 골반 내까지 확장
IIA	부속기(adnexa) 침범
IIB	다른 골반조직 침범
III	종양이 복부조직을 침범(단지 복부로 돌출된 것이 아님)
IIIA	한 부위 침범
IIIB	두 부위 이상의 침범
IIIC	골반 또는 대동맥주변 림프절(pelvic or para–aortic lymph node)에 전이
IV	방광(bladder) 또는 직장(rectum) 또는 원격전이(distant metastases)
IVA	방광(bladder) 또는 직장(rectum)을 침범
IVB	원격전이(distant metastases)

2) 가장 흔한 세가지 형태

(1) 자궁내막 간질성 종양(Endometrial stromal tumors)

① 특성

a. 호발 연령

- 주로 45~50세 사이 폐경기 전후의 여성

      - 1/3은 폐경 후 여성에서 발생

  b. 출산력, 연관된 질병들, 방사선치료 과거력과 무관

② 증상

  a. 비정상 자궁출혈 : 가장 흔한 증상

  b. 복통과 커진 골반 종괴로 인한 압박감

  c. 일부는 무증상

③ 수술 소견

  a. 커진 자궁

  b. 부드러우면서 회백색에서 노란 괴사성 및 출혈성 종양

  c. 종양표면이 팽창되어 있고 골반 정맥들 속으로 벌레 모양 같은 탄성 확장

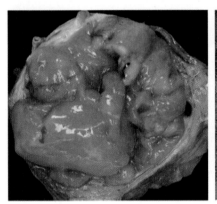

그림 26-8. 자궁내막 간질성 종양(Endometrial stromal tumors)

④ 자궁내막 간질성 종양의 세가지 형태

  a. 자궁내막 간질성 결정(endometrial stromal nodule)

    - 자궁에 국한된 팽창성, 비침윤성의 고립된 병변

    - 림프관이나 혈관 침윤이 없음

    - 핵분열상(mitotic figure) : <5 MF/10HPF

    - 양성(benign)으로 수술 후 재발이나 사망의 보고가 없음

  b. 악성도가 낮은 간질성 육종(low-grade ESS or endolymphatic stromal myosis)

    - 핵분열상(mitotic figure) : <10 MF/10HPF

    - 재발이 느리고, 국소재발이 원격전이보다 호발

    - 진단 시 약 40%에서 자궁 외 전이가 있지만 이중 2/3는 골반에 국한

    - 최초 치료 후 평균 5년 후에 약 50%에서 재발

    - 재발암이나 전이암 발생 후에도 오랜 기간 생존하며 완치 가능

- 치료

· 자궁절제술과 양측 부속기절제술(hysterectomy with BSO)

· 방사선치료 : 부적절하게 절제된 경우, 골반에 국소적으로 재발한 경우 시행

· 호르몬치료 : 대부분의 ESS는 ER, PR 양성으로 진행성 및 재발성 질환이 있는 환자에서 progestin, aromatase inhibitor (letrozole) 등에 반응

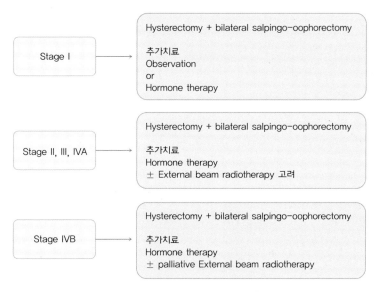

그림 26-9. 자궁내막 간질성 육종(ESS)의 치료

c. 고등급 or 미분화된 자궁내막 간질성 육종(high-grade ESS or undifferentiated ESS)

- 핵분열상(mitotic figure) : ≥10 MF/10HPF

- 파괴적인 경과와 훨씬 나쁜 예후를 나타내는 치명적인 종양(5년 생존율 약 25%)

- 치료

· Hysterectomy with BSO + Radiation therapy + Chemotherapy

· Progestin 치료에는 반응하지 않음

(2) 자궁평활근육종(Leiomyosarcoma, LMS)

① 특성

a. 호발 연령

- 평균 연령은 43~53세, 다른 자궁육종보다 다소 젊음

- 폐경 전 여성에서 좀 더 높은 생존 기회

b. 대부분의 자궁평활근육종(leiomyosarcoma)은 기존의 평활근종(leiomyoma)과 무관

- 주로 자궁평활근에서 새로 발생

- 양성 평활근종에서 자궁육종성 변화(sarcomatous change)의 빈도 : 0.13~0.81%

c. 출산력과 무관, 연관된 질병들의 빈도는 자궁내막암 만큼 높지 않음

d. 위험인자

- 아프리카계 미국여성(African Americans) : 발생률이 높고, 좋지 않은 예후

- 이전 골반 방사선치료 과거력 : 환자의 약 4%

e. 재발

- 초기 병기라도 재발률이 높고, 자궁에 국한된 경우에도 50%에서 재발

- 재발의 반수정도는 골반 밖에서 발생

② 증상

a. 기간이 짧음(평균 6개월)

b. 질 출혈, 골반동통, 압박감, 복부-골반 종괴 등

c. 가장 중요한 검진소견 : 골반 종괴의 존재

d. 폐경 후 급격한 자궁비대 발생 시 의심

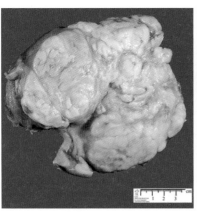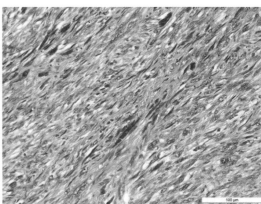

그림 26-10. 자궁평활근육종(Leiomyosarcoma)

③ 전이

a. 자궁근층, 골반혈관, 림프관을 통하여 혹은 직접 접촉에 의해 발생

b. 골반 내 장기, 복강, 폐까지도 전파

④ 핵분열상(mitotic figure) 수 : 악성 양상에 대한 가장 믿을 만한 지표

핵분열상(mitotic figure) 수	종양의 양상
⟨5 MF/10HPF	양성 종양의 양상
5~10 MF/10HPF	세포성 자궁근종(cellular leiomyomas) 혹은 불확실한 악성을 지닌 평활근육 종양(smooth muscle tumor of uncertain malignant potential, STUMP) 추가적인 지표로 심한 세포 비정형성(severe cytologic atypia)과 응고성 종양 괴사(coagulative tumor necrosis)를 확인
⟩10 MF/10HPF	불량한 예후를 지닌 명백한 악성 종양

⑤ 불량한 예후의 예측인자 : 다음 3가지 지표 중 2가지 지표 동반 시 불량한 예후 예측

    a. 핵분열상(mitotic figure) >10 MF/10HPF

    b. 심한 세포 비정형성(severe cytologic atypia)

    c. 응고성 종양 괴사(coagulative tumor necrosis)

⑥ 자궁평활 근육종의 변종(variants of leiomyosarcoma)

    a. 정맥내평활근종증(intravenous leiomyomatosis)

    b. 양성 전이성 평활근육종(benign metastasizing leiomyoma)

    c. 평활근모세포종(leiomyoblastoma)

    d. 범발성 복막근종증(disseminated peritoneal leiomyomatosis)

    e. 점액성 평활근육종(myxoid leiomyosarcoma)

⑦ 치료

    a. 수술

     - Hysterectomy with BSO

      · 치료의 기본이자 유일하게 이점이 입증

      · 폐경 전 여성에서는 BSO 제외를 고려

     - 재발율이 높고 원격 전이가 많아 수술 후 방사선치료 또는 항암화학요법 고려

    b. 자궁평활근육종의 병기에 따른 치료

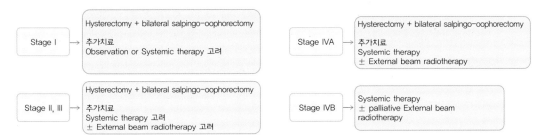

그림 26-11. 자궁평활근육종(leiomyosarcoma)의 치료

(3) 악성 혼합 뮐러종양(Malignant mixed Müllerian tumors, MMMT)

① 특성

　a. 조직학적으로 육종 및 암의 성분을 같이 보유

　b. 호발 연령 : 주로 폐경 후 여성(평균 62세)

　c. 매우 악성인 성상, 진단 시 환자의 40~60%가 자궁 밖으로 전이

　d. 위험인자

　　- 골반 방사선치료의 과거력 : 환자의 7~37%에서 과거력이 있고, 예후가 좋지 않음

　　- 내과적 질환 : 비만, 당뇨, 고혈압 등

　　- 아프리카계 미국여성(African Americans)

② 증상

　a. 폐경 후 자궁출혈 : 가장 흔한 증상

　b. 질 분비물, 복통 및 골반통, 체중감소 및 질 밖으로의 조직배출

③ 수술 소견

　a. 종양은 크고 부드러운 용종양 덩어리로 자궁내강을 채우면서 확장해 나가며 괴사와 출혈이 발생

　b. 자궁근층을 다양한 정도로 침범

　c. 가장 빈번한 전이 위치 : 골반, 림프절, 복강, 폐 및 간

　d. 국소 확장과 국소 림프절 전이에 의해 전이

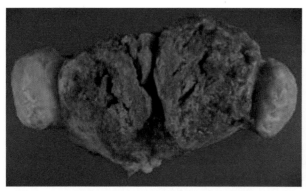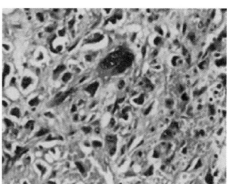

그림 26-12. 악성 혼합 뮐러종양(MMMT)

④ 진단 : 자궁경부 내 종양 생검, 자궁내막 조직검사

⑤ 예후

　a. 진단 당시 종양의 범위 및 파급 정도 : 예후에 가장 중요한 단일인자

　b. 자궁근층 침범

　　- Stage I 환자의 50%에서 확인 : 불량한 예후인자

　　　　- 자궁근층의 외측 1/2를 침범한 거의 모든 환자가 사망

　　c. 골반 방사선치료의 과거력 : 예후가 더욱 불량

⑥ 치료

　　a. Hysterectomy with BSO + 수술적 병기설정

　　b. 모든 전이성 병변을 절제

　　c. 고등급 자궁내막암과 동일하게 치료

　　d. 수술 후 방사선치료는 수술 소견에 따라 결정

CHAPTER 27

자궁경부암(Cervical cancer)

1 서론

1) 역학

(1) 특성

① 원인 : 고위험 인유두종 바이러스(HPV)의 지속적인 감염

② 빈도

    a. 전 세계에서 4번째로 흔한 암(유방암, 대장암, 폐암 다음)

    b. 국내의 경우 7번째로 흔한 암(갑상선암, 유방암, 대장암, 위암, 폐암, 간암 다음)

③ 호발연령

    a. 평균 발생 연령 : 47세

    b. 이봉분포(bimodal distribution) : 35~39세, 60~64세

(2) 위험인자

① 낮은 사회경제적 상태 : 상류층에 비해 15배 정도 증가

② 성관계 및 출산력

    a. 이른 성관계 : 16세 이전 시 발생률 증가

    b. 다수의 성관계 파트너

    c. 이른 임신

    d. 많은 출산력

③ 인종 : African-American에서 증가

④ 흡연

⑤ 면역억제상태(HIV, 장기이식 등) : 위험성이 높을 뿐 아니라 더욱 빠르게 진행

⑥ 인유두종 바이러스(HPV) 감염

    a. 자궁경부 이형성(cervical dysplasia)과 발암의 초기 이벤트

b. HPV가 변이를 일으키는 자궁경부세포 : 바닥세포(basal cell)

c. HPV의 E6, E7 단백질이 환자의 종양억제유전자인 p53과 Rb유전자를 불활성화

    - HPV E6 protein : p53 degradation

    - HPV E7 protein : Rb inactivation

d. 고위험 유형 : HPV 16, 18번(62% of cervical cancer)

⑦ 경구피임제 : 자궁경부 샘조직의 이상을 유발해 자궁경부암 발생 증가 → 불명확

⑧ 남자 파트너의 영향 : 남성 성기암, 성병의 과거력, 다수의 성 파트너, 자궁경부암 배우자 과거력, 포경 등

⑨ 기타

a. 이전의 비정상 pap smear 결과

b. 선별검사 미실시

c. 영양 결핍

d. 난관 손상으로 인한 불임

e. DES exposure

2) 자궁경부암의 예방

(1) 4가 & 9가 예방백신(가다실, Gardasil®)

종류
4가 백신 : HPV 6, 11, 16, 18
9가 백신 : HPV 6, 11, 16, 18, 31, 33, 45, 52, 58

접종방법

3회 접종
- 대상자 : 만 9~45세 여성, 만 9~26세 남성
- 0.5 mL, 근육 주사
- 시기(0, 2, 6개월) : 1차 접종 → 2개월 후 2차 접종 → 4개월(1차 접종에서 6개월) 후 3차 접종
- 주의사항
  - 2차 접종은 1차 접종일로부터 최소 1개월 후, 3차 접종은 2차 접종일로부터 최소 3개월 후에 시행
  - 1년 이내에 3회 접종을 마친 경우 유효성이 입증
  - 접종 일정이 지연된 경우 다시 백신 일정을 시작할 필요는 없음
  - 1차 혹은 2차 접종 후 일정이 지연된 경우 가능한 빨리 남은 횟수를 접종

2회 접종
- 대상자 : 만 9~14세 여성, 남성
- 0.5 mL, 근육 주사
- 시기(0, 6개월) : 1차 접종 → 6~12개월 후 2차 접종
- 주의사항
  - 1차 접종 후 5개월 이전에 2차 접종이 이루어지면, 2차 접종 후 최소 4개월 간격을 두고 3차 접종 시행

따라잡기(catch-up) 접종
- 9~14세에 접종을 하지 못한 경우 시행
- 대상자 : 18~26세 여성

(2) 2가 예방백신(서바릭스, Cervarix®)

종류
2가 백신 : HPV 16, 18

접종방법

3회 접종
- 대상자 : 만 15~25세 여성, 남성
- 0.5 mL, 근육 주사
- 시기(0, 1, 6개월) : 1차 접종 → 1개월 후 2차 접종 → 5개월(1차 접종에서 6개월) 후 3차 접종
- 주의사항
  - 2차 접종은 1차 접종일로부터 최소 1개월 후, 3차 접종은 2차 접종일로부터 최소 3개월 이후에 시행
  - 접종 일정에 대하여 유동성 필요시 2차 접종은 1차 접종 후 1~2.5개월 사이에, 3차 접종은 1차 접종 후 5~12개월 사이에 투여
  - 3차 접종이 지연된 경우 가능한 빨리 3차 접종을 시행
  - 추가접종(booster dose)의 필요성은 확립되지 않음

2회 접종
- 대상자 : 만 9~14세 여성, 남성
- 0.5 mL, 근육 주사
- 시기(0, 6개월) : 1차 접종 → 6~12개월 후 2차 접종
- 주의사항
  - 2차 접종이 1차 접종 후 5개월 이전인 경우에는 3차 접종을 투여

3) 조직학적 형태

(1) 자궁경부 미세침윤 편평상피암(Microinvasive squamous cancer of cervix)

① 자궁경부의 침윤암 중 약 7%

② 미세침윤암의 진단

　　a. 자궁경부 원추절제 조직이 필요

　　b. 정확하게 측정된 실질 침윤의 깊이와 평면적 거리가 필요

　　　- 침윤 깊이 <3 mm, 폭 <7 mm : Stage IA1

　　　- 침윤 깊이 <5 mm, 폭 <7 mm : Stage IA2

③ 조직학적 초기 소견 : 침윤암 싹이 상피내종양 기저부에서 간질로 들어가 있는 양상

④ 골반림프절 전이와 암의 재발에 대한 가장 중요한 예측인자 : 간질 침윤 깊이

　　a. 침윤 깊이 <3 mm : 전이가 드묾

　　b. 침윤 깊이 3~5 mm : 5~8%에서 골반 림프절 전이

(2) 자궁경부 침윤성 편평세포암(Invasive squamous cell carcinoma of cervix)

① 편평세포암(squamous cell carcinoma, SCC)

　　a. 자궁경부암 중 가장 흔한 형태

b. 99% 이상이 HPV 감염과 연관

② 조직학적 분류

대세포암(Large cell carcinoma)		소세포암(Small cell carcinoma)	
Keratinizing type	Nonkeratinizing type	Poorly differentiated squamous cell carcinoma	Small cell anaplastic carcinoma
– 분화도가 가장 좋음 – 약 25% 차지 – 각질진주가 존재하는 것이 특징	– 가장 흔한 형태(65%) – 각화가 없음 – 중등도의 분화도	– 분화가 안 되어 있음 – 나쁜 예후	– 가장 나쁜 예후

(3) 자궁경부 상피내선암(Adenocarcinoma in situ of cervix)

① 편평상피와 원주상피의 접합부에서 생기는 병변

② 자궁경부내막의 상피세포가 악성 선세포로 대치되는 것이 특징

③ 침윤성 선암(invasive adenocarcinoma)의 전구병변

　　a. 평균 연령 : 상피내선암(AIS) 37세 vs 침윤성 선암(invasive adenocarcinoma) 47세

　　b. 침윤성 선암 인접부위에 상피내선암이 발견

　　c. 상피내선암과 침윤성 선암 모두에서 높은 HPV 18의 존재 빈도

④ 원추절제술 후 경계면

　　a. 절제 경계면에 병변 (-) : 재발률 6% 미만

　　b. 절제 경계면에 병변 (+) : 높은 재발률 또는 잔류 병변의 가능성

⑤ 치료

　　a. 임신력 보존을 원하지 않을 때 : 자궁절제술(hysterectomy)

　　b. 임신력 보존을 원할 때 : 자궁경부 원추절제술(conization)

　　　- 반복적인 conization으로 절제경계면의 잔류병변 음성 확인 → 이후 Pap과 ECC를 6개월 간격으로 시행 → 출산 후 자궁절제술(hysterectomy)

　　　- 절제경계면에 병변이 없다면 반복적인 검사를 하며 경과관찰

(4) 침윤성 자궁경부선암(Invasive adenocarcinoma of cervix)

① 전체 자궁경부암의 20~25%(최근 35세 이하의 여성에서 증가하는 양상)

② Endocervical canal 내에서 자라므로 약 15%의 환자는 육안적으로 병변이 확인 불가능

③ 인접부위에 편평상피내종양, 편평세포암, 상피내선암이 동시에 존재하는 경우가 많음

④ 진단

　　a. 편평세포암(SCC)에 비해 자궁경부세포진검사에 의한 진단율이 낮음

　　b. 확진을 위해 자궁경부 원추절제술이 필요

(5) 자궁경부암의 변형(Variants of cervical carcinoma)

① 사마귀양암(verrucous carcinoma)

    a. 매우 분화가 잘된 편평세포암의 희귀한 형태

    b. 첨형 콘딜로마(condyloma acuminatum)와 유사한 유두상 모양으로 이상 증식

    c. 성장이 매우 느리지만 흔한 국소재발, 환자 사망 가능

    d. 치료 : 근치적 국소절제술(radical local excision)

② 유두상 편평세포암 및 이행암(papillary squamous and transitional carcinoma)

    a. 섬유혈관핵(fibrovascular core), 각질화와 원반세포형 변화가 없는 중등도 이상의 상피이
형증으로 이뤄진 유두상 형태의 악성 편평세포 병변

    b. 기저부에 침윤성 암종이 있을 수 있어 LEEP or Conization으로 조직검사 시행

③ 악성 선종(minimal deviation adenocarcinoma, adenoma malignum)

    a. 분화도가 매우 좋은 암

    b. 조직학적으로 양성처럼 보여 적은 범위의 조직생검으로는 진단이 매우 어려움

    c. 조기 발견되면 좋은 예후

④ 유리양 세포암(glassy cell carcinoma)

    a. 분화도가 매우 나쁜 선편평세포암의 변종

    b. 젊은 여성에서 호발하고 임신과 관련

    c. 육안적으로 매우 큰 종양

    d. 수술과 방사선치료에 반응이 아주 나빠 예후가 불량

2 자궁경부암의 진단

1) 임상소견 및 평가

(1) 임상소견

Early stage	Middle stage	Advanced stage
무증상 성교 후 출혈 불규칙 출혈, 지속되는 질 출혈 붉은 질 분비물	배뇨 후 출혈 배뇨통 혈뇨	체중 감소 악취를 동반하는 혈성 분비물 Sacral plexus 전이 시 통증 발생

(2) 검진소견

① 자궁경부암 의심 환자의 진찰 시 시행

    a. 자궁경부암 의심 시 전이 확인을 위해 supraclavicular nodes, inguinal node 촉지

    b. 질과 자궁경부를 시진하고 병변이 있으면 조직검사 시행

c. 마취하 직장-질 내진(bimanual recto-vaginal examination under anesthesia)

- 자궁경부의 강도와 크기를 확인하는 데 유용, 특히 자궁경부 종괴가 생긴 경우 중요

- 자궁주위조직 침범의 경우 결절 확인 가능

② 육안적 소견

a. 외장성 종양(exophytic tumor) : 외자궁경부에 용종상 종괴 형성

b. 내장성 종양(endophytic tumor) : 내자궁경부로 성장, 팽창해 술통형 병소 형성

c. 침윤성 종양(infiltrating tumor) : 병소가 육안적으로 잘 보이지 않고, 단단한 자궁경부

d. 궤양성 종양(ulcerative tumor) : 자궁경부에 미란 혹은 감염을 동반한 궤양성 병변

③ 침윤을 시사하는 질확대경 소견들

a. 비정형 혈관(atypical vascular pattern) : abnormal looped, branching, reticular vessel

b. 불규칙한 표면(irregular surface contour)

c. 색조(color tone) 변화 : Yellow-orange color

- Increasing vascularity

- Surface epithelial necrosis

- Production of keratin

(3) 임상적 병기설정(Clinical staging)에 필요한 검사들

필수적인 검사	선택적인 검사
이학적 검진 　림프절 촉진 　질 시진 　양손 직장-질 내진 검사 **방사선 검사** 　정맥신우조영술(IVP) 　바륨 관장(Barium enema) 　가슴 X-선(Chest X-ray) 　골격 X-선(Skeletal X-ray) **시술** 　조직 생검(Biopsy) 　원추절제술(Conization) 　자궁경 검사(Hysteroscopy) 　질확대경검사(Colposcopy) 　내자궁경부소파술(Endocervical curettage) 　방광경 검사(Cystoscopy) 　직장경 검사(Rectoscopy)	림프관 조영술(Lymphangiography) 초음파(Ultrasound) 전산화단층촬영(CT) 자기공명영상(MRI) 양전자방출단층촬영(PET-CT) 방사성 골스캔(Bone scan) → **영상진단 또는 수술 조직의 검사 결과는 2018 개정된 FIGO 병기에 반영될 수 있게 변경**

2) 병기설정을 위한 선택적 검사방법

(1) 종양표지자

① 많이 사용되는 종양표지자

a. SCC, CEA, CA-125, tissue polypeptide 항원, CYFRA 21-2

b. 진행성 자궁경부암에서 의미 있게 증가

② SCC Ag

a. 편평세포암(squamous cell carcinoma)에서의 유용한 혈청 표지자

b. 치료 전 SCC 항원수치

- 종양의 병기, 크기, 자궁경부 침윤의 깊이, 림프혈관강(lymph-vascular space) 침윤 여부, 림프절 전이 여부, 임상적 결과 등과 관련

- 치료 전과 추적관찰 중 시행

③ CA-125

a. 편평세포암(SCC)에서는 단지 13~21% 정도만 상승

b. 선암(adenocarcinoma)에서는 가장 좋은 종양 표지자

(2) 자기공명영상(MRI)

① 자궁경부암의 초기 병기 설정 시에 광범위하게 사용하는 방사선검사

② 자궁경부암의 병기에 대한 전반적인 정확도 : 약 77~90% 정도

③ 림프절 전이 : 단경 약 8~10 mm 이상 또는 내부의 불균일한 괴사의 소견

④ MRI vs CT

a. 수술 전 병기설정은 비슷한 능력

b. MRI가 종괴의 모양과 자궁주위조직 침윤(parametrial invasion)에 대한 우위

(3) 양전자방출단층촬영(PET-CT)

① 대부분의 자궁경부 종양이 FDG(Fluoro-deoxyglucose)를 많이 흡수

a. 자궁경부암에 FDG/PET-CT는 매우 적절

b. FDG 흡수가 낮은 자궁경부선암(adenocarcinoma)은 예외

② 효용성

a. 초기 병기 설정, 치료반응 평가 및 재발 발견을 위해 사용

b. Stage IIB~IVB 환자의 림프절 발견에 높은 특이도

3) 병기설정

(1) 임상적 병기설정(Clinical staging)

① 자궁경부암의 FIGO stage (FIGO staging system, 2018)

Stage	Description
I	종양이 자궁경부에 국한
IA	현미경적으로 종양의 침윤의 깊이 <5 mm
IA1	자궁경부 간질 침윤의 깊이(stromal invasion depth) <3 mm
IA2	자궁경부 간질 침윤의 깊이(stromal invasion depth) ≥3 mm 그리고 <5 mm
IB	종양 침윤의 깊이(invasion depth) ≥5 mm
IB1	종양의 최대 직경(greatest dimension) <2 cm
IB2	종양의 최대 직경(greatest dimension) ≥2 cm 그리고 <4 cm
IB3	종양의 최대 직경(greatest dimension) ≥4 cm
II	종양이 자궁 밖으로 침윤, 질 하부(lower) 1/3 및 골반벽까지 침윤 안된 경우
IIA	종양이 질 상부(upper) 2/3에 국한(자궁주위조직 침윤 없음)
IIA1	종양의 최대 직경(greatest dimension) <4 cm
IIA2	종양의 최대 직경(greatest dimension) ≥4 cm
IIB	자궁주위조직 침윤(parametrial invasion, 골반벽까지는 침윤 없음)
III	종양이 질 하부(lower) 1/3까지 침윤 and/or 골반벽까지 침윤 and/or 수신증 또는 비기능성 신장 and/or 골반 (and/or) 대동맥주변 림프절에 전이
IIIA	종양이 질 하부(lower) 1/3 침윤, 골반벽까지는 침윤 안된 경우
IIIB	종양이 골반벽까지 침윤 (and/or) 수신증 또는 비기능성 신장
IIIC	골반 (and/or) 대동맥 주위 림프절에 전이(종양의 크기와 진행과는 무관)
IIIC1	골반 림프절(pelvic lymph node)에만 전이
IIIC2	대동맥주변 림프절(para-aortic lymph node) 전이
IV	종양이 골반(true pelvis) 밖으로 진행 또는 방광이나 직장의 점막 침윤(조직학적으로 진단)
IVA	인접 골반장기(adjacent pelvic organs) 침윤
IVB	원격 장기(distant organs) 전이

- 림프절 전이는 영상 및 병리학적 평가를 바탕으로 r (imaging) 및 p (pathology) 표기를 추가해 표기
- 예 : 영상이 골반 림프절 전이를 나타내는 경우 병기 할당은 IIIC1r 병기이고 병리학적 소견으로 확인되면 병기 IIIC1p로 표기

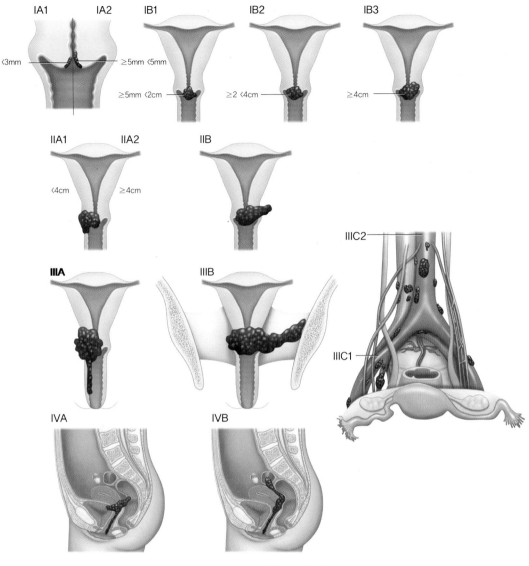

그림 27-1. 자궁경부암의 병기

② 자궁경부암은 임상적 병기(clinical stage)가 매우 중요
③ 어느 병기에 넣을지 곤란할 때는 낮은 병기를 채택
④ 임상적 병기는 예후를 반영

(2) 수술적 병기설정(Surgical staging)

① 외과적 병기설정의 이론적 이점에도 불구하고 환자 결과의 이점에 대해서는 논란 중
② 수술적 병기설정은 임상적 병기설정에 비해 정확하지만 용이하지 않고 모든 환자에서 시행

할 수 없어 실용적이지 못한 단점

③ 여러 연구에서 방사선학적 병기설정이 질병 진행의 좋지 않은 예후를 더 잘 확인

(3) 자궁경부암의 전이양상

① 직접적인 침윤 : 자궁경부 간질, 자궁체부, 질, 자궁주위조직

② 림프 전이(lymphatic metastasis)

③ 혈액 매개 전이(blood-borne metastasis)

④ 복강 내 이식(intraperitoneal implantation)

3 자궁경부암의 치료

1) 수술(Surgery)

(1) 치료 원칙

① 조기진단이 예후에 매우 중요

   a. 상피내암 단계에서 진단 치료되면 완치가 가능

   b. 침윤성암으로 진행하면 질환의 진행정도에 따라 완치율이 크게 감소

② 치료의 기본원칙 : 암의 원발병소와 잠재적인 전파부위의 제거

③ 수술적 치료 선택에 있어 가장 중요한 인자 : 임상적 병기(clinical stage)

   a. 자궁경부 및 질 상반부에 국한되어 있는 경우 : 예후는 양호, 근치적 자궁절제술과 골반 림프절절제술을 적용

   b. 자궁주위조직 또는 골반 림프절 전이의 경우 : 예후는 불량하며 수술 시 절제범위가 넓어지고 합병증 발생이 증가

④ 자궁경부암의 난소 전이는 극히 드물게 발생 → 젊은 여성의 경우 난소보존 근치적 자궁절제술을 시행

(2) 미세침윤암이 의심되는 환자의 관리

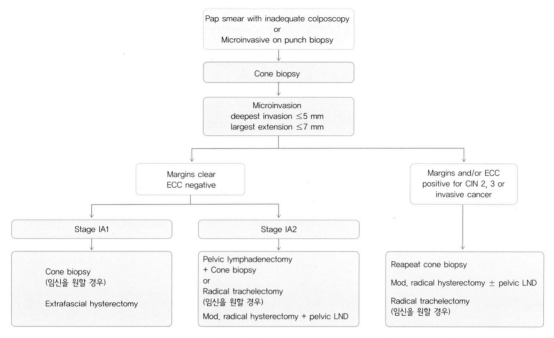

그림 27-2. High grade Pap과 부적절한 질확대경, punch biopsy에서 확인된 미세침윤암의 처치

(3) 임상적 병기에 따른 자궁경부암의 치료

Stage	Disease	Treatment
IA1	⟨3 mm, LVSI (−)	Conization or Extrafascial Hyst
	⟨3 mm, LVSI (+)	Modified Rad Trachel or Modified Rad Hyst + pelvic lymph or SLN
IA2	≥3 mm, ⟨5 mm	Modified Rad Trachel or Modified Rad Hyst + pelvic lymph or SLN
IB1	≥5 mm, ⟨2 cm	Mod Rad/Rad Trachel or Mod Rad/Rad Hyst + pelvic lymph or SLN
IB2	≥2 cm, ⟨4 cm	Rad Hyst + pelvic lymph
IB3	≥4 cm	Chemoradiation, pelvic field
IIA1	⟨4 cm + upper vagina	Rad Hyst + pelvic lymph or chemoradiation
IIA2	≥4 cm + upper vagina	Chemoradiation, pelvic field
IIB	Parametrium (+), pelvic wall (−)	Chemoradiation, pelvic field
IIIA	Lower vagina (+)	Chemoradiation, pelvic field
IIIB	Pelvic wall (+) or Hydronephrosis	Chemoradiation, pelvic ± extended field

IIIC1	Pelvic lymph nodes (+)	Chemoradiation, pelvic ± extended field
IIIC2	Para-aortic lymph nodes (+)	Chemoradiation, pelvic + extended field + systemic chemotherapy
IVA	Adjacent pelvic organs (+)	Chemoradiation, pelvic + extended field or pelvic exenteration
IVB	Distant organs (+)	Systemic chemotherapy ± radiation, pelvic or modified field

– 4 cm 이상의 병변은 수술 후 방사선치료가 필요
– LVSI : lymph-vascular space invasion
– Mod : modified
– Rad : radical

– Trachel : trachelectomy
– Hyst : hysterectomy
– lymph : lymphadenectomy
– SLN : sentinel lymph node biopsy in selected cases

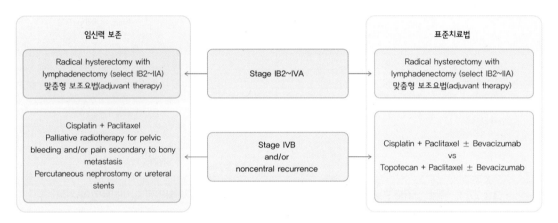

그림 27-3. 자궁경부암 Stage IB2~IVB의 표준치료와 임신력보존치료

(4) 근치적 자궁절제술(Radical hysterectomy)

① 근치적 자궁절제술의 분류

Type	수술명 및 범위	적응증
I	– Extrafascial hysterectomy – 자궁경부에 연결된 근막으로부터 자궁을 절제 – Pubocervical ligament 절제	자궁경부상피내종양 미세침윤암(IA1)
II	– Modified radical hysterectomy – Cardinal ligament 및 uterosacral ligament 내측 절반 및 질상부 1/3 절제	미세침윤암(IA2)
III	– Radical hysterectomy – Cardinal ligament 및 uterosacral ligament 전체 및 질상부 1/3 절제	자궁경부암 IB 및 IIA
IV	– Extended radical hysterectomy – Ureter 주위조직 전체 및 superior vesicle artery 및 질 3/4 절제	방광 보존이 가능한 전방에 발생한 중앙재발암

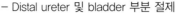

V	– Partial exenteration – Distal ureter 및 bladder 부분 절제	원위부 요관 혹은 방광을 침범한 중앙재발암

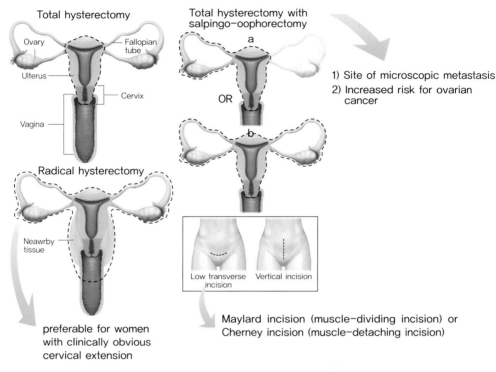

그림 27-4. 자궁경부암 Stage IB2~IVB의 표준치료와 임신력보존치료

② Modified radical hysterectomy와 Radical hysterectomy의 차이

    a. Uterine artery가 ureter level에서 절단됨으로써 ureteral branch를 보존

    b. Cardinal ligament가 골반벽 가까이에서 절단되는 것이 아닌 ureteral dissection을 시행하는 부위인 중간지점에서 절단

    c. Anterior vesicouterine ligament가 잘리지만 posterior vesicouterine ligament는 보존

    d. 질 상부가 덜 제거

③ 신경보존 근치적 자궁절제술(nerve sparing radical hysterectomy)

    a. Bladder dysfunction, sexual dysfunction, colorectal motility 감소를 위해 시행

    b. 보존하는 신경

       – Hypogastric nerve

       – Pelvic splanchnic nerve

       – Uterovaginal plexus

       – 방광부위 말초신경

(5) 근치적 자궁절제술(Radical hysterectomy)의 합병증

① 급성 합병증(acute complications)

　　a. 발열성 이환증 : 약 25~50%, 폐렴, 골반연조직염(pelvic cellulitis), 요로 감염 등

　　b. 출혈 : 평균 0.8 L

　　c. 요관질누공(ureterovaginal fistula) : 약 1~2%

　　d. 방광질누공(vesicovaginal fistula] : 약 1%

　　e. 폐색전증(pulmonary embolism) : 약 1~2%

　　f. 소장 폐쇄(small bowel obstruction) : 1%

② 아급성 합병증(subacute complications)

　　a. 방광기능장애(bladder dysfunction)

　　　- 수술 후 며칠간 방광 용적이 감소하고 충만압이 증가

　　　- 조영제를 사용하여 복부 x-ray를 촬영 시 ureter가 아닌 복강 내로 조영제가 퍼지면 방광 파열을 고려

　　　- 예방법 : 과팽창을 예방하기 위해 적절한 배뇨를 시행

　　　- 치골상부 도관(suprapubic catheter)의 장점

　　　　· 환자가 더 편함

　　　　· 방광내압측정(cystometrogram), 잔뇨량 확인이 용이

　　　　· 환자 스스로 필요한 경우 배뇨하고 잔뇨를 확인할 수 있음

　　　　· 방광 충만 감각이 회복되고 배뇨가 가능하며 잔뇨량 ≤75~100 mL 시 도뇨관 제거

　　　- 자가 도뇨 시 요로 감염의 예방 및 관리

　　　　· 자주 그리고 완전히 방광을 비움 : 가장 중요

　　　　· 14-fr small catheter 이용

　　　　· Catheter는 비누, 물로 세척 후 건조하여 보관

　　　　· 무균 처치는 필요 없고, 방광 내로 균이 들어가도 잦은 배뇨로 요로감염이 감소

　　　　· 소변에서 세균 집락화가 있어도 증상이 있기 전까진 치료하지 않음

　　b. 림프낭종(lymphocyst)

　　　- <5%에서 발생

　　　- Routine retroperitoneal drain을 시행해도 발병률은 감소하지 않음

　　　- Ureteral obstruction, partial venous obstruction, thrombosis 유발 가능

　　　- 예방법

　　　　· 수술 후 적절한 배액(drainage)을 시행

　　　　· 항생제와 수술 시 적절한 lymph tissue에 대한 결찰 시행

　　　- 치료법

· 증상이 없는 경우 : 경과관찰

· 항생제(antibiotics)

· 경피도관(percutaneous catheter)을 통한 장기간의 배액

· 경화요법(sclerotherapy)

· 수술적 제거 후 대장 또는 장간막을 이용한 flap 시행

  c. 림프부종(lymphedema)

    - 다리 거상(leg elevation)

    - Stocking 착용

    - 림프관염(lymphangitis) 발생 시 항생제 투여

③ 만성 합병증(chronic complications)

  a. 방광긴장저하증(bladder hypotonia), 방광무긴장증(bladder atony)

    - 3%에서 발생하는 가장 흔한 합병증

    - 원인 : 방광의 탈신경(denervation)

    - 치료

      · 4~6시간마다 규칙적인 배뇨

      · 간헐적 자가 도뇨(intermittent self catheterization)

  b. 요관 협착(ureteral stricture)

    - 원인 : 수술 후 방사선치료, 암의 재발, 림프낭종 형성

    - 기능 보존을 위한 처치

      · Retrograde ureteral stent (Double J stent)

      · Percutaneous nephrostomy catheter

      · Ureteral reanastomosis

      · Ureteral reimplantation

  c. Radical hysterectomy 시 요관(ureter)이 손상 받기 쉬운 위치

    - Infundibulopelvic ligament

    - Uterosacral ligament

    - Vesicouterine ligament

    - Uterine artery

2) 방사선치료(Radiation therapy)

(1) 자궁경부암 Stage IB/IIA에서 수술과 방사선치료의 비교

	수술(Surgery)	방사선치료(Radiation therapy)
생존율	85%	85%
심각한 합병증	비뇨기계 누공(fistula) : 1~2%	장, 요관의 협착, 누공 : 1.4~5.3%
질(vagina)	처음에는 짧아지지만 규칙적인 성교를 하면 길어질 수 있음	폐경 후 여성에서 섬유화 및 협착 가능성
난소(ovary)	보존 가능	손상
장기적 영향	방광 무긴장증(atony) : 3%	방광이나 장의 방사선 섬유화 : 6~8%
적용범위	65세 미만, 체중 90 kg 미만, 건강한 상태	모든 환자에서 사용 가능
시술 중 사망률	1%	1%

(2) 방사선치료의 역할 및 방법

① 역할

    a. 일차 방사선치료(primary radiation therapy) : 자궁경부암 모든 병기에서 시행 가능

    b. 보조 방사선치료(adjuvant radiation therapy) : 근치적 자궁절제술 후 병리학적 소견상 재발 위험이 높을 경우 보조 방사선치료를 시행

    c. 재발성 자궁경부암의 방사선치료 : 1차 치료 시 방사선치료를 하지 않았던 재발성 자궁경부암에서 방사선치료는 매우 효과적

② 방법

    a. 외부선방사선치료(external beam radiotherapy, EBRT)

    - 범위

      · 위 : L5~S1 혹은 L4~5

      · 아래 : obturator foramen의 아랫면 혹은 종양의 자궁경부나 질 침범부위 중 가장 아랫부분으로 3 cm

      · 측면 : 골반 가장자리 + 1.5~2 cm

      · 전방 : 치골결합의 앞쪽 경계 혹은 치골결합 앞쪽 경계에서 1 cm 앞까지 다양

      · 후방 : S2 ~ Sacrum 전체까지 다양

      · 대동맥주변 림프절 침범이 확인되거나 의심되는 경우에는 포함

    - 외부선방사선치료 먼저 시행 후 근접치료 시행 : 부선방사선치료에 의해 병변이 작아졌을 때 근접치료를 시행하는 것이 더욱 용이하기 때문

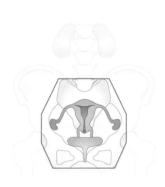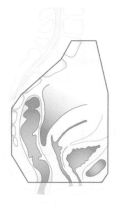

그림 27-5. 외부선방사선 치료의 표준범위

b. 근접치료(brachytherapy)
  - 조직내근접치료(interstitial brachytherapy)
  - 강내근접치료(intracavitary brachytherapy)
  · 선원(^{137}Cs, ^{192}Ir)을 체강 내에 두는 치료
    · 장착기 주변의 종양에 고선량을 조사하면서 선원에서 떨어진 직장, 방광 등의 정상 조직에는 적은 선량을 조사 가능
    · Point A : 자궁경부에서 2 cm 외측, 2 cm 상방, 원발병소 선량의 지표
    · Point B : Point A에서 3 cm 외측 지점, 골반벽 침윤 및 골반 림프절 선량의 지표

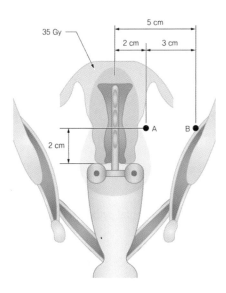

그림 27-6. 강내근접치료와 Point A, Point B

(3) Supraclavicular lymph node biopsy

① 적응증

    a. Para-aortic node 양성 환자의 extended field radiation therapy 시행 전

    b. 중앙부위 재발이 있을 경우 골반내용물적출술(exenteration)의 가능성 확인 전

② 조직검사 : 커진 림프절에서 세침흡인생검(fine-needle aspiration, FNA) 시행

③ Scalene lymph node 양성의 의의

    a. 완치가 불가능하다고 판정

    b. 완화 항암화학치료(palliative chemotherapy) 시행

(4) 방사선치료의 합병증

① 급성 합병증(acute complications)

    a. 2,000 cGy 이상 투여될 때부터 발생 가능

    b. 자궁천공(uterus perforation)

      - 위험인자 : 나이가 많거나 종양의 침범이 큰 경우, 이전 자궁수술 과거력

      - 자궁천공 의심 시 자궁강 내 선원(tandem)을 제거하고 출혈, 복막염 증상을 확인

      - 발생 시 생존율 약간 감소

    c. 종양괴사에 의한 발열(fever)

      - intracavitary system 삽입 2~6시간 후 발생

      - 치료 : 광범위 항생제(cephalosporin) 투여

      - 발생 시 강내근접치료를 1~2주 연기

    d. 다른 합병증

      - 설사, 복통, 오심, 빈뇨, 일시적인 방광 및 항문 출혈 등

      - 대부분 보존적 치료로 호전 : low gluten, low lactose, low protein 식이, 지사제 등

② 만성 합병증(chronic complications)

    a. 방사선 치료 후 수개월~수년 뒤 발생 : 분할 용량, 투여 총 용량, 조사 용적과 연관

      - Stage I~IIA의 3.5%, Stage IIB~III의 10~15%에서 발생

      - 위험인자 : 골반염, 심한 흡연자, 과거 복부 수술력, 당뇨 등

    b. 방광질누공(vesicovaginal fistula)

      - 작으면 catheter 삽입 후 경과관찰

      - 지속 시 bulbocavernosus flap, omental pedicle repair 시행

    c. 직장구불창자염(proctosigmoiditis)

      - 증상 : 항문 출혈

      - 치료 : low-residue diet, 지사제

    d. 직장질누공(rectovaginal fistula), 장천공, 장협착 : 수술적 치료

e. 방사선 치료 후 질협착

- 질 확장기(vaginal dilator) 사용 : 질구개 크기를 유지시켜 성생활을 유지시키기 위함
- 심한 질 짧아짐은 흔하지 않고, 나이, 폐경, 성적 활동성, 질병의 처음 범위와 관련

3) 항암화학치료(Chemotherapy)

(1) 선행 항암화학치료(Neoadjuvant chemotherapy)

① 국소적으로 진행된 자궁경부암의 표준치료

② 이론적 근거와 목표

이론적 근거	목표
– 미세 전이 종양에 대한 치료 – 종양의 크기 감소에 의한 수술 및 방사선 치료의 성공률 향상 – 동시 항암화학방사선 치료에 비해 적은 독성 – 수술 및 방사선치료 후 발생하는 종양 내 혈류 변화가 없어 약물이 더욱 효과적으로 작용	– 수술이 불가능한 환자(IIB 이상)를 가능하게 전환 – 림프절 전이 감소 – 국소적 및 전이성 재발률 감소 – 5년 생존율 증가

③ 장점 및 단점

장점	단점
– 근치적 치료를 연기해야 하는 환자 또는 방사선요법이 불가능한 경우에 효과적으로 사용 가능 – 방사선치료 단독요법이나 동시 항암화학방사선 치료에 비해 최소한 대등한 정도의 효과 – 수술 단독치료보다 유의한 생존율 향상	– 치료 일정이 길어져 늦어지는 수술적 치료 – 환자의 순응도 감소 – 항암제 독성에 의한 합병증 – 항암제 저항성을 가지는 암 세포 출현으로 인한 종괴의 지속 및 재발이 유발

④ NCCN 진료권고안

a. 제1군 항암제 : Cisplatin을 기반으로 한 단일 또는 복합요법

b. 병합요법 약물 : paclitaxel, ifosfamide, bleomycin, vincristine, 5-FU, mitomycin 등

c. 표준치료에 대해서는 현재까지 명확히 권장되는 프로토콜이 없음

(2) 동시 항암화학방사선치료(Concurrent chemoradiation therapy, CCRT)

① 방사선치료를 통한 국소치료 효과를 얻음과 동시에 항암제가 radio-sensitizer로 작용하여 암세포들의 방사선치료에 대한 반응성 증가

② 항암화학방사선치료를 일차치료로 시행하는 경우

a. Stage IA2, IB, IIA 수술 후 아래의 소견 중 한가지 이상

b. 수술소견

- Positive pelvic lymph nodes

- Positive parametrial invasion
- Positive vaginal resection margin

③ 장점 : 방사선치료만 한 경우보다 우월한 생존율 및 무진행 생존기간
④ 독성 : 환자가 받아들일 수 있는 정도이지만 다소 흔한 혈액독성(hematotoxicity)

(3) 진행된 질환에서의 항암화학요법

① 항암제 : cisplatin + 병합약물(paclitaxel, ifosfamide, bleomycin, vincristine 등)
② 보통 병합요법 시행 : 생존율, 약제 반응률이 증가하지만 독성도 증가

4 자궁경부암의 재발

1) 재발의 양상

(1) 초기 자궁경부암(Stage IA2~IIA) 중 재발위험군

① 3년 이내에 30~40% 재발 위험
② 위험인자

중등도 위험인자(Intermediate risk factors)	고위험인자(High risk factors)
– 종양의 큰 크기 : >4 cm – 깊은 자궁경부 간질 침윤 : middle or deep 1/3 – 림프–혈관공간 침윤(LVSI) : 가장 의미가 적음	– 림프절 침윤(lymph node involvement) : 가장 중요 – 수술 후 조직검사상 절제면 양성 – 자궁주위조직 침윤(parametrial involvement)

③ 수술 후 중등도 or 고위험인자가 있을 경우 보조 방사선치료(adjuvant radiation therapy) 또는 항암화학방사선치료(chemoradiation therapy) 고려

(2) 재발의 형태

① 초기 자궁경부암의 일차치료 후 재발이 잦은 부위 : 질단부(vaginal vault), 골반 벽
② 골반 내에서 종양 지속 또는 재발의 위험 : 초기 병기가 증가함에 따라 증가

(3) 일차치료 방법에 따른 재발

① 초기 자궁경부암의 일차치료로 수술과 방사선치료의 재발률과 재발위치의 차이는 없음
② 동시 항암화학방사선치료(CCRT)가 단독 방사선치료에 비해 국소 재발이 약간 낮음

(4) 재발된 환자의 예후

① 재발 위치와 완치를 목표로 치료할 수 있는지 여부가 가장 중요

② 재발 후 예후가 좋은 경우

    a. 골반 벽을 포함하지 않고 골반 중심부에 국한

    b. 일차치료 완료 후 재발까지 6개월 이상

    c. 재발된 종괴의 크기가 3 cm 미만

③ 원격 전이가 된 환자의 경우 90% 이상이 5년 이내 사망

④ 폐에 국한되어 재발된 경우 수술을 통해 완전 절제가 가능하면 예후 향상

2) 치료 후 재발감시

(1) 재발 감시의 이점

① 무증상 여성에서 국소 재발을 조기에 발견하는 것이 생존에 이득을 제공

② 무증상일 때 정기적인 재발 감시를 하는 것이 재발을 조기에 발견에 중요

③ 국소 재발을 확인하는 최적의 방법은 아직 불명확

(2) 재발 감시의 방법

자궁경부암 재발 감시에 대한 NCCN 가이드라인(NCCN, 2012)	
병력청취(history) – 질 출혈, 분비물(vaginal bleeding, discharge) – 요통, 좌골신경통, 골반통(back, sciatic, pelvic pain) – 체중 감소, 식욕부진(weight loss, anorexia) – 기침, 호흡곤란, 객혈(cough, dyspnea, hemoptysis) – 하지 부종(lower extremity swelling) **신체 검진(physical examination)** – Uterosacral and cardinal ligament의 결절 확인 – Supraclavicular and inguinal lymph node 확인 **질단부 또는 자궁경부세포검사** – 처음 2년 동안 3~6개월마다 시행 – 이후 3~5년 동안 6~12개월마다 시행 – 이후 매년 시행	**흉부 X-선 검사(chest x-ray)** – 5년 동안 매년 시행 **혈액검사(CBC, BUN, creatinine)** – 6개월마다 시행 **양전자방출단층촬영(PET-CT)** – 임상적 적응증에 해당하는 경우 시행 **방사선 치료 후 질 협착** – 질 확장기(vaginal dilator) 사용 권장 **증상에 대한 환자 교육**

3) 재발성 자궁경부암의 치료

(1) 정의 및 증상

① 재발성 자궁경부암(recurrent cervical cancer)

    a. 지속성 암 : 치료가 끝난 후 6개월이 경과하지 않은 시기에 잔류암이 발견된 경우

    b. 재발 암 : 치료가 끝난 후 6개월이 경과한 뒤 암의 존재가 발견된 경우

② 증상

a. 일반적 증상 : 체중변화(감소 혹은 증가), 피로

b. 호흡기 증상 : 기침, 각혈, 호흡곤란, 흉통

c. 소화기계 증상 : 복통, 오심/구토, 장 운동의 변화, 변비, 설사

d. 비뇨기계 증상 : 배뇨곤란, 빈뇨, 요실금, 혈뇨, 질 출혈/대하, 혈변

e. 근골계 증상 : 골반통, 요통, 하지통, 하지/상박부 부종

f. 복강경 trocar 삽입 부위의 종괴 : Trocar 부위의 재발성 암 가능성

③ 골반벽 침범 및 재발을 시사하는 임상적 징후

a. 한쪽 다리의 부종(unilateral leg edema)

b. 좌골통(sciatic pain)

c. 요관폐쇄(ureteral obstruction)

④ 진단

a. 혈청 종양표지자 : SCC, CEA, CA-125

b. 확진 : 세침흡인생검(fine-needle aspiration, FNA)

(2) 재발성 자궁경부암의 치료원칙

① 국소적인 재발

a. 재발성 자궁 경부암이 국소적으로 재발하는 경우

- 국소적 치료방법(방사선치료, 수술적 절제)을 우선적으로 적용

- 최초의 치료가 방사선치료를 포함하지 않는 경우에는 완치의 가능성 증가

b. 골반강 내 자궁 혹은 질단부(vaginal vault) 재발인 경우 : 동시 항암화학방사선치료(CCRT) 혹은 강내근접치료(intracavitary brachytherapy)를 시행

c. 방사선치료 후 재발된 국소적인 암인 경우 : 방사선근치적인 골반내용물적출술(pelvic exenteration)을 시행

d. 방사선치료가 가능한 부위의 재발인 경우 방사선치료를 우선적으로 고려

② 원격 전이된 재발

a. 원격 전이된 자궁경부암 : 매우 낮은 완치 확률

b. 방사선 조사가 국소적으로 가능한 부위의 재발

- 대동맥 주위 림프절, 쇄골상림프절(supraclavicular lymph node) 등

- 국소적 방사선치료와 전신 항암화학치료를 동시에 순차적으로 진행

c. 폐, 간 등으로 전이된 경우 : 방사선, 수술적 절제 등의 국소적 치료 후 전신 항암화학요법 시행

③ 원격 전이와 국소전이가 복합된 재발

a. 완치의 가능성은 극히 적은 경우

b. 전신 항암화학요법과 국소적 방사선 조사를 조합하여 치료

c. 치료의 목적 : 환자의 삶의 질의 향상과 생존기간의 연장

(3) 재발된 자궁경부암의 방사선치료

① 방사선 재조사(radiation retreatment)

　　a. 방사선 치료 후 이전 조사 부위에 재발한 자궁경부암은 치료가 많이 어려움

　　b. 이전에 방사선 조사를 받은 조직은 처음 방사선 조사를 받는 조직에 비해 방사선 치료에
　　　대한 내성이 약함

　　　- 심각한 후기 합병증이 자주 발생

　　　- 외부 조사(external beam radiation)를 시행했던 환자에서 흔히 관찰

② 방사선치료 또는 동시 항암화학방사선치료

　　a. 자궁경부암으로 자궁절제술을 시행 후 방사선치료를 받지 않은 환자가 중앙부위 재발을
　　　한 경우에는 외부조사와 강내근접조사를 시도 가능

　　b. 이전에 방사선치료를 받지 않은 환자들에서는 원발종양이나 국소 림프계에 40~50Gy의
　　　골반 방사선치료가 가능

　　c. 자궁절제술 후 질 부위에 재발한 환자 대부분은 질 전체 치료 시행

　　d. 질 말단부 1/3이 침범된 환자는 치료범위에 서혜-대퇴부 임파절 영역을 포함

③ 완화 방사선치료(palliative radiation therapy) : bone metastasis, CNS lesion, severe urologic,
　vena cava obstruction

(4) 재발된 자궁경부암의 수술

① 방사선치료 후 재발한 경우 시행

② 원격 전이, 림프절 침윤, 복강 내 침윤이 없어야 시행 가능

③ 골반내용물적출술(pelvic exenteration)

　　a. 적응증

　　　- Stage IVA (bladder or rectum에 종양 전이가 있을 때)

　　　- 방사선치료 후 중앙부위 재발일 때 마지막 치료로 고려

　　b. 종류

　　　- Anterior exenteration : bladder, vagina, cervix, uterus 제거

　　　- Posterior exenteration : rectum, vagina, cervix, uterus 제거

　　　- Total exenteration : bladder, rectum, vagina, cervix, uterus 제거

　　c. 골반바닥 재건(Pelvic floor reconstruction) 방법

　　　- Peritoneal patch

　　　- Omental mobilization

(5) 재발된 자궁경부암의 항암화학치료

① 재발한 자궁경부암은 항암화학치료로 완치가 불가능

② 방사선치료를 받은 골반조직은 혈류가 나빠 항암화학치료에 대한 반응이 좋지 않음

③ Regimen

    a. Cisplatin, Carboplatin, Paclitaxel, Topotecan

      - 반응률 약 45%

      - 대부분 partial response이고, complete response는 chest metastasis만 있었던 경우

    b. Cisplatin + Topotecan

      - 반응률 약 15~20%

      - Response duration 6~9개월

5 특별한 상황의 자궁경부암

1) 임신 중 진단된 자궁경부암

(1) 빈도 및 진단

① 10,000명당 1.2명 정도에서 발생

② 임신 자체는 자궁경부암의 예후에 미치는 영향 없음

③ 임신으로 첫 방문 시 Pap 시행

④ 의심되는 병변은 조직검사 시행

    a. 펀치 생검(punch biopsy) : 안전하게 시행 가능

    b. 내자궁경부소파술(endocervical curettage) : 임산부에게 금기

    c. 원추절제술(conization)

      - 적응증

      · Pap에서 악성세포가 나오고 colposcopy와 조직검사에서 침윤암(invasive cancer)을 배제하기 힘든 경우

      · 조직검사에서 microinvasive cervical cancer가 의심되는 경우

      - 유산이나 조산 등 산과적 합병증이 증가 → 반드시 필요한 경우에만 시행

      - 임신 제1삼분기에 시행 시 유산의 위험이 증가 → 임신 제2삼분기에 시행

(2) 병기에 따른 치료

Stage IA

원추절제술(conization) 후 태아의 성숙을 기다림
Stage IA1(〈3 mm invasion)
  − 분만 시기 : 만삭에 질식분만(vaginal delivery) 시행
  − 분만 6주 후 다시 평가
  − 임신력 보존을 원하지 않을 경우 분만 6주 후 자궁절제술 시행
Stage IA2 (3~5 mm invasion) or lymph-vascular space invasion (+)
  − 분만 시기 : 만삭까지 기다리거나, 태아 폐 성숙이 확인된 후 분만
  − 제왕절개 후 즉시 modified radical hysterectomy with pelvic lymphadenectomy 시행

Stage IB(≥5 mm invasion)

침윤성 자궁경부암에 준하여 치료
임신 주수와 환자가 원하는 바에 따라 치료 결정
태아의 폐 성숙 확인 후 즉시 치료 시행
치료를 4주 이상 연기하지 않음
Classical cesarean section 후 radical hysterectomy with pelvic lymphadenectomy 시행

Stage II~IV

표준 치료 : 방사선치료(radiation therapy)
태아가 생존 가능성이 있으면 제왕절개 후 방사선치료(radiation therapy) 시행
임신 제1삼분기 : 외부선방사선치료(external beam radiotherapy)를 시행(태아는 자연유산)
임신 제2삼분기 : 환자가 원할 경우 태아 성숙을 확인한 후 분만할 수 있으나 4주 이상 기다리지 않음
선행 항암화학치료(neoadjuvant chemotherapy) : 임신 13주 이후 산모에게 투여 시 태아에 대한 단기적 해는 없었으나 아직 연구가 더 필요

(3) 임신 중 발견된 자궁경부암의 예후

① 임상적 병기(clinical staging) : 가장 중요한 예후인자

② 전체적으로 stage I이 많아 예후는 양호

③ 분만 후 발견 시 진행된 병기가 많고 생존율도 저하

2) 다른 여러 상황의 자궁경부암

(1) 자궁경부 절단부(Cervical stump)에서 진단된 자궁경부암

① 초기인 경우 : Radical parametrectomy with upper vaginectomy, pelvic lymphadenectomy

② 진행된 경우

  a. 동시 항암화학방사선요법(CCRT)을 시행

  b. Cervical canal length <2 cm이면 방사선치료가 어려울 수 있음

(2) 자궁절제술 후 조직검사 상 우연히 발견된 자궁경부암

① CIS, IA1 without lymph-vascular space invasion : 추가적인 치료가 필요 없음

② 재수술이 가능한 경우
  a. 병기가 수술적 치료의 적응증에 포함되는 경우
  b. 환자가 젊고, 작은 병변, 난소기능을 보존해야 하는 경우
③ 방사선 치료 : 수술을 할 수 있는 적응증 보다 진행된 경우
④ 예후 인자
  a. 초기 종양의 크기
  b. 수술 경계부의 상태
  c. 수술에서 방사선치료까지의 기간

(3) 자궁경부암에서 자궁강 내 액체가 차 있는 경우

① 자궁혈종(hematometra)
  a. 자궁경부 개대 후 혈종 배액(hematoma drainage)을 시행
  b. 자궁경부암의 치료에 대한 영향은 없음
② 고름자궁(pyometra)
  a. 2~3일에 한번씩 자궁경부 개대 후 흡인을 통한 배액 시행
  b. 항생제 : bacteroides species, anaerobic staphylococcus, streptococcus, aerobic coliform bacteria를 커버하는 것으로 사용
  c. 초기 병기인 경우 수술할 수 있으나 진행된 병기인 경우가 많아 방사선치료 시행
  d. 치료 후 외부선방사선치료(external beam radiotherapy) 시행 가능

(4) 급성 출혈(Acute hemorrhage)

① Monsel's solution (ferric subsulfate) vaginal packing(발열 시 제거 후 새 packing 시행)
② 외부방사선을 시행하면 출혈 조절을 할 수 있음
③ 광범위 항생제를 사용
④ 위 방법으로 조절 안되면 exploration & vascular ligation 또는 vascular embolization 시행 : 향후 방사선치료의 효과가 감소될 수 있음

(5) 요관 폐쇄(Ureteral obstruction)

① Transvesical or percutaneous ureteral catheter 시행
② 방사선치료 시행
③ 치료적 방사선치료 범위 이상의 전이 : ureteral stenting, palliative radiation therapy, chemotherapy 시행

CHAPTER 28

질암(Vaginal cancer)

1 서론

1) 특성

(1) 역학

① 부인과적 악성 종양의 약 2~3% 차지 : 질에 생기는 원발성 암은 매우 드묾

② 발생 빈도

    a. 편평세포암(squamous cell carcinoma)

      - 가장 흔한 형태 : 약 80~90%

      - 평균 발생 연령 : 약 60세

    b. 악성 흑색종(malignant melanoma) : 두번째로 흔한 형태(2.8~5%)

    c. 선암(adenocarcinoma) : 가장 드문 형태

③ 발생 부위

    a. 질의 상부 1/3 : 약 50% 이상

    b. 질의 중간부 : 약 19%

    c. 질의 하부 1/3 : 약 30%

    → 발생 부위에 따라서 림프계로의 전이 양상이 다름

(2) 병인론

① 명확한 원인이 밝혀지지 않았으나 자궁경부암과 유사하게 HPV 연관으로 생각

    a. 자궁경부 상피내종양과 동반되는 경우가 많음

    b. 질암의 30%에서 5년 이내 자궁경부암 치료의 과거력

② 자궁경부암 치료 5년 후 발생한 질암

    a. 자궁경부암 치료 시 질 내에 남은 병소

    b. 인유두종바이러스(HPV)에 의한 새로운 병소

c. 방사선치료에 의해 발생한 병소

③ 전이

  a. 대개 직접 전이(direct extension)

  b. 질 하부 1/3 : Inguinal lymph node, pelvic node로 전이 가능

2) 증상 및 진단

(1) 증상

① 통증 없는 질 출혈, 과다한 질 분비물 : 가장 흔함

② 기타 증상 : 질 소양증, 폐경 후 질 출혈, 혈성 질 분비물 등

③ 진행된 종양 : 요폐, 혈뇨, 빈뇨, 방광 경련

④ 질 후벽에 발생 : 뒤무직(tenesmus), 변비, 혈변

⑤ 질 밖으로 전이된 경우 : 대부분 무증상, 골반통(약 5%)

(2) 진단

① 선별검사

  a. 모든 여성의 정기검진 시행은 부적절

  b. 초기 squamous cell은 비정상 자궁경부세포진검사(Pap test)를 보일 수 있음

② 질 전체의 세심한 육안적 관찰이 가장 중요

  a. 외장성(exophytic)으로 보이지만 내장성(endophytic)으로도 관찰 가능

  b. 질 표면의 궤양 : 진행된 경우에 나타나는 증상

  c. 세포검사 이상이 있지만 육안적 병소가 없는 경우 : 질확대경검사, Lugol's iodine 염색

③ 확진검사 : 의심되는 병변의 조준 생검(targeted biopsy)

④ 진단 및 병기설정을 위한 검사

이학적 검진 및 혈액 검사	영상 검사	시술
림프절 촉진 질 시진 직장-질 내진 검사 CEA, SCC(선암의 경우 CA-125)	정맥신우조영술(IVP) 가슴 X-선(Chest X-ray) 전산화단층촬영(CT) : 복부, 골반 양전자방출단층촬영(PET-CT)	조직 생검(Biopsy) 방광경 검사(Cystoscopy) 직장경 검사(Rectoscopy) 자궁내막 조직검사 또는 소파술 치료 전 병기결정을 위한 개복술

(3) 병기설정(FIGO stage, 2018)

Stage	Description
I	종양이 질에 국한되고 2 cm 이하인 경우(T1a) 가까운 림프절(N0)이나 먼 부위(M0) 전이 없음
	종양이 질에 국한되고 2 cm 이상인 경우(T1b) 가까운 림프절(N0)이나 먼 부위(M0) 전이 없음
II	암이 질벽을 통해 자랐지만 골반벽까지 자라지 않고 2.0 cm 이하인 경우(T2a) 가까운 림프절(N0)이나 먼 부위(M0) 전이 없음
	암이 질벽을 통해 자랐지만 골반벽까지 자라지 않고 2.0 cm 이상인 경우(T2b) 가까운 림프절(N0)이나 먼 부위(M0) 전이 없음
III	암의 크기는 제한이 없지만 골반벽으로 성장 and/or 질의 아래쪽 1/3까지 성장 and/or 신장에 문제를 일으키는 소변의 차단(수신증)을 유발하는 경우(T1 ~ T3) 골반이나 서혜부 부위(N1)의 인근 림프절로 퍼졌지만 먼 부위(M0) 전이는 없음
	암이 골반벽으로 성장 and/or 질의 아래쪽 1/3까지 성장 and/or 신장에 문제를 일으키는 소변의 차단(수신증)을 유발하는 경우(T3) 가까운 림프절(N0)이나 먼 부위(M0) 전이 없음
IV	
IVA	암이 방광 또는 직장 침윤 또는 골반에서 성장(T4) 골반이나 서혜부의 림프절로 전이 또는 미전이(any N), 먼 부위(M0) 전이 없음
IVB	암이 폐나 뼈와 같은 원격 장기로 전이(M1), 크기 제한은 없음(any T) 인근 림프절로 전이 또는 미전이(any N)

3) 조직학적 형태

(1) 편평세포암(Squamous cell carcinoma)

① 가장 흔한 형태

② 호발 부위 : 질 후벽 상부(posterior upper) 1/3

③ 평균 발생 연령 : 약 60세

④ 분류

    a. Large cell nonkeratinizing carcinoma

    b. Keratinizing squamous cell carcinoma

    c. Small cell carcinoma

⑤ 예후에 영향을 주는 인자 : 세포형태, 림프-혈관공간 침윤(lymph-vascular space invasion)

(2) 선암(Adenocarcinoma)

① 가장 드문 형태

② 원발성 선암(primary adenocarcinoma) : 드묾

③ 대부분의 선암은 전이성(metastatic) : 결장, 자궁내막, 난소, 췌장, 위에서 전이

④ 젊은 여성에서 발생

⑤ 자궁 내 DES 노출 시 발생 가능

(3) 흑색종(Melanoma)

① 두번째로 흔한 형태

② 질 점막에 돌출되어 착색된 종양

③ 호발 부위 : 질 하부 1/3

④ 질에 생긴 흑색종의 생존율은 종양 침범 깊이와 반비례

(4) 육종(Sarcoma)

① 태아성 횡문근육종(embryonal rhadomyosarcoma)

    a. 매우 드문 형태의 질환

    b. 질 출혈 및 질 분비물이 많으며 분홍색의 용종이 포도송이 같은 덩어리를 형성하여 질 밖으로 돌출된 양상

    c. Botryoid sarcoma : 유아나 어린아이 때 질에서 발견

    d. 치료

    a. 수술 전 항암치료 : vincristine, actinomycin D, cyclophosphamide

    b. 이후 수술이나 방사선요법 시행

② 평활근육종

    a. 단단하고 덩어리 같은 종양

    b. 종양세포들은 덮여 있는 질상피를 파괴하며 때로는 간질에 국한된 양상

2 질암의 치료

1) 치료

(1) 수술(Surgery)

① 수술은 한정된 경우에만 가능

② 수술적 치료의 적응증

    a. 질 후벽 상부를 침범한 Stage I

      - Radical vaginectomy + pelvic lymphadenectomy

      - 자궁 침범이 있을 경우 : 근치적 자궁절제술(radical hysterectomy)

      - 절제면 음성, 림프절 음성인 경우 추가 치료 필요 없음

b. 직장-질(rectovaginal) 또는 방광-질 누공(vesicovaginal fistula)이 있는 Stage IV

- Primary pelvic exenteration + pelvic and para-aortic lymphadenectomy

c. 방사선치료 후 골반 중심에서 재발한 경우 : 골반내용물적출술(pelvic exenteration)

d. 종대된 림프절을 절제하며 외과적 병기설정술 후 방사선치료 시행

(2) 방사선치료(Radiation therapy)

① 수술적 치료의 적응증을 제외한 모든 환자에게 선택되는 치료법

② 작은 표재성 병변 : 강내 방사선치료(intracavitary radiation)

③ 크고 두꺼운 병변 : external teletherapy 후 intracavitary & interstitial therapy

(3) 항암화학치료(Chemoradiation therapy)

① 연구가 거의 없음

② 5-FU + cisplatin : 항문암, 자궁경부암에서 매우 성공적이어서 질암에서도 고려 가능

2) 예후

(1) 합병증

① 직장, 방광, 요관의 합병증 : 가장 흔함(약 10~15%)

② 큰 종양 : 방광 및 장의 누공

③ 방사선치료에 의한 방광염, 직장염, 직장 협착, 직장 궤양

④ 질의 섬유화로 인한 질협착 : 정기적 성관계, 국소 에스트로겐 도포와 질 확장기 사용

(2) 생존률

① 전반적인 5년 생존률 : 약 52%

② 병기별 5년 생존률

a. Stage I : 74%

b. Stage II : 54%

c. Stage III : 34%

d. Stage IV : 15%

(3) 재발

① 첫 번째 치료 후에 약 40%에서 재발

② 치료 후 2년 내에 일어나며 질 및 골반 내에 국한되어 발생

(4) 추적검사

① 자궁경부질세포검사(Pap smear)를 포함한 내진

: 치료 후 1년까지 매월 → 이후 2년은 2개월마다 → 이후로는 매 6개월마다 시행

② 정맥신우조영술(IVP), 흉부 X-선 검사 : 매년 시행

CHAPTER 29

난소암(Ovarian cancer)

1 상피성 난소암(Epithelial ovarian cancer)

1) 서론

(1) 난소암의 구분

기원 조직	난소암
체강표면상피(coelomic surface epithelium)	상피성 난소암(epithelial ovarian cancer)
성선–간질조직(sex cord stroma)	성기삭–간질종양(sex cord–stromal tumor)
생식세포(germ cell)	생식세포종양(Germ cell tumor)

→ 상피성 난소암(epithelial ovarian cancer)이 약 90%를 차지

(2) 난소암의 분류

Epithelial ovarian cancer	Sex cord stromal tumors
Serous	Granulosa–stromal cell
Mucinous	Granulosa cell
Endometrioid	Thecoma–fibroma
Clear cell	Sertoli–Leydig cell
Brenner tumor	Sex cord tumor
Transitional cell	Gynadroblastoma
	Sex cord tumor with annular tubules
Germ cell tumors	**Unclassified and Metastatic**
Dysgerminoma	
Endodermal sinus tumor	
Embryonal carcinoma	
Polyembryoma	
Teratoma (immature, mature)	

(3) 역학

① 난소암 발생률 1~1.5%, 사망률 0.5%

② 호발 연령

　a. 상피성 난소암 : 폐경 후 여성이 80%(최고 발병률 56~60세)

　b. 경계성 종양 : 10년 정도 이른 나이(평균 연령 46세)

③ 발견 시기에 따른 난소종양의 차이

　a. 폐경 후 발견 : 약 30%가 악성종양

　b. 폐경 전 발견 : 약 7%가 악성종양

④ 상피성 난소암은 대부분 확립된 조기 선별검사가 없어 대부분 진행된 병기에서 발견

2) 원인

(1) 발생 기전

이전의 상피성 난소암 발생 기전

난소표면상피 혹은 반복되는 배란 후 복구 과정에서 난소 간질 내로 들어간 피질하 봉입낭(inclusion cyst)의 난소표면상피에서 기원

최근의 상피성 난소암 발생 기전

난관 원위부에서 종양이 발생
배란된 부위에 착상한 정상 난관 상피가 봉입낭을 형성하면서 고등급 장액성 난소암이 발생

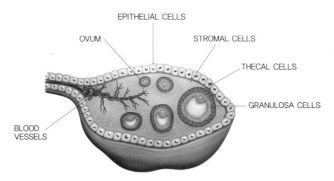

NORMAL OVARY

그림 29-1. 정상 난소의 모식도

(2) 원인

① 끊임없는 배란(incessant ovulation)

　a. 반복되는 배란에 따른 난소표면상피의 파열과 복구

　b. 이 과정에서의 DNA 합성 중 발생하는 자발적인 유전적 변이와 이에 따른 고위험군에서의 점진적인 난소암 발현

② 배란과 상피성 난소암의 관계

    a. 배란이 1년 연장되면 난소암의 위험 6% 증가

    b. 20~29세 사이의 배란은 난소암의 위험 20% 증가

    c. 배란 횟수가 많을수록 p53의 변이 빈도가 증가

(3) 위험인자와 보호인자

	위험인자	보호인자
생식학적 인자	– 배란 증가 : 미분만부, 불임, 빠른 초경, 늦은 폐경 – 장기간 estrogen 노출, 호르몬 요법	– 배란 억제 : 만삭임신, 장기간 수유 – 경구피임제

유전적 인자	– 가족력 : 가장 일관되고 의미 있는 위험인자
	– 유전성 난소암 : BRCA1, BRCA2 germline mutation
	– Lynch II Syndrome에 의한 유전성 난소암 확인을
	  위해 유방암, 대장암, 자궁내막암, 소장암, 요관암,
	  담관암의 가족력 확인
		– 늦은 초경(14세 이상)
		– 빠른 폐경(45세 이전)

환경적 인자	– 유제품, 탄수화물 과섭취 – 주 2~4회 계란섭취 – 자궁절제술, 난관결찰술 과거력	– 푸른 잎줄기채소 섭취 – 소아청소년기 과체중, 비만 – 골반염, 자궁내막증 과거력

(4) 유전성 난소암

① BRCA 관련 난소암

    a. 보통염색체 우성(autosomal dominant) 유전

> **가족력 중 유해한 BRCA 돌연변이와 관련이 깊은 경우**
>
> – 50세 이전에 진단된 유방암
> – 양측성 유방암
> – 난소암과 유방암의 가족력
> – 1명 이상의 남성 유방암
> – 다수의 유방암 환자가 있는 가계
> – 가족 중 1명 이상에서 2가지 BRCA 관련 암이 있는 경우
>
> → 가족 중 최소 1명의 유방암, 난소암, BRCA 관련 암이 있는 경우 위험도 측정

    b. 유전자의 위치 및 빈도

      - BRCA1 : 17번 염색체 장완 21 (17q21), 유전성 난소암의 약 75% 차지

      - BRCA2 : 13번 염색체 장완 12~13 (13q12~13), 유전성 난소암의 약 15% 차지

    c. 손상된 이중가닥 DNA (double-stranded DNA) 복구 기전에서 중요한 역할을 수행

      - BRCA1의 변이에 의해 손상된 DNA 복구가 실패하면, p53 의존성 DNA 손상 체크포인트가 활성화되어, 세포를 세포자멸사로 유도

- BRCA1의 변이가 있는 경우 세포의 증식을 위해서는 p53의 변이가 필요 → BRCA1 돌연 변이 난소암에서 p53 유전자의 변이 빈도가 높게 발생

d. BRCA1 돌연변이 난소암의 대부분은 p53 과발현을 동반하는 고등급 장액성 난소암
→ 백금 기반(platinum based) 항암화학요법에 더 민감

e. 특성
- BRCA1과 HNPCC 유전자변이 보인자의 난소암 발생 평균 연령 : 약 45세
- BRCA2 보인자의 난소암 발생 평균 연령 : 약 50세
- BRCA1의 돌연변이가 있는 여성의 유방암 누적위험률은 약 87%, 난소암 평생위험률은 28~44%
- BRCA2의 돌연변이가 있는 여성의 유방암 누적위험률은 약 84%, 난소암 평생위험률은 20~27%

② HNPCC (Hereditary Nonpolyposis Colon Cancer Syndrome)/Lynch II Syndrome
a. DNA 복구 유전자인 MLH1, MSH2, MSH6, PMS1, PMS2의 돌연변이와 관련
b. 유전성 난소암의 약 10% 차지
c. 대장, 위장관계, 자궁내막, 난소, 비뇨생식기계에 젊은 나이에 암을 유발
d. HNPCC 보인자의 난소암 발생률은 9~12%
e. 가족 중 여성의 난소암 발생 위험은 최소 3배 이상 증가

③ 유전성 난소암 고위험군의 관리
a. 난소/난관/복막의 상피성 암이 생긴 모든 여성, 유방암 또는 난소암의 가족력이 있는 경우 유전상담을 권장
b. 예방적 난관난소절제술 시행 전까지 30~35세부터 6개월마다 질 초음파, CA-125 시행
c. 젊은 여성이 아직 가족 구성 전이라면 경구피임제 사용
d. 가임력 유지를 원하지 않는 경우 35세 이후에 예방적 난관난소절제술 시행
- BRCA1 carriers : 35~40세에 시행 권장
- BRCA2 carriers : 40~45세에 시행 권장
- 예방적 난관난소절제술 시 난소와 난관의 모든 조직을 제거
e. BRCA mutation이 있으면 예방적 유방절제술(risk reducing bilateral mastectomy) 시행
f. BRCA mutation이 있는 여성의 유방암 검진
- 25~29세 : 6~12개월마다 유방검진, MRI
- 30세 이상 : 매년 mammography, MRI (보통 6개월마다 교차로 시행)
g. 유방암 또는 난소암의 과거력, 가족력이 있지만 유전자 확인을 안 한 경우 가족력을 기반으로 관리
h. Lynch syndrome (HNPCC) 여성
- 20~25세 또는 가족의 대장암 진단 2~5년 전부터 1~2년마다 대장내시경

- 30~35세부터 1~2년마다 자궁내막조직검사
- 더 이상 분만 계획이 없다면 40대부터 예방적 자궁절제술, 난관난소절제술 권장

3) 조직학적 분류

(1) 분포

전체 난소종양(Ovarian tumors)		상피성 난소암(Epithelial ovarian cancer)	
장액성 종양(serous tumors)	30%	장액성암(serous carcinomas)	75%
점액성(mucinous), 장액-점액성 종양	15%	자궁내막양암(endometrioid carcinomas)	10~20%
자궁내막양 종양(endometrioid tumor)	2~4%	점액성암(mucinous), 장액-점액성암	5~10%
		투명세포암(clear cell carcinoma)	6%
		악성 브레너종양, 미분화암	<1%

→ 전체 난소종양의 50% 이상이 상피성 난소종양   → 전체 난소암의 90% 이상이 상피성 난소암

(2) 장액성 종양(Serous tumor)

① 양성 장액성 종양(Benign serous tumors)

　a. 역학

　　- Epithelial ovarian tumor 중 가장 흔함
　　- 모든 양성 난소종양의 15~25% 차지
　　- 연령 : 20~50세(30~40대가 호발 연령)

　b. 특징

　　- Malignant change : 25%
　　- Bilaterality : 12~50%

　c. 육안적 소견

　　- Smooth and Free external surface
　　- Papillomatous tendency : papillary ingrowth가 흔함, Serous growth의 특징적 경향
　　- Content: Watery, hemorrhagic or brownish color fluids

　d. 현미경적 소견

　　- 사종체(psammoma body) : 좋은 예후인자, foci of foreign material
　　- Low columnar type
　　- Ciliation of many of the cells

② 경계성 장액성 종양(borderline serous tumors)

　a. 역학

　　- Ovarian serous tumor의 10% 차지

- 50% 이상에서 40세 이전에 발생(젊은 여성)

b. 특징

- 40%에서 extraovarian implants가 있음(50% 이상에서 난소에 국한, Stage I)
- True malignancy인 경우 3/4이 난소를 벗어남
- Frequently bilateral
- 사망의 주요 원인 : intestinal obstruction

c. 육안적 소견 : Multiloculated cystic lesions with Internal papillary growth

d. 현미경적 소견

- Psammoma body
- Malignant 소견은 나타나나 destructive stromal invasion은 없음

③ 장액성 난소암(serous carcinomas)

a. 역학

- Ovarian cancer 중 가장 많은 형태(40~50%)
- 흔히 양측성(bilateral)으로 존재(60%)

b. 육안적 소견

- External & Internal papillation
- Stromal invasion

c. 현미경적 소견

- Pleomorphism
- Abnormal nucleoli
- Formation of papillae
- Psammoma bodies : 80%의 serous carcinoma에서 존재

(3) 점액성 종양(Mucinous tumor)

① 양성 점액성 종양(benign mucinous tumors)

a. 역학

- 호발 연령 : 30~50대
- 가장 큰 종양 중 하나 : Huge size(복부가 pregnant or full-term size)
- 악성화 : 5~10%
- Bilaterality : 10%

b. 육안적 소견

- Rounded, ovoid, lobulated
- Smooth outer surface
- 외부에 papillomatous growth은 없음

- Contents : Clear mucinous fluid, multi-lobular cyst

　c. 현미경적 소견

　　- Tall columnar epithelium으로 lining

　　- Picket fence type of cell(말뚝울타리형 세포)

　　- Goblet cells, Paneth's cells, argentaffin cells 등이 관찰

② 경계성 점액성 종양(borderline mucinous tumors)

　a. 발생 빈도 : Non-benign mucinous tumors의 40%

　b. 특징

　　- Internal papillary growing

　　- Stromal invasion이 없는 경우도 있음

　　- Well differentiated lesion이 poorly differentiated 옆에 있을 수 있음

③ 점액성 난소암(mucinous carcinomas)

　a. 역학

　　- 난소암의 5〜15%, 점액성 난소종양의 5〜10%

　　- 호발 연령 : 30〜60세

　　- Bilateral : 8~10%

　　- Gastrointestinal lesion : frequency

　b. 현미경적 소견

　　- 다낭성 낭포와 유두양 돌기 모양의 세포증식

　　- Sarcoma-like mural nodule : very poor prognosis

　　- Serous tumor보다 예후는 더 좋음

(4) 자궁내막양 종양(Endometrioid tumor)

　① 양성 자궁내막양 종양(benign endometrioid tumor, Endometrioma)

　　a. 모든 형태(양성, 경계성, 악성)에서 양성의 endometriosis가 나타남

　　b. 발생 빈도 : 드묾

　　c. 육안적 소견

　　　- Complex, with both cystic & solid areas

　　　- Contents : chocolate-brown fluid(old blood)

　　d. 현미경적 소견 : Hemosiderin-laden macrophages within the tumors

　② 경계성 자궁내막양 종양(borderline endometrioid tumors)

　　a. Back to back gland를 지니며 well differentiated endometrioid carcinoma로 분류

　　b. 자궁내막 폴립 또는 복합 자궁내막증식증을 닮은 샘들이 군집

　③ 자궁내막양 난소암(endometrioid carcinomas)

a. Endometrioid tumors 대부분이 악성(80%), 양성 및 경계성 종양은 3%

b. 양측성 : 1/3 (30%)

c. Adenocarcinoma with squamous metaplasia(Adenoacanthoma)

- Excellent prognosis

- Endometrioid carcinoma의 25~50%에서 관찰

d. Adenosquamous carcinoma : poor prognosis

e. Multifocal disease

- Metastasis from uterus : poor prognosis

- Synchronous lesion : good prognosis

- Endometrium, ovary의 histology가 유사하면 endometrial tumor를 primary로 생각

(5) 투명세포암(Clear cell carcinoma)

① 역학

a. 발생 빈도 : 난소암의 5% (endometrioid carcinoma와 잘 동반)

b. 호발 연령 : 50~55세(악성 진단 시 평균 연령 57세)

② 특징

a. 거의 악성(양성과 경계성 종양은 매우 드묾)

b. 양측성(bilaterality) : 30%

c. Hypercalcemia와 endometriosis와 잘 동반(30~35%에서 자궁내막증을 동반)

d. 50%는 병기 1기에 발견, 평균 15 cm 크기 종괴

e. 대부분 high grade (G3) nuclei로 발견

f. 가장 항암제 저항성이 높아 예후가 불량

③ 현미경적 소견

a. Tubular and cystic spaces by irregular epithelium

b. Large irregular hyperchromatic nuclei

c. Collapsed or draped cytoplasmic membrane

d. Clear cell, Hobnail cell

e. Large accumulations of cytoplasmic glycogen : PAS stain 양성

(6) 브레너종양(Brenner tumor, transitional tumors)

① 경계성 브레너종양(borderline Brenner tumors)

a. 증식성 낭종성, 다방형 종양

- 낭종의 내부는 얇고 부드러운(velvety) 증식성 이행세포층으로 구성

- 낭종벽에 유두상 혹은 폴립 모양의 덩어리가 관찰

b. 세포들은 경도에서 중등도의 비정형 세포로 중등도 이하의 핵분열 모양

c. 대부분 편측성이며, 양호한 예후

② 악성 브레너종양(malignant Brenner tumors)

a. 양성/경계성 브레너종양과 섞여 있는 혼합형 암

b. 매우 드문 형태

c. 현미경적 소견

　- 핵의 다형성(pleomorphism)과 비정형성

　- 명백한 기질침윤이 동반

　- 악성 편평상피와 점액성 세포, 석회화가 관찰

(7) 장액-점액성 종양(Seromucinous tumor)

① 2014년 WHO 분류에서 새로이 분류가 된 종양

② 특징

a. 30대 중반에 호발

b. 40% 정도에서 양측성

c. 20~70%는 같은 쪽 혹은 반대쪽의 난소 또는 복막에 자궁내막증이 발생

d. 약 20%까지 난소 외 착상이 발견

③ 현미경적 소견

a. 장액성 경계성 종양과 유사하게 낭벽의 내부에 유두상으로 성장하는 종양

b. 경도/중등도의 비정형 세포들로 구성

c. 대부분의 세포들은 풍부한 세포 내 점액을 함유

d. 섬모를 가진 장액성 세포가 혼합되는 경우가 흔함

e. 간질 내 중성구 침윤

(8) 혼합형 상피성 난소암(Mixed epithelial carcinoma)

① 두 가지 이상의 조직형이 섞여 있는 암

② 각각의 아형이 종양의 최소 10% 이상인 경우

③ 장액성 암이나 육종의 요소가 있을 때 예후가 가장 나쁨

(9) 미분류 상피성 난소암(Unclassified carcinoma)

① 상피성 난소암의 약 2%를 차지

② 명백한 선분화가 있지만, 샘구조나 세포 특징이 5가지 상피성 아형 어디에도 속하지 않는 경우의 상피성 암을 지칭

(10) 암육종(Carcinosarcoma)

　① 상피성 요소와 간엽성 요소(mesenchymal)를 가지는 이상성(biphasic) 암

　② 상피성 요소

　　a. 5가지 상피성 아형 모두가 가능

　　b. 장액성, 자궁내막양, 미분화암이 가장 흔함

　③ 간엽성 요소 : 육종성(sarcomatous)

(11) 복막암(Peritoneal carcinoma)

　① 원발성 복막암은 조직학적으로 난소의 원발성 장액성암과 구분이 불가능

　② 난소 : 정상 또는 최소한의 침범

　③ Uterosacral ligament, pelvic peritoneum, omentum을 주로 침범

　④ 일차성 복막 유두상 장액성 암(primary peritoneal papillary serous carcinoma)

　　a. 난소 기질에 종양의 침윤이 거의 없거나 매우 국소적

　　b. 대부분의 종양이 골반 장기의 장막, 위, 대망, 광인대 등, 복막강 안에 위치하는 종양

(12) 복막 가성점액종(Pseudomyxoma peritonei)

　① 골반과 복강 내에 많은 점액질 들이 섬유조직에 둘러싸여 산재해 있는 경우

　② 복강 내 비난소성 점액성 종양으로부터 발생

　　a. 원발성 저등급 점액성 충수돌기암(appendiceal carcinoma) : 가장 흔한 원인

　　b. 점액성 난소암(ovarian mucinous carcinoma)

　　c. 위장관, 자궁경부, 방광, 간담도의 암 전이

　③ 수술 시 충수돌기의 절제 및 조직검사를 통한 진단이 중요

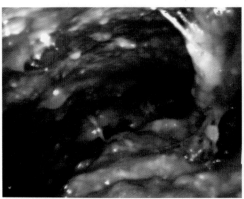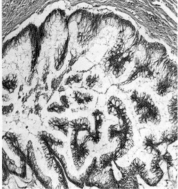

그림 29-2. 복막 가성점액종(Pseudomyxoma peritonei)

4) 증상 및 징후

(1) 증상(Symptoms)

① 대부분 증상이 없거나 비특이적이고 서서히 진행

    a. 무증상 : 가장 흔함

    b. 초기 병기 증상 : 출혈, 질 분비물, 종양 압박에 의한 빈뇨, 변비

    c. 진행 병기 증상 : 복수, 복부팽만, 구역, 변비, 식욕부진, 이른 포만감, 체중감소

② 난소암을 조기진단하기 위한 최선의 방법

    a. 난소암 의심을 높게(high index of suspicion) 하는 것

    b. 새롭게 발생되어 자주, 지속적으로 반복되는 헛배/이른 포만감, 골반통/복통, 급박뇨/빈뇨 등이 있는 경우 반드시 감별진단에 난소암을 포함

    c. 골반 진찰, 혈청 CA-125, 질 초음파 등의 추가검사 시행

(2) 징후(Signs)

① 골반진찰 중 무증상의 골반 종양의 촉진

② 악성종양 의심 : 잘 움직이지 않고 고정되어 있거나 표면이 불규칙한 단단한 종양

③ 다량의 복수에 의한 복부팽만 : 진행된 난소암의 가장 흔한 징후

④ 대망 전이에 의해 복부에서 덩어리(omental cake)

⑤ 흉수, 서혜부 또는 쇄골상 림프절 촉지

5) 진단

(1) 선별검사

① American Cancer Society

    a. 난소암 발생 고위험군에서만 시행

    b. 골반 내진, CA-125, 초음파의 병합을 권장

② American College of Obstetricians and Gynecologists(ACOG)

    a. 난소암 발생 저위험군의 무증상 여성에서는 선별검사 비권장

    b. 임상 증상에 관심을 가지고 증상이 있을 시 골반 내진 권장

(2) 초음파

① 난소종양의 평가에서 가장 핵심적인 검사(질 > 복부)

② 초음파 소견

악성을 시사하는 소견	양성을 시사하는 소견

- 표면이 불규칙한 고형종양(irregular solid tumor)
- 복수(ascites)
- 최소 4개의 유두상돌기(papillary projection)
- 최소 10 cm 이상의 다방형 고형 종양
  (multilocular solid tumor)
- 색 도플러 초음파에서 강한 혈류가 보이는 종양
- 두꺼운 낭종벽(thick wall)
- 급격하게 자라는 경우(rapid growth)
- Cul-de sac nodules
- 인근 장기로의 침윤
	- 단방형 낭종(unilocular cyst)
	- 최대 길이가 7 mm 이하의 고형 성분
	- 음향음영(acoustic shadow)이 있는 종양
	- 표면이 매끄러운 10 cm 미만의 다방형 종양
	  (multilocular tumor)
	- 색 도플러 초음파 검사에서 혈류가 없는 종양
	- 얇은 낭종벽(thin wall)

③ Sassone criteria

Features	Findings	Points
Inner wall structure	smooth	1
	irregularities ≤3 mm	2
	papillarities >3 mm	3
	lesion mostly solid (not applicable)	4
Wall thickness in mm	thin (≤3 mm)	1
	thick (>3 mm)	2
	lesion mostly solid (not applicable)	3
Septa in mm	no septa	1
	thin (≤3 mm)	2
	thick (>3 mm)	3
Echogenicity	sonolucent	1
	low echogenicity	2
	low echogenicity with echogenic core	3
	mixed echogenicity	4
	high echogenicity	5

- Minimum ultrasound score : 4
- Maximum ultrasound score : 15
- Score <9 : Low risk of malignancy
- Score ≥9 : Increased risk of malignancy
- Mature teratomas(dermoid cysts) and other benign cysts may have a score ≥9

④ 수술의 적응증
  a. 폐경 전 여성 : 악성종양의 소견을 보이는 큰 종양인 경우
  b. 폐경 후 여성 : 크기와 관계없이 악성종양이 의심되는 경우

(3) 혈청 CA-125

① 혈청 난소암 종양표지자

a. 정상 : 0~35 U/mL

b. 초기 난소암의 약 50%(낮은 민감도), 진행성 난소암의 85%에서 증가

② CA-125가 증가하는 상황

CA-125의 증가	
난소암(ovarian cancer)	다른 장기의 암(자궁내막암, 폐암, 유방암, 소화기암)
양성 난소종양(benign ovarian tumor)	복막염(peritonitis)
자궁근종(leiomyoma)	간염(hepatitis)
자궁선근증(adenomyosis)	췌장염(pancreatitis)
자궁내막증(endometriosis)	신부전(renal failure)
골반염(pelvic inflammatory disease)	

③ 유용성

a. 악성과 양성 골반 종양을 구별하는 데 유용

- 폐경 여성에서 부속기 종양과 높은 CA-125(>200 U/mL) : 96%의 양성 예측값

- 폐경 전 여성은 양성에서도 CA-125가 높아지는 경향이 있어 검사의 특이도가 낮음

- 질 초음파와 CA-125 병용 시 난소암 진단의 정확도 상승

b. 치료에 대한 반응과 재발의 관찰

- 난소암으로 치료받는 환자에서 CA-125 수치는 병의 경과와 일치

- CA-125의 연속적인 측정은 항암화학요법에 대한 반응과 관련이 있어서, CA-125가 증가하면 암의 재발을 강력히 시사

c. 이차 추시개복술 전에 임상적으로 완전 관해를 보인 환자들에서 암의 재발을 확인

(4) Human epididymis protein 4(HE4)

① 부고환 내피세포에서 분비되며, protease inhibitor 기능

② 난소암 조직에서 과발현 되는 특징

a. 혈중 농도가 월경주기, 자궁내막증(endometriosis), 호르몬제 등에 영향을 받지 않음

b. CA-125에 비해 폐경 전 여성에서도 높은 특이도(양성과 악성의 감별진단에 유용)

c. 난소암 1기를 결정하는 가장 높은 민감도

③ 증가하는 상황

a. 상피성 난소암의 장액성암(serous carcinoma)과 자궁내막양암(endometrioid carcinoma)

b. 난소암 이외에 자궁내막암(endometrial cancer), 폐암(lung cancer), 신부전, 췌장암 등

(5) 기타 수술 전 평가

① 환자 병력, 골반 내진, 자궁경부질세포진검사, 일반혈액검사, 생화학적혈액검사, 심전도, 흉부 X-ray 검사, 필요 시 폐기능검사, 심초음파

② 복부 및 골반의 CT, MRI, PET-CT : 다른 장기로의 전이 평가

③ 다른 원발 부위에서 난소로의 전이암을 배제하기 위해 위, 대장 내시경, 유방 촬영 시행

④ 감별진단

    a. 부인과 질환 : 난소 양성종양, 기능성 난소낭종, 골반염, 자궁내막증, 유경성 장막하근종 (peduculated subserosal myoma)

    b. 기타 : 대장의 염증성 혹은 신생물 종양, 골반신장(pelvic kidney), 전이성 난소암

6) 전이양상 및 예후인자

(1) 전이 양상

① 직접전이(transcoelomic spread)

    a. 가장 흔하고 특징적인 전이 양상

    b. 암종에서 탈락된 세포들의 복강 표면으로의 전이

② 림프절 전이(lymphatic dissemination)

    a. 진행된 병기에서 골반(pelvic) 및 대동맥주변(para-aortic) 림프절로의 전이가 흔함

    b. 횡격막의 림프관과 후복막 림프절을 통해 퍼지면 횡격막 위, 특히 쇄골상 림프절(supra-clavicular lymph nodes)로 전파

③ 혈행 전이(hematogenous dissemination)

    a. 혈행 전이는 아주 드물게 발생

    b. 간실질, 폐 등으로의 전이는 2~3%

(2) 예후인자

병리학적 인자(Pathologic factors)	임상적 인자(Clinical factors)

– 형태(morphology)
– 조직학적 패턴(병변의 architecture, grade 포함)
	– 독립적인 예후변수 : 병기(stage), 일차수술 후 잔여질환의 정도, 복수의 양, 나이, 환자의 상태
	– 난소암의 파열
	  • 수술 전 파열은 예후를 악화
	  • 수술 중 파열은 예후를 악화시키지 않음
	– 초기 질환의 불량한 예후변수 : tumor grade, capsular penetration, surface excrescences, malignant ascites

7) 상피성 난소암의 치료

(1) 수술적 병기설정(난소암과 난관암의 FIGO staging system, 2018)

Stage	Description
I	난소와 난관에 국한된 종양
IA	한쪽 난소(난관)에 국한, 난소(난관) 표면에 종양이 없고, 복수나 복강세척액에서 악성세포 없음
IB	양쪽 난소(난관)에 국한, 난소(난관) 표면에 종양이 없고, 복수나 복강세척액에서 악성세포 없음
IC	한쪽 또는 양쪽 난소(난관)에 국한된 종양, 그리고 다음 중 하나인 경우
IC1	수술 중 피막 파열
IC2	수술 전 자연 피막 파열
IC3	복수 혹은 복강세척액에서 악성세포 확인
II	골반 내 파급을 동반한 한쪽 혹은 양쪽 난소(난관)에 국한된 종양
IIA	자궁 혹은 난관(난소)으로 파급 혹은 전이
IIB	다른 골반 조직으로 파급
III	한쪽 또는 양쪽 난소(난관), 복막에 종양이 있으면서 골반을 넘어 복강 내로 전이 ± 후복막 림프절(retroperitoneal lymph nodes) 전이 양성
IIIA1	후복막 림프절(retroperitoneal lymph nodes)만 양성
IIIA1(i)	전이의 최대 직경 ≤10 mm
IIIA1(ii)	전이의 최대 직경 >10 mm
IIIA2	골반외복강 내 현미경적 파종이 확인 ± 후복막 림프절(retroperitoneal lymph nodes) 전이 양성
IIIB	현미경으로 확인된 복막 내 종양 착상(최대 직경 ≤2 cm) ± 후복막 림프절(retroperitoneal lymph nodes) 전이 양성
IIIC	현미경으로 확인된 복막 내 종양 착상(최대 직경 >2 cm) ± 후복막 림프절(retroperitoneal lymph nodes) 전이 양성
IV	복막 전이를 제외한 원격 전이
IVA	흉수(pleural effusion)에서 악성세포 확인
IVB	복강을 벗어난 원격 전이 또는 서혜부 림프절이나 복강의 림프절을 벗어난 전이의 확인

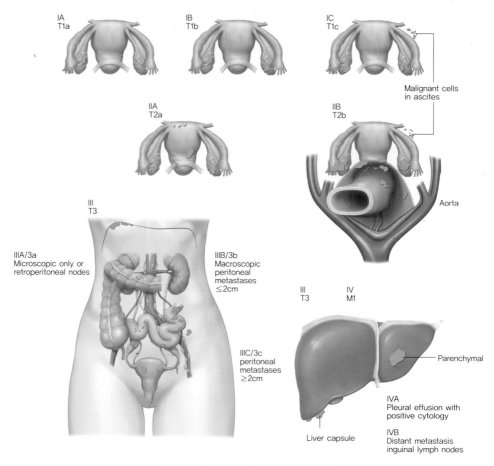

IA
T1a

IB
T1b

IC
T1c

Malignant cells
in ascites

IIA
T2a

IIB
T2b

Aorta

III
T3

IIIA/3a
Microscopic only or
retroperitoneal nodes

IIIB/3b
Macroscopic
peritoneal
metastases
≤2cm

III
T3

IV
M1

IIIC/3c
peritoneal
metastases
≥2cm

Parenchymal

IVA
Pleural effusion with
positive cytology

Liver capsule

IVB
Distant metastasis
inguinal lymph nodes

그림 29-3. 상피성 난소암의 병기설정

(2) 수술적 병기설정 방법

① 복부의 수직절개(vertical abdominal incision)

② 개복 후 복수(free fluid) 채취 및 네 군데(횡격막 하면, 상행결장의 측방, 하행결장의 측방, 골반 복막)로부터 얻은 복강세척액(peritoneal washings)을 통한 세포검사

③ 횡격막 하면을 포함하여 전체 복강 내에 걸친 자세한 시진과 촉진을 시행

④ 의심되는 부위나 복막 표면의 유착은 조직검사 시행

⑤ 횡격막은 생검 또는 설압자로 긁어서 샘플링

⑥ 결장위대망절제술(supracolic omentectomy)

⑦ 골반 및 대동맥주변 림프절(pelvic & para-aortic lymph node)을 평가하기 위해 후복막 공간(retroperitoneal space)을 탐색하고 의심되는 림프절은 조직검사 시행

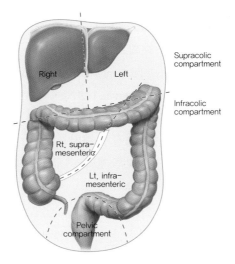

그림 29-4. 복강 내 구역

(3) 경계성 종양(Borderline tumor)의 치료

① 경계성 난소암 Stage I의 치료

    a. 출산을 원치 않는 여성 : 자궁절제술과 양측 난관난소절제술을 포함한 병기 결정 수술

    b. 출산을 원하는 여성 : 난소낭종절제술 혹은 난관난소절제술을 시행

② 경계성 난소암 Stage II~IV의 치료

    a. 최대 종양 감축술(cytoreductive surgery)

    b. 수술 후 보조 항암화학요법에 대해서는 원칙적으로 추천되지 않음

③ 경계성 점액성 종양(borderline mucinous tumors)은 충수돌기종양과 관련이 있을 수 있으므로 충수절제술도 함께 시행

(4) 초기 상피성 난소암(Stage I)의 치료

① 초기 상피성 난소암의 예후인자

Low risk	High risk
Low grade	High grade
Intact capsule	Tumor growth through capsule
No surface excrescences	Surface excrescences
No ascites	Ascites
Negative peritoneal cytologic findings	Malignant cells in fluid
Unruptured or intraoperative rupture	Preoperative rupture
No dense adherence	Dense adherence
Diploid tumor	Aneuploid tumor

② 조기 난소암, 저위험군(Stage I, low risk)

    a. 철저한 병기설정술과 난소 이외로 퍼진 증거가 없는 경우

       → abdominal hysterectomy + bilateral salpingo-oophorectomy

    b. 가임력 유지를 원하는 Stage IA, grade 1~2

       → unilateral salpingo-oophorectomy (자궁과 반대쪽 난소 보존 가능)

       - 정기적 추적관찰 시행 : 골반검진 및 혈청 CA-125

       - 다른 난소와 자궁은 출산 완료 후 제거

③ 조기 난소암, 고위험군(Stage I, high risk)

    a. 철저한 외과적 병기설정술 시행

    b. abdominal hysterectomy + bilateral salpingo-oophorectomy

    c. 수술 후 보조 항암화학요법(adjuvant chemotherapy) 시행

       - CP chemotherapy (carboplatin + paclitaxel) 3~6회 투여

       - 고령이거나 내과적 질환으로 항암제 투여가 어려운 경우 : carboplatin 단일제제 투여

       - 치료 후 임신에 영향을 미치지 않음

(4) 진행된 병기의 상피성 난소암(Advanced-stage ovarian cancer)의 치료

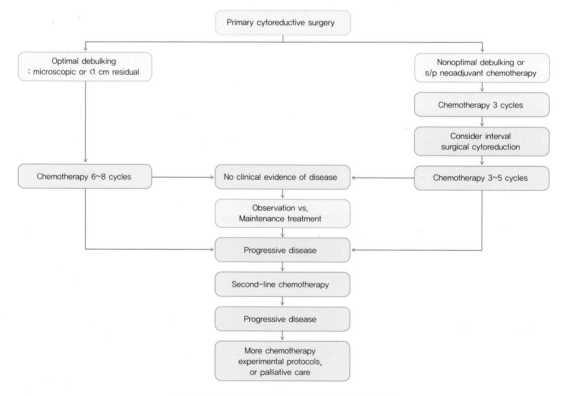

그림 29-5. 진행된 병기의 상피성 난소암의 치료

① 종양감축술(cytoreductive surgery)

a. 자궁절제술(hysterectomy), 양측 난관난소절제술(bilateral salpingo-oophorectomy), 대망절제술
(omentectomy), 의심 부분의 조직검사(multiple biopsy), 소장이나 대장의 복막에 전이가 있는
경우 소장이나 대장의 절제술을 시행한 후 문합술 시행

b. 종양감축술의 이론적 근거

- 외과적 수술을 통한 항암제 저항성의 최소화

- 세포주기상 휴지기(G0 phase)에 있는 세포를 없애 증식기로 넘어갈 잔존세포 감소

- 잔류세포수의 감소로 추후 추가치료에 보다 나은 결과 획득

- 암세포에서 분비되는 종양 항원의 감소로 면역기능이 활성화

c. 종양감축술의 목표 : 모든 원발성 암과 가능한 경우 모든 전이성 질환의 제거

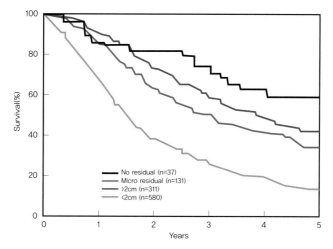

그림 29-6. 상피성 난소암, Stage ⅢC의 종양감축술 후 잔류종양 크기와 생존율의 관계

② 수술 후 일차 항암화학요법

　a. 복합 항암화학요법

　　- 복합 항암화학요법의 권장요법

Drugs	Dose(mg/m²)	Route	Interval (weeks)	Treatment cycles
Standard regimens				
Intravenous chemotherapy				
Paclitaxel	175	IV	every 3 weeks	6
+ Carboplatin	AUC = 5～6	IV		
Paclitaxel	135	IV	every 3 weeks	6
+ Cisplatin	75	IV		

Intraperitoneal chemotherapy			every 3 weeks	6
Paclitaxel	135	IV	day 1	
Carboplatin	AUC = 5	IP	day 2	
Paclitaxel	60	IP	day 8	
Alternative drugs				
Docetaxel	75	IV		
Liposomal doxorubicin	35~50	IV		
Topotecan	1.0~1.25	IV		
	4.0	IV		
Etoposide	50	PO		

- Carboplatin의 용량 계산
  · Calvert formula = Target AUC x (GFR + 25)
  · Target AUC : Combination = 5, Single = 7
- Bevacizumab (7.5~15 mg/kg)은 IV 또는 IP에 추가 가능
- 복합 항암화학요법을 견디지 못하는 경우 carboplatin (AUC=5~6) 단일제제 투여
- Paclitaxel, carboplatin에 과민반응(hypersensitivity)이 있는 경우
  · 대체약물 투여 : docetaxel, nanoparticle paclitaxel, cisplatin
  · Carboplatin 탈감작 시도
  · 예방을 위한 약물 : dexamethasone, diphenhydramine or pheniramine, cimetidine
b. 복강 내 항암화학요법(intraperitoneal chemotherapy)
  - 적응증
    · 적절한 일차 종양감축술 시행(잔류종양 <1 cm)
    · 독성을 견딜 수 있는 환자의 상태
- 약물 : (Carboplatin or Cisplatin) + Paclitaxel
- 장점 및 부작용

장점	부작용
• 약물의 높은 복강 내 농도 • 복강 내 약물의 더 긴 반감기 • 항암제에 장기간 직접 노출	• 카테터 관련 : 감염, 유착 • 복강 내 투여 합병증 : 복통, 불편감, 메스꺼움 • 고용량 항암제 합병증 : 급성 및 만성 대사불균형, 신경독성

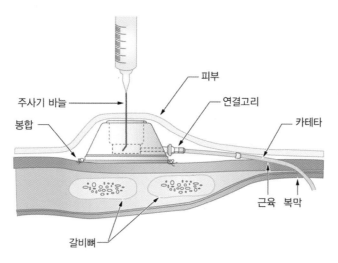

그림 29-7. 복강 내 항암화학요법(intraperitoneal chemotherapy)

　　c. 선행 항암화합요법(neoadjuvant chemotherapy)
　　　- 종양감축술 전 2~3회의 항암화학요법 시행
　　　- 적응증 및 효과

적응증	효과
- 최적의 종양감축술이 어려운 경우 - 생활수행능력이 나빠 수술 전후 위험성이 높은 경우	- 출혈량의 감소 - 수술관련 위험성 감소 - 삶의 질 증가

　　d. 분자표적치료제(molecular target therapy)
　　　- Bevacizumab : 항 VEGF 항체
　　　- Pazopanib, Nintedanib : multiple kinase inhibitor
　　　→ paclitaxel/carboplatin에 병용투여
　③ 항암화학치료 중 발생한 열성 호중구감소증(febrile neutropenia)의 치료
　　a. Laminar flow room으로 격리
　　b. 광범위 항생제(broad spectrum antibiotics)
　　c. 위장관계의 세척
　　d. 항생제 사용 48~72시간 후에도 효과가 없으면 amphotericin 투여

(5) 경과관찰
　① 종양표지자(tumor marker)
　　a. CA-125

- 양성예측률 100%, 음성예측률 56%

- 연속적인 측정은 항암화학요법에 대한 반응과 관련, 증가 시 암의 재발을 시사

b. CEA, CA19-9

- 점액성 난소암(mucinous ovarian cancer)에서 증가

- 다른 난소암에서는 비특이적이고 민감도가 낮아 사용 불가능

② 영상의학적 검사

a. CT

- 치료 시작 시 측정 가능한 병변이 있는 환자의 반응 평가에 사용

- 종양감축술 후 잔류병변이 없거나 최소인 경우 가치가 적지만 추적관찰에 유용

b. MRI : 조영제에 알레르기가 있는 환자에서 CT의 대안으로 사용 가능

c. PET-CT : 재발성 난소암에서 높은 진단 정확도

③ 이차 추시술(second-look operation)

a. 수술과 항암화학요법으로 치료 후 임상적으로 잔류암이 없다고 판단되는 난소암 환자에서 치료의 반응을 결정하기 위해 시행하는 수술

b. 의미 있는 이점이 있다는 증거가 없어 더 이상 시행하지 않음

(6) 재발성 난소암의 치료(Second-line therapy)

① 이차 종양감축술(secondary cytoreductive surgery)

a. 재발성 난소암에서 시행하는 종양감축술

b. 적응증

적응증	효과
− platinum−sensitive 재발성 난소암 중 국소재발 또는 제한된 부위의 재발 − 무병 생존기간이 최소한 6∼12개월 이상 − 복수(ascites)가 없음 − 육안적으로 남아 있는 종양을 제거할 수 있는 경우	− 항암화학요법 중에도 계속 암이 진행하는 경우 − Platinum−resistant ovarian cancer

② 이차 항암화학요법(secondary chemotherapy)

a. 증상의 완화, 삶의 질 개선, 암 진행의 지연, 생존기간 연장 등을 위한 요법

b. Platinum 민감성 재발(platinum sensitive recurrence)

- 일차 항암화학요법 6개월 이후에 재발한 경우(platinum based chemotherapy에 반응)

- 추천 항암제 : paclitaxel/carboplatin, docetaxel/carboplatin, gemcitabine/carboplatin, liposomal doxorubicin/carboplatin, gemcitabine/cisplatin

- PARP inhibitor

· Poly ADP-ribose polymerase(PARP)를 차단하는 물질

· PARP : 손상된 DNA를 복구하는 데 도움이 되며, 암치료에서 PARP를 차단하면 암세포가 손상된 DNA를 복구하지 못해 사멸

· BRCA 돌연변이가 있는 경우 더 효과적

· 종류 : Niraparib, Olaparib, Rucaparib, Veliparib

c. Platinum 저항성 재발(platinum resistant recurrence)

- 일차 항암화학요법 6개월 이내에 재발한 경우(platinum based chemotherapy에 저항)

- 교차 저항성이 없는 약제로 단일 항암화학요법 시행

- 추천 항암제 : Taxane(paclitaxel), Topotecan, Liposomal doxorubicin, Gemcitabine, Etoposide

d. Platinum 불응성 재발(platinum refractory recurrence)

- 일차 항암화학요법 중 암이 진행한 경우

③ 호르몬요법(hormonal therapy)

a. 재발성 난소암 중에 환자가 항암제에 더 이상 반응하지 않는 경우 사용

b. 약물 : tamoxifen, letrozole, anastrozole, leuprolide acetate, megestrol acetate 등

④ Bevacizumab

a. 난소암에서 단일제제로 효과를 보이는 최초의 표적약물

b. VEGF-A와 결합하여 VEGF가 수용체와 결합하는 것을 억제하는 항체

c. 독성 및 부작용 : 고혈압, 피로감, 단백뇨, 장 천공 등

d. VEGF (vascular endothelial growth factor)

- 종양의 혈관생성에 중요한 역할

- 표적치료 방법 : VEGF를 억제, VEGF 수용체를 억제, 수용체 이하 신호전달 체계의 tyrosine kinase를 억제

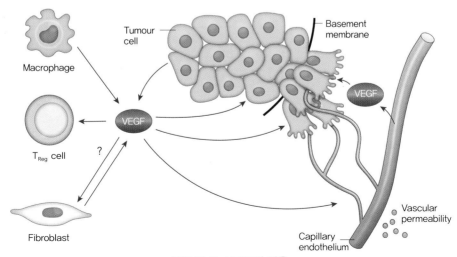

그림 29-8. VEGF의 작용

⑤ 방사선요법(radiation therapy)

    a. Whole-abdominal radiation therapy : 상대적으로 높은 이환율로 거의 이용되지 않음

    b. 급만성의 장 손상으로 약 30%가 수술을 필요로 하는 장 폐색을 유발

2 비상피성 난소암(Nonepithelial ovarian cancer)

1) 생식세포종양(Germ cell tumor)

  (1) 서론

    ① 배아생식샘(embryonic gonad)의 원시생식세포(primitive germ cell)로부터 유래하는 종양

    ② 특성

      a. 난소종양의 20~25%를 차지하지만 이중 악성은 3%

      b. 20세 이전 발생하는 난소종양의 70%를 차지하고 1/3이 악성

      c. 평균 발생연령 16~20세, Stage I이 50~75% 차지

      d. 가장 흔한 양성 종양 : 유피낭종(dermoid cyst)

      e. 가장 흔한 악성 종양 : 미분화세포종(dysgerminoma)

    ③ 분류

난소의 생식세포종양(Germ cell tumor)의 분류	

Primitive germ cell tumors
 – Dysgerminoma
 – Yolk sac tumor
 – Embryonal carcinoma
 – Polyembryoma
 – Nongestational choriocarcinoma
 – Mixed germ cell tumor
Biphasic or triphasic teratoma
 – Immature teratoma
 – Mature teratoma
   • Solid
   • Cystic
     Dermoid cyst
     Fetiform
	Monodermal teratoma and somatic–type tumors associated with dermoid cysts
	 – Thyroid tumor
	   • Struma ovarii (benign, malignant)
	 – Carcinoid
	 – Neuroectodermal tumor
	 – Arcinoma
	 – Melanocytic
	 – Sarcoma
	 – Sebaceous tumor
	 – Pituitary–type tumor
	 – Others

    → 난소종양(ovarian tumor)의 20% 차지

    → 난소암(ovarian cancer)의 5% 미만 차지

    ④ 종양표지자에 따른 생식세포종양의 구분

      a. 종양표지자(tumor marker)

        - AFP (α-fetoprotein)

- hCG (human chorionic gonadotropin)
- LDH (lactate dehydrogenase)
- PLAP (placental alkaline phosphatase)

b. 악성 종양과 종양표지자

Tumor	AFP	hCG	LDH
Dysgerminoma	–	+/–	+
Endodermal sinus tumor	+	–	–
Immature teratoma	+/–	–	–
Embryonal carcinoma	+/–	+	–
Choriocarcinoma	–	+	–
Polyembryoma	+/–	+	–

c. CA-125, CEA : 비상피성 난소암에서의 역할이 아직 불명확

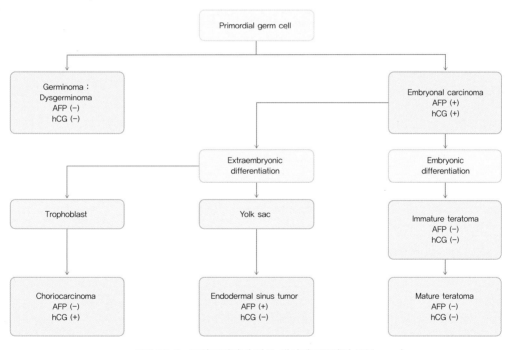

그림 29-9. 종양표지자에 따른 생식세포종양의 구분

(2) 임상양상 및 진단

① 생식세포종양은 빠르게 성장(상피성 난소종양은 상대적으로 천천히 성장)

② 증상

　　　　a. 주증상 : 복통, 골반통, 하복부 종괴

　　　　b. 급성 통증 : 종양의 파열, 출혈, 꼬임에 의해 유발

　　③ 진단

　　　　a. 초음파 : 병변이 고형이거나 고형과 낭성이 혼합되어 있는 경우 악성의 가능성

　　　　b. 수술적 확인이 필요한 난소 종괴의 크기

　　　　　- 초경 전 2 cm 이상

　　　　　- 폐경 전 8 cm 이상

　　　　c. 모든 초경 전 여아, 특히 dysgerminoma가 있는 경우 핵형검사(karyotype) 시행

(3) 미분화세포종(Dysgerminoma)

　① 특성

　　　a. 가장 흔한 악성 생식세포종양(malignant germ cell tumor)

　　　　- 생식세포 기원 난소암의 약 30~40% 차지

　　　　- 전체 난소암의 1~3% 차지

　　　b. 전 연령대에서 발생 가능, 10~30세 사이에서 호발

　　　c. Gonadotropin-producing syncytiotrophoblastic cell을 가진 경우 hCG 혹은 LDH 상승

　　　d. 비정상적인 생식샘을 가진 표현형 여성(phenotypic women with abnormal gonads) : 5%

　　　　- 46,XY : Pure gonadal dysgenesis

　　　　- 45,X/46,XY : Mixed gonadal dysgenesis

　　　　- 46,XY : Androgen insensitivity syndrome

　　　　→ 초경 이전에 골반 종괴가 관찰되면 핵형검사(karyotype)가 필수

　　　e. 진단 시 65%가 Stage I(한쪽 또는 양쪽 난소에 국한)

　　　　- 한쪽 난소에 국한된 경우 : 85~90%

　　　　- 양쪽 난소에 발생한 경우 : 10~15%

　　　　→ 생식세포종양 중 유일하게 양쪽 난소에 발생(bilaterality)할 수 있는 종양

　　　f. 진단 시 25%에서 전이

　　　　- 림프계 전이 : 가장 흔한 경로

　　　　- 혈행성 또는 직접 전이 : 드문 경로

　② 소견

　　　a. 육안적 소견 : 5~15 cm 크기, 일부 낭성 부위와 괴사가 있는 고체성 종괴

　　　b. 현미경적 소견

　　　　- 원형, 난형, 다각형 세포의 풍부하고 투명한 염색 세포질(cytoplasm)

　　　　- 크고 불규칙한 핵(nuclei), 두드러진 핵소체(nucleoli)

　③ 치료

a. 수술(surgery)

- 임신력 보존 (+) : 한쪽 난소절제술(unilateral oophorectomy)

- 임신력 보존 (-) : 자궁절제술(hysterectomy) + 양측 난관난소절제술(bilateral salpingo-oophorectomy)

- Y 염색체가 있는 경우 : 양쪽 난소는 제거, 자궁은 보존

- 병기설정술 시행

- 진행된 병기라면 종양감축술(cytoreductive surgery) 시행

- Dysgerminoma, Stage I : 수술만으로 충분, 보조 항암화학요법 필요 없음

- 종양표지자, CT를 이용한 면밀한 감시

- 피막 파막 또는 진행된 병기 : 보조 항암화학요법(adjuvant chemotherapy) 시행

- 외과적 병기설정 없이 한쪽 난소절제술 후 확인된 경우

· 외과적 병기설정을 위한 개복술 재시행

· 정기적 골반 및 복부 CT

· 보조 항암화학요법 : BEP 4 cycles

b. 방사선치료(radiation therapy)

- Dysgerminoma가 방사선에 매우 민감하지만 치료로 난소기능부전 유발 가능

- 항암화학요법으로도 방사선치료와 비슷한 치료 성적을 나타내기 때문에 항암화학요법이 수술 후 보조요법으로 주로 사용

c. 항암화학요법(chemotherapy)

- BEP (표준요법)

항암제	용량	투여방법
Bleomycin	30,000 IU	days 1, 8, 15 every 3 wks
Etoposide	100 mg/m^2/day	5 days every 3 wks
Cisplatin	20 mg/m^2/day	5 days every 3 wks

- VBP (vinblastine, belomycin, cisplatin), VAC (vincristine, actinomycin, cyclophosphamide)

④ 재발

a. 재발의 약 75%는 초기 치료 후 1년 이내에 발생

b. 가장 흔한 부위 : 복강(peritoneal cavity), 후복막 림프절(retroperitoneal lymph nodes)

c. 재발이 증가하는 경우

- Mixed with other germ cell tumor

- Large tumor(>10~15 cm)

- 어린 연령(<20 세)

- 조직학적으로 numerous mitotic, anaplastic, medullary pattern

d. 치료

- 수술 이외의 다른 치료를 받지 않은 경우 : 항암화학요법(chemotherapy) 시행
- 이전에 BEP chemotherapy를 받은 경우 : POMB-ACE (vincristine, bleomycin, cisplatin, etoposide, actinomycin-D, cyclophosphamide)

⑤ 임신에 대한 영향

a. 임신과 동시에 존재 가능

b. 임신 + Stage IA : 종양을 제거 후 임신 유지

c. 임신 + 진행된 병기 : 임신 주수에 따라 임신 지속여부 결정

d. 임신 제2,3삼분기에 항암화학요법은 비임신과 동일한 용량 및 용법으로 사용 가능하고 태아에 안전하게 투여가능

⑥ 예후

a. 난소암 중 가장 좋은 예후

b. Stage IA : 5년의 무병 생존율은 약 95%

(4) 성숙 기형종(Mature teratoma)

① 특성

a. 난소의 생식세포종양 중 가장 흔한 종양

- 전체 난소종양의 약 10%
- 20세 이전 젊은 여성에서 가장 흔한 난소종양
- 80%가 가임기에서 발생(평균 연령 : 30세)

b. 양측성(bilaterality) : 10%

c. 악성화 : 2% 이하

d. 내용물

- 외, 중, 내배엽에서 유래된 성숙된 조직
- Ectodermal origin이 많음(피부 모낭, 피지선, 땀분비선, 머리카락, 치아, 연골, 뼈 등)

e. 합병증

- 염전(torsion) : 급성 통증, 압통, 발열, 구토 등의 증상 유발
- 낭종 파열(rupture of cyst) : 외과적 응급상황(surgical emergency)

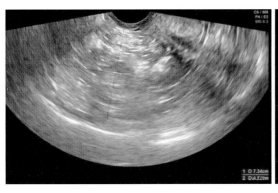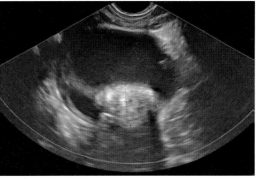

그림 29-10. 성숙 기형종의 초음파

② 소견

    a. 육안적 소견

        - Thick, well-formed, tense capsule

        - 피지(Sebaceous material), 모발(hair), 치아, 뼈 등을 함유

        - Rokitansky's nodule

    b. 현미경적 소견

        - Ectodermal, mesodermal, endodermal origin의 조직이 발견

        - 간혹 종양 내 갑상샘조직(thyroid tissue)이 존재

③ 치료

    a. 낭종절제술(cystectomy) : 대부분 환자가 젊고, 난소의 기능 보존을 위해 시행

    b. 반대쪽 난소 : 주의 깊게 확인, 필요 시 조직검사 또는 난소절제술 시행

(5) 미성숙 기형종(Immature teratoma)

① 특성

    a. 두번째로 흔한 악성 생식세포종양(malignant germ cell tumor)

        - 생식세포 기원 난소암의 약 30~40% 차지

        - 전체 난소암의 1% 미만

        - 20세 미만의 여성에서 나타나는 난소 악성종양의 10~20%를 차지

    b. 미성숙 기형종과 성숙 기형종

미성숙 기형종(Immature teratoma)	성숙 기형종(Mature teratoma)
내배엽, 중배엽, 외배엽 생식세포에서 기원된 조직	
미성숙(immature), 배아(embryonic) 조직 포함 비정상 성숙(abnormal maturation) → 통제되지 않는 세포 성장으로 암화 과정이 발생	정상적 성숙(normal maturation)

c. 종양표지자

- 혼합 생식세포종양(mixed germ cell tumor)이 존재하지 않는 경우 : 음성

- Embryonal hepatic or intestinal differentiation을 포함하는 경우 : AFP 상승

d. 양성 기형종에서 체성악성변화(somatic malignant change)

- 보통 40세 이후 여성에서 관찰

- 발생 빈도 : 약 0.5~2%

- 80% 이상에서 편평상피세포암이(squamous cell carcinoma) 주된 조직학적 유형

② 소견

a. 육안적 소견

- 평균 14~25 cm(성숙 기형종은 약 7 cm)

- 유피낭(dermoid cyst) : 26%는 동측 난소에서, 10%는 반대편 난소에서 관찰

- 고형성 부위와 낭성 부위로 구성

· 고형성 부위 : 신경계 조직, 연골, 뼈 조직 등

· 낭성 부위 : 점액, 장액, 피지, 털 등

b. 현미경적 소견

- 세 가지 배엽에서 기원한 다양한 조직들이 불규칙하게 섞여 있는 형태

- 미분화세포는 대부분 신경외배엽(neuroectoderm)에서 기원

- 등급(grade) : 예후를 나타내는 가장 중요한 인자(Grade가 높을수록 예후 불량)

등급	의미	미성숙신경세포의 양
Grade 0	No immaturity	
Grade 1	Some immaturity	Immature neuroepithelium ⟨1/LPF in any slide
Grade 2	Greater degree immaturity	Immature neuroepithelium 1~3/LPF in any slide
Grade 3	Prominent degree immaturity	Immature neuroepithelium ⟩3/LPF in any slide

③ 치료

a. 수술(surgery)

- 폐경 전 환자 : 한쪽 난소절제술(unilateral oophorectomy) + 병기설정술

- 폐경 후 환자 : 자궁절제술(hysterectomy) + 양측 부속기절제술(BSO) + 병기설정술

- 반대측 난소의 침범은 드물기 때문에 일상적인 절제나 조직 검사는 불필요

- 가장 흔한 전파경로 : 복막(peritoneum)

b. 항암화학요법(chemotherapy)

- 상피성 난소암보다 훨씬 더 항암화학요법에 민감

- 보조 항암화학요법(adjuvant chemotherapy)이 필요 없는 경우

· Stage IA, grade 1

· 매우 좋은 예후
- 보조 항암화학요법(adjuvant chemotherapy)을 시행
· Stage IA, grade 2, 3
· Grade 상관없이 복수(ascites)가 있는 경우
· 약물 : BEP, VAC, VBP
c. 방사선치료(radiation therapy)
- 미성숙 기형종의 일차치료로 사용되지 않음
- 항암화학요법 후 국소적으로 지속하는 병변을 위해 남겨둠
④ 예후
a. 가장 중요한 예후 인자 : 등급(grade)
b. Overall 5 years survival rate : 70~80%

(6) 내배엽동종양(Endodermal sinus tumor, EST)
① 특성
a. 세번째로 흔한 악성 생식세포종양(malignant germ cell tumor)
- 생식세포 기원 난소암의 약 20% 차지
- 발생 연령 : 16~18세(40세 이후는 드묾), 1/3이 초경 전
b. 100% 일측성(unilateral) → 반대쪽 난소 조직검사는 금기
c. 초경 전 환자에서 수술 전 염색체 분석(chromosomal analysis) 시행
d. AFP (α-fetoprotein) : 대부분의 EST에서 분비
e. AAT (α-1 antitrypsin) : 드물게 분비
② 소견
a. 육안적 소견
- 7~28 cm(평균 15 cm) 크기의 피막으로 둘러싸인 큰 종양
- 급속한 성장에 의해 미분화 세포종 보다 잘 부스러지는 양상
- 낭성 및 고형성 물질이 혼합된 회색-노란색, 출혈, 괴사, 종양의 파열
b. 현미경적 소견
- Schiller-Duval body
· Cystic space 내에 유두 모양의 돌기가 있고 돌기는 종양 세포로 싸여 있으며 돌기의 중앙에 혈관이 존재
· Clear, glassy cytoplasm을 보이는 경우도 있어 clear cell tumor의 hobnail과 유사

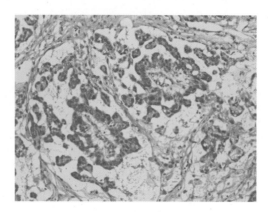

그림 29-11. 내배엽동종양의 Schiller–Duval body

- AFP positive : Immunofluorescent staining으로 확인
- PAS positive : 유리질소체(hyaline body)가 염색

③ 치료

a. 수술(surgery)

- Surgical exploration + Unilateral salpingo-oophorectomy + Frozen section
- Hysterectomy + contralateral salpingo-oophorectomy : 치료결과에 영향이 없음
- 육안적으로 확인되는 전이병변 제거
- 수술적 병기설정 : 모든 환자가 항암화학요법을 시행하므로 의미 없음

b. 항암화학요법(chemotherapy)

- 모든 환자에서 보조적 혹은 치료적 항암화학요법 시행
- 보존적 수술치료와 항암화학요법을 통해 가임력 유지 가능
- 일차 치료법 : Cisplatin을 포함하는 복합 항암화학치료(BEP 3~4주기)

(7) 드문 생식세포종양(Rare germ cell tumors)

① 배아암종(embryonal carcinoma)

a. 매우 드문 질환, 발생 평균 연령 14세

b. AFP, hCG 분비

c. Estrogen 분비 시 성조숙증, 간헐적인 질 출혈 발생

d. 치료

- 내배엽동종양(endodermal sinus tumor)과 동일
- Unilateral salpingo-oophorectomy + Frozen section
- Chemotherapy : BEP (bleomycin, etoposide, cisplatin)

② 융모막암종(choriocarcinoma)

a. 순수 비임신성 융모막암종은 매우 드묾(조직학적으로 임신성 융모막암종이 난소에 전이된 형태)

b. 대부분 20세 이하의 젊은 여성에서 발생

c. hCG 분비

- 수치가 높을 경우 약 50%에서 동성 성조숙증(isosexual precocity) 발생

- 수치 변화로 항암화학치료의 효과 확인

d. 치료 : Chemotherapy

- MAC (methotrexate, actinomycin D, and cyclophosphamide)

- 대체요법 : BEP (bleomycin, etoposide, cisplatin)

e. 최초 진단 시 매우 진행된 단계에서 발견, 예후 불량

③ 다배아종(polyembryoma)

a. 배아체(embryoid body)로 구성된 매우 드문 질환

b. 초경 전 어린 여성에서 발생, 거짓사춘기(pseudopuberty) 유발

c. AFP, hCG 증가

d. 치료 : Chemotherapy (VAC)

(8) 혼합 생식세포종양(Mixed germ cell tumor)

① 특성

a. 두 가지 이상의 생식세포종양이 혼재되어 있는 종양

Germ cell tumor	Percentage
Dysgerminoma	80%
Endodermal sinus tumor	70%
Immature teratoma	53%
Choriocarcinoma	20%
Embryonal carcinoma	16%

→ 가장 흔한 조합 : Dysgerminoma + Endodermal sinus tumor

b. AFP, hCG 상승 : 혼재된 성분에 따라 상승

② 치료

a. 복합 항암화학치료 : BEP (bleomycin, etoposide, cisplatin)

b. 항암제 치료 시작 시에 육안적으로 보이는 병변이 있었을 경우

- 종양표지자와 무관한 다른 형태의 생식세포종양의 잔류가능성

- 이차 추시술(second-look operation) 필요

③ 예후인자

　　　a. 초기 종양의 크기, 악성도가 높은 생식세포종양의 상대적 크기 : 가장 중요

　　　b. 양호한 예후를 보이는 경우

　　　　- 10 cm 미만의 Stage IA : 생존율 100%

　　　　- EST, choriocarcinoma, immature teratoma grade 3의 비율이 1/3 미만

　　　c. 최근 항암화학요법의 발달로 이러한 구별의 중요성은 감소

2) 성기삭-간질종양(Sex cord-stromal tumor)

(1) 서론

① Sex cords, ovarian stroma, mesenchyme에서 유래된 종양

② 전체 난소암의 5~8% 차지

③ 기능성 난소종양의 약 90%를 차지 → 내분비 이상을 유발

　　- Female cells (i.e., granulosa and theca cells) : 여성호르몬 분비

　　- Male cells (i.e., Sertoli and Leydig cells) : 남성호르몬 분비

④ 성기삭-간질종양(sex cord-stromal tumor)의 분류

성기삭-간질종양(Sex cord-stromal tumor)의 분류	
Granulosa-stromal cell tumors 　- Granulosa cell tumor 　- Tumors in thecoma-fibroma group 　　• Thecoma 　　• Fibroma 　　• Unclassified Gynandroblastoma Steroid cell tumors 　- Stromal luteoma 　- Leydig cell tumor 　- Steroid cell tumor, not otherwise classified	Androblastomas : Sertoli-Leydig cell tumors 　- Well differentiated 　　• Sertoli cell tumor 　　• Sertoli-Leydig cell tumor 　　• Leydig cell tumor; hilus cell tumor 　- Moderately differentiated 　- Poorly differentiated (sarcomatoid) 　- With heterologous elements Sex cord tumor with annular tubules Sex cord-stromal tumors, unclassified

(2) 과립막-간질세포종(Granulosa-stromal cell tumor)

① 특성

　　a. 악성 성기삭-간질종양(sex cord-stromal tumor)의 70% 차지

　　　- 전체 악성 난소암의 2~5% 차지

　　　- 진단 시 평균 나이 : 약 52세

　　b. 과립막세포종(granulosa cell tumor)

　　　- Low-grade malignancy로 생각

　　　- Adult granulosa cell tumors

· 약 95%를 차지하는 가장 흔한 형태

· 폐경 후 여성에서 발생

- Juvenile granulosa cell tumors

· 약 5%를 차지하는 형태

· 30세 미만에서 발생, 약 5%는 사춘기 전 발생

  c. 양측성(bilaterality) : 2% 정도

② 임상증상

  a. Estrogen 연관 증상

초경 전 여성(Prepubertal girls)

- 성조숙증(precocious puberty)
- 이차성징 발달 : 유방 증대, 주기적 자궁출혈, 액와모 및 음모 성장

가임기 여성(reproductive age women)

- 불규칙 월경(menstrual irregularities)
- 이차성 무월경(secondary amenorrhea)
- Cystic endometrial hyperplasia

폐경 후 여성(postmenopausal women)

- 생리양상의 불규칙 자궁출혈(menstrual-like abnormal uterine bleeding)
- 자궁비대(uterine hypertrophy)
- Endometrial hyperplasia (25~50%)
- Endometrial cancer(최소 5%)

---

  b. 복부팽만, 복통

    - 진단 시 종양의 크기에 기인 : 다양한 크기(평균 10 cm)

    - 복통 : 피막의 확장, suspensory ligament의 신장과 주위 조직의 압박에 의해 발생

    - 급성 통증 : 부속기 염전, 종양 내 출혈과 낭종 파열에 의한 복강 내 출혈

  c. Testosterone 연관 증상 : 드물게 발생하는 증상, 희발월경, 다모증, 남성화증상

③ 소견

  a. 육안적 소견

    - 몇 cm에서 20 cm 이상까지 다양한 크기(평균 10 cm)

    - 수액 또는 출혈과 괴사로 차 있는 수많은 소엽이 중격으로 분리된 낭성 형태와 회백색
      또는 노란색의 고형성 형태

  b. 현미경적 소견

    - 과립막세포(granulosa cell)가 주로 관찰

      · 세포질이 적고 원형 또는 난원형

      · 커피콩 모양(coffee-bean)의 홈이 진 세포핵

- Call-Exner body : 과립막세포(granulosa cell)가 작은 군락 및 중심부 주위로 rosette를 형성한 형태

④ 진단

a. 70%에서 estrogen, androgen 분비

b. Inhibin
- 과립막세포종(granulosa cell tumor)의 가장 유용한 종양표지자
- 두가지 형태 : Inhibin A, Inhibin B
- 추적관찰 및 치료에 대한 반응을 평가하는 데 사용

c. Juvenile granulosa cell tumors
- 소아 및 청소년기에 난소종양의 5% 미만을 차지하는 드문 형태
- 75%에서 estrogen 분비로 인한 가성 성조숙증(pseudoprecocity) 발생
- 90%가 Stage I에서 진단, 10%는 악성
- Adult type보다 덜 침습적이고, 재발이 드문 좋은 예후
- 진행된 병기의 치료 : platinum-based combination chemotherapy (e.g., BEP)

d. Adult granulosa cell tumors
- 5%에서 low-grade endometrial cancer 발생
- 25~50%에서 자궁내막증식증(endometrial hyperplasia)과 연관
- 90%가 Stage I에서 진단
- 예후는 좋지만 5~30년 후 재발 가능성
- 혈행성 전파를 하고, 폐, 간, 뇌 등에 전이 가능

⑤ 치료

a. 수술(surgery)
- 대부분의 경우 수술 자체만으로 충분한 일차적 치료 가능
- 기본 원칙은 상피성 난소암의 수술적 원칙과 동일
- Stage IA
  · 가임력 보존 (+) : 한쪽 난소절제술(unilateral oophorectomy)
  · 가임력 보존 (-) : 자궁절제술(hysterectomy) + 양쪽 난관난소절제술(BSO)
- 동결절편에서 과립막세포종(granulosa cell tumor)의 확인된 경우
  · 병기설정술(staging operation)
  · 반대쪽 난소가 커져 있으면 조직검사
- 자궁을 보존하는 경우 동시에 존재할 수 있는 자궁내막의 선암(adenocarcinoma)을 배제하기 위한 자궁내막조직검사(endometrial biopsy) 시행

b. 방사선치료(radiation therapy)
- 골반에 국한되어 재발한 경우에 구제요법으로 도움

- 과립막세포종의 수술 후 보조적인 치료법으로의 유효성 증거는 없음

c. 항암화학치료(chemotherapy)

- 보조 화학요법이 재발을 예방하고 예후를 개선한다는 증거는 없음

- Stage I 환자의 경우에도 종양의 크기가 크거나 높은 유사분열 지수를 보이거나 종양이 파열되어 있는 경우에는 항암치료를 권고

- BEP (bleomycin, etoposide, cisplatin) + bevacizumab 등의 효과 연구

⑥ 재발

a. 국소화하고 잠재적인 성장을 하는 경향

b. 자연사가 길며 재발이 늦은 low-grade 악성 종양(초기 치료 후 재발까지 10년 이상)

c. 수술적 병기 : 가장 중요한 예후인자

d. 종양의 DNA 배수성(DNA ploidy)

- 생존율과 연관된 중요한 예후인자

- Residual-negative DNA diploid tumor는 10년 무병생존율이 96%

(3) Sertoli-Leydig 종양(Sertoli-Leydig tumor)

① 특성

a. Sertoli cell과 Leydig cell을 모두 가지고 있는 종양

- 대략 5 cm의 고도로 분화된 종양부터 15 cm 이상의 미급의 분화된 종양까지 다양

- Low-grade malignancy(덜 분화될수록 침습적)

b. 전체 난소암의 0.2% 미만을 차지하는 드문 암

c. 30~40세에 주로 발생(40세 미만이 75%)

d. 종양에서 androgen 생성

여성성 소실(defeminization)의 단계	남성화(virilization)의 단계
– 무월경(amenorrhea) : 가장 먼저 나타나는 증상 – 유방의 위축(atrophy of the breasts) – 피하지방 소실	– 70~85%에서 발생 – 음핵비대(hypertrophy of the clitoris) – 여드름(acne), 다모증(hirsutism) – 굵어지는 목소리(deepening of the voice) – 여성체형 소실, 측두모발 소실

② 진단

a. 혈청 androgen 증가

- Testosterone, androstenedione : 증가

- Dehydroepiandrosterone sulfate (DHEA-S) : 정상 또는 약간 증가

- 소변 내 17-ketosteroid : 정상 또는 약간 증가

- Testosterone/Androstenedione비의 증가 → 남성호르몬 분비 난소종양의 존재를 암시

b. 여성호르몬 현상

- 폐경 후 출혈, 자궁내막용종, 자궁내막증식증, 선암 등 최종 장기의 여성호르몬 반응

- 남성호르몬의 여성호르몬으로의 말초전환 증가에 의해 유발

- 드물게 여성호르몬 분비 종양에 의해 발생

③ 치료

a. 가임력 보존 (+)

- Low-grade lesion에서 양측성은 매우 드묾(약 <1%)

- 한쪽 난소절제술(unilateral oophorectomy) + 반대쪽 난소의 조직검사

b. 가임력 보존 (-) : 자궁절제술(hysterectomy) + 양쪽 난관난소절제술(BSO)

c. 잔여 종괴가 큰 경우 : Pelvic irradiation and VAC chemotherapy regimen

④ 예후

a. 치료 후 회복 순서

- 종양 제거 후 비정상적인 남성화의 소실

- 여성화로 돌아오는 첫 징후는 월경 회복

- 일반적으로 증상이 발현된 순서대로 소실

b. 치료 후 5년 생존율은 70~90%

c. 재발은 대부분 1년 이내에 드물게 발생

3) 전이성 종양(Metastatic tumors)

(1) 부인암의 난소 전이(Gynecologic metastatic tumors)

① 직접 확장 or 난소로의 전이

② 각각의 암이 동시에 발생

a. 자궁내막암 중 선암(adenocarcinoma)의 5% 정도는 난소의 표면으로 직접 전이되지만 동시에 발생하는 경우가 더 많음

b. 난소종양이 여성호르몬을 과분비하는 경우도 자궁내막암이 동시성으로 발생

③ 부인암의 난소 전이 발견 시 치료는 원발 부인암의 병기 및 치료방침에 근거하여 계획

(2) 비부인암의 난소 전이(Non-gynecologic metastatic tumors)

① 부인암을 제외한 악성 종양 중 난소 전이가 빈번한 종양 : 위암, 대장암, 유방암

② Krukenberg 종양(Krukenberg tumor)

a. 특성

- 특징적 소견 : 점액(mucin)으로 채워져 있는 반지세포(signet ring cells)

- 난소 전이암의 30~40% 차지

- 난소암의 약 2%를 차지

- 흔히 양측성(bilateral)으로 존재

　　b. 원발성 종양의 위치

　　　- 위(stomach) : 가장 흔한 위치

　　　- 대장(colon), 충수(appendix), 유방(breast), 담관(biliary tract) 등

　　　→ Abd-pelvic CT, upper & lower GI endoscopy 등으로 병변을 확인

　　c. 예후

　　　- 매우 나쁜 예후

　　　- 대부분 1년 이내에 사망, 원발성 종양을 발견하지 못하는 경우도 존재

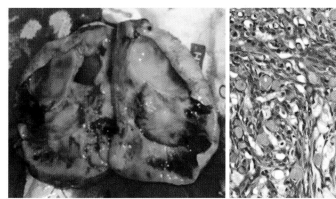

그림 29-12. Krukenberg 종양(Krukenberg tumor)

③ 흑색종(melanoma)

　　a. 난소 전이는 극히 드물지만 이러한 경우, 광범위하게 여러 장기에 파종

　　b. 난소의 성숙 기형종(mature cystic teratoma)에서 드물게 발생

　　c. 복통, 골반통, 출혈, 염전 등의 증상의 완화를 위해서는 수술적 제거가 필요

④ 유암종(carcinoid tumor)

　　a. 전이성 난소암의 2% 이하를 차지

　　b. 폐경이행기 및 폐경 후의 여성에서 장의 유암이 확인되면 차후의 난소 전이를 예방하기

　　　위하여 난소를 제거

　　c. 발견 시 원발성 장병변에 대한 철저한 검사 시행

⑤ 림프종(lymphoma), 백혈병(leukemia)

　　a. 난소 전이가 가능하며 대개 양측성(bilaterality)

　　b. 호지킨 림프종(Hodgkin's lymphoma)의 약 5%에서 난소 전이를 보이는데 이는 전형적으

　　　로 진행성 병변에서 발생

    c. 버키트 림프종(Burkitt's lymphoma)의 난소 전이는 비교적 흔하지만, 다른 유형의 림프종과 악성 백혈병의 경우 난소 전이는 드묾

    d. 일반적인 악성 림프종과 백혈병에 준한 치료

CHAPTER 30

외음부암(Vulvar cancer)

1 서론

1) 역학

(1) 외음부(Vulva)

① 질의 바깥쪽

② 구성 : 불두덩(mons pubis), 대음순(labia majora), 소음순(labia minora), 음핵(clitoris), 바르톨 린샘(Bartholin gland), 회음(perineum)

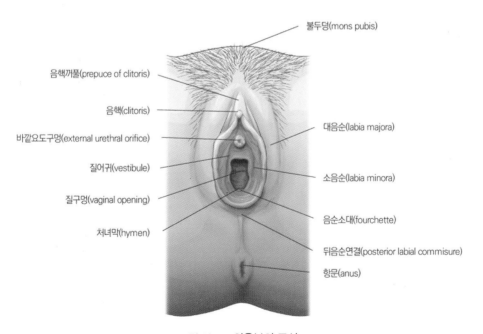

음핵꺼풀(prepuce of clitoris)

음핵(clitoris)

바깥요도구멍(external urethral orifice)

질어귀(vestibule)

질구멍(vaginal opening)

처녀막(hymen)

불두덩(mons pubis)

대음순(labia majora)

소음순(labia minora)

음순소대(fourchette)

뒤음순연결(posterior labial commisure)

항문(anus)

그림 30-1. 외음부의 구성

(2) 외음부암의 발생 위치

① 대음순(labia majora) : 약 50%, 가장 흔한 위치

② 소음순(labia minora) : 두 번째로 흔한 위치

③ 음핵(clitoris), 바르톨린샘(Bartholin gland) : 드물게 발생

(3) 빈도

① 폐경 후 여성에게 주로 발생 : 평균 약 65세 전후

② 70세 이상의 여성에서 가장 흔한 항문생식기암(anogenital cancer)

③ 제자리외음부암(in situ vulvar cancer)

    a. 75%를 차지하는 50대 미만의 젊은 여성에서 발생 증가로 인해 전 세계적으로 증가

    b. 외음부암 위험을 증가시키는 경화태선(lichen sclerosus)은 지난 20년 동안 폐경 여성에서 두 배로 증가

2) 병인론

(1) 위험인자

① Human papillomavirus(HPV)

② 외음부 상피내종양(vulvar intraepithelial neoplasia, VIN)

③ 자궁경부 상피내종양(cervical intraepithelial neoplasia, CIN)

④ 경화태선(lichen sclerosus)

⑤ 자궁경부암(cervical cancer)의 과거력

⑥ 기타 : 흡연, 음주, 비만, 면역억제

(2) 외음부 편평세포암(vulvar squamous cell carcinoma)의 특성 및 원인

	Basaloid, Warty types	Keratinizing, Differentiated, Simplex types
분포	다발성(multifocal)	단일성(unifocal)
발생 연령	젊은 여성(younger age)	고령(older age)
원인	HPV 감염과 연관 usual type VIN (uVIN) 흡연, 면역억제	HPV 감염과 무관 differentiated type VIN (dVIN) 경화태선(lichen sclerosus), 만성 피부염

(3) 외음부암의 조직학적 분류

외음부의 악성 종양	
편평세포암(squamous cell carcinoma (keratinizing, non-keratinizing, basaloid, warty, verrucous)	90~92%
악성 흑색종(malignant melanoma)	2~5%
바르톨린샘암(Bartholin gland carcinoma) (adenocarcinoma, squamous cell, adenosquamous, adenoid cystic, transitional cell)	1%
기저세포암(basal cell carcinoma)	2~3%
전이암(metastatic tumors)	1%
악성 연조직암(malignant soft tissue tumors) (rhabdomyosarcoma, leiomyosarcoma, epithelioid sarcoma, alveolar soft part sarcoma)	<1%

2 침윤성 외음부암(Invasive vulvar cancer)

1) 편평세포암(Squamous cell carcinoma)

(1) 특성

① 침윤성 외음부암(invasive vulvar cancer)의 90~92% 차지

② 조직학적 아형(histologic subtypes)

    a. Basaloid carcinoma

    b. Warty carcinoma

    c. Keratinizing squamous carcinoma

③ 외음부의 microinvasive carcinoma(T_{1a})

    a. 정의 : diameter ≤2 cm, stromal invasion ≤1 mm

    b. 침윤 깊이와 서혜부림프절(inguinal lymph nodes) 전이의 관계

침윤 깊이(Depth of invasion)	서혜부림프절(inguinal lymph nodes) 전이
≤1 mm	극히 드묾
>1 mm	위험성 증가

(2) 임상소견

① 주로 폐경 후 여성에서 발생

    a. 진단 평균 연령 : 약 65세

    b. 15%는 40세 이전에 발병

② 경화태선(lichen sclerosus) 또는 외음부 상피내종양(VIN)의 오랜 과거력

③ 외음부암 환자의 27%는 이차 원발성 악성종양(second primary malignancy) 존재

④ 대부분의 이차성 암은 흡연 또는 HPV 감염과 연관

    a. 흡연 : lung, buccal cavity, pharynx, esophagus, nasal cavity, larynx

    b. HPV : cervix, vulva, vagina, anus

⑤ 증상

    a. 대부분 무증상(asymptomatic)

    b. 증상이 있었던 경우 : 오래 지속되는 외음부의 가려움증, 종괴

    c. 드문 증상 : 궤양, 출혈

⑥ 외음부의 비정상 소견 : 융기성 종괴, 궤양, 색소침착, 사마귀모양 등 → 조직검사 시행

⑦ 발생 위치

    a. 대음순과 소음순(labia major and minora) : 60%

    b. 음핵(clitoris) : 15%

    c. 회음부(perineum) : 10%

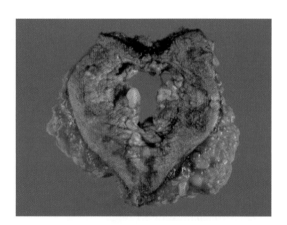

그림 30-2. 외음부 편평세포암의 육안적 소견

(3) 진단

① 질확대경(colposcopy)

    a. 외음부, 질, 자궁경부를 확인

    b. 하부 생식기의 다른 부위에 편평상피내종양, 침윤성 종양이 흔히 발견되기 때문

② 의심되는 모든 부위에서 조직검사 시행 : 국소마취하 punch biopsy 또는 wedge biopsy

③ 의사의 지연 : 외음부암의 진단에서 가장 흔한 문제

④ 크거나 융합된 사마귀 모양의 병변(warty lesion) : 내과적 또는 소작술 전 조직검사 시행

(4) 전이

① 외음부암의 전이경로

　a. 직접 확장(direct extension) : 인접장기 침윤(vaginal, urethra, anus)

　b. 림프색전 형성(lymphatic embolization) : regional inguinal and femoral lymph node

　c. 혈행 확산(hematogenous spread) : 먼 곳으로 전이(lung, liver, bone 등)

② 림프절 전이(lymph node metastasis)

　a. 질환 초기에 발생 가능

　b. 직경 2 cm 이하 종양의 12%에서 국소 전이(regional metastasis) 발생

　c. 전이 방향 : Superficial groin nodes → Deep femoral nodes

　　- inguinal lymph nodes → femoral lymph nodes → pelvic nodes (ext. iliac nodes)

　　- inguinal lymph nodes 전이 없는 femoral lymph nodes 전이가 매우 드물게 보고됨

　　- inguinal lymph nodes 전이 없는 pelvic nodes 전이는 매우 드묾(동측의 림프절 전이가 확인되지 않으면 반대편 림프절절제술은 시행하지 않음)

　　- inguinal lymph nodes 전이가 있으면 동측 pelvic lymphadenectomy 시행

　d. 편평세포암 침윤 깊이에 따른 림프절 전이

Depth of Invasion	Lymph node metastasis
≤1 mm	0%
1.1 ~ 2 mm	7.7%
2.1 ~ 3 mm	8.3%
3.1 ~ 5 mm	26.7%
⟩5 mm	34.2%
Total	10.7%

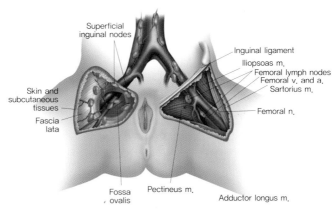

그림 30-3. Inguinal-femoral lymph nodes

(5) 병기설정(FIGO staging system, 2021)

Stage	Description
I	종양이 외음부에 국한
IA	종양의 크기 ≤2 cm and 간질 침윤(stromal invasion) ≤1 mm
IB	종양의 크기 〉2 cm or 간질 침윤(stromal invasion) 〉1 mm
II	종양의 크기에 관계없이 주변의 조직에 침범(요도의 하부 1/3, 질의 하부 1/3, 항문)이 있으면서 림프절 전이가 없음
III	종양의 크기나 주변 조직으로의 침범에 관계없이 서혜부–대퇴부림프절에 전이
IIIA	종양의 크기에 관계없이 주변 조직(요도의 상부 2/3, 질의 상부 2/3, 방광 점막, 직장 점막)으로 침범 또는 국소 림프절 전이, 크기 ≤5 mm
IIIB	국소 림프절 전이, 크기 〉5 mm
IIIC	피막외침범(extracapsular spread)을 동반한 국소 림프절 전이
IV	뼈에 고정된 모든 크기의 종양 또는 고정된 궤양성 림프절 전이 또는 원격 전이
IVA	골반 뼈에 고정된 종양 또는 고정되거나 궤양성 국소 림프절 전이
IVB	원격 전이(distant metastases)

(6) 예후

① 재발의 1/3 이상이 초기 치료 5년 이후에 발생

② 림프절 전이 개수(number of positive lymph nodes)

    a. 가장 중요한 단일 예후인자

    b. 전이의 양성 림프절의 수와 생존율 사이에는 강한 음의 상관관계

      - 림프절 전이 (-)의 5년 생존율 >80%

      - 림프절 전이 (+)의 5년 생존율 <50%

      - 림프절 전이 3개 이상의 2년 생존율 : 약 20%

(7) 치료

① 치료의 원칙

    a. 원칙적으로 수술이 가장 표준 치료법

    b. 원발성 병변과 서혜부림프절을 독립적으로 관리

외음부암 수술적 치료의 기본 원칙

- 미세침윤암(종양 크기 ≤2 cm, 간질 침윤 ≤1 mm) : 광범위 외음부절제술, 림프절절제술 시행 안함
- 서혜부림프절절제술 시행 시 기본적으로 동측(ipsilateral) 림프절절제술만 시행
- 단일 아치형 피부절개술 대신에 분리절개술(separate incision)을 이용
- 근치적 외음부절제술 대신 1 cm 경계를 두고 광범위 국소절제술(wide local excision)을 시행
- 서혜부림프절절제술을 시행할 때 림프부종을 예방하기 위해 복재정맥(saphenous vein)을 보존
- 수술 후 이환율, 기능장애가 예상되는 경우, 수술, 방사선치료, 화학요법을 적절히 병합

---

② 외음부 미세침윤암(microinvasive vulvar cancer)

　　a. T_{1a} : 종양 크기 ≤2 cm and 간질 침윤 ≤1 mm

　　b. 광범위 국소절제술(wide local excision)

③ 조기 T_{1b} 외음부암(early T1b vulvar cancer)

　　a. T_{1b} : 종양 크기 >2 cm or 간질 침윤 >1 mm

　　b. 1 cm의 안전경계(safety margin)를 두고 근치적 국소절제술(radical local excision)

　　c. 림프절절제술을 위한 분리절개술(separate incision)

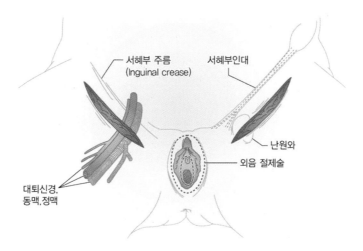

그림 30-4. 분리절개술(separate incision)

④ 조기 T_2 외음부암(early T_2 vulvar cancer)

　　a. T_2 : 종양의 크기에 관계없이 주변의 조직에 침범(요도의 하부 1/3, 질의 하부 1/3, 항문)

　　b. 근치적 외음부절제술(radical vulvectomy) 또는 근치적 국소절제술(radical local excision)

⑤ 진행된 질환(large T_2, T_3) : 수술 후 방사선치료 또는 수술 후 항암화학방사선 치료

⑥ 방사선치료(radiation therapy)

　　a. 수술 후 국소 재발의 감소를 위해 시행

　　b. 적응증

수술 전 항암화학방사선치료	수술 후 골반 및 서혜부림프절 치료
– 골반내용물적출술의 적응증이 되는 진행된 질환	– 현미경적으로 양성인 다발성 서혜부림프절
– 항문, 요도 기능의 소실이 예상되는 경우	– 서혜부림프절의 1개 이상 거대전이(10 mm 이상)
– 고정되고 절제할 수 없는 서혜부 결절	– 피막외침범(extracapsular spread)의 증거

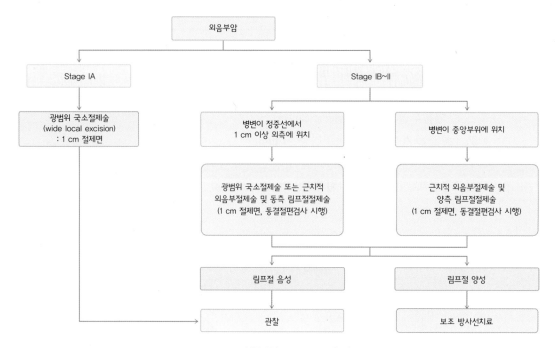

그림 30-5. 외음부암 Stage I, II의 치료

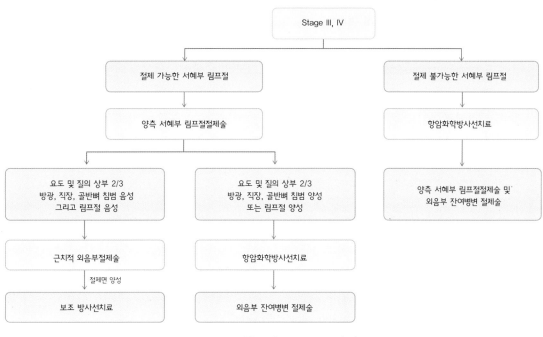

그림 30-6. 외음부암 Stage III, IV의 치료

(8) 수술 후 합병증

초기 합병증(Early complications)	후기 합병증(Late complications)
Groin wound infection necrosis, breakdown – 가장 흔함 : 53~85% – 치료 : 항생제, 괴사조직 제거, 소독 Urinary tract infection(UTI) Seroma in femoral triangle Deep venous thrombosis Pulmonary embolism Myocardial infarction Hemorrhage Osteitis pubis Lymphocyst or groin seroma	Chronic lymphedema : 가장 흔함(30%) Recurrent lymphangitis and cellulitis Urinary stress incontinence Introital stenosis Pubic osteomyelitis Rectovaginal or rectoperineal fistula Depression, sexual dysfunction

(9) 재발성 외음부암(Recurrent vulvar cancer)

① 재발 시기

    a. 2/3은 초기 치료 후 2년 이내

    b. 1/3은 초기 치료 후 5년 이후

② 재발에 가장 중요한 인자 : 림프절 전이 개수(number of positive lymph nodes)

③ Local vulvar recurrence

a. 근치적 절제술 당시 마진 상태 : 국소 외음부암 재발의 가장 강력한 예측인자

b. 0.8 cm 보다 가까운 마진 상태의 재발 위험 : 약 50%

④ Regional inguinal and distant recurrence : 치료가 어렵고 불량한 예후

2) 흑색종(Melanoma)

(1) 특성

① 외음부암의 약 2~5%를 차치

② 편평세포암종에 이어 두 번째로 높은 발생빈도

③ 호발 : 폐경된 백인 여성, 소음순 또는 음핵부위

④ 증상

a. 크기가 증가하는 착색의 병변

b. 대부분 무증상, 소양감, 출혈, 서혜부 종괴

⑤ 외음부 흑색종의 조직학적 분류

a. 표재확산흑색종(superficial spreading melanoma)

b. 점막흑자흑색종(mucosal lentiginous melanoma)

c. 결절흑색종(nodular melanoma)

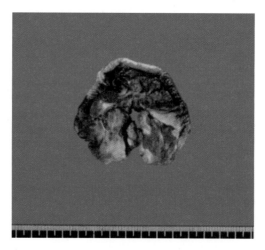

그림 30-7. 외음부 흑색종의 육안적 소견

(2) 병기설정(Microstaging)

① 외음부 흑색종의 미세병기(microstaging)

	Clark Level	Chung Depth of Invasion	Breslow Tumor Thickness
I	Intraepithelial	Intraepithelial	<0.76 mm
II	Into papillary dermis	≤1 mm from granular layer	0.76~1.50 mm
III	Filling dermal papillae	1.1~2 mm from granular layer	1.51~2.25 mm
IV	Into reticular dermis	>2 mm from granular layer	2.26~3.0 mm
V	Into subcutaneous fat	Into subcutaneous fat	>3 mm

② 편평세포암에 사용되었던 FIGO stage는 흑색종에는 적용 불가능

    a. 흑색종은 병변의 크기가 매우 작고, 예후가 침윤된 깊이에 좌우

    b. 병변의 크기를 반영하는 FIGO stage는 흑색종의 예후를 반영하지 못함

(3) 치료

  ① Invasion depth <1 mm

    a. 근치적 국소절제술(radical local excision)

    b. Skin margin 1 cm, deep surgical margin 1 cm

  ② Invasion depth 1~4 mm

    a. 근치적 국소절제술(radical local excision) + inguinal-femoral lymphadenectomy

    b. Skin margin 2 cm, deep surgical margin 1 cm

  ③ 골반림프절절제술(pelvic lymphadenectomy)

    a. 대퇴부림프절(femoral lymph node)의 전이가 없으면 골반림프절로의 전이는 없음

    b. 골반림프절로의 전이가 발생한 경우 예후가 불량하고 골반림프절절제술이 환자의 예후에 영향이 없으므로 시행하지 않음

(4) 예후

  ① 다른 종양에 비하여 전이가 흔하고 예후가 좋지 않은 편

  ② 5년 생존률 : 50~60% 정도

  ③ 가장 중요한 예후인자 : 침윤 깊이(invasion depth)

3) 바르톨린샘암(Bartholin gland carcinoma)

(1) 특성

  ① 외음부암의 약 2~7%를 차지

  ② 주로 폐경 후 여성에서 발생

③ 증상

    a. 종괴나 회음부 통증 : 가장 흔한 증상

    b. 성교통, 궤양성 병변, 가려움증 등

④ 다양한 조직학적 형태 : adenocarcinomas, squamous carcinomas, transitional cell, adenosquamous, adenoid cystic carcinomas

⑤ 매우 드문 질환이라서 표준 진료지침이 없고, 임상적으로 단순 바르톨린샘낭종으로 오인되어 진단이 늦어지는 경우가 많음

(2) 치료

① 근치적 외음부절제술(radical vulvectomy) + inguinal-femoral lymphadenectomy

② 전이가 없다면 골반림프절절제술은 시행하지 않음

③ 가장 중요한 예후인자 : Inguinal-femoral lymph nodes 전이 상태

4) 외음부 파제트병(Paget disease)

(1) 특성

① 외음부암의 1% 미만을 차지하는 드문 질환

② 주로 폐경 후의 여성에서 발생

③ 증상

    a. 습진성 변화, 융기되고 반짝거리는 모습

    b. 털이 있는 피부에서 시작하여 점차 불두덩, 넓적다리, 엉덩이 부위로 퍼지는 양상

④ Superficial spreading melanoma와 감별이 필요

    a. 방법 : PAS 염색과 mucicarmine 염색

    b. Paget disease는 두 염색에서 양성

    c. Melanocyte는 염색이 되지 않음

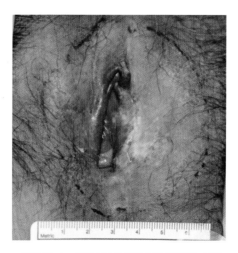

그림 30-8. 외음부 파제트병의 육안적 소견

(2) 치료 및 예후

① 광범위 국소절제술(wide local excision)

　a. 수술 중 여러 번의 동결절편으로 병변의 완전 절제가 중요

　b. 선암종이 동반된 경우 : 동측의 서혜부 림프절절제술도 같이 시행

② 예후 : 림프절 전이가 없으면 양호

③ 재발 시 치료 : 반복적인 수술, 국소적 bleomycin, 국소적 5-FU, CO_2 레이저 등

CHAPTER 31

임신성 융모질환(Gestational trophoblastic disease)

1 포상기태(Hydatidiform mole)

1) 서론

(1) 빈도

① 아시아 > 서양, 동양인 > 백인

    a. 일본 2/1,000 임신

    b. 유럽, 미국 0.6~1.1/1,000 임신

② 발생률

    a. 완전 포상기태(complete mole) : 약 1:1,945

    b. 부분 포상기태(partial mole) : 약 1:695

③ 한국의 발생률 감소 : 서구식 식단과 생활수준 향상의 영향

(2) 위험인자

① 완전 포상기태(complete mole)의 위험인자

    a. 산모의 나이

      - 40세 이상 : 완전 포상기태 발생률 2~10배 증가

      - 청소년 : 완전 포상기태 발생률 7배 증가

      → 난자가 비정상적인 수정에 더 취약해 완전 포상기태(complete mole) 발생

    b. Carotene (Vit. A의 전구체)과 동물성 지방의 저섭취 : 완전 포상기태 발생 증가

② 부분 포상기태(partial mole)의 위험인자

    a. 경구피임제의 사용

    b. 불규칙한 월경

    c. 식이요인 및 산모의 연령과는 연관성이 없음

(3) 임신성 융모질환의 분류

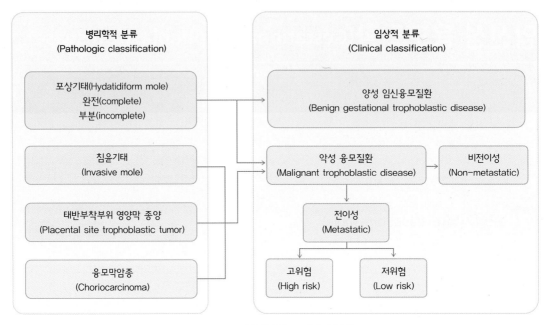

그림 31-1. 임신성 융모질환의 분류

(4) 완전 포상기태와 부분 포상기태의 비교

	완전 포상기태(Complete mole)	부분 포상기태(Partial mole)
유전		
핵형(karyotype)	46,XX (90%), 46,XY	Triploid (69,XXY)
Chromosomal origin	All paternal derived	Extra paternal set
병리		
Fetal or embryonic tissue	없음(absent)	있음(present)
Hydatidiform swelling of chorionic villi	전반적(diffuse)	부분적(focal)
Trophoblastic hyperplasia	전반적(diffuse)	부분적(focal)
Scalloping of chorionic villi	없음(absent)	있음(present)
Trophoblastic stromal inclusions	없음(absent)	있음(present)
임상증상		
전형적 증상	비정상적 질 출혈	계류 유산
증상의 빈도	흔함	드묾
지속성 임신성 융모질환(Persistent GTD)		
비전이성	15~25%	3~4%
전이성	4%	0%

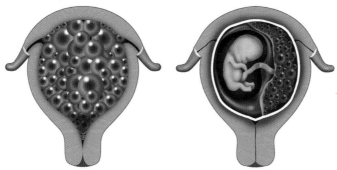

(A) 완전 포상기태(Complete mole)   (B) 부분 포상기태(Partial mole)

그림 31-2. 완전 포상기태와 부분 포상기태

2) 완전 포상기태(Complete hydatidiform mole)

(1) 특성

① 핵형(karyotype)

    a. 46,XX (90%)

    b. 46,XY (10%)

      → 핵형 모두가 부계로부터 받은 것

② 완전 포상기태는 순전히 부계의 수태산물의 증식

    a. 23,X를 가지고 있는 정자와 난자가 수정되나 모체측 핵물질이 없어지고 정자만 배가

    b. 두 개의 정자가 수정되어 46,XX 또는 46,XY

      → 이러한 유전적 이상이 세포영양막 또는 융합영양막의 이상 증식을 유발

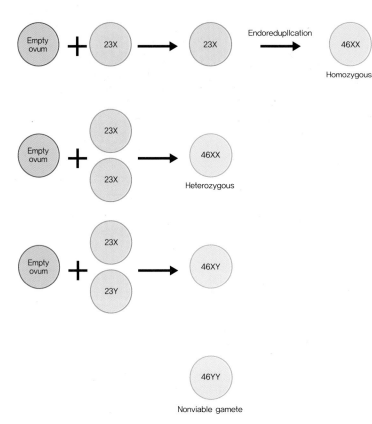

그림 31-3. 완전 포상기태(complete hydatidiform mole)의 핵형

(2) 임상소견

① 증상

    a. 질 출혈 : 가장 흔한 증상으로 환자의 80%에서 발생, 빈혈 증상

    b. 거대 자궁 : 자궁 크기는 혈중 hCG의 값과 비례

    c. 전자간증(preeclapsia)

       - 완전 포상기태의 27%에서 발생

       - 임신 초기에 자간전증 증상이 나타나면 포상기태를 의심

    d. 임신과다구토(hyperemesis gravidarum)

    e. 갑상샘기능항진증(hyperthyroidism) : 갑상샘기능항진증이 의심되면 기태 제거 전 β-blocker를 투여하여 갑상샘 중독발작(thyroid storm) 및 심혈관계 합병증을 예방

    f. 영양배엽세포의 색전증(trophoblastic embolism) : 2%에서 호흡곤란증 발생

    g. 포상기태 조직의 전이(molar metastasis)

    h. 난포막황체낭(theca lutein cyst)

       - 6 cm 이상이 50%

- 대부분 양측성(bilateral)으로 발생하고 다낭성 양상
- 과도한 hCG의 영향으로 발생, 고프로락틴혈증과도 연관
- 포상기태 치료 후 2~4개월 안에 자연 소실
- 합병증이 없으면 수술 적응증이 아님

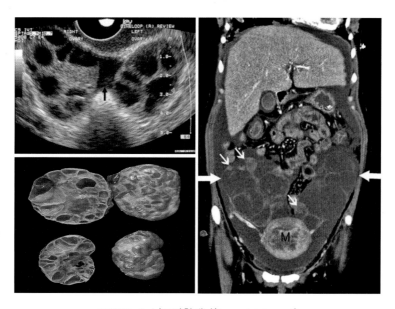

그림 31-4. 난포막황체낭(theca lutein cyst)

② 병리학적 소견
    a. 융모의 수포성 부종
    b. 융모의 부적절한 혈관발달
    c. 융모가 세포영양막과 융합영양막로 둘러싸여 있는 양상
③ 육안적 소견
    a. 포도송이와 유사한 다양한 크기의 투명한 수포체
    b. 영양막의 증식, 전반적인 융모의 부종
    c. 배아 또는 태아조직이 없음

그림 31-5. 완전 포상기태(complete hydatidiform mole)의 육안적 소견

(3) 진단

① 초음파

a. 눈보라 양상(snowstorm pattern), 소포 양상(vesicular pattern) : Most reliable, sensitive

b. 태아 혹은 양수가 보이지 않음

c. 양측 난소에 6 cm 이상의 난포막황체낭(theca lutein cyst)

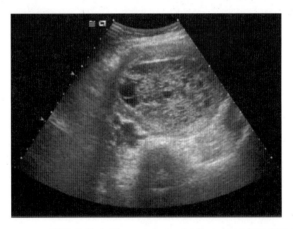

그림 31-6. 완전 포상기태(complete hydatidiform mole)의 초음파

② 양막조영술

a. 양막에 조영제를 주입하여 X-선 촬영 후 벌집모양이 관찰되면 포상기태로 진단

b. 과거 사용되던 방법으로 최근에는 시행하지 않음

(4) 자연사

① 국소침윤(local invasion)과 전이 가능성

a. 완전 포상기태의 제거 후 15%에서 자궁침윤, 4%에서 전이 발생

b. 향후 지속성 임신성 융모질환으로 진행 가능

② 완전 포상기태의 고위험군

완전 포상기태의 고위험군(High risk group of complete hydatidiform mole)

포상기태 제거 전 hCG ≥100,000 mIU/mL
재태 연령에 비해 더 큰 자궁
난포막황체낭(theca lutein cyst) ≥6 cm

− 위 조건 중 하나라도 있으면 postmolar tumor 발생 가능성이 높을 것으로 예측

3) 부분 포상기태(Partial hydatidiform mole)

(1) 특성

① 핵형(karyotype)

a. 삼배수체(triploid) : 69,XXY, 69,XXX, 69,XYY

b. 정상 난자와 두 개의 정자가 수정 : 대부분의 경우

c. 이배수체 난자와 한 개의 정자가 수정 : 드문 경우

→ 추가적인 반배수체(haploid)는 부계로부터 받은 것

② 삼배수체의 특징인 성장지연, 선천성 기형 등이 동반 가능

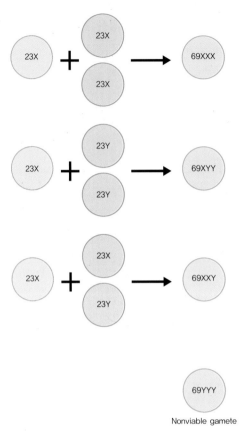

그림 31-7. 부분 포상기태(partial hydatidiform mole)의 핵형

(2) 임상소견

① 증상

① 전형적인 임상증상이 없음

② 불완전 유산 또는 계류 유산의 증상

③ 대부분 포상기태 제거 후 조직학적으로 진단

④ 자궁의 크기 : 재태 연령보다 큰 자궁(67%), 작은 자궁(30%)

② 병리학적 소견

    a. Chorionic villi of varying size with focal hydatidiform swelling, cavitation, and trophoblastic hyperplasia

    b. Marked villous scalloping

    c. Prominent stromal trophoblastic inclusions

    d. Identifiable embryonic or fetal tissues

③ 육안적 소견

a. 주로 유산에서 발견

b. 난포막황체낭(theca lutein cyst)은 드물게 발생

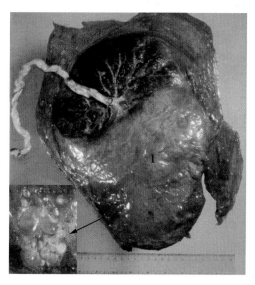

그림 31-8. 부분 포상기태(partial hydatidiform mole)의 육안적 소견

(3) 진단

① 초음파

a. 태반 조직 내 국소적 낭성 공간(focal cystic spaces in the placental tissues)

b. 임신낭의 직경 증가

② MRI

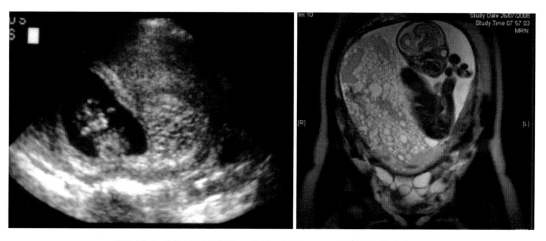

그림 31-9. 부분 포상기태(partial hydatidiform mole)의 초음파와 MRI

(4) 자연사

① Persistent tumor

   a. 부분 포상기태의 2~4%에서 발생

   b. 관해(remission)을 위한 항암화학치료(chemotherapy)가 필요

② 지속되는 경우에도 뚜렷한 임상적, 병리학적 소견은 없음

4) 포상기태의 치료

(1) 흡입 소파술(Suction curettage)

① 가장 안전하고 효과적인 방법

② 시행 방법

   a. 자궁경부를 개대시킨 후 옥시토신을 점적주입 하면서 흡입 소파술 시행

   b. 가능한 굵은 카눌라를 이용하여 시행

   c. 자궁저부에 손을 올려 문질러 자궁수축을 유도하면서 흡입하여 자궁천공을 예방

   d. 완전 제거 후 날카로운 큐렛으로 다시 긁어내어 조직검사를 따로 보냄

③ Rh 음성 환자 : 흡입 소파술 시 Rh immune globulin을 반드시 투여

④ 기태 제거 후에는 난소의 난포막 황체낭을 확인하기 위해 내진을 시행

(2) 자궁절제술(Hysterectomy)

① 더 이상의 자녀를 원하지 않는 경우 시행

② 눈에 띄는 난포막황체낭(theca lutein cyst)이 있는 경우에도 수술 시 난소를 보존

③ 자궁절제술이 전이를 예방하지 못함

④ 융모성 종양의 발생을 배제할 수 없으므로 hCG의 추적검사 필요

(3) 자궁절개술(Hysterotomy), 약물적 배출

① 매우 침습적이고 위험한 방법

② 영양막 및 파괴된 자궁 내 조직의 전이 및 폐색전 유발 가능 → 가급적 시행하지 않음

(4) 예방적 항암화학치료(Prophylactic chemotherapy)

① 예방적 항암화학치료에 대해서는 논란 중

② 고위험 완전 포상기태(complete mole) 중 hCG 평가를 사용할 수 없거나 신뢰할 수 없는 경우 시행

5) 추적검사

  (1) 목적

   ① 영양막의 활성 여부를 조기 판단하여 치료

   ② 임신을 원하는 환자에서의 적절한 시기를 선택

  (2) hCG

   ① 포상기태 제거 후 영양막의 존재 여부를 가장 잘 반영

   ② hCG를 연속적으로 측정하여야 하며 이 동안은 피임 시행

    a. 임신하지 않은 정상인의 경우 혈청 β-hCG는 측정되지 않음

    b. 포상기태 제거 후 혈청 β-hCG가 정상치에 도달하는 기간 : 평균 9주(8~12주)

   ③ 검사 방법

    a. 자궁소파술 후 48시간 뒤에 확인

    b. 정상치에 도달할 때까지 매주 실시

     - 3회 연속 검사에서 정상치에 도달하면 그 이후 매달마다 검사

     - 저위험군에서는 6개월간, 고위험군에서는 1년간 매달 측정

     - 정상이 되면 임신을 원할 경우 임신 노력

  (3) 피임(Contraception)

   ① hCG 추적검사 기간 동안 피임 시행 : hCG 상승 감별을 위함

   ② 경구피임제, 콘돔 : 권장 피임법

   ③ 자궁내장치 : 자궁천공의 위험성, hCG 정상 전까지는 삽입 금지

---

2 임신성 융모종양(Gestational trophoblastic neoplasia)

1) 비전이성 질환(Nonmetastatic disease)

  (1) 특성

   ① 비전이성 임신성 융모종양의 환자에서 주된 임상증상

    a. 부정기적 질 출혈(irregular vaginal bleeding)

    b. 난포막황체낭(theca lutein cyst)의 존재

    c. 자궁의 퇴축부전(uterine subinvolution) 또는 비대칭 비대(asymmetric enlargement)

    d. 지속적 hCG 상승

   ② 포상기태(molar) 제거 후 발생하는 지속성 임신성 융모종양(persistent GTN)에서는 조직학적

으로 포상기태 또는 융모막암종의 소견을 보임

③ 비포상기태(nonmolar) 후 발생하는 지속성 임신성 융모종양(persistent GTN)에서는 항상 융모막암종의 조직 소견만 보임

④ 융모막암종(choriocarcinoma)의 진단에 중요한 조직학적 특징 : 융모막융모(chorionic villi)가 소실된 역형성 융합영양막(anaplastic syncytiotrophoblast)과 세포영양막(cytotrophoblast)

(2) 태반부착부위 융모종양(Placental site trophoblastic tumor, PSTT)

① 특성

    a. 임신성 융모종양의 드문 형태

    b. 태반이 자궁에 착상된 부위에서 발생하며 융모막융모(chorionic villi)는 거의 없이 대부분 단핵성 중간영양막세포들(mononuclear intermediate trophoblastic cells)로 구성

    c. 일반적으로 양성(benign)

    d. 약 15%는 전이에 의한 치명적인 악성 양상

② 임상양상

    a. 주로 가임기 여성에서 발생(평균 30세 정도)

    b. 주증상 : 무월경, 부정출혈, 자궁비대

    c. 낮은 혈청 hCG 수치

    d. 대부분 정상 임신, 비포상기태 유산 후 발생 : 융모막암종(choriocarcinoma)과 차이점

③ 육안적 소견

    a. 미세한 병변에서 자궁을 변형시키는 큰 종괴까지 다양

    b. 폴립 양상의 종괴가 자궁내강으로 돌출되거나, 근층으로 광범위하게 침습하기도 하고 자궁천공을 유발하기도 함

    c. 종양의 경계는 대부분 뚜렷하고 절단면은 부드럽고 황갈색이며 간혹 국소적인 출혈과 괴사를 동반

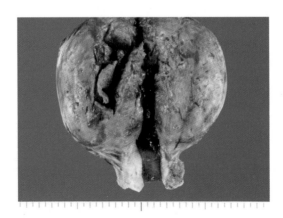

그림 31-10. 태반부착부위 융모종양(PSTT)의 육안적 소견

④ 악성 위험인자

　　a. 전이 병소의 존재

　　b. 임신과의 기간이 2년 이상

　　c. 분열하는 세포수가 10배 확대경 소견상 5개 이상

　　d. Ki-67 면역염색이 양성

⑤ 치료

　　a. 외과적 절제술

　　　- 자궁절제술 : 종양이 자궁에 국한된 경우의 일차적 치료법

　　　- 자궁소파술, 부분절제술 : 임신력 보존을 원하는 경우 고려

　　　- 수술 후 종양이 지속되거나 혈청 hCG가 증가하는 경우 자궁절제술 시행

　　b. 복합 항암화학요법

　　　- 종양이 자궁을 넘어 광범위하거나 지속, 재발, 전이되어 있는 경우의 치료법

　　　- 다른 임신성 융모종양과는 달리 항암화학치료에 잘 반응하지 않아 효과가 적음

　　　- 일차 항암제 : EMA-CO 요법

　　　- 재발, 지속, 진행된 경우 : EMA-EP 요법

2) 전이성 질환(Metastatic disease)

(1) 특성

① 전이성 융모종양은 침윤기태 또는 융모막암종의 증상이 있으면서 병소가 이미 자궁체부를 넘어선 경우

② 완전 포상기태 제거 후 4%에서 발생

③ 비포상기태 임신(nonmolar pregnancy) 종결 후 발생한 임신성 융모종양(GTN)에서 더 흔하게 발생

(2) 전이 장소

① 폐(lung) : 80%

　　a. 전이성 임신성 융모종양 환자의 약 80%에서 확인

　　b. 흉통, 기침, 객혈, 호흡곤란 또는 흉부 X-선상 무증상 병변

　　c. 흉부 X-선의 특징적 소견

　　　- 폐포 또는 눈보라 양상(alveolar or snowstorm pattern)

　　　- 분리된 둥근 음영 또는 동전 모양(discrete rounded density)

　　　- 흉수(pleural effusion)

　　　- 폐동맥 폐쇄에 의한 색전 양상(embolic pattern by pulmonary arterial occlusion)

② 질(vagina)

  a. 전이성 임신성 융모종양 환자의 약 30%에서 확인

  b. 생검을 시행하는 경우 심한 혈관의 발달로 심각한 출혈 유발

  c. 질 원개(fornix)나 요도 하부에 전이

  d. 조직의 괴사로 출혈이나 고약한 냄새의 분비물 형성

③ 간(liver)

  a. 전이성 임신성 융모종양 환자의 약 10%에서 확인

  b. 대개 진단이 지연되고 광범위한 종양 형성

  c. 간 파열 발생 시 심한 출혈 유발

  d. 진단이 어렵고 항암화학요법에 대한 반응이 나빠 예후가 매우 불량

④ 중추신경계(central nervous system)

  a. 전이성 임신성 융모종양 환자의 약 10%에서 확인

  b. 대개 진행된 암에서 관찰

  c. 자연적 뇌출혈로 인한 신경장애 유발 가능

3) 임상적 분류

(1) 임신성 융모종양의 FIGO stage (FIGO staging system, 2018)

Stage	Description
I	임신성 융모종양(GTN)이 자궁 내 국한
II	임신성 융모종양(GTN)이 부속기 또는 질까지 확장되지만 생식기 구조에 국한
III	임신성 융모종양(GTN)의 폐 전이 ± 생식기 침윤
IV	다른 장기로의 전이

(2) 예후점수제 분류법(WHO prognostic scoring system, 2018)

WHO risk factor	0	1	2	4
나이	$\leq$39	$>$39		
이전 임신력	Mole	Abortion	Term	
임신종결 후 약물치료 시작까지 간격(개월)	$<$4	4~6	7~12	$>$12
치료 전 혈중 hCG (mIU/mL)	$<10^3$	$>10^3$~10^4	$>10^4$~10^5	$>10^5$
가장 큰 종양의 크기(cm)		3~4	$\geq$5	
전이 부위	Lung	Spleen, Kidney	GI tract	Brain, Liver
확인된 전이 종양의 개수		1~4	5~8	$>$8
이전에 실패한 항암화학요법			Single drug	Two or more drugs

- Stage 뒤에 숫자로 기재 (e.g. Stage II:4, Stage IV:9)
- 저위험(low risk) ≤6, 고위험(high risk) >6
- 보통 Stage I은 low risk score, Stage IV는 high risk score
- 저위험과 고위험은 주로 Stage II, III에서 적용

(3) 진단

① 치료 전 검사

기본검사	전이 여부 확인을 위한 검사	선택적 검사
- 병력 청취 : 월경력, 산과력, 선 　행임신, 치료종류와 내용 - 전신 진찰(physical examination) - 혈청 hCG 측정 - 기능검사(Liver, Kidney, Thyroid) - 혈액학적 검사(Hb, WBC, platelet)	- 흉부 X-선 검사 혹은 CT - 복강 및 골반의 초음파 또는 CT - 두부의 CT 또는 MRI - PET-CT	- 뇌척수액의 hCG 측정 - 복부나 골반 장기의 혈관조영술

② 전이 병변에 대한 검사

a. 복부 초음파 or CT : 간기능 검사에서 이상을 보이는 경우 간 전이 판단에 유용

b. 흉부 CT : 흉부 X-선 검사에서 보이지 않는 미세전이를 확인

c. 두부 CT or MRI : 무증상 뇌 병변을 조기 발견

d. 뇌척수액 내 hCG 측정

　- Brain CT가 정상이더라도 뇌 전이를 조기에 발견하기 위한 검사

　- Plasma/CSF hCG ratio ¡Â60 : 뇌 전이를 의미

(4) 치료

Stage I	
Initial	Single-agent chemotherapy or Hysterectomy with adjunctive chemotherapy
Resistant	Combination chemotherapy Hysterectomy with adjunctive chemotherapy Local resection Pelvic infusion

Stage II, III	
Low risk	
Initial	Single agent chemotherapy
Resistant	Combination chemotherapy
High risk	
Initial	Combination chemotherapy

Resistant	Second line combination chemotherapy
Stage IV	
Initial	Combination chemotherapy
Brain	Whole–head radiation (3,000 cGy)
	Craniotomy to manage complications
Liver	Resection or embolization to manage complications
Resistant	Second–line combination chemotherapy
	Hepatic arterial infusion

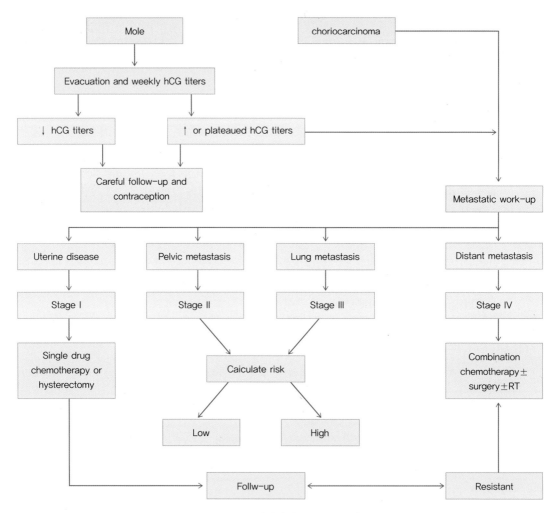

그림 31-11. 임신성 융모종양의 처치

(5) 치료 후 추적검사

① Stage I~III

a. hCG : 3주 연속 정상값을 보일 때까지 매주 측정

b. 12개월 연속 정상값을 보일 때까지 매월 측정

c. hCG 추적검사 기간 동안 반드시 피임

② Stage IV

a. hCG : 3주 연속 정상값을 보일 때까지 매주 측정

b. 24개월 연속 정상값을 보일 때까지 매월 측정

4) 지속성 임신성 융모종양(Persistent Gestational trophoblastic neoplasia)

(1) 특성

① 포상기태 제거 후 hCG 증가, 3주 이상 hCG 미변동(±10%), 전이 병소가 발견되는 경우

② 조직학적으로 융모막암종(choriocarcinoma), 태반부착부위 융모종양(placental site tropho-blastic tumor), 침습기태(invasive mole)가 포함

③ 발생

a. 포상기태 제거 후 발생 : 50~65%

b. 만삭 임신, 자연유산, 자궁외임신 후 발생 : 33%

(2) 진단 및 병기설정

① 검사 : 임신성 융모종양의 검사와 동일

② 병기설정 : 임신성 융모종양의 FIGO stage와 예후점수제 분류법을 사용

(3) 치료

① 대부분 항암제만으로도 치료 가능

② 조직학적 감별진단이 요구되지 않고 중요 장기로의 전이 유무와 약제 내성인자들에 대한 평가를 기준으로 항암제를 선택하여 치료

③ 약제 내성이 있는 환자에서는 선택적으로 외과적 절제술 혹은 방사선치료를 병행

3 항암화학치료(chemotherapy)

1) 위험군에 따른 항암화학치료

(1) 저위험군(Low risk)의 항암화학치료

① 단일 항암화학요법(single agent chemotherapy)이 원칙

→ Methotrexate 또는 actinomycin D 단독 투여

② Methotrexate (MTX)

a. 융모상피종양 치료에 가장 기본적이고 가장 효과적인 항암제

b. 특성

- Folate의 항대사성 물질(antimetabolite)

- 알려진 화학제 중 유일하게 길항해독제(antidote) 존재 : Leukovorin (folinic acid)

- 간을 통해 대사되므로 간기능부전 환자에게는 금지

③ Actinomycin D

a. 특성

- DNA와 결합함으로써 RNA 합성을 방해

- 대사는 간에서 이루어지며 중심정맥을 통해 간에서 배설

- 정맥주입 시 혈관주위로 누출되면 심한 조직 괴사를 초래

b. 적응증 : Methotrexate 내성군, 간독성군에서 사용

④ 투여방법

First–line single agent chemotherapy regimens for low–risk gestational trophoblastic neoplasia

- MTX–Folinic acid 8 day regimen (50 mg MTX intramuscularly on days 1,3,5,7 with folinic acid 15 mg orally 24 hours after MTX on days 2,4,6,8) : repeat every 2 weeks
- MTX 0.4 mg/kg (max. 25 mg) intravenously or intramuscularly for 5 days every 2 weeks
- Actinomycin D pulse 1.25 mg/m^2 intravenously every 2 weeks
- Actinomycin D 0.5 mg intravenously for 5 days every 2 weeks
- Others : MTX 30~50 mg/m^2 intramuscularly weekly, MTX 300 mg/m^2 infusion every 2 weeks

---

(2) 중등도위험군(Moderate risk)의 항암화학치료

① Methotrexate와 actinomycin D 병용요법을 사용

② 내성이 있는 환자군에서는 고위험군에 사용하는 복합항암화학요법제를 사용

(3) 고위험군(High risk)의 항암화학치료

① Etoposide제가 포함된 EMA-CO 복합요법이 최근 사용

② EMA-CO에 내성이 있을 경우 cisplatin이 포함된 EP-EMA 복합요법 시행

③ EMA-CO (etoposide, methotrexate, actinomycin D, cyclophosphamide, vincristine)

Regimen 1

Day 1

Etoposide	100 mg/m^2 intravenous infusion over 30 min
Actinomycin–D	0.5 mg intravenous bolus
Methotrexate	100 mg/m^2 intravenous bolus 200 mg/m^2 intravenous infusion over 12 h

Day 2

Etoposide	100 mg/m^2 intravenous infusion over 30 min
Actinomycin–D	0.5 mg intravenous bolus
Folinic acid rescue	15 mg intramuscularly or orally every 12 h for four doses (starting 24 h after beginning the methotrexate infusion)

Regimen 2

Day 8

Vincristine	1 mg/m^2 intravenous bolus (maximum 2 mg)
Cyclophosphamide	600 mg/m^2 intravenous infusion over 30 min

- 두 요법을 매주 번갈아 가며 시행

④ 다른 항암화학요법

구제치료법(Salvage therapy)

- EP–EMA (etoposide, cisplatin, etoposide, methotrexate and actinomycin–D)
- TP/TE (paclitaxel, cisplatin/paclitaxel, etoposide)
- MBE (methotrexate, bleomycin, etoposide)
- VIP or ICE (etoposide, ifosfamide, and cisplatin or carboplatin)
- BEP (bleomycin, etoposide, cisplatin)
- FA (5–fluorouracil, actinomycin–D)
- FAEV (floxuridine, actinomycin–D, etoposide, vincristine)
- High–dose chemotherapy with autologous bone marrow or stem cell transplant
- Immunotherapy with pembrolizumab

---

2) 추가적인 고려사항

　(1) 항암화학요법의 기간

　　① 3번 연속 정상 hCG가 나올 때까지 toxicity가 허락하는 한 자주 투여

　　② 재발을 감소시키기 위해 정상 hCG 후 적어도 2번의 추가적인 chemotherapy를 시행

　(2) 지속적인 낮은 수치의 hCG

　　① 기태임신과 임신성 융모종양(GTN) 환자에게서 수 주 또는 수 개월간의 지속적인 낮은 hCG(<500 mIU/mL)를 보이는 경우

② 6~10%에서 재발하므로 지속적인 추적관찰 시행

(3) 임신과 임신성 융모질환

　① 합병증이 없는 포상기태 후 임신

　　a. 예후

　　　- 정상 임신이 가능

　　　- 선천성 기형이나 합병증이 증가하지 않음

　　　- 다음 임신의 1%에서 임신성 융모질환 발생

　　b. 다음 임신의 확인 시 필요한 검사

　　　- 정상 임신이 확인될 때까지 임신 제1삼분기 동안 초음파를 시행

　　　- 임신성 융모질환을 제외할 수 있도록 임신 종결 6주 후 hCG 측정

　② 악성 임신성 융모질환 후 임신

　　a. 성공적인 항암화학치료 받았을 경우 정상 임신을 기대

　　b. 항암화학치료제가 기형유발물질이지만 선천성 기형이 증가하지 않음

CHAPTER 32

유방암(Breast cancer)

1 서론

1) 특성

(1) 발생인자

① 성별과 나이

a. 여성에서 더 많이 발생

b. 나이가 증가할수록 발생률 증가 : 50%의 유방암이 65세 이상에서 발생

② 유전학적 요인(가족/유전성 유방암)

a. 가족력이 있는 경우는 20~30%

b. 유전성 유방암 : 전체 유방암의 5~10%

c. 폐경 후 발생한 유방암의 가족력은 유방암 위험을 높이지 않음

d. 어머니나 자매에서 폐경 이전에 유방암이 발생한 경우

 - 일측 유방암이 발생한 경우 : 평생 유방암 발생률 30% 정도 증가

 - 양측 유방암이 발생한 경우 : 평생 유방암 발생률 40~50% 정도 증가

e. BRCA1 (chromosome 17q21) & BRCA2 (chromosome 13q12~13) : 가장 흔한 돌연변이

③ 호르몬 요인

a. 이른 초경(<12세)과 늦은 폐경(>55세) : 위험도 증가

b. 이른 폐경 : 위험도 감소

c. 미분만부(nullipara) : 위험도 증가

d. 호르몬치료(estrogen + progesterone) : 단기 사용에도 위험도 증가

e. 모유 수유 : 연관 관계 없음

④ 식이 요인

a. 고지방 식이(high fat diet), 폐경 후 체중 증가 : 위험도 증가

b. Alcohol : 연관 관계가 명확치 않음

c. Wine : 과다섭취 시 위험도 증가

⑤ 암 과거력

　　a. 유방암의 과거력이 있는 경우, 이전 유방 조직 검사의 과거력

　　b. Ovary, colon, prostate cancer의 과거력

　　c. 이전 가슴의 치료적 방사선(therapeutic chest wall irradiation)의 과거력

(2) 증상

① 유방통

　　a. 주기성 유방통

　　　- 특징적으로 생리주기에 관계되며 양측성으로 발생

　　　- 주로 폐경 전 여성에서 나타나며 황체기에 시작하여 월경 때까지 점점 심해지다가 월경이 시작되면서 사라지는 양상

　　　- 유방의 외상방에 부종, 동통, 멍울, 묵직함, 심한 동통

　　　- 치료

　　　　· 카페인과 포화지방산을 줄이는 식이습관, 스포츠 브라 사용

　　　　· 지용성 항산화제 400 U/day 한 달간 사용

　　　　· Tamoxifen (10 mg/day), Danazol (200 mg/day), Bromocriptine (1.25 mg at night)

　　b. 비주기성 유방통

　　　- 생리주기와 관계없이 유방 어느 부위에도 올 수 있으며 한쪽 또는 양측성으로 발생

　　　- 종괴, 피부나 유두의 함몰 : 유방촬영과 초음파 시행

　　　- 늑연골염(costochondritis)도 고려 : 연골부위에 스테로이드가 섞인 1% lidocaine 주사

　　　- 치료

　　　　· 카페인과 포화지방산을 줄이는 식이습관, 스포츠 브라 사용

　　　　· 약물요법에 대체로 잘 반응하지 않고 호르몬 치료의 효과도 낮은 편

② 유두분비(nipple discharge)

생리적 분비	병적 분비
비자발적	자발적
양측성	일측성
다수의 관에서 분비	한 개 관에서
회색, 녹색, 갈색, 우윳빛	혈성 또는 맑음(crystal clear)

③ 만져지는 종괴(palpable mass)

　　a. 낭성 병변(cystic lesions)

　　　- 모든 연령대의 여성에서 흔히 발견

- 단순낭종 : 악성위험이 적음

- 고형 성분이 혼합 : 세침흡인검사 시행

b. 고형성 병변(solid lesions)

- 섬유선종(fibroadenoma) : 가장 흔한 고형성 병변

- 엽상종(phyllodes tumor), 유두종, 지방종

c. 임신과 관계된 병변(pregnancy-associated lesions)

- 젖낭종(galactocele)

· 임신 및 수유와 관계되어 만져질 수 있는 가장 흔한 유방병변

· 낭종 내 우유성분의 액체가 존재

- 수유선종(lactating adenoma)

· 임신 중 증가된 에스트로겐의 영향으로 유방이 자극되어 생긴 종괴

· 수유를 끝내고 몇 달 후에 자연스럽게 사라짐

(3) 병기

Overall Stage	T	N	M
Stage 0	Tis	N0	M0
Stage I	T1	N0	M0
Stage IIA	T0	N1	M0
	T1	N1	M0
	T2	N0	M0
Stage IIB	T2	N1	M0
	T3	N0	M0
Stage IIIA	T0	N2	M0
	T1	N2	M0
	T2	N2	M0
	T3	N1	M0
	T3	N2	M0
Stage IIIB	T4	Any N	M0
Stage IIIC	Any T	N3	M0
Stage IV	Any T	Any N	M1

T (Tumor)	N (Lymph nodes)	M (Metastasis)
T0 : No evidence of tumor Tis : Tumor hasn't grown into nearby tissue T1 to T4 : Tumor has grown into nearby tissue (numbers 1~4 describe how much the tumor has grown)	N0 : No cancer found in lymph nodes N1 to N3 : Cancer has spread into lymph nodes (numbers 1~3 are based on how many nodes are involved and how much cancer is in them)	M0 : Cancer hasn't spread to other parts of the body M1 : cancer has spread to other parts of the body

2) 진단

(1) 유방 진찰

① 검진 간격

a. 20~40세 사이 : 3년에 한번 시행

b. 40세 이후 : 매년 시행

c. 이상이 있던 경우 : 매년 시행

② 시진

a. 환자가 서 있거나 앉은 자세에서 시행

b. 양쪽 팔은 편안하게 내린 자세에서 환자의 양측 유방 모양을 관찰

c. 유두의 변형이나 피부 함몰 등의 미세한 변화를 놓치지 않는 것이 중요

③ 촉진

a. 양손을 사용하여 부드럽게 시행

b. 방법

- 유륜을 중심으로 동심원을 그리면서 또는 좌우로 이동하는 방법

- 유방을 네 부분으로 나눈 후 순서대로 시행하는 방법

앉은 자세에서 촉진

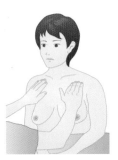
Palpate Supraclavicular &
Infraclavcicular lymph nodes

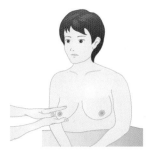
Bimanual
palpation while
sitting

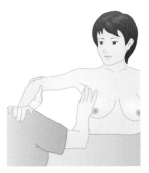
Palpation of
Axillary Nodes
while sitting

누운 자세에서 촉진

Palpation of
Glandular tissue

Palpation of
Areola

Palpation of
Nipple

그림 32-1. 유방 촉진

④ 유두 분비물

    a. 병적인 유두 분비물

      - 한쪽 유관에서만 분비, 은색, 갈색 또는 탁한 액체 양상

      - 유방암 : 10% 정도에서 동반, 혈성 또는 폐경 후 분비물, 종괴 동반은 위험성 증가

    b. 유관 내 유두종, 유관확장증, 섬유낭포성 질환 등의 양성 유방질환 동반 가능

(2) 유방 자가검진(Breast self examination, BSE)

  ① 시기

    a. 20세 이상에서 추천

    b. 폐경 전 : 매달 월경이 끝난 후 1주일 이내, 유방통증이 가장 없을 때 시행

    c. 폐경 후 : 매달 1일 또는 일정한 날짜에 시행

  ② 방법

    a. 시진

      - 양측 유방의 크기, 모양 변화, 피부와 유두의 부종, 함몰이나 미란 여부, 종괴 등

      - 양측을 비교

    b. 촉진

      - 똑바로 누운 상태에서 팔을 머리 위로 올린 자세에서 반대쪽 손가락으로 시행

      - 유방이 고루 잘 펴져서 작은 혹도 쉽게 촉진 가능

      - 세 손가락을 이용하여 여러 방향에서 부드럽게 촉진

      - 방사형, 지그재그형, 일직선형 중 익숙한 방법 한 가지로 지속적으로 시행

      - 유방의 촉진과 더불어 액와의 촉진도 시행

유방 자가 검진 3단계

평상시 유방특성을 파악한 후 매달 정기적으로 유방 전체를 꼼꼼하게 검진합니다.

① ② ③

1단계

거울을 보면서
육안으로 관찰

평상시 유방의
모양이나
윤곽의 변화를 비교

양팔을 편하게 내려놓은 후 양쪽
유방을 관찰한다.

양손을 뒤로 깍지 끼고 팔에 힘을
주면서 앞으로 내민다.

양손을 허리에 짚고 어깨와
팔꿈치를 앞으로 내밀면서
가슴에 힘을 주고 앞으로 숙인다.

① ② ③

2단계

서거나
앉아서 촉진

로션 등을 이용
부드럽게 검진

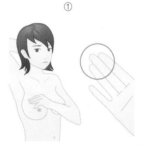  

검진하는 유방쪽 팡을 머리 위로 들어
올리고 반대편 2, 3, 4번째 손가락
첫 마디 바닥 면을 이용해 검진한다.

유방주위 바깥쪽 상단부위에서 원을
그려가면서 안쪽으로 반드시 쇄골의
위, 아래 부위와 겨드랑이 밑에서부터
검진한다. 동전크기만큼씩 약간 힘주어
시계 방향으로 3개의 원을 그려가면서
검진한다. 유방 바깥쪽으로 원을 그리고
좀 더 작은 원을 그리는 식으로 한 곳에서
3개의 원을 그린다.

유두 주변까지 작은 원을 그리며
만져본 후에는 유두의 위아래와
양옆에서 안쪽으로 짜보아서
비정상적인 분비물이 있는지
확인한다.

①

3단계

누워서 촉진

2단계를 보완,
자세를 바꿈으로써
문제조직 발견

편한 상태로 누워 검사하는 쪽 어깨 밑에 타올을 접어서 받친 후
검사는 쪽 팔을 위쪽으로 올리고 반대편 손으로 2단계의 방법과
같이 검진한다.

그림 32-2. 유방 자가검진

(3) 영상검사

① 유방촬영술(mammography)

a. 유방질환을 발견하고 진단하는데 가장 간단하면서도 기본이 되는 검사

b. 검진시기

- 40세부터 매년 시행

- 가족력, 유전학적 요인, 유방암 과거력 : 40세 이전부터 시작, 추가 영상기법 권장

c. 이상소견 및 유방암 의심소견

Mammography 이상 소견	유방암 의심 소견
Solid or cystic mass	Clustered pleomorphic microcalcification
Microcalcification	Architectural distortion
Asymmetric density	Asymmetric density
Architectural distortion	Skin thickening or retraction
New density	Nipple retraction

d. 유방영상 보고자료체계 BI-RADS (ACR, 2013)

Category	의의	관리방침
Category 0	판정유보(incomplete, needs further imaging) – 추가 검사 또는 이전 검사와의 비교가 필요한 경우	추가적 검사
Category 1	정상(negative) – 아무런 이상 소견이 없는 경우	정기적 검진
Category 2	양성(benign finding) – 판독지에 전형적인 양성 소견을 기술한 경우 – Category 1과 함께 정상 판독에 해당	정기적 검진
Category 3	양성 추정(probably benign) – 양성 가능성이 높으나 악성일 가능성(2% 미만)을 완전히 배제할 수 없는 경우 – 짧은 추적검사가 요구되는 경우 – 6개월 간격으로 2~3년간 추적검사 하는 것을 권장	6개월 간격 추적관찰 또는 유방촬영술 추 적검사
Category 4	악성 의심병소(suspicious abnormality) – 악성 병변이 의심되어 조직검사가 필요한 경우 – 4A : 낮은 악성 가능성(2~10%) – 4B : 중간 악성 가능성(10~50%) – 4C : 높은 악성 가능성(50~95%)	조직검사
Category 5	악성 가능성이 매우 높은 병소(highly suggestive malignancy) – 악성 가능성 95% 이상인 병변으로 조직검사를 반드시 시행	조직검사
Category 6	확진된 유방암(known malignancy) – 소견에 대해 2차 자문을 받거나 수술 전 선행 항암화학 요 법을 받은 경우	임상적 적응 시 수술

② 초음파

a. 유방암 진단의 보조적인 역할

- 40~50세 젊은 여성에서 유방암 발생률이 높고 치밀유방이 70~80%을 차지하기 때문

- 고위험군 여성에서 유방촬영술과 함께 시행

b. 장점과 단점

장점	단점
Dense breast의 noncalcified cancer 검출에 유용 Solid tumor 중 benign cyst를 구분하는 데 유용	미세석회화(microcalcification) 검출이 어려움 Fatty breast는 mammography가 더 정확

③ 자기공명영상(MRI)

　a. 장점 : 유방암 진단의 민감도가 높음

　b. 단점 : 특이도가 낮고 비싼 비용

(4) 조직검사

① 세침흡인생검(fine-needle aspiration, FNA)

　a. 장점

　　- 바로 시행 가능하고 단시간 내에 간단히 진단 가능

　　- 치료방침을 정해 불필요한 수술이나 조직 검사를 피할 수 있음

　　- 정확도가 높으며 환자의 불편이 적고 비용이 저렴

　　- 유방낭종의 경우 세침흡인으로 진단과 치료가 동시에 가능

　b. 위음성의 원인 : 불충분한 검체 수집, 수집된 검체의 부적절한 처리 또는 병리 의사의 오진 등

　c. 시행 방법

　　- 19~20 gauge 바늘을 10~20 mL 주사기에 꽂아 시행

　　- 흡인 후 병변 지속 or 혈성 분비물 → 중앙부 침생검(core needle biopsy) 시행

② 중앙부 침생검(core needle biopsy)

　a. 수술보다 덜 침습적, 충분한 양의 조직 획득 가능, 높은 정확도

　b. 확진을 위한 조직검사 방법

　　- 임상적으로 양성소견을 보이지만 악성을 완전히 배제하지 못하는 경우

　　- 악성이 의심되어 수술을 계획하고 있을 때 확진을 위한 경우

　c. 시행 방법

　　- 14~18 gauge 바늘이 달린 biopsy gun을 이용하여 4~5조각의 조직을 획득

　　- 바늘이 들어갈 부위를 소독, 국소마취 후 피부절개를 시행

　　- 최소 2회 이상 반복하며, 출혈 방지를 위해 상처부위를 압박

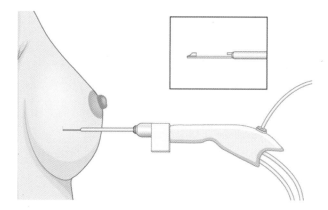

그림 32-3. 진공흡인시술(Vacuum assisted procedure, mammotome®)

③ 절개생검(incisional biopsy)

    a. 병리학적 진단을 위해 종괴의 일부분을 절개하는 방법

    b. 최근에는 세침 검사나 중앙부 침생검의 발전으로 제한적으로 시행

④ 절제생검(excisional biopsy)

    a. 병소를 주위조직과 함께 또는 병소만을 완전히 제거하는 방법

    b. 세침 검사가 기술적으로 어려운 경우, 이학적 검사와 방사선 검사가 일치하지 않는 경우, 또 세포 검사상 비정형세포와 같은 위험군에서 시행

3) 조직학적 형태

(1) 양성 유방 질환(Benign breast disease)

① 섬유선종(fibroadenoma)

    a. 가장 흔한 양성 유방 질환(benign breast disease)

    b. 젊은 여성에서 주로 나타남(20~35세)

    c. 25세 이하에서는 fibroadenoma가 cyst보다 더 흔함

    d. 폐경 후에는 드묾(estrogen 자극에 반응하기 때문)

    e. Breast cancer의 위험도를 증가시키지 않음

② 기타 질환

    a. Fibrocystic change : 가장 흔한 유방 병변(breast lesion)

    b. Cyclic mastalgia : Exaggerated premenstrual symptoms

(2) 침윤성 유방암

① 침윤성 관암종(invasive ductal carcinoma)

    a. 유방의 구조 가운데 유관 상피세포에서 기원하여 유방의 기저막을 침범한 암

b. 유방암 중 가장 많은 빈도 차지(약 65~80%)

c. 주로 40대에 발생하며 평균 연령은 47세 정도

d. 증상

- 단단하고 경계가 불명확한 멍울로 주위조직과 유착된 경우가 많음

- 피부나 유두의 함몰, 유두의 혈성 분비물 등

② 침윤성 소엽암종(invasive lobular carcinoma)

a. 유방의 구조 가운데 소엽을 이루는 세포에서 기원한 암

b. 침윤성 유방암 가운데 두 번째로 흔한 형태

c. 주로 40대에 발생하며 평균 연령은 45세 정도

d. 증상 : 경계가 불명확한 멍울

③ 유방 관상암종(breast tubular carcinoma)

a. 잘 분화된 세관을 특징적으로 보이는 침윤성 유방암종의 드문 형태

b. 전체 유방암의 약 2%를 차지

c. 40~60대에 흔하며 평균 40대 중후반에서 호발(다른 유방암보다 젊은 나이에서 발생)

d. 통증이 없고 대개 1 cm 내외의 작은 크기로, 선별검사로 시행되는 유방촬영술에서 우연히 발견되거나 수술 후 병리 조직학적으로 확인되는 경우가 많음

④ 수질암종(medullary carcinoma)

a. 모든 유방암의 5~6%를 차지

b. 일반적인 유방암보다 비교적 젊은 나이에서 발생

c. 육안으로 경계가 분명하여 임상적으로 섬유선종으로 오진 가능성 높음

⑤ 점액암종(mucinous carcinoma)

a. 점액을 포함하는 종양

b. 침윤성 유방암의 1~7%를 차지

c. 고령의 환자에서 잘 발생하며 다른 유방암에 비해 예후가 좋음

d. 점액류양 종양과 함께 관찰되거나 관상피내암종이 동반되기도 함

⑥ 염증성 유방암(inflammatory carcinoma)

a. 유방의 피부조직까지도 포함하는 형태

b. 매우 드물고 전체 유방암의 1~3%를 차지

c. 예후가 불량하고, 임상적으로 심한 유방염 또는 유방농양과 소견이 유사

d. 유방촬영술만으로는 감별이 어려워 진단 및 치료가 지연되는 경우가 흔함

(3) 비침윤성 유방암

① 관상피내암(ductal carcinoma in situ, DCIS)

a. 유관 상피세포에서 기원하여 유방의 기저막을 침범하지 않는 0기 암

b. 침윤성 유방암보다 훨씬 예후가 좋지만 암세포가 기저막을 뚫고 성장할 경우 침윤성 유관
암으로 진행

② 소엽상피내암(lobular Carcinoma In Situ, LCIS)

a. 유즙을 만들어내는 소엽 세포에서 생긴 암, 소엽의 기저막을 침범하지 않는 0기 암

b. 다발성, 양측성의 빈도가 높음

③ Paget disease

a. 유관에서 암이 생겨 유두 및 유륜의 피부에 퍼진 유방암의 특수한 형태

b. 전체 유방암의 1~2% 미만을 차지하는 비교적 드문 암

c. 유두와 유륜의 피부가 각질이 생겨 벗겨지며 빨갛게 변하는 만성습진 양상

2 치료

1) 수술(Surgery)

(1) 근치적 유방절제술(Radical mastectomy)

① 유방 전체, 가슴의 근육, 액와부 림프절과 주위의 지방 조직, 피부 등을 하나의 구획으로 제
거하는 수술 방법

② 최근에는 거의 시행되고 있지 않는 수술법

③ 적응증 : 광범위한 종양이나 흉벽을 침범한 경우, 3기 이상의 유방암 환자에서 항암화학요법
및 방사선 요법 시행 후 선택적으로 시행

(2) 변형 근치적 유방절제술(Modified radical mastectomy)

① 현재 수술이 가능한 유방암을 치료하는 데 가장 흔하게 시행되는 수술 방법

② 적응증 : 유방이나 액와부에서 유방암이 진단되었으나 대흉근이나 근막에 침윤이 없는 경우
시행

(3) 전 유방절제술(Total mastectomy)

① 유두-유륜 복합체를 포함한 유방의 전체가 제거되나 림프절과 주위의 근육은 보존되는 수술
방법

② 적응증 : 유방 크기에 비해 상대적으로 종양의 크기가 큰 경우, 다발성 종양인 경우, 광범위
미세 석회화가 동반된 경우, 국소 절제술을 2회 이상 시행하였음에도 절제연이 양성인 경우,
방사선 요법이 금기인 경우

(4) 유방보존술(Breast conserving surgery)

① 유방의 형태를 보존하면서 일차적인 종양 조직을 제거하는 수술 방법

② 적응증 : 큰 유방에서 수술이 가능한 작은 종양의 경우, 종양이 중앙부보다 변연부에 위치하는 경우, 유두가 침범되지 않은 경우, 다발성 병변이 아닌 경우에 한정하여 시행

(5) 액와 림프절절제술(Axillary lymph node dissection)

① 적절한 병기결정을 하여 향후 치료 방침을 정하기 위한 수술

② 10개 이상의 충분한 림프절을 얻어야 함

(6) 피부보존 유방절제술(Skin-sparing mastectomy)

① 대부분의 피부 및 피하지방은 보존하면서 유두-유륜 복합체와 피하 지방 아래의 유방 실질은 모두 제거하는 수술 방법

② 적응증 : 유방암의 크기가 5 cm 이하, 다발성 유방암, 넓은 부위의 관상피내암 또는 고위험 환자에서 예방적 유방절제술이 필요한 경우

2) 항암화학요법(Chemoradiation therapy)

(1) 선행 항암화학요법(Neoadjuvant chemotherapy)

① 적응증

    a. 근치적 수술이 어려운 환자에서 수술이나 방사선 치료 등의 국소 치료가 가능하도록 종양 혹은 전이 림프절의 반응을 유도하기 위해 시행

    b. 근치적 수술이 가능한 환자에서는 유방 보존술이 가능하게 하기 위해 수술 전 시행

② 조기 유방암에서 선행 항암화학요법을 계획할 경우, 원발 종양 및 액와 림프절(전이가 의심되는 경우)에 대한 조직검사를 시행

(2) 보조 항암화학요법(Adjuvant chemotherapy)

① 수술 후 추가되는 항암화학요법

② 전이 위험성이 있거나 재발의 확률이 높을 때 시행

③ 림프절 전이가 양성인 경우 보조 항암화학요법을 실시하는 것이 원칙

④ 림프절 전이가 음성이거나 림프절 미세침윤(2 mm 이하)인 경우

    a. 종양 크기가 0.5 cm이거나 조직 미세침윤(1 mm 이하)에서 림프절 전이 음성에서는 더 이상 치료가 필요 없음

    b. 림프절의 미세침윤(2 mm 이하)에서는 항암화학요법을 고려

    c. 종양의 크기가 0.6~1.0 cm인 경우에는 항암화학요법을 고려

    d. 종양 크기가 1.0 cm 이상이면 보조 항암 화학요법을 시행

⑤ HER-2 과발현 유방암에서 림프절 양성이거나, 림프절 음성이면서 고위험군인 경우, 항암화
학요법과 동시에 1년 동안 trastuzumab을 투여

(3) 완화 항암화학요법(Palliative chemotherapy)

① 재발 및 전이 유방암 환자를 대상으로 시행

② 병의 완치보다는 증상 감소와 예방, 생명 연장과 삶의 질 향상이 목적

3) 방사선치료(Radiation therapay)

(1) 특성

① 고에너지를 이용하여 암세포를 파괴시키는 방법

② 일주일에 5회씩 5~6주간 시행

(2) 적응증

① 흉벽에 대한 방사선요법의 적응증

    a. 조기 유방암에서 유방전절제술 후 절제면이 양성이거나 1 mm 미만으로 근접한 경우

    b. 종양의 직경이 5 cm 이상인 경우

② 국소 진행 유방암 환자에서 선행 및 완화 목적의 방사선 요법을 고려

4) 호르몬 보조요법

(1) 선택적 에스트로겐수용체조절제(selective estrogen-receptor modulator, SERM)

① 작용기전에 따른 분류

    a. 내인성 에스트로겐 호르몬과 같이 모든 조직에 항진적 작용

    b. 조직에 따라 길항 또는 항진 작용 : Tamoxifen, Raloxifene

    c. 모든 조직에 대해 완전 길항적 작용을 하는 것 : Fulvestrant (Faslodex®)

② 장기에 따라 길항적 또는 항진적으로 작용

Tamoxifen	Raloxifene
– 유방 : 길항제(antagonist) – 자궁, 뼈 : 작용제(agonist)	– 유방, 자궁 : 길항제(antagonist) – 뼈 : 작용제(agonist)

③ Tamoxifen

    a. 전체 생존률 및 무병생존율을 향상시키고, 반대측 유방암의 발생율이 감소

    b. 자궁내막암

     - 가장 큰 부작용

     - 증상이 없으면 일 년 단위의 규칙적인 골반암 검사

- 질 출혈 증상이 있는 경우는 반드시 질 초음파를 시행

(2) 방향화효소 억제제(Aromatase inhibitor)

① 작용

a. Aromatase에 의해 androgen에서 estrogen으로 전환되는 것을 억제하여 혈중 estrogen 수치가 감소

b. 시상하부나 뇌하수체에서의 GnRH와 FSH 조절이 estrogen에 의한 negative feedback에서 벗어나게 함으로써 FSH의 생성, 분비를 촉진시키고, 따라서 난포 발달을 자극

② 작용기전에 따른 분류

a. 방향화효소 억제제와 영구 결합 : Exemestane (Aromasin®)

b. 방향화효소 억제제와 경쟁적으로 결합 : Anastrozole (Arimidex®), Letrozole (Femara®)

③ Tamoxifen보다 반대측 유방암 발생, 국소 재발, 전이 예방 효과가 더 우수

④ 부작용

a. 자궁내막증식, 혈전, 뇌졸중은 tamoxifen보다 적음

b. 근육통, 관절통, 폐경증상

c. 골다공증, 골절 : 골밀도 증진을 위한 칼슘, Vit. D, bisphosphonate, raloxifene

⑤ 보조 항암화학요법(Adjuvant chemotherapy)의 첫번째 치료약

⑥ 폐경 이후 유방암 환자의 표준요법 중 하나로 사용

⑦ 유방암 여성에서 가임력 보존을 위한 aromatase inhibitor protocol

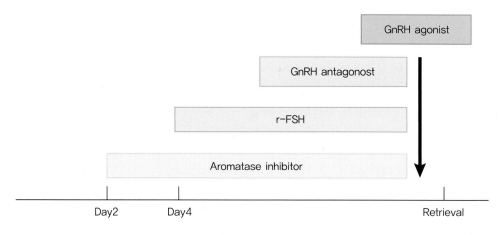

Time of menstrual cycles (days)

그림 32-4. 가임력 보존을 위한 aromatase inhibitor protocol

(3) 폐경 전 여성 유방암에 대한 **호르몬요법**

    ① 호르몬 수용체 양성인 폐경 전 여성

        a. Tamoxifen 투여를 우선적으로 고려, 사용기간 5년이 원칙

        b. Tamoxifen 5년간 사용한 뒤 방향화효소 억제제를 투여하는 방법

    ② Tamoxifen 사용 중에 GnRH agonist 의 투여나 난소 억제 치료를 병합하여 사용 가능

(4) 폐경 후 여성 유방암에 대한 **호르몬요법**

    ① 방향화효소 억제제를 처음부터 tamoxifen 대신 5년간 투여

    ② 2~3년간 tamoxifen을 투여한 후 방향화효소 억제제를 투여하는 방법

    ③ 전체 투여기간은 선행 요법 또는 연장 요법에 상관없이 5년을 넘지 않도록 해야 함

(5) 전신 전이의 **호르몬요법**

    ① 재발 및 전이 유방암에서 호르몬요법을 우선 고려하는 경우 : 에스트로겐 수용체 양성 또는 프로게스테론 수용체 양성이면서 뼈 또는 연부조직에만 국한된 전이, 내부 장기 전이

    ② 폐경 전에서는 초기 유방암에서와 마찬가지로 재발 또는 전신 전이 유방암에 타목시펜 또는 GnRH agonist 단독 요법보다는 두 치료의 병합요법 시행

    ③ 호르몬치료 후에도 병이 진행되거나 반응이 없는 경우에는 항암 화학 요법이나 표적 치료를 고려

(6) 임신 중 유방암

    ① 임신 제1, 2삼분기에 진단받은 경우

        a. Modified radical mastectomy 시행

        b. 보조 항암화학요법(adjuvant chemotherapy)는 임신 제1삼분기 이후 투여

    ② 임신 제3삼분기에 진단받은 경우

        a. 국소 종양 : Breast conservative therapy, 분만 후까지 방사선치료를 유보 혹은 modified radical mastectomy 시행

        b. 태아가 살 수 있다면 유도 분만 후 암 치료 시행

    ③ 수유 중 진단받은 경우 : 수유는 금지하고 치료를 시작